国家出版基金项目
NATIONAL PUBLICATION FOUNDATION

「十四五」时期国家重点图书出版专项规划

中国考古发掘报告提要

报 告 提 要

宋·西夏卷

刘庆柱 ◎ 总主编

丁晓山 ◎ 主编

中国文史出版社

序

　　记得是在 2013 年初夏的一天，首都师范大学丁晓山先生因公事到六里桥中华书局来找我。办完公事后我们就坐在中华书局一楼大厅里聊了会儿天，晓山先生告诉我，他想编《中国考古发掘报告提要》。我深表赞同，但又觉得兹事体大，任务繁重，恐怕会和许多听上去不错的想法一样，最终也只能停留在策划阶段，无疾自终。没有想到时隔不到两年，晓山先生竟抱着十几册书稿来找我写序了。按说考古方面的著述本不该由我来写序的，但我首先是被晓山先生的实干精神所感动，感到没有理由拒绝如此埋头苦干的后辈学者；其次从考古与文献的结合角度，也还确实有些话想说，便欣然答应了下来。

　　夜深人静，我翻阅着堆满了小半个书桌的书稿，当然最先翻看的是我比较感兴趣的隋唐五代卷。真的是如入宝库，目不暇接。记得曾有学者讲过，考古是坐在前排看戏。的确如此，考古是跟古人直接对话，你会看到古人穿着什么样的盛装出现在社交场合，你会触摸到古人曾经喝过酒的酒盏，你会站立在当年宫女们居住的寝室，你甚至会行走在一千年前古人曾经走过的街道上……借用时下流行的词语讲，真的是让人有"穿越"之感了。这是阅读古代文献很难获得的一种体验。

　　正是因为考古资料如此无可替代，20 世纪 20 年代王国维先生就提出了"二重证据法"，以考古资料与传世文献相印证，并将此提高到了方法论的高度。20 世纪 60 年代，沈从文先生甚至说过要想做好学问，最好"老老实实去故宫各库房学三五年文物"[①]的话。然而，结果又如何呢？约 30 年前，张光直先生就指出："考古学与历史学不能打成两截，那种考古归考古，历史归历史，搞考古的不懂历史，搞历史的不懂考古的现象，是一种不应有的奇怪现象，说明了认识观的落后。"[②]李学勤先

---

① 沈从文：《花花朵朵坛坛罐罐——沈从文文物与艺术研究文集》，外文出版社，1994 年版，第 76 页。
② 见《中国社会科学》杂志社编《未定稿》，1988 年第 4 期。

生在约 20 年前讲："我们学术界的习惯，是把历史学和考古学截然分开。""学历史的专搞文献，学考古的专做田野，井水不犯河水，大多不相往来。我看这对历史学、考古学双方都没有好处。"[①] 10 年前，石兴邦先生还引用张光直先生的话讲："中国古史研究与考古学的发现成果的间距，比海峡两岸的距离还远。"[②] 时至今日，这一状况应该说，有所改观，但恐怕还不好说已有了实质性的改观。

那么，怎么才能让历史学、考古学双方都有好处呢？这就需要沟通。而考古发掘报告，恰恰是双方有望沟通的一个很好的现实选择。从考古学来说，考古发掘报告是发现、发掘、整理、研究这一系列考古活动的最后结晶，是考古发掘过程中必不可少的关键一环。从历史学的角度看，考古发掘报告几乎是认识考古发掘的唯一文字凭证，历史学者不可能老是如同考古学者一样坐在前排看戏，他们在绝大多数情况下，只能通过发掘报告，来了解他们关心的考古事实（或许以后还可以通过网播、专题片等视频来了解）。应该说，考古界、史学界双方都很重视考古发掘报告。

然而，考古发掘报告似乎并不是准备给考古圈以外的人看的，专业词汇触目皆是，叙述过程长篇大论。不用说厚度令人生畏的考古详报，就是所谓考古发掘简报，也是动辄几十页，简报不"简"，难以卒读。李学勤先生曾谈到，早在 1955 年《考古》杂志开第一次编委会时，夏鼐先生就郑重其事地提出办刊的四项任务。头一条任务居然是"普及"[③]。我理解这个"普及"，不仅仅是向群众普及考古知识，提高文物意识，也理应包括向非考古专业的其他学科学者，介绍考古成果，传播相关信息。也早有学者呼吁，考古发掘报告专业性太强，必须加以改进，"使学科内、学科外的读者都可以直接阅读和使用可靠资料"[④]。也曾有学者强调"考古界应该更快地从迷恋于资料信息的占有，转入对资料信息的共享、共商、共研"[⑤]，而《中国考古发掘报告提要》所做的，不正是这样一种"普及"和改进工作吗？不正是这样一种"共享、共商、共研"吗？

说实话，如果说考古学和中国传统的金石学还勉强沾上点边的话，那么考古发掘报告，可就是完完全全、百分之百的舶来品了。中国传统文献里没有这种写法，也难怪国人读起来不太熟悉。而提要，则是我们十分熟悉的写法了，姚名达先生甚至说中国古代目录"优于西洋目录者，仅恃解题一宗"[⑥]。打个比方，如果说考古发

① 李学勤：《走出疑古时代》，辽宁大学出版社，1994 年版，第 62 页。
② 张得水：《"文明探源：考古与历史的整合"学术研讨会综述》，《中原文物》2006 年第 1 期。
③ 《〈考古〉50 年笔谈》，《考古》2005 年第 4 期。
④ 谢尧亭：《从〈天马——曲村〉谈考古资料的整理和报告的编写》，《考古》2005 年第 3 期。
⑤ 张忠培：《中国考古学：九十年代的思考》，文物出版社，2005 年版，第 5 页。
⑥ 《中国目录学史》，上海古籍出版社，2002 年版，第 346 页。

掘报告是道洋味扑鼻的"西餐",而"提要"则有如"西餐中做"。《中国考古发掘报告提要》煌煌十卷本,收录自1928年至2015年80多年间出版和专业刊物上的考古发掘报告13000多种,超过《四库全书总目》收书10000出头的规模了。而每种发掘报告,又力求用最简洁的语言,讲清楚发现、发掘的时间、地点,发现的过程,发掘出什么,属于什么时代或年代,墓主身份,遗址的性质,遗物的价值等。其实非专业学者,也许只需要了解这些基本信息就够了。其写法,又像是《四库全书简明目录》的路数。考古发掘报告这道"西餐",经过中国传统目录学的改造,终于比较适合国人的胃口,能够满足读者的初步诉求了。

翻阅一过,却又感到《中国考古发掘报告提要》所包含的信息十分丰富。如编者比较注重趣味,一般人感兴趣的信息会予以收录。编者比较注重考证,凡有通过与文献对读并由此得出结论的部分,大多予以保留。编者还比较注重信息,尽可能多地提供了一些相关学术信息。在细节上,有些地方也做得很好。如某篇发掘报告是否有照片(彩照还是黑白照片)、拓片,如出土有墓志等是否转录全文,都一一予以交代。这些都是做得不错的地方,是为本书加分的地方。

说完为本书加分的地方,也应说说为本书减分的地方。主要是工程浩大,书出众手,各人取舍标准有宽严之别,难免会出现漏收、误收现象;对内容的把握有高下之分,也会有该"提"的"要"而未"提"或错"提"的情况。至于录校方面的漏网之鱼、分卷方面的可议之处等等,还在其次。但扪心自问,不论是谁来编纂这样一部大书,上述问题几乎可以说是在所难免。

当然,学术型工具书也如同学术专著一样,最大的"加分"还在创新。如《中国丛书综录》(上海古籍出版社1959年版、1982年版),收录丛书2797种,遗漏错讹甚多,以至有阳海清先生的《中国丛书综录补正》(广陵书社1984年版)问世。日后又扩充成《中国丛书广录》(湖北人民出版社1999年版)上、下两册,声称收录《综录》未收或与《综录》有所不同的丛书3279种。施廷镛先生的《中国丛书知见录》(北京图书馆出版社2005年版)6册,共收丛书近2000种,据称其中700种是《综录》失收的。当然这几部书是"知见"性质,与《综录》是依托图书馆藏书的"目睹"性质有所不同。尽管《中国丛书综录》有着种种不足和缺憾,甚至被人讥笑为"大跃进"的产物。但效果如何呢?公道自在人心。可以说,《中国丛书综录》的问世,极大改变了丛书的利用状况。以往即便是学问大家,都很少利用丛书;而此后哪怕是一篇普普通通的毕业论文,都会用到丛书。因为要用什么丛书,一查便知,十分方便。晓山先生和我讲过一个观点,我很赞同。他说学术积累到一定程度,会促使相关工具书的出现;而一部优秀的学术工具书,反过来又会促进学术的发展。

丛书的利用是如此，考古发掘报告呢？我们期待也是如此。

《中国考古发掘报告提要》的创新之处，在我看来，主要就在为中国考古发掘报告算了次总账。台湾"中央研究院"院士周法高先生讲，他研究学问，用的是"结账式的研究方法"。周先生所编《金文诂林》《金文诂林补》和《金文诂林附录》计22册，500万字，就是将容庚《金文编》所收18000多个例字原来的出处一一查出，并登录原出处的句子、器名和器号。这是非常费时劳神的工作，等于是替金文研究贡献了一部"算总账"式的著述，且已成为研究金文不可或缺的工具书。据悉已有数位博士、硕士生以此为题来作学位论文。一部工具书居然有人来写学位论文，可见内涵十分丰富。事实上，各个学科、各个门类都应有这种"算总账"的著述才好。而《中国考古发掘报告提要》，不正是在这一领域的一部"算总账"式的工具书吗？

在开学术会议时，我私下曾请教过考古界的朋友：已发表的考古发掘报告到底有多少？结果说法不一，相差甚远，从几千到上万个都有。而《中国考古发掘报告提要》却首次给出了一个数字，这个答案当然还不能说是标准答案，但至少是向最终答案"逼近"和"靠拢"了一大步。在这一点上，编者是有首创之功的。季羡林先生曾讲过："专就学术界而言，编纂目录或者索引，就是积累功德。"①在我看来，这种花了大力气的"算总账"式的工具书，可真是积了大功德了。

对于这部功惠学界的书应如何利用呢？除了通常的查阅和翻阅外，我想至少还有以下几种读法。

其一，通读。即老老实实、认认真真地一本一本、一篇一篇地把《中国考古发掘报告提要》通读一过，这当然要费上一番功夫，花上一点时间。但这么读下来，对全国从史前到明清的主要考古发掘成果都会大致有个印象，这不也算是前辈学者提到的"遇到问题会冒出来"的底子吗？晓山先生有一比，他说《中国考古发掘报告提要》，就好比是地下的《四库全书总目》提要。我倒是很欣赏这个提法。其实，不要说《四库全书总目》提要，如果能够认认真真地把《四库全书简明目录》通读一过，脑子里不就有了3000多种书的信息吗？如果再把《中国考古发掘报告提要》通读一过，脑子里不就又有了13000多条考古信息了吗？二者相加，差不多是小20000条信息了，"存储量"不可谓不大。遇到什么问题，"数据库"里总会调出几条相关信息。这也应算是一种学术功底吧。

其二，对读。所谓的"对读"，当然是指传世文献与考古材料的对读。但以往似乎是以传世文献为本的成果多一些，王国维先生的大作、陈直先生的《汉书新证》，

---

① 季羡林：《西文中国学研究图书目录·序》，王树英编。《季羡林序跋集》，新世界出版社，2008年版，第757页。

都是如此。如果把考古材料比作"六经"，把传世文献比作"我"，以往大多是"六经注我"。我们在这里提倡的"对读"，是"我注六经"，即用文献来诠释、印证考古材料。或许还可以借用陈佩斯、朱时茂的小品《主角与配角》来打比方：以往我们一般是以传世文献来充当主角，以考古资料来当配角；而今应该倒过来，让考古资料来当主角，以传世文献来当配角，以传世文献来诠注考古资料。而欲这么做，考古资料总得有个文字凭证才行，而这个文字的凭证，只能是考古发掘报告。

其三，核读。"核"是核校的意思。我们可以拿考古发掘报告原文，甚至用出土遗物原件来核校，我们还可以用其他考古研究成果来核校。攻其过，补其阙。最终也形成如同余嘉锡先生的《四库提要辨证》，胡玉缙、王大隆先生的《四库全书总目提要补正》那样的成果，使《中国考古发掘报告提要》更趋完善。当然在这个过程中，自己的学术水平也终会得到提高。

其四，译读。现在不少青年学子都很重视英语。眼下考古发掘报告，往往都有英文书名或刊名，甚至还有英文的内容简介。这样我们不妨通过译读，一方面学习考古知识，一方面提高英语水平。即一边读一边将书名、篇名和内容译成英语，再与专家译的进行比较，在比较中看到自己的不足，达到学习考古、英文的双重目的。据说英国考古学家格林·丹尼尔(Glyn Daniel)讲过"未来的世界考古学要看中国"①一类的话，中国青年学子要向世界介绍中国考古学成果，当然免不了要谈到考古发掘报告。

其五，解读。《中国考古发掘报告提要》已尽量少用隐晦难懂的专业词汇，但仍然难免有一些词语非专业读者难辨其意。如青铜器名称、墓葬形制等，这就需要解读。可以上网搜一搜图片；还不清楚，有条件的话可以上博物馆看一看实物；如果有点绘画基础的话，可以试着自己画一画复原图、示意图。一个难点一个难点地去克服，一个词语一个词语地去弄懂。学问也会在这个过程中一点一滴地积累起来了。

其六，走读。这个"走读"，不是指改革开放之初"走读大学"那个"走读"，而是指依照《中国考古发掘报告提要》的方位指引，实地去踏察一番。考古仅仅坐在家里是不行的，一定要走出书斋。何况有些事情真的是只可意会无法言传，写得再好的报告，也无从传达。只有去实地看一看，才能更多地理解先民传递给我们的信息。

其七，群读。可以通过兴趣小组、QQ、微信群等方式组织起来，一起来攻读某一类、

---

① 转引自对俞伟超先生的访谈，见《考古与文化续编》，曹兵武编著，中华书局，2012年版，第348页。

某一地甚至某一篇考古发掘报告。这也可以说是一种集体研读。好处是可以互相学习，相互激励。

行文至此，我想到了一个词：落地。考古与文献相结合说得很不少了，历史与文物相对应也喊了很多年了，大方向当然是没有问题的，但为什么一直效果不是那么明显呢？原因之一，恐怕就在于缺少一个"抓手"，而《中国考古发掘报告提要》，不正是这样一个"抓手"吗？它有助于将考古与文献相结合，扎扎实实地落到实处。当然，这还仅是第一步，甚盼日后有《中国考古发掘报告提要补正》《中国考古发掘报告提要·补编》《中国考古发掘报告提要·续编》等陆续推出，如同《四库提要》一样形成一个系列。这就需要众人拾遗补阙，共襄盛举。

最后想到的一个词，在文章开始时已提到过，那就是：感动。这部书的篇幅不小，隐藏在其后的工作量更大。听晓山先生介绍，每篇考古发掘报告，要经过初选、确认、撰写、审定、分卷和汇总共6道程序。一篇报告，要翻来覆去地看好几遍，阅读量之大，可以想见。更难能可贵的是，晓山先生没有申报任何一级课题，而是不等不靠，先干起来再说。近日偶然读到兰州大学历史系赵俪生先生的集子，赵先生说："我们这些干了一辈子的人的眼睛是比较清楚的，知道谁在搞腐败，谁在规规矩矩地干活计。"[1]的确，我们这些人是知道的。

拉杂写来，暂且就说这些，是以为序。

傅璇琮[2]

2015 年 1 月于北京

---

① 赵俪生：《赵俪生文集》第一卷，兰州大学出版社，2002 年版，第 119 页。
② 傅璇琮（1933 – 2016），浙江宁波人，历任中华书局总编辑、国务院古籍整理出版规划小组秘书长、副组长，清华大学古典文献研究中心主任等职，博士生导师。

本书说明

一、编纂《中国考古发掘报告提要》的目的，在于为读者提供了解中国考古成果的简便途径。从这一意义上讲，或可视其为"地下的《四库全书总目》提要"（见本书"序"）。

二、《中国考古发掘报告提要》，收录 20 世纪 20 年代至 2015 年 1 月在中国大陆正式出版的考古详报和考古专业核心期刊登载的考古简报，共计收书 1008 部、文 12242 篇，合计 13250 种。

三、考古发掘报告，包括以书籍形式出版的考古详报，以文章形式发表的考古简报。仅限中文报告，外文报告不收；仅限中国境内，涉及外国不收；仅限出土文物，征集、捐献等无明确出土地点的不收。

四、每一报告，给出作者、出处（出版社及出版年、刊物名称、期数），述其所在地点、发现经过、发掘时间、主要发现、重大价值等。

五、《中国考古发掘报告提要》共计 10 卷：

史前卷

夏商西周卷

春秋战国卷

汉代卷

魏晋南北朝卷

隋唐五代卷

宋·西夏卷

辽金元卷

明清卷

综合卷

六、涉及两个或两个以上时代内容的报告，收入"综合卷"。

七、另有《总目》一册，包括目录汇总、参考文献和后记等内容。

八、详情请参阅各卷前的"本卷说明"。

本卷说明

一、此卷为《中国考古发掘报告提要》中的宋·西夏卷，共收录以书籍形式出版的考古详报 36 部，以文章形式发表的考古简报 870 篇，二者合计 906 种。

二、本卷分为上、下编，上编收录考古详报，下编收录考古简报。

三、上编下依 34 个省级行政区排列，省级行政区下依出版年为序。同一出版年的，依文物出版社、科学出版社、中国大百科全书出版社及其他出版社的顺序排列。涉及两个或两个以上省市自治区的考古详报，列于 34 个省级行政区之前。

四、下编下依 34 个省级行政区排列，每一省、自治区下再列地级市（州、盟）及省、自治区直管市。涉及两个或两个以上地级市（州、盟）的考古简报，列于该省、自治区之首。

五、其他相关事宜，请参阅"本书说明"。

目录

江苏省

浙江省

安徽省

福建省

江西省

山东省

河南省

湖北省

湖南省

广东省

广西壮族自治区

海南省

重庆市

四川省

贵州省

云南省

西藏自治区

陕西省

甘肃省

青海省

宁夏回族自治区

新疆维吾尔自治区

香港特别行政区、澳门特别行政区、台湾省

下编　考古简报

北京市

天津市

河北省

石家庄市

唐山市

内蒙古自治区

赤峰市

通辽市

鄂尔多斯市

呼伦贝尔市

巴彦淖尔市

乌兰察布市

兴安盟

锡林郭勒盟

阿拉善盟

辽宁省

沈阳市

大连市

鞍山市

抚州市

本溪市

丹东市

锦州市

营口市

阜新市

辽阳市

盘锦市

铁岭市

朝阳市

葫芦岛市

吉林省

黑龙江省

上海市

江苏省

浙江省

安徽省

龙岩市

宁德市

江西省

南昌市

景德镇市

河南省

湖北省

武汉市

黄石市

襄樊市

十堰市

湖南省

广东省

广西壮族自治区

南宁市

海南省

海口市

三亚市

绵阳市

广元市

遂宁市

云南省

西藏自治区

陕西省

甘肃省

青海省

宁夏回族自治区

新疆维吾尔自治区

乌鲁木齐市

克拉玛依市

吐鲁番地区

哈密地区

和田地区

香港特别行政区、澳门特别行政区、台湾省

参考文献

后记

上编　考古详报

北京市

天津市

河北省

山西省

内蒙古自治区

辽宁省

吉林省

黑龙江省

上海市

江苏省

浙江省

1.南宋官窑

作　者：中国社会科学院考古研究所、浙江省文物考古研究所、

　　　　　杭州市园林文物局　编著

出　处：中国大百科全书出版社 1996 年版

该书 16 开精装一册，系 1984～1986 年考古人员对浙江杭州江干区闸口乌龟山南宋官窑遗址进行勘测、发掘的考古详报。简目如下：

一、官窑遗址的发现和发掘

二、地层堆积情况

三、官窑遗迹

四、遗物

五、结语

附有表格 5 种。

据介绍，该窑址是专为南宋宫廷用瓷而生产的瓷窑场。经全面发掘，发现窑炉 1 座，大型作坊 1 处，出土瓷片 30000 余件，工具、窑具数千件。经复原的瓷器有 23 类 70 多种型、式，包括日用器、陈设器、祭器等宫廷生活所用的全部器皿。报告对出土的主要器物进行类型学研究，提出了南宋官窑瓷器可分为前后两期的论点，并推算出窑场的起建与停烧的年代。该遗址的发掘是中国瓷窑考古的重要成果，为丰富中国陶瓷史、手工业发展史提供了重要资料。

今有张振常先生主编的《南宋官窑文集》（文物出版社 2004 年版），收文 26 篇。又有董明先生《南宋官窑的发现与考证》（中国文史出版社 2019 年版）等，均可参阅。

2.南宋太庙遗址：临安城遗址考古发掘报告

作　者：杭州市文物考古所　编著

出　处：文物出版社 2007 年版

该书 16 开精装一册，系位于今浙江省杭州市内南宋临安城内赵氏祖庙——太庙的考古发掘详报。据比较，南宋皇城仿照北宋汴京皇城而建，但规模不及北宋，然依山借势，气势浑成。简目如下：

第一章　地理环境

第二章　历史沿革

第三章　考古发掘概况

第四章　地层堆积与年代

第五章　主要遗迹

第六章　出土遗物

第七章　结语

附有统计表 2 种，《南宋太庙大事记》《南宋太庙相关文献资料辑录》等文章 5 篇。

杜正贤先生有《南宋都城临安研究：以考古为中心》（上海古籍出版社 2016 年版）上下两册，可参阅。

3.南宋临安府治与府学遗址

作　者：杭州市文物考古研究所　编著

出　处：文物出版社 2008 年版

该书 16 开一册，配有 180 多幅彩照和 400 余幅手绘图。该书是关于南宋临安府治与府学遗址几次考古发掘资料的汇总，并研究了临安府治、府学遗址发掘的房屋遗存、净因寺塔基，公布了发掘所获大量瓷器、建材等，是一份不可多得的考古详报。该书简目如下：

府治遗址

第一章　遗址发掘的缘起与概况

第二章　地层堆积

第三章　遗迹

第四章 出土遗物

第五章 结语

府学遗址

第一章 遗址发掘的缘起与概况

第二章 探索分布与地层堆积

第三章 遗迹

第四章 出土遗物

第五章 结语

4.南宋恭圣仁烈皇后宅遗址

作 者：杭州市文物考古所 编著

出 处：文物出版社 2008 年版

该书 16 开精装一册，系对今杭州市中大吴庄南宋恭圣仁烈皇后宅遗址的考古发掘详报。据介绍，该遗址系 2001 年施工中发现的包括正房、后房、东西两庑、庭院和夹道遗址，整个建筑占地面积应超过 1600 平方米。该次发掘被评为 2001 年度全国十大考古新发现之一。该书简目如下：

第一章 遗址发掘的缘起与概况

第二章 地层堆积

第三章 主要建筑遗迹

第四章 出土遗物

第五章 结语

附有"出土遗物统计表""出土器物标本统计表"共 2 种。

5.浙江宋墓

作 者：浙江省文物考古研究所 编著

出 处：科学出版社 2009 年版

该书为 16 开精装一册，正文共 184 页，约 27.1 万字，文后附有彩色图版 68 页。

本书是浙江省文物考古研究所近年发掘的各地宋墓，主要是南宋墓葬的考古报告集。这批宋墓除清理了地下墓室及随葬品外，各墓均保存有残整不一的地表壁园遗迹，并伴有数量不等的建筑构件，这是复原、研究南宋墓葬制度的第一手资料。报告后附录五篇论文，以前述考古报告及相关调查成果为基础，探讨浙江南宋墓葬地表制度等相关问题，这是研究宋代历史尤其是南宋历史的宝贵资料。本书简目如下：

前言

桐庐象山桥南宋墓　浙江省文物考古研究所、桐庐县博物馆

龙游寺底袁宋代墓地　浙江省文物考古研究所、龙游县博物馆

湖州风车口南宋墓地　浙江省文物考古研究所、湖州市博物馆

金华南宋郑刚中墓　浙江省文物考古研究所、金华市金东区文物管理委员会

云和正屏山南宋墓　浙江省文物考古研究所、云和县文物管理委员会办公室

浙江南宋墓葬的地表茔园制度述略　郑嘉励

明代皇陵制度的历史渊源刍议　郑嘉励

南宋的墓前祠堂　郑嘉励

关于郑刚中"墓前"（五凤楼）的几个问题　郑嘉励

南宋的墓碑　郑嘉励

今有吴敬先生《南方地区宋代墓葬研究》（社会科学文献出版社2015年版）一书，可参阅。

6.富阳泗洲宋代造纸遗址

作　　者：杭州市文物考古所、富阳市文化广电新闻出版局、富阳市文物馆　编著

出　　处：文物出版社2012年版

该书16开精装一册，系2008～2009年杭州市下属富阳市泗洲村宋代造纸遗址考古发掘详报。简目如下：

第一章　概述

第二章　地层堆积

第三章　遗迹

第四章　出土遗物

第五章　结语

附有统计表2种及《泗洲宋代造纸遗址中出土样品的石炭、氮稳定同位素分析》一文。

7.南宋御街遗址

作　　者：杭州市文物考古所　编著

出　　处：文物出版社2013年版

该书16开精装上、下两册，系位于今杭州市上城区和下城区的南宋临安城一条

纵贯南北的御街的考古详报。简目如下：

一　概述

二　杭州卷烟厂

三　太庙巷

四　严官巷

五　中山中路

六　相关问题讨论

讨论了南宋御街的用材、结构组成、长度和宽度等。附有《出土遗物统计表》《严官巷南宋遗址的保护与展示》。

有关南宋临安城考古方面的研究，可参阅唐俊杰、杜正贤先生《南宋临安城考古》（杭州出版社 2008 年版）一书，述及临安城遗址概况、皇城遗址、御街与城墙遗址、寺庙遗址、衙署遗址、皇家宅第、瓷窑遗址、制药遗址等。

8.临安洪起畏夫妇合葬墓

作　者： 杭州市文考所、临安市文物馆　编著

出　处： 文物出版社 2015 年版

该书 16 开精装一册，系南宋末年任镇江知府的洪起畏及其夫人合葬墓的考古发掘详报。共分五章：

第一章　概况

第二章　洪起畏夫妇合葬墓形制及随葬品

第三章　洪起畏夫妇墓志释读

第四章　其他宋元墓

第五章　结语

安徽省

福建省

9.邵武协和大学校内南宋墓发掘研究报告

作　者：金云铭编

出　处：协和大学文学院 1941 年版

该书 16 开一册，系福建邵武协和大学校园内南宋古墓发掘报告书。分发掘经过、墓之构造、出土遗物、葬者身事考略、尾声 5 部分。为《福建文化季刊》第一卷第二期抽印本。

10.福州南宋黄昇墓

作　者：福建省博物馆　编著

出　处：文物出版社 1982 年版

该书 16 开一册，系福建省福州市南宋黄昇墓的考古发掘详报。文字 145 页，另有图版 85 页。该书简目如下：

一　墓葬的位置和地理环境

二　墓室结构和葬具

三　随葬器物

四　丝织品的种类和工艺技术

五　丝织品的特点及产地问题

六　宋代贵族妇女服饰的特点

七　结语

据介绍，该墓 1975 年发现，位于福州市北郊新店公社浮村大队。出土随葬器物436 件，其中服饰 201 件，整匹丝织品及剩料 153 件，梳妆用品 48 件，另有墓志 1 合、买地券 1 件等。墓主人黄昇，女性，年仅 17 岁去世，宦门闺秀，又是市舶司使之女，故陪葬品丰富。

11.泉州湾宋代海船发掘与研究

作　　者：福建省泉州海外交通史博物馆　编著

出　　处：海洋出版社 1987 年版、2017 年修订版

　　该书16开精装一册，系1974年8月泉州湾宋代海船的考古发掘详报。该书分为上、下两编：上编对这艘沉船的地理、地貌、历史背景、发掘情况、出土文物等进行了全面介绍；下编收录了相关论文20篇（修订版收21篇论文）。上编简目如下：

　　一编　泉州湾宋代海船发掘报告

一、海船出土地点

二、坑位和堆积层

三、海船出土现状及其结构

四、船舱出土货物及其他遗物

五、有关出土海船的几个问题

（一）出土海船的年代

（二）出土海船的复原问题

（三）出土海船与宋代造船业

（四）海船的航线与宋代海外贸易

（五）海船的沉没与宋末的泉州港

江西省

12.德安南宋周氏墓

作　者：周迪人、周　旸、杨　明　著
出　处：江西人民出版社 1999 年版

该书 16 开精装一册，是 1988 年江西省德安市南宋时期一位女性周氏墓的考古发掘详报。周氏丈夫吴畴，为一通判，并非高官，但随葬品多达 408 件，尤以服饰和丝织品居多，计 329 件。详报介绍了这座南宋砖石墓的结构、葬具、随葬品，尤其是出土丝织品的种类、织造、印染工艺，还探讨了南宋妇女的服饰特点。

13.江西南丰白舍窑：饶家山窑址

作　者：江西省文物考古研究所、南丰县博物馆　编著
出　处：文物出版社 2008 年版

该书 16 开精装一册，计 168 页，是 1998～1999 年江西省南丰县白舍窑饶家山窑址的考古发掘详报。该窑遗址位于南丰县白舍村西南山岗上，已发现古窑址 32 座，窑体堆积物 20 余座。初步认定白舍窑是两宋时期一处主烧青白瓷的窑场。详报还讨论了出土遗物上的刻划符号及白舍窑的兴衰等问题。简目如下：
第一章　白舍窑址概况
第二章　饶家山窑址
第三章　发掘收获与相关问题探讨
关于宋代青白瓷，今有黄义军先生《宋代青白瓷的历史地理研究》（文物出版社 2010 年版）一书，可参阅。

山东省

河南省

14.白沙宋墓

作　者：宿　白　著

出　处：文物出版社 1957 年版、2012 年修订版、2017 年《宿白集》版

该书 8 开精装一册，计 186 页。分甲种本（绸面本）、乙种本（布面本）两种。是 1951 ～ 1952 年河南省颖水流域修建白沙水库时对三座宋墓的考古发掘详报。简目如下：

绪言

第一号墓（颖东第 119 号墓）

第二号墓（颖东第 131 号墓）

第三号墓（颖东第 132 号墓）

与三墓有关的几个问题。

据介绍，一号墓有纪年题记，为北宋哲宗元符二年（1099 年），二号墓估计为北宋末徽宗时代，三号墓下限不应超过宣和六年（1124 年）。三墓之主人，应为一兼营商业的地主家族成员。

本书为田野考古报告的奠基之作。书中不仅全面报道了 20 世纪 50 年代初发掘的河南禹县白沙镇三座宋代墓葬的发掘资料，并且结合大量文献分析了宋代的社会生活，体现了作者将文献考据与实物相结合的研究方法。2012 年修订再版，加入附录一篇《从许昌到白沙》。2017 年，三联书店推出《宿白集》时，又收入了此报告。

饶惠元先生有书评，载《考古通讯》1958 年第 1 期。

15.北宋皇陵

作　者：河南省文物考古研究所　编著

出　处：中州古籍出版社 1997 年版

该书 16 开精装一册，系 1992～1995 年河南巩义市北宋皇陵的考古勘察、发掘详报。公布了发掘所获全部资料，附有《北宋皇陵碑刻录文》《明清时期的御制祭文》《北宋皇陵出土墓志、墓记录文》等。

16.北宋陕州漏泽园

作　者：三门峡市文物工作队　编著

出　处：文物出版社 1999 年版

该书 16 开精装一册，系河南省三门峡市上村岭漏泽园北宋公共墓地的考古发掘详报，包含了 1985 年、1993 年、1994 年三次发掘的全部资料。

17.宝丰清凉寺汝窑

作　者：河南省文物考古研究所　编著

出　处：大象出版社 2008 年版

该书16 开精装一册，分上、下两编。上编介绍了1999～2002 年河南省宝丰县清凉寺北宋汝窑遗址第5～8 次发掘的资料。下编是《汝窑瓷器原料试烧报告》等研究文章。附有表格3 种。附有《汝窑传世品》《汝窑史料辑录》及相关书目、文章等。

18.禹州钧台窑

作　者：河南省文物考古研究所　编著

出　处：大象出版社 2008 年版

本书为 16 开精装一册，有正文 204 页，文后有彩色图版 116 版，黑白图版 54 版。钧窑系是我国北宋时期的五大名窑之一，与定、汝、官、哥等并著于世。因釉内以铜红着色釉，用还原焰烧成，形成了各种窑变花釉，如玫瑰紫、海棠红、茄皮紫、鸡血红、月白或天青等，色彩缤纷，鲜艳夺目。20 世纪 60 年代，在河南禹县发现烧造规模和产品质量均属一流的钧台窑址。20 世纪七八十年代，考古人员对钧台窑址进行了 4 次全面的考古钻探和发掘，了解了窑址的规模、分布范围和地层堆积，并出土了大量的遗物。

本书即是对这四次发掘的考古发掘详报。前言介绍了禹州的地理位置及沿革、钧台的由来以及发掘工作概况。计分6章：

第一章是窑址概况，对窑址的分布、窑址的地层堆积、遗迹和遗物进行了介绍。

第二章是宋代窑址，对窑址内的钧瓷窑区、汝瓷窑区、天目瓷窑区和白地黑花瓷窑区的遗迹和遗物进行了介绍。

第三章介绍了唐代、五代、金代、元代和明代的瓷器以及窑址内出土的铜钱。

第四章是钧窑产品的化学组成及物理性能，本章从标本的外观特征、钧窑系胎釉的化学组成和钧窑系胎釉的物理性能等几方面对钧窑产品进行了分析。

第五章对窑炉的结构与烧造工艺，产品的化学分析和物理性能，器物造型和装饰艺术，钧窑起源，汝瓷、影青瓷、天目瓷、白地黑花瓷的来源，钧瓷的故乡以及瓷器生产与商品流通的关系等问题进行了探讨。

第六章是结语，回顾了钧台窑的烧造历史，对钧台窑进行了分期，探讨了钧台窑的形制，分析了各色瓷之间的关系以及钧窑工艺技术的传播与产品的外销等。

正文之后有《关于窑址的发现与研究》《调查与发掘以及相关文献》等5个附录。

通过对禹州市钧台窑址的发掘，进一步证实了钧台窑区的窑址是多品种瓷器生产区，更重要的是发掘结果使这里的钧瓷生产区系宋代五大名窑之一的官窑性质得到了证实。这一重要发现，揭开了探索宋钧瓷官窑窑址之谜。

19.富弼家族墓地

作　者：洛阳市第二文物工作队　编著

出　处：中州古籍出版社 2009 年版

该书16开精装一册，系2008年洛阳市北宋中后期宰相富弼夫妇及其家族墓地的考古发掘详报。简目如下：

第一章　自然环境、历史沿革及人物背景

第二章　田野工作概况

第三章　墓葬形制

第四章　随葬遗物

第五章　富弼家族墓地发掘工作小结

第六章　富弼家族墓地出土墓志的初步研究

详报另附《宋代洛阳富弼家族墓志研究》《从新出富氏墓志看北宋大族的迁徙与兴衰》等文献12篇。

20.安阳韩琦家族墓地

作　者：河南省文物局　编著

出　处：科学出版社 2012 年版

本书为 16 开精装一册。本书为 2009 ～ 2010 年为配合南水北调工程对安阳韩琦家族墓地进行发掘的考古详报。共介绍了北宋三朝宰相韩琦及其子、孙、夫人墓共 9 座，建筑基址 2 处及墓志 8 方等。简目如下：

绪言

第一章　墓葬位置与历史沿革

第二章　墓上建筑

第三章　墓葬形制及随葬品

结语

附有表格 4 种及文章 4 篇，包括墓志全文、相关文献等。

中原地区墓葬，今有邓菲先生《中原北方地区宋金墓葬艺术研究》（文物出版社 2019 年版）一书，可参阅。

湖北省

湖南省

21.桂阳刘家岭宋代壁画墓

作　者：湖南省文物考古研究所　编著

出　处：文物出版社 2013 年版

该书 16 开精装一册，系湖南省桂阳县刘家岭宋代壁画墓的考古发掘详报。2010 年发现并发掘。简目如下：

前言

第一章　墓葬概况

第二章　壁画、地画

第三章　出土器物

第四章　年代及墓主人

第五章　刘家岭宋墓壁画解析

附有《刘家岭宋墓壁画的比较研究》《刘家岭宋墓墓主骨骸观察分析报告》《刘家岭宋墓棺板鉴定报告》《刘家岭宋代壁画墓材料成分分析报告》共 4 篇文章。

据介绍，该墓未见墓志，年代在 1102 年之后，不会晚至南宋。墓主人为女性，有可能是未登仕的地主或富商眷属。

广东省

广西壮族自治区

海南省

重庆市

22.重庆涂山窑

作　者：重庆市文物考古所　编著
出　处：科学出版社 2006 年版

该书 16 开本一册，彩版 12 版，图版 20 版，正文共计 66 万字。

重庆涂山窑是宋代民窑，古代中国西南部较有代表性的仿建窑，以黑釉瓷为主要产品。北宋末年创立，南宋时极为兴盛，元代渐趋衰亡。自 20 世纪 30 年代发现以来，考古人员对涂山窑开展了大量工作，发现了南岸黄桷垭、巴南清溪、荣昌瓷窑里、合川炉堆子、涪陵蔺市等数处规模较大的涂山窑系窑场。该书在既有材料的基础上对涂山窑的分布情况、烧造工艺、产品结构作了阐述，并对工作做得较多的南岸黄桷垭窑址群、巴南清溪窑址群、荣昌瓷窑里窑址群的部分窑址的工作情况、遗迹遗物做了重点介绍。该书对涂山窑的产生背景、渊源及其与周边地区一些窑场的关系进行了探讨。

本书简目如下：

四川省

23.四川彭州宋代金银器窖藏

作　者：成都市文物考古研究所、彭州市博物馆　编著
出　处：科学出版社 2003 年版

该书 16 开精装一册，系 1993 年四川省彭州市宋代金银器窖藏的考古发掘详报，内藏金银器 350 多件，徐苹芳先生所作序中称："三百余件宋代金银器发现于一个窖藏之内，这在中国考古学史上是一次重大发现。"该书简目如下：

一　绪言
二　出土器物
三　窖藏及器物年代

附有表格 15 种，其中有"金器铭文一览表""银器铭文一览表""国内已出土的北宋金银器表""国内已出土的南宋金银器表"，另有文章 5 篇，包括《宋代金银器的概况》等文。

24.泸县宋墓

作　者：四川省文物考古研究所、成都市文物考古研究所、泸州市博物馆、
　　　　泸县文物管理所　编著
出　处：文物出版社 2004 年版

该书 16 开精装一册，系四川省泸县宋墓的考古发掘详报。该墓地是 2000 年因盗墓发现，2002 年进行了抢救性发掘。6 座石室墓均为长方形竖穴墓圹，用石材构筑仿木结构单室墓。由封土、墓道、墓门、墓室等组成，墓室两侧及后壁有壁龛，龛内雕刻有女侍、门窗、花卉等，出土了 85 件各类石刻及随葬品。简目如下：

一　绪言
二　墓葬综述
第一章　青龙镇一号墓
第二章　青龙镇二号墓

附有"征集的泸县宋墓石刻一览表""四川盆地宋代石室墓一览表"等。

25.华蓥安丙墓

作　者：四川省文物考古研究院等　编著
出　处：文物出版社 2008 年版

大 16 开精装一册，为南宋安丙墓的考古发掘详报。

安丙，南宋时期曾先后出任四川宣抚副使、四川宣抚使等职，镇统四川达 10 年之久。安丙墓为四川地区已发现的等级最高的一座宋代石室墓。墓中有精美的雕刻，结构复杂，出土遗物中有大量三彩俑。

26.遂宁金鱼村南宋窖藏

作　者：成都文物考古研究所、遂宁市博物馆　编著
出　处：文物出版社 2012 年版

该书 16 开精装上、下两册，上册为文字，下册为图版，系四川省遂宁市南强镇金鱼村南宋窖藏的考古发掘详报。1991 年发现的为一号窖藏，2003 年发现的为二号窖藏。二号窖藏文物当时被哄抢一空，后被追回。该书简目如下：

一　前言
二　窖藏的形制与器物出土情况
三　出土器物
四　窖藏年代制定与相关问题讨论

附有统计表两种及《遂宁金鱼村南宋窖藏出土部分瓷器的科学分析》一文。

贵州省

云南省

西藏自治区

陕西省

27.宋代耀州窑址

作　者：陕西省考古研究所、耀州窑博物馆　编著

出　处：文物出版社 1998 年版

该书 16 开精装一册，公布了 1984～1997 年间对陕西省铜川市黄堡耀州窑发掘的全部资料，包括作坊遗址 5 座、瓷窑遗址 22 座、釉料石灰石煅烧窑遗址 2 座、灰坑 14 个及大量出土瓷器等。简目如下：

前言

第一章　发掘地点和地层堆积

第二章　遗迹

　第一节　作坊

　第二节　瓷窑

　第三节　釉料石灰石煅烧窑

　第四节　灰坑

第三章　出土遗物

甘肃省

28.莫高窟窟前殿堂遗址

作　者：潘玉闪、马世长　编著
出　处：文物出版社 1985 年版

该书 16 开精装一册，系甘肃省敦煌莫高窟窟前殿堂遗址的发掘详报。共清理出 22 处窟前殿堂建筑遗址，新发现了 3 个洞窟、4 个小龛。详报称：窟前木结构建筑有两种：一种是在包砖台基上修建殿堂式建筑，一种是在土石基上修建窟檐式建筑。此次发掘对我们认识五代、宋、西夏、元时莫高窟的真实面貌提供了宝贵的资料。书末附有敦煌莫高窟 53 窟窟前宋代建筑复原图等。

青海省

宁夏回族自治区

29.宁夏宁武窑发掘报告

作　者：中国社会科学院考古研究所
出　处：中国大百科全书出版社 1995 年版

该书 16 开精装一册，是 1984 ~ 1986 年在宁夏回族自治区灵武县磁窑堡窑址的发掘报告。发现西夏窑炉 3 座、清代窑炉 1 座、西夏作坊 8 座、元代作坊 1 座；出土瓷器、工具、窑具等 3000 余件及大量瓷片。报告对出土遗物研究后推断出窑址的始烧与衰落年代。西夏时期的窑址和瓷器以往鲜为人知，该窑址出土的种类繁多的西夏瓷器及残片，填补了中国陶瓷史上的缺环与空白。该窑址的发掘成果，是研究西夏王国及党项族历史和物质文化的重要实物资料。

30.西夏陵

作　者：宁夏回族自治区文物考古研究所　编著
出　处：东方出版社 1995 年版

该书 16 开精装一册，系宁夏西夏陵区考古发掘详报。有关西夏陵的考古工作，在 20 世纪 70 年代初已开始。本书简目如下：

第一章　西夏历史简介
第二章　西夏陵区考古调查与发掘
第三章　西夏陵出土文物

附有《关于西夏陵的几个问题》《贾敬颜先生藏西夏陵园残碑拓片简说》等文。

西夏王陵共埋葬西夏 9 位皇帝，经过 20 多年的工作，西夏王陵的大致情况已基本搞清。

31.闽宁村西夏墓地

作　　者：宁夏回族自治区文物考古研究所　　编著
出　　处：科学出版社 2004 年版

该书 16 开精装一册，系对宁夏永宁县闽宁村西夏墓地的考古发掘详报。共发掘了 8 座墓葬和 4 座碑亭。尽管该墓地曾遭盗掘，破坏严重，但仍发现有陶器、彩绘木俑、石兽、瓦当、铜饰件等遗物。报告讨论了墓地的时代、墓主人族属、被盗时间、葬俗及碑亭的相关情况，对西夏历史的研究，提供了宝贵的一手材料。简目如下：

壹　概述
贰　一号墓
叁　二号墓
肆　三号墓
伍　四号墓
陆　五号墓
柒　六号墓
捌　七号墓
玖　八号墓
拾　一号碑亭
拾壹　二号碑亭
拾贰　三、四号碑亭
拾叁　结语
附有人骨、动物骨骸鉴定。

32.拜寺沟西夏方塔

作　　者：宁夏文物考古研究所　　编著
出　　处：文物出版社 2005 年版

该书 16 开精装一册，是 1991 年宁夏贺兰县拜寺沟西夏方塔废墟考古发掘详报。分为"考古篇"和"研究篇"两个部分。该遗址出土的佛经、佛画、丝织品、汉文"诗集"、西夏佛母像等均有重大研究价值。该书分为上、下两编。简目如下：

上编
第一章　概述
第二章　方塔残体现状
第三章　出土遗物

第四章　拜寺沟内西夏遗址调查报告

下编

第一章　方塔原构推定及其建筑特点

第二章　方塔塔心柱汉文题记考释

第三章　西夏文佛经《本续》是现存世界最早的木活字版印本

第四章　方塔出土汉文"诗集"研究

第五章　西夏顶髻尊胜佛母像的艺术风格

第六章　方塔出土小泥佛、小泥塔及汉地文物研究

第七章　从拜寺沟方塔出土西夏文献看古籍中的缝缋装

第八章　西夏文《吉祥遍至口和本续》密咒释例

第九章　从方塔西夏文献纸样分析看西夏造纸业状况

第十章　方塔等处出土西夏丝织品研究

今有《西夏方塔出土文献》（敦煌文艺出版社 2006 年版）一书，可参阅。

33.山嘴沟西夏石窟

作　者：宁夏文物考古研究所　编著

出　处：文物出版社 2007 年版

该书 16 开上、下两册，系宁夏银川市西夏区山嘴沟西夏石窟的考古调查、发掘详报。沟长约 15 公里，内有两处石窟，一处为本详报所介绍的西夏石窟，另一处俗称千佛洞，不在本报告介绍范围之内。该书简目如下：

第一章　概述

第二章　一号窟（K1）

第三章　二号窟（K2）

第四章　三号窟（K3）

第五章　四号窟（K4）

第六章　相关问题讨论

附有谢继胜先生《山嘴沟石窟壁画及其相关的几个问题》一文。

34.西夏 3 号陵：地面遗迹发掘报告

作　者：宁夏文物考古研究所、银川西夏陵区管理处　编著

出　处：科学出版社 2007 年版

该书 16 开精装一册，计 348 页，彩色照片 68 幅，黑白照片 120 幅，是

2000～2001年宁夏银川市东35公里处西夏陵区3号陵地面遗迹的发掘报告。简目如下：

第一章　绪论

第二章　3号陵园概况和考古工作过程

第三章　3号陵园的建筑结构和出土遗物

第四章　结语

附有表格5种。

据介绍，3号陵是西夏9座帝王陵中茔域面积最大的一座，尽管已在蒙古大军灭西夏时遭到严重破坏，但仍保留有角台、阙台、碑亭、月城、陵城门、陵城角阙、陵城墙、献殿、陵塔、墓道残迹或残件。报告对地面遗迹和出土文物进行了介绍，对3号陵的建筑方式、建筑结构、建筑材料进行了讨论，推断了相关的建筑年代。

35.西夏6号陵

作　者：宁夏文物考古研究所、银川西夏陵区管理处　编著

出　处：科学出版社2013年版

该书16开精装一册，是宁夏银川市西夏王陵6号陵的考古发掘详报。1972～1975年曾进行过一次大规模发掘，2007～2008年又进行了一次大面积发掘。之所以选择6号陵，是因为西夏诸陵几乎都曾遭到破坏，只有6号陵前地表较为平整，似乎未曾被大规模地盗掘。该书简目如下：

第一章　概述

第二章　角台

第三章　外城墙

第四章　阙台

第五章　碑亭

第六章　月城

第七章　陵城

第八章　献陵

第九章　陵台

第十章　地宫

第十一章　结语

附有《西夏陵陵主考》一文及统计表3种。

该书第423页云："6号陵是西夏开国皇帝嵬名元昊之父太宗李德明的嘉陵。"

西夏王陵，向有"东方金字塔"之称，1988年公布为全国重点文物保护单位。

新疆维吾尔自治区

36.北庭高昌回鹘佛寺遗址

作　者：中国社会科学院考古研究所　编著

出　处：辽宁美术出版社 1991 年版

该书为 16 开精装一册，是 1979 ～ 1980 年发掘的新疆吉木萨尔县北庭高昌回鹘佛寺遗址的考古详报。该遗址的年代，约在 10 ～ 13 世纪，相当于内地的宋代。该书简目如下：

一、前言

二、遗址概况

三、正殿东面建筑和遗迹

四、正殿南面建筑和遗迹

五、遗物

六、结语

据介绍，详报主要介绍的是遗址北部正殿东面的上、下两层洞龛和正殿南面配殿，南部配殿建筑群中的庭院、平台、库房、僧房和小型配殿，此外还有正殿及其西、南和北面洞龛的轮廓。通过这次发掘，扩大了回鹘佛教遗迹分布的地域，弥补了吐鲁番回鹘佛寺形制和塑像、壁画资料中的一些缺环，为研究北庭和高昌地区回鹘的佛教、佛教艺术和历史文化等方面，都提供了极为宝贵的资料。

香港特别行政区、澳门特别行政区、台湾省

下编 考古简报

北京市

1.宋《新铸铜人腧穴针灸图经》残石的发现

作　者：于　柯

出　处：《考古》1972 年第 6 期

1965 ～ 1971 年，考古人员在配合拆除明代北京城墙的考古工作中，陆续发现宋天圣《新铸铜人腧穴针灸图经》残石。简报分为三个部分予以介绍，有拓片。

宋天圣《新铸铜人腧穴针灸图经》残石共发现五方，编号 1 ～ 5。刻于宋天圣五年至八天圣年间（1027 ～ 1030 年），在元至元年间（1335 ～ 1341 年）从河南开封运至北京，放置在皇城以东明照坊太医院三皇庙的神机堂内，即今北京东城灯市东口以北一段地带。明朝洪武初年，宋铸铜人被取入内府，图经刻石还存放在神机堂内。到明英宗正统八年（1443 年），上距刻书时期已 400 多年，铜像因年久而变得昏暗难辨，图经石刻也漫灭不全，英宗即令工匠砻石范铜，仿前重作。针灸图经重摹上石时，定名《铜人腧穴针灸图经》，将"新铸"二字去掉，并增添明英宗序言，记铜人和刻石的沿革。明英宗正统八年，新铸铜人和重新摹刻的图经完成后，安置在阙东太医院的药王庙内，其地点约在今劳动人民文化宫之东南一带。旧天圣针经刻石，是否还存放在神机堂内，何时废毁，史无明文记载。到了明英宗正统十年（1445 年）和十一年（1446 年），修筑京师城垣和东城垣时，旧天圣针经刻石才被劈毁，充当了修筑城垣的砖石，历尽沧桑的天圣针经刻石，就这样被埋在明代城墙之下。明英宗正统八年重摹的针经刻石，到清朝乾隆三十九年（1774 年），还安然无恙地存放在太医院内。但是，到了清朝后期，太医院的针灸被停，此石至今下落不明。宋代拓本已失，目前的通行本全出自明刻石。故而此次发现的宋刻石虽为残段，也弥足珍贵了。

2.北京房山县出土宋三彩枕

作　者：北京市文物工作队　赵福生
出　处：《文物》1981 年第 1 期

1980 年初，北京市房山县出土了 1 件宋代三彩枕。枕呈长方形，前低后高，中腰微凹。简报配以照片予以介绍。

简报称，三彩枕除底部外，各立面均施黄绿白三彩釉。这个三彩枕从它的胎质、釉色、造型等方面看，与上海博物馆所藏北宋扒村窑三彩刻花孩童戏陀螺枕相仿，也应是河南禹县扒村窑的产品。

天津市

3.天津静海元蒙口宋船的发掘

作　者：天津市文物管理处　马大东

出　处：《文物》1983 年第 7 期

天津市文物管理处于 1978 年 6 月在静海县东滩头公社元蒙口村清理了 1 只宋代木船。简报分为：一、船的形制及构件，二、遗迹和遗物，三、结语，共三个部分，有照片。

据介绍，木船出土于元蒙口村西公路南侧的大土坑内，这里原是故河道，百姓经常在这里取土。木船船口距地表约 4 米，出土时除左舷上半部腐朽无存、船尾在清理前遭到人为的破坏外，其余部分保存较好，不少构件木质如新，纹理清晰。木船齐头，齐尾，平底。体长 14.62 米，有舵。船内是通舱，估计为内河货运船。船内主要构件如横梁、船肋等，选料粗糙，制作不精，应是民间所造。船内遗物不多，在前半部舱底有一段麻绳和残存的席片，后半部舱底有杂草、麦秸、少量苇秆。发现一些陶碗、瓷碗的残片以及"开元通宝""政和通宝"等钱币。

简报认为，建造年代应在政和七年（1117 年）之前。简报估计沉船的下限应为北宋政和七年（1117 年），估计是黄河发水时沉于此处。

河北省

石家庄市

4.河北井陉县柿庄宋墓发掘报告

作　者：河北省文化局文物工作队

出　处：《考古学报》1962年第2期

井陉县位于河北省西南部，柿庄位于井陉县城西南约20公里，附近群山环抱，村东有一条小河名为甘淘河，自南向北流。古墓大都在柿庄与甘淘河之间的一块耕地上，北距柿庄约0.25公里。从柿庄村西沿山东麓南行约1.5公里，为北孤台村。在村南的一块相距不到0.25公里的耕地上，也发现墓地。柿庄宋墓早在1949年前即已发现。每逢雨季时路面下陷，露出一些墓顶。这次清理的柿庄区第六、八号墓即因此发现。第六号墓顶砖被取去几块，成一小洞，但无人进入墓室，仅因发现墓中有彩绘壁画，当地人称之为"花墓"。故该墓虽已暴露多年，仍然保存很好。在农民耕地时，也常发现一些花砖、碎瓦，可见很早即知此处为"花墓"密集之地。1960年发掘。简报分为"发掘经过""墓葬形制与装饰""墓葬的年代和墓主人身份"等几个部分予以介绍。

据介绍，位于柿庄的墓列为柿庄区，发掘10座，位于北孤台村的墓列为北孤台区，发掘4座。共发掘墓14座，出土文物850件。这批墓的年代，应在北宋末年至南宋高宗时，当时我国北方为金统治，即金天会年间前后。墓主人应为农村地主、豪富。

5.河北平山县两岔宋墓

作　者：河北省文物研究所　张春长、樊书海、张献中

出　处：《考古》2000年第9期

1996年8月，在河北省平山县下槐镇两岔村西2公里，因暴雨引发山洪，冲出

古墓7座。村民进墓取出部分文物。考古人员于当年10月对古墓进行清理，并据村民讲述确定文物出处。现将具体情况简报如下：一、地理位置，二、墓葬结构，三、随葬器物，四、结语，共四个部分，有手绘图、照片、拓片。

据介绍，7座墓葬均无明确纪年，现据墓葬排列、形制、随葬品等方面简报推断，墓葬年代大致在北宋晚期，上限不早于元祐年间，下限不排除入金的可能，是北宋晚期的一处家族墓地。墓主身份应属宋代"五等版籍"中的上三等户，在自耕农以上，极可能是农村中的中小地主。

简报称，壁画中以M1水平较高，采用勾边填色画法，人物、动物具有小写意风格，对研究北宋晚期绘画技法具有一定意义；另外，这组墓葬既砖砌或彩绘朱漆家具、又起砌门楼、飞檐、四铺作等，僭越了等级，在白沙宋墓、柿庄宋墓中均有这种情况，说明在北宋晚期一些建筑等级制度被一般地主突破是普遍现象。

6.石家庄市建华北大街北延工程古墓葬清理简报

作　者：石家庄市文物保护研究所　夏素颖、兰保东、张献中等
出　处：《北方文物》2013年第3期

2008年5月，河北省石家庄市建华北大街北延工程施工现场发现2座古墓葬（分别编号为M1、M2）。考古人员对墓葬进行了抢救性清理发掘。简报分三个部分，有手绘图。

据第一部分"地理位置、形制"介绍，墓葬位于石家庄市建华北大街北延工程A标段，东邻高营镇，东北为北高营村，西为体育北大街、东古城村。所发现的两座墓葬相距约6米。两座墓葬均为圆形穹隆顶单室砖墓，南北向。由墓道、墓门、甬道、墓室构成。墓门、墓室为砖雕彩绘仿木结构。墓内未见葬具，出土两具人骨架均在淤土内。

据第二部分"随葬品"介绍，M1共出土随葬品7件，包括瓷器和陶器两类。国道内靠近墓室一侧的上方淤土内出土1件瓷枕，棺床西南角出土3件瓷碗、1件瓷、1件陶罐、1件陶镜，其中2件瓷碗已浮于淤土之内。M2共出土随葬品11件，包括瓷器、陶器、铜器、铁器等。随葬品已不在原来位置，其中棺床上出土有瓷枕1件、瓷碗1件、瓷罐1件、铜带具2件、残铁器1段，其余随葬品均位于棺床下。

第三部分为"结语"，推测两墓葬的时代为北宋末年，墓主人可能为同一家族，M2墓主辈分可能长于M1，但M2入葬时间可能较M1稍晚。

唐山市

7.河北遵化县发现一方宋代军印

作　者：刘　震、刘大文
出　处：《考古》1991 年第 5 期

1984 年 4 月，遵化县新店子乡东南宅村农民董希恩在院内挖沼气池时，在距地表 1.5 米深处发现 1 方宋代铜印。当时献给遵化县文教局，1987 年文教局移交文物管理所。简报配以拓片予以介绍。

据介绍，印面略呈正方形，边长分别为 5.3 厘米和 5 厘米，面厚 18 厘米、通高 4.9 厘米，直纽，纽顶阴刻"上"字，重 450 克。印面阳刻篆书"广勇右第一军第八指挥第四都朱记"。印背阴刻楷书，右款为"元丰二年"，左款为"少府监铸"。"元丰"为北宋神宗年号，元丰二年为 1079 年。"广勇"是北宋禁军一个名称，统辖若干军，若干指挥。"右"为广勇的右路军。"军""指挥""都"是宋代军队的三级组织。此印为北宋禁军朱都头的官印。北宋京城在河南开封，此印在当时处于辽国统治下的河北发现，证实了《宋史》记载的康定初年赵元昊反一事。

8.河北迁西县出土北宋官印

作　者：顾铁山
出　处：《考古》1994 年第 8 期

1984 年，河北省迁西县金龙口农民挖地时，出土 1 方铜铸官印，现收藏在县文管所。简报配以照片予以介绍。

据介绍，铜印通高 3.8 厘米，略呈长方形。印面阳文篆书："雄勇第十二副指挥使记"十字。印背纽两侧自右至左竖行浅阴文楷书"太平兴国五年七月铸"九字。迁西，旧属迁安。《迁安县志》载：宋辽时，此地为辽地，属平州。太平兴国五年，即宋太宗赵光义即位的第五年（980 年），北宋王朝已灭掉了"十国"之中的最后一国——北汉，开始大规模进攻辽国，企图把契丹势力逐出长城。《辽史·圣宗纪》载："圣宗四年五月壬辰，宋兵至平州，瑶昇、韩德威尽追杀，降诏诘责，仍谕据城未降者必尽掩杀，无使遁逃。类已，以军前降卒分赐扈从。"

辽圣宗四年，即宋太宗雍熙三年（986 年）。简报推断，这方铜印很可能是这次攻占辽平州的宋军被辽军击败时遗留下来的。它的出土为研究北宋兵志及辽与北宋的战争史提供了又一实物资料。

秦皇岛市

9.卢龙县下寨公社贾庄出土大批古铜钱

作　者：河北省文物工作队　冯秉其、林　洪
出　处：《文物》1963 年第 11 期

卢龙县下寨公社贾庄第三生产队农民于 1963 年 6 月在自家后院修建厕所时，无意中从地里挖出一整缸铜钱。河北省文化局文物工作队获悉情况后，立即派考古人员前往了解，并进行初步鉴定。

简报介绍，缸系小口大肚、黑釉粗胎的莲花缸，因已破碎，具体器形无法知道，出土铜钱共重 1300 余斤。铜钱质量尚好，表面虽略有绿锈，但稍加擦拭，字迹即清晰可辨。这批铜钱，上自秦汉，下迄南宋，共有 26 种年号。计有秦的半两；汉的五铢、货泉；唐的开元、乾元；五代的周元、开元、唐国、淳熙等。其中以北宋铜钱数量最多、最全。

邯郸市

10.武安西土山发现宋绍圣二年壁画墓

作　者：邯郸专署文教局　罗　平
出　处：《文物》1963 年第 10 期

此墓是 1961 年西土山生产队在村东头修建砖窑时发现的。1963 年 4 月考古人员去调查时，除棺床已毁，其余各部分连壁画在内，都还按照原样保护着。

此墓在地面上没留任何封土痕迹，墓门暴露在一段悬崖上。站在下面，就可以望见拱形墓门、门两旁的仿木构的柱、柱头一斗三升的斗拱。墓室平面成圆形，迎门有一棺床，已毁。周壁用砖砌出柱子，柱头有双抄五铺作斗拱。中绘壁画，壁画以下，正面为一假门。

重要的是，在西北角与正北的壁画之间，有两处墨迹题铭，西北角一处已漫漶

不清，只看出"绍□二年"，正北一处的上下也模糊不显，中间剩的文字是：

……国河北道磁州……

……为亡父母愿心……

……铭题绍圣二年……

绍圣为宋哲宗年号，绍圣二年为 1095 年。河北省发现不少艺术价值很高的宋代仿木构壁画墓，但都无年代。西土山墓的发现，对判断河北省无年代的宋代壁画墓，提供了有利的线索。

近一二年来，当地生产队在附近取土烧砖，在此墓的西边又发现两座墓，可见这里是一个墓葬群。

11.河北邯郸市峰峰矿区宋代地道清理报告

作　者：峰峰矿区文物保管所　李喜仁

出　处：《考古》1990 年第 8 期

1971 年 1 月，在矿区人防施工中，发现了一大批宋代的瓮缸和瓷片，还有宋代古币和武器等物。后配合各种基本建设，经历数年的考察，并配合工程做了部分段落的清理工作。在古瓷口两侧，北起峰峰村、南至第四医院、东从石桥村、西至彭城镇、在方圆 8 公里的范围内，先后发现了许多处规模宏大、构造复杂、保存完好的古代地道遗址。新市区一带最为密集。地道由洞口、巷道、气孔、灯龛、洞室、水井等构成，纵横交错，有的地区竟分成上、中、下三层。有的洞室内有缸，缸内有已腐烂的粮食。1982 年 7 月 22 日，经河北省人民政府批准并公布为省级重点文物保护单位。

考察清理情况报告分为：一、地理位置及沿革，二、古地道的分布，三、古地道的结构，四、小结，共四个部分，有手绘图、拓片、照片。

据介绍，古地道的设计，是按当时军事上的需要，通过总体规划、精心设计，有组织、有计划开挖的。从新市区已发现的古地道来看，分布甚广，在 9 平方公里范围内都发现过古地道。所出遗物瓷罐系宋代磁州窑所产。根据文献记载以及出土遗物，峰峰矿区发现的古地道开挖时间简报推断应在北宋靖康元年（1126 年），沿用至金代天兴三年（1234 年）。

简报称，峰峰矿区古地道出土的文物，有金、银、铜、古币、铁兵器、瓷器等物，经有关专家鉴定，均系宋、金时代的遗物。

邢台市

12.河北邢台发现宋墓和冶铁遗址

作　者：唐云明

出　处：《考古》1959 年第 7 期

1955 年、1958 年，考古人员调查了 1 处古墓和 1 处冶铁遗址，简报配以照片予以介绍。

据介绍，1955 年 6 月，邢台市食品公司在修建库房时发现两座古墓。均为单室砖墓，出土有瓷枕等遗物 4 件，简报推断两墓应属北宋中叶墓葬。1958 年 12 月，距邢台约 35 公里的朱村在修水库时，在村西 1 公里处山腰上发现铁器 120 余件。考古人员在调查时又在村北约 2.5 公里处发现一座炼铁遗炉和铁渣。简报推断其年代为宋代。

13.河北邢台市出土宋金时期绿釉瓷枕

作　者：邢台市文物管理处　李　军等

出　处：《考古》2007 年第 4 期

2002 年 8 月，邢台市文物管理处在邢台市区发现 1 座宋末金初墓葬（M38）。M38 为土坑竖穴墓，墓室中北部有木棺痕迹，痕迹长 1.86 米、宽 0.8 米。墓主人为一老年女性。头部西侧随葬瓷枕 1 件。瓷枕略呈椭圆形，前壁微凹，枕面前低后高，左右两端微上翘，中部微下凹，平底。底中部有一长 1 厘米、宽 0.3 厘米的长方形孔。枕面和腹壁之间有明显接合线。器表施绿釉，近底部局部露胎，白胎微泛灰，有细小黑色杂质。枕面周边刻画凹弦纹三周，中部有一朵枝叶环绕的牡丹花，弦纹间和花叶的空白处用成组的篦划线填实，枕前壁中部模印一"福"字，左右两侧模印两枝卷叶纹，枝蔓缠绕至后部，枝梢下垂，卷叶相接，卷叶上有一雄鹿，仰首，前腿前伸，后蹄后蹬，鹿背上有一模印的"福"字，鹿作驮"福"奔跑状，象征福禄吉祥。枕长 26.7 厘米、左端高 12.2 厘米、右端高 12.4 厘米、前壁中部高 9.2 厘米、后壁中部高 12 厘米。

墓葬的年代简报推断为宋末金初或稍晚。简报指出，这件瓷枕用刻划和模印两种工艺进行装饰，为研究宋金时期瓷器制作的工艺水平、装饰技法等提供了较为重要的资料。

简报有手绘图、照片。

邢台地区宋代瓷器时有发现，如据《文物》2008年第3期报道，2005年10月，在临城县岗西村清理宋墓一座。出土白釉瓷碗1件、黄绿釉墨书陶塔式罐1套。塔式罐上有铭文，知墓主为一平民，该墓年代为北宋仁宗至和年间（1054～1056年）。

14.河北邢台市泽丰园小区宋墓的发掘

作　者：邢台市文物管理处　李　军、李恩玮等
出　处：《考古》2007年第5期

2001年11月25日，河北邢台市文物管理处配合市住宅五公司泽丰园综合楼建设工程，进行文物勘探工作中发现4座洞室墓，编号M1～M4。泽丰园综合楼建设区位于邢台市桥西区东部，茶棚沟及中华路南侧，西接邢台市一中，东近郭守敬大街。简报分为：一、地层堆积，二、墓葬形制，三、出土遗物，四、结语，共四个部分，介绍了这4座洞室墓清理情况。

据介绍，墓葬均为带竖井式墓道的土洞墓。除1座墓情况不明外，其余3座墓均有一棺，棺内各有男性人骨1具，仰身直肢。M1、M4的年代简报推断为北宋初期，M3为北宋中期偏早。简报认为，这4座墓葬的墓主应是具有某种宗教信仰的教徒。而这一宗教信仰，简报认为是"受印度佛教影响"。

保定市

15.河北定县发现两座宋代塔基

作　者：定县博物馆
出　处：《文物》1972年第8期

考古人员于1969年先后发掘了两座宋代塔基（五号、六号），并在塔基中清理出一批重要文物。简报配以照片予以介绍。

据介绍，五号塔基（静志寺真身舍利塔塔基）位于定县城内偏东北方向的电力公司院内。该公司于1969年5月挖沟时在距地面约60厘米处发现石刻屋顶一块。揭开石刻屋顶，下面是一方形洞口。从洞口往下看，里面藏着许多器物。共清理出金器、银器、玉器、石器、瓷器、木雕、串饰、铁器及丝织品700余件，

从战国到北宋的铜币共 27000 多枚，珍珠 22 克。塔基内四壁均有壁画。六号塔基位于定州西关净众院遗址，当为北宋至道元年（995 年）所建舍利塔的塔基。出土金银器没有五号塔基多，但更精致，还出土有 200 多斤"舍利"，都是用药草、竹木根等仿造的"舍利"。

简报指出，静志寺和净众院两塔基中的大量文物，对我们研究北宋初期以及南北朝、隋、唐时期的经济、文化提供了一批宝贵的实物资料。

16.河北曲阳北镇发现定窑瓷器

作　者：妙济浩、薛增福

出　处：《文物》1984 年第 5 期

1981 年 5 月，保定地区灵山煤矿一工人在曲阳县南镇公社北镇村东端发现一批窖藏文物。此地南距曲阳县城 30 公里，位于沱河（即通天河）西岸，法兴寺遗址之内。遗址现场已被破坏。出土物后由保定地区文管所和曲阳县文保所征集、入藏。这批窖藏文物基本上是定窑瓷器，大部分完好，部分破损的出土后亦已修复。简报配以手绘图、照片予以介绍。

据介绍，计白瓷刻花龙纹缸 1 件、白瓷盘 10 件、白瓷印花云龙纹大碗 2 件等，伴出铜熏炉 1 件。瓷器简报定为北宋定窑产品。

17.河北省雄县祁岗村发现古代地道

作　者：夏清海

出　处：《文物》1984 年第 6 期

1982 年 1 月，河北省雄县县城东北约 18 公里处，农民打井时发现砖砌地洞。考古人员进行了试掘。发现砖砌券顶，暴露出一段地道。从这里发现内部有主道、藏身洞及内室。简报配以照片予以介绍。

简报介绍，地道全用砖砌，主道高 90 厘米、宽 80 厘米，东北走向。在三合土夯实的基础上单砖砌 11 层，再起券而成。西券洞内放一口黑釉缸，东券洞内有残破的乳白釉瓷碗 2 个、酱紫釉枣核瓷瓶 1 个。南墙西半部也有券洞，已被打破填实。

瓷器经鉴定是宋辽时期的遗物。联系《雄县志》记载和当地传说，简报推断这一地道是北宋时所建造。

18.河北易县净觉寺舍利塔地宫清理记

作　者：河北省文物管理处　石永士等
出　处：《文物》1986 年第 9 期

净觉寺舍利塔，俗称太宁寺塔。1976 年秋，河北省进行第二次文物普查时，该塔已自然倒塌。1977 年春，塔基地宫又遭破坏，地宫内文物被盗。考古人员追回了文物，并清理了地宫，在西壁发现墨书陀罗尼经及建塔时间、建塔人姓名题记。简报分为：一、塔的位置和结构，二、地宫结构及墨书题记，三、出土遗物，四、小结，共四个部分，有照片。

据介绍，净觉寺舍利塔位于易县县城西北 25 公里，在太宁山下的太宁寺村西北隅。塔原为八角十三级砖结构。塔基平面呈八角形，地宫在塔基中心，平面呈正方形，边长 1.36 米、深 0.98 米，用长 43 厘米、宽 21.5 厘米、厚 7.5 厘米的砖砌成。

地宫底部铺一层砖，四壁用白灰浆涂刷。东、西两壁顶部都有宽 20 厘米、深 15 厘米的两个凹槽，相距 32 厘米，其用来搁置东西向的方木（已腐朽），其上铺砖将地宫封闭。地宫西壁有墨书竖行楷书题记 21 行。自北向南前 14 行内容为陀罗尼经；第 15 行起记建塔时期、建塔人姓名。简报录有全文。出土及追回遗物有金器 2 件、银器 8 件、鎏金银器盖 1 件、瓷器 32 件、钱币 154 枚等。此次发掘发现的墨书"天庆五年三月十五日时建"的题记，肯定了净觉寺舍利塔的建造年代为 1117 年，是辽代末期的建筑。另外，塔基地宫出土的影青瓷器，为研究宋辽时期影青瓷的发展提供了新的实物资料。

19.河北曲阳南平罗北宋政和七年墓清理简报

作　者：保定地区文物管理所、曲阳县文物保管所　张金茹等
出　处：《文物》1988 年第 11 期

1981 年冬，曲阳县南平罗村农民于老铁在院内挖苹果窖时，发现 1 座古墓葬，当即报告了曲阳县文物保管所。1982 年 3 月，考古人员对此墓进行了清理，并加以修复和保护。简报配以照片予以介绍。

据介绍，墓室为圆形，穹隆顶。从棺床至墓顶高 2.94 米。用青灰色长方形砖砌筑。墓室内有砖雕和彩绘。墓顶上用白彩绘 98 颗星星，每颗星星直径 3 厘米，分布不规则。墓顶东侧用红色绘太阳，周围绘蓝色的波浪；西侧用红色绘月亮，周围用蓝色绘云朵。都已比较模糊。

简报称，墓葬发现后，骨架和随葬品都被百姓取出。据发现者介绍，棺床上未见棺的痕迹，上置 2 具尸骨，均头西脚东，头、脚下各垫 3 块砖。位于棺床外侧的一具骨骼较粗大，可能为男性；内侧的一具旁置 1 件铜耳环，当为女性。

根据墓壁上的朱书题记，墓主人为北宋徽宗政和七年（1117 年）下葬。此墓墓壁上有砖雕彩绘仿木结构建筑构件和家具等，这种做法在宋墓中比较普遍。此墓中用彩绘表现的部分较多，砖雕较少，结构较为简单。出土的瓷器应为定窑出品，较粗糙。

20.河北清苑发现宋皇祖陵石象生

作　者：河北大学　金家广
出　处：《文物》2005 年第 4 期

1997 年，河北省清苑县东安村村民在村南 200 米处发现两个卧式石虎，命名为"东安石虎"。两虎在距地表 30 ～ 40 厘米深处，东西相距约 7 米，形态相类，相向而卧。后东侧石虎被盗，西侧石虎被当地有关单位保护。1998 年在其东面草丛中又发现还散落着多块大小石刻残块 4 处。在西列石虎南 4.5 米处有一块方青石，上有人工凿成的深槽，村民称"石碑座"。简报认为是一尊向南倾倒在地的石象，当时象头尚未清出，象尾朝西，应和西列石虎方向一致，体连座，足座间未透雕。判断应属陵寝神道西列石象生，可命名为"东安石象"。后村民又将象头清出，显露了所系络头结构和纹饰，而象鼻、象牙已残失。简报分为：一、调查经过，二、石雕特征及其年代推断，三、"东安石象"发现与宋皇祖陵确认，共三个部分。配以照片，介绍了调查情况，并结合文献做了一些初步分析。

据介绍，现在当地已发现石虎、石象、石人遗存。简报指出，北宋皇陵中的皇后陵均不设象，故设象的只能是皇帝陵。宋初三陵（僖祖赵朓钦陵、顺祖赵珽康陵、翼祖赵敬靖陵）的所在地一直是历史疑案。宋太祖赵匡胤在 960 年称帝后，先追封四祖，并于乾德元年（963 年）开始，将其父赵宏殷坟由洛阳迁葬于巩县。而另外三座先祖坟墓在原葬地尚未正式建"陵"，只是开始启动营建三先祖的园陵工程。准备将三先祖坟迁往洛阳建陵安葬，第一步是要先找到三先祖原葬地坟墓，结果"有司恳拜章表，面述所闻，有此二陵（顺、翼二祖），尚居清苑"（《宋会要辑稿》），东安石虎、石象的发现，说明真宗以后已认同清苑东安是宋三先祖原坟墓所在地，并决定按宋帝陵制度在当地营建园陵，即宋三陵。结合文献中有关记载，这次清苑东安发现石象生的"宋祖陵"或名"宋皇祖陵"，与河南巩县北宋皇陵南北相望。

张家口市

21.河北康保县发现一枚北宋铜官印

作　者：刘建忠
出　处：《文物》1995 年第 12 期

1987 年文物普查中，河北省康保县文物部门征集到 1 枚宋铜官印。该印发现于康保县土城子镇小庄子村。现藏于该县文物保管所。简报配以拓片予以介绍。

据介绍，该印铜质，长方形，顶端刻楷书"上"字。印面镌"剩员指挥第四都朱记"，朱文，篆书。背款刻"太平兴国五年七月铸"九字，楷书。太平兴国系北宋太宗赵匡义年号，太平兴国五年即公元 980 年。

简报指出，宋代兵制承唐、五代。"剩员"系北宋时军士名称。宋太祖即位，加强禁军，下令从各州挑选精壮兵士，充补禁军，原禁军中老弱或疾病不能征战者，另设"剩员"。出此印之地，为张家口地区坝上，地处河北省的西北部。五代已归属契丹，辽初为西京道奉圣州辖境。北宋官印何故入辽地，检宋史，知宋太宗即位后，曾两次出兵伐辽，此印简报推断当为宋辽作战所遗之物。

简报称，该印的发现对研究宋代兵制提供了实物佐证。

承德市

22.河北宽城县发现瓷器窖藏

作　者：宽城县文保所　刘兴文、马瑞雪
出　处：《考古》1994 年第 3 期

1987 年 4 月，宽城县龙须门乡老亮子村农民在瀑河南岸的坡地上挖土时，发现瓷器窖藏 1 处。根据发现文物者口述，挖至 1 米深处发现 1 铁锅，铁锅下有 1 小瓷瓮，瓮内很规则地放置有各种类型瓷器 17 件，简报配以照片予以介绍。

据介绍，按窑口与器型分别为：

一、钧窑瓷器 6 件。其中碗 4 件，盘 2 件。

二、景德镇枢府窑瓷器 4 件。其中白釉敞口折腹小圈足碗 3 件，乳白釉大碗 1 件。

三、龙泉窑瓷器 2 件。其中碗、盘各一件。

四、磁州窑铁锈花白釉瓷盘 1 件。

简报称，这批瓷器出土时放置整齐，使用痕迹不太明显，其埋藏的时间与生产期相距不会太远。

沧州市

廊坊市

衡水市

山西省

太原市

23.太原小井峪宋墓第二次发掘记

作　者：代尊德
出　处：《考古》1963 年第 5 期

1956 年 11 月，考古人员又对太原西郊 5 公里小井峪村东地区的宋墓进行了第二次清理，共清理了宋墓 9 座。简报分为：一、墓 9，二、墓 66，三、墓 68，共三个部分，有手绘图。

据介绍，这次清理的 9 座墓葬，根据钻探编号为墓 2、9、61、66、68、69、74、79、197。其中墓 68、69 两座是砖墓，其余都系土墓。这些墓葬分布在小井峪村东约 0.5 公里的地方。两座砖墓平面均为圆形，单室，叠涩攒尖顶。土墓皆为洞室结构，形状有长方形、圆形、近于方形和不规则等四种。墓 66 葬有墓志，墓 9 有买地券。简报均未录全文。

据墓 66 墓志志文所述，死者刘仲方卒年为北宋仁宗景祐四年（1037 年）三月二十八日，于庆历四年（1044 年）十一月十五日与其妻安氏合葬于阳曲县武台乡盈村之原。此批墓葬应多为北宋末期墓。

大同市

朔州市

忻州市

阳泉市

晋中市

24.灵石县发现的宋代抗金文件

作　者：丁明夷
出　处：《文物》1972 年第 4 期

　　1966 年初，灵石县农民在该县东部的绵山半山腰采药时，在石缝中发现 1 个铜罐。铜罐中有南宋建炎二年（1128 年）文件 5 件，保存完好，字迹清楚。文件内容记述了灵石一带被金军占领后，当地李武功、李实等人组织义军抗金，保卫乡土，收复州县等情形，对于研究南宋初的历史和政治制度，增添了新的材料。简报配以照片予以介绍。

　　据介绍，共计手书 2 件、官劄 3 件。简报录有各件全文。金军南下时，义军以千万计，官府专门刻印官劄，委任抗金义军头领。三件官劄是研究宋代政治制度的可贵材料。官劄的印刷（刻版印刷）、纸张、行文、笔迹、九叠篆文、水印的官印等，为我们提供了宋代通行官劄的实物见证。这 5 个文件中的官称，如"差遣安抚使"及河东陕西路并称等，均不见于史书。这既可说明在当时河东沦陷，抗金义军进行游击战争的条件下，委任抗金将领"便宜行事"的情形，又为我们研究宋代官制，提供了新的内容。

25.山西介休窑出土的宋金时期印花模范

作　者：山西省考古研究所　孟耀虎
出　处：《文物》2005 年第 5 期

　　介休窑自 20 世纪 50 代发现以来，一直没有做过细致的工作。"文化大革命"期间，在修建现在的洪山灌区办公楼时，曾经挖出过瓷器，以碗为主，由当时的有关部门保管，但这些瓷器后来的去向不明。山西省考古研究所自 1989 年以来，先后对介休窑进行过几次调查，并于 1991 年进行了试掘。简报分为：印花模具、印花范具两个部分，有照片。

据介绍，印花模具有盘模和碗模两类。白胎微泛黄。花纹直接刻在胎体上。北宋印花模具的花纹明显比金代印花模具的花纹细致。有盘模、碗模、盒范、人形范、花球范等。

简报指出，介休窑是山西地区较重要的窑址，烧造时间长，产品丰富，尤以宋金时期的产品为佳。从已发现的资料分析，其创烧时间应在北宋初年。窑址南侧的游神庙内宋大中祥符元年（1008年）所立《源神庙碑》有"炉灶吹频，洙风扇出。高士云集，兴船频届。陶剪翠珠，名彰万载"。碑阴有"瓷窑税务任韬，前瓷窑税务武忠"。这是关于介休窑烧瓷最早的文字记载。这批印花模范为研究宋金时期的印花瓷器提供了实物资料。

吕梁市

26.吕梁县发现罐葬墓群

作　者：杨绍舜
出　处：《文物》1959年第6期

1956年6月，在吕梁县石楼中学当地称为"乱坟茔"的工地上，发现了1处罐葬墓群。简报配以拓片予以介绍。

简报介绍，这些墓离地1米深左右，墓与墓相距1米。罐口盖有刻字的方砖，罐的形状是缩口、大腹、小底、大小不一。方砖一共发现11块，罐子6个。其中有宋徽宗大观元年（1107年）的10块，崇宁年间的1块。罐内装有尸骨，未见其他物。方砖上文字简报录有全文。

简报称，从砖上的文字可以知道是宋代的墓葬。此外还有不同字号的砖发现。在墓群周围断崖上发现有汉代遗址灰层和各种绳纹陶片、半瓦当、片瓦及铲币等。

27.山西孝义县上栅村出土一批古钱币

作　者：孝义县博物馆　朱景义
出　处：《考古》1988年第4期

1977年12月中旬，县城南10公里上栅村的农民平整土地时，在村北200多米处、1.2米深的小土窖里发现两大瓦瓮古钱币。闻讯后，考古人员及时到现场进行了实地调查。

据介绍，2个瓦瓮，大小相同，东西并列，上有圆形盘盖。由于人多手杂，取铜钱时，将1对盘盖和1只瓦瓮打碎，完整的瓦瓮已藏于该馆。瓦瓮呈深灰色，高55厘米、底径28厘米、腹径57厘米、口径44厘米、壁厚1.2厘米。古钱币共计400余公斤，115500多枚，这是孝义县首次成批发现的古钱币。这批钱币，上迄秦汉，下至辽金，包括63种、148式的钱币。其中最晚为南宋"嘉定通宝"，简报认为这批铜币的窑藏时期是在嘉定年间（1208～1224年），距今已700余年。

28.山西汾阳县北偏城宋墓

作　　者：张茂生
出　　处：《考古》1994年第3期

1989年5月汾阳县杨家庄乡北偏城村一农民在挖房基时发现1座古墓。考古人员闻讯后对此墓进行了清理。简报配以手绘图、照片予以介绍。

据介绍，此墓位于北偏城村南尖角上，据调查，以前在附近也发现过类似该墓形的古墓，但墓的装饰和规模都不及此墓。此墓坐西向东，为八角形穹窿顶式单室合葬墓。用方砖、长砖、子母砖砌成。墓壁上有彩绘并嵌有砖雕，涂料皆用矿物色（如红、黄、黑等）。出土遗物为黑釉和白釉瓷器各2件，铜镜1件。

简报称，此墓无文字记载，但从墓壁上的砖雕仿木结构建筑构件，特别是虚掩半门的侍女雕像，以及墓室结构来看，都是北宋古墓的特征；从出土的瓷器来看，除瓷枕外皆为粗瓷，从胎形和着釉来看，也是宋代的特征。清理过程中，没有发现棺椁的遗迹，证明当时丧葬时不用棺椁。此墓简报推断是比较有代表性的宋墓。

长治市

29.山西壶关南村宋代砖雕墓

作　　者：长治市博物馆、壶关县文物博物馆　王进先、王永根等
出　　处：《文物》1997年第2期

山西壶关县东柏林乡南村农民在挖土时，掘出1座砖室墓。1989年11月，考古人员对该墓进行了清理。简报分为：一、墓室结构，二、出土器物，三、砖雕画像，四、小结，共四个部分，有照片、手绘图。

据介绍，该墓为仿木建筑结构的多室砖墓，坐北向南。由墓门进入后为一"大厅"，中间为一陶制经幢，东西各有一室，北边有并列两室。墓内砖雕采用浮雕形式，内容为常见的武士、侍女及孝子故事，但砖雕人物神态刻画较准确，其中武士砖雕是雕刻较好的作品。除经幢外另无其他遗物。经幢上有纪年，为北宋元祐二年（1087年）。

30.山西长治市五马村宋墓

作　者：王进先、石卫国
出　处：《考古》1994年第9期

1984年5月，山西省长治市南郊2.5公里五马村东，国营淮海机械厂在施工中发现1座砖室墓葬。考古人员立即赶到现场进行调查。墓发现时，墓室积水严重，且已进人扰乱，部分结构已遭破坏，器物墓志等取出墓外。

简报分为：一、墓室结构，二、砖雕内容，三、出土器物，四、结语，共四个部分，有手绘图、拓片。

据介绍，墓为仿木建筑结构。墓室呈长方形，墓室砖雕除北壁砌1块孝子故事砖雕外，其余均砌于东西壁角部。砖雕每幅画面用1块方砖雕刻后烧制而成，先刻出如意形边框，中刻人物故事。简报介绍1至14号砖雕，出土器物为白瓷、陶女俑、墓志1方，长方形。额称"上党马君预修墓志"，志文楷书。据志文可知，墓主马预修葬于宋元丰四年（1081年）。简报未录志文全文。

简报称，仿木构建筑结构砖室墓在长治一带时有发现，但有确切纪年的北宋时期仿木结构墓还是首次发现。此墓建于宋元丰四年（1081年），因此，对于研究我国古代建筑发展，特别是上党地区的古建筑面貌有着重要参考价值。

简报说，该墓结构较为简单，砌造粗劣。但从各部结构及使用的板门、直棂窗等做法形制看，都代表了北宋时期古建筑的特点与风格。更值得注意的是，墓主人及其家祖只是一般商贾，但却使用了墓志。这和当时一般人不准勒石记事的规定更不相符。这种情况在这一地区也属少见。因此，它对于进一步研究北宋时期等级制度和民间埋葬习俗都是极好的资料。

另外，墓内随葬的1件女侍俑，完全是执役的仆妇，从侧面反映出了宋代劳动妇女的生活情况，是1件难得的宋代雕塑佳作，对于研究宋代妇女服饰制度提供了形象资料。

31.山西潞城县北关宋代砖雕墓

作　　者：长治市博物馆、潞城县博物馆　王进先、陈宝国
出　　处：《考古》1999 年第 5 期

山西潞城县城北北关村砖窑在取土时发现 1 座砖室墓。考古人员即往现场进行了调查。墓已遭到破坏，部分门窗打碎，随葬情况不详。但此墓结构与砖雕保存完好。

简报分为：一、墓室结构与墓内彩画，二、壁画及砖雕，三、结语，共三个部分，有手绘图，拓片。

据介绍，墓为仿木建结构砖室墓，整个墓室均采用通体粉刷的彩画方式，东、西、北三壁间竖砌侍男、侍女砖雕，每壁两人。

简报指出，长治地区仿木建筑结构墓已有发现，但在长治市郊潞城县还是第一次，此墓无可靠纪年可考，就此墓的结构以及彩画等分析，简报推断此墓的建筑年代应为宋代。

32.山西壶关下好牢宋墓

作　　者：长治市博物馆　王进先
出　　处：《文物》2002 年第 5 期

山西壶关县黄山乡下好牢村村民在挖土时发现 1 座砖室墓。1991 年 7 月，考古人员进行了调查。墓内已遭扰乱，但墓室砖雕、壁画保存较好。

简报分为：一、墓室结构和出土器物，二、壁画与砖雕，三、小结，共三个部分，有照片。

据介绍，墓为仿木建筑结构砖室墓，墓顶穹隆形，墓室近方形。北壁右部窗边墨书"宣和五年三月十八日大宋即礼元典公亡人公主年登六岁"。宣和五年为 1123 年，知此墓为北宋末年墓。

简报称，此墓规模虽小，但建筑结构和墓室装饰都较为讲究。墓室绘制的山峦图、团花及花卉等图案，有着浓郁的乡土韵味，明显区别于当时的文人画。它是北宋民间真实的艺术作品。砖雕内容以常见的"二十四孝"故事为主，制作以浮雕形式表现。由于烧制时的局限，在故事情节上表现得不够准确，但色彩鲜艳，保存完好，是研究宋代服饰制度、民间习俗极好的形象资料。

墓中还出土有瓷枕 1 件、墓志铭砖 1 块，简报录有志文全文。

33.山西平顺回龙寺测绘调研报告

作　　者：北京大学考古文博学院　徐怡涛、李志荣等

出　　处：《文物》2003 年第 4 期

北京大学考古文博学院文物建筑专业师生在山西平顺县进行古建筑测绘实习期间，于 2001 年 11 月偶然发现了回龙寺。回龙寺仅存 1 座大殿，目前为侯壁村木料仓库，现非文保单位，北大师生对回龙寺进行了测绘调研。简报分为：一、平顺回龙寺的史地沿革和总体布局，二、平顺回龙寺大殿建筑形制概述，三、平顺回龙寺大殿主要构件形制，四、平顺回龙寺大殿文字记录与壁画，共四个部分，有照片、手绘图。

据介绍，经测绘分析并参照碳十四报告推断，该大殿始建年代上限不早于北宋初，下限不晚于金，即 11 世中后期至北宋末年。大殿是古代晋东南地区民间信仰的小型庙宇，反映了宋、金时期民间建筑的多样性和民间工匠的创造性。

34.山西长治故县村宋代壁画墓

作　　者：长治市博物馆　朱晓芳、王进先

出　　处：《文物》2005 年第 4 期

1988 年 8 月，在长治市北郊故漳乡的故县村，抢救性发掘了 2 座仿木结构砖室墓，编号为 M1、M2。两墓相距约 10 米，东西并列。墓室距地表深约 5 米，墓顶已被施工单位推土机推掉，因被扰乱，随葬品及葬具情况不详。其中 M2 出土一方墓志，上有宋神宗元丰元年（1078 年）的纪年。简报分为：一、一号墓，二、二号墓，三、结语，共三个部分，有彩照、手绘图。

据介绍，两墓均为仿木结构砖室墓，两座墓相距约 10 米，形制结构与壁画内容基本相同。由此推测，两墓的建造时间相隔不会太久，均为北宋时期。壁画中两墓均出现了四神及飞天内容，其中，玄武神以人格化形象出现，实属少见。这两座墓的发现，为研究宋代墓葬形制以及民间绘画艺术提供了实物资料。

35.山西长治市故漳村宋代砖雕墓

作　　者：长治市博物馆　朱晓芳、王进先、李永杰等

出　　处：《考古》2006 年第 9 期

长治市故漳乡故漳村八一水泥厂家属院职工早年在挖窑时发现 1 座古墓，当时并未引起注意，后又被埋掉。1981 年考古人员在该村发掘 1 座金代墓时，知道此事后立

即进行了调查，确认是1座宋代仿木建筑结构砖室墓。简报分为：一、墓室情况与结构，二、墓室壁画与砖雕，三、结语，共三个部分，有照片、拓片、手绘图。

据介绍，墓室平面为方形，东、西、北三壁中部均砌有板门，门两侧砌有对称的两个壁龛，穹隆顶，壁龛内放置有头骨及部分残骨，该墓系二次迁葬的家族合葬墓。墓室壁画内容为墓主及侍者形象，砖雕内容主要为孝佛人物故事等。

简报指出，宋代音乐舞蹈资料在各地宋代墓中虽时有发现，但此墓镶砌的乐人伴奏图、舞蹈图虽为两块砖雕，应是一幅少见的散乐图，是较为难得的音乐舞蹈资料。宋金时期兴起的杂剧是由舞蹈发展而来的。从此墓乐人伴奏图和舞蹈图人物姿态和表演形式分析，它与杂剧人物角色分行和表演形式是有明显区别的，还是单纯的舞蹈和乐队伴奏形式，与杂剧表演还有一定距离。

另外，墓中发现的幻术图砖雕更为难得。宋代科学技术和文化艺术的发展，使得民间出现了幻术这种表演形式。使用磁器之类的道具和运用双手的敏捷动作变出各种东西的"藏挟"术开始流行。此墓发现的这一砖雕从人物、动物到展示的器物均与文献记载中的"藏挟"幻术极为一致，这是研究宋代幻术和民间戏法的重要实物资料，对研究我国杂技史具有重要价值。

36.山西长子慈林镇布村玉皇庙

作　　者：北京大学考古文博学院、长子县文物局　徐怡涛、苏　林
出　　处：《文物》2009年第6期

2006年10～11月，北京大学考古文博学院文物建筑专业师生，在长治、晋城地区进行早期木构建筑形制年代学研究的田野教学，在相关文物部门的协助下，调查并草测了长子县慈林镇布村玉皇庙。根据院落格局和建筑形制判断，玉皇庙仍可见宋金时期的寺庙布局特点，其中殿建于北宋晚期，后殿为金代建筑，其余各建筑不早于明代。基于这一重要发现，2007年5月，北京大学师生详细测绘了布村玉皇庙，测绘图已于2007年底完成并提交地方文物部门。简报分为：一、总体布局，二、中殿现存形制，三、形制、年代研究，四、结语，共四个部分，有照片、手绘图。

据介绍，布村玉皇庙位于村内十字街北端，坐北朝南依台地而建，南北长约62米，东西最宽处38米，沿中轴线方向依次排列门楼（前出抱厦）、前殿遗址、献殿、中殿、后殿，形成前、后两进院落，院落东西两侧建厢房，门楼左右为两层倒座楼（西侧已坍塌）。后殿东侧为朵殿，西侧为跨院，跨院南端开侧门。

简报指出，布村玉皇庙最大可能的建造年代为北宋哲宗朝至徽宗朝前期，即11

世纪末到 12 世纪初，不晚于北宋宣和元年（1119 年），是一座规模较大，格局保存较完整的宋代乡村道教庙宇，具有重要历史价值。中殿为北宋遗构，形制独特，是我国不可多得的早期建筑遗存。但布村玉皇庙目前仍无文保员管理，庙宇前院住家，后院东厢房养牛，西厢房造蜂窝煤，环境恶劣，建筑残破，檐折屋陷。布村玉皇庙正面临着不当使用和年久失修的困境，亟待妥善保护和有效管理。

晋城市

37.山西晋城青莲寺塑像

作　者：高寿田
出　处：《文物》1963 年第 10 期

山西晋城县古青莲寺，在硖石山南麓，丹河之北岸，规模较小，初无寺名，即以硖石名之。唐咸通八年（867 年）始"敕赐"青莲之名，即今的古青莲寺，现仅存正殿、南殿两殿。现在的青莲寺，古称上寺，北宋太平兴国三年（978 年），始名为"福严禅院"。宋金以来，均在此扩建，而旧寺逐渐荒芜。寺内现存宋代建筑三个殿，唐、宋、金、元以来的碑石数十通，均已见于《文物参考资料》1958 年第 4 期《晋东南路安、平顺、高平和晋城四县的古建筑》一文中。而其中保存了古代塑像 60 余躯，都是具有较高艺术水平的作品。简报分为古青莲寺塑像和青莲寺（上寺）塑像两个部分予以介绍。

据介绍，青莲寺上下两院的 5 个殿堂内，现存的 60 余躯佛、菩萨、罗汉、供养人等塑像，虽然经过了明清时代的修补敷彩，但基本上仍保持了宋代原作面貌，都是具有写实意味的古代优秀作品。

38.晋城市城东景观水系项目文物勘探报告

作　者：晋城市文物研究所　程　勇等
出　处：《文物世界》2013 年第 1 期

随着山西省晋城市城市化进程加快，大量城市垃圾直接排入城市原有的河道内，晋城市委、市政府决定实施城东景观水系工程。为确保重点工程如期建设，晋城市文物研究所于 2012 年 4 月对工程项目征地范围内进行了文物调查工作。组织勘探队伍于 2012 年 5 月 3 日至 20 日对项目征地范围内有可能埋藏文物的区域进行了文物勘探工作。报告分为：一、项目简介，二、文物勘探位置及范围，三、地层堆积，四、遗迹现象，五、结语，共五个部分，有手绘图。

据介绍，此次勘探发现 3 座古墓葬，简报认为这 3 座编号为 M1、M2、M3 的古墓葬，M1 为宋元时期的贫民火葬墓，M2、M3 为同时期的迁葬墓（极有可能为火葬后迁葬）。

临汾市

39.侯马的一座带壁画宋墓

作　者：万新民

出　处：《文物》1959 年第 6 期

1959 年 1 月 24 日，山西省文物管理委员会侯马工作站在侯马镇以西清理了 1 座宋代砖室墓，清理的概况简报配以照片予以介绍。

据介绍，平面呈正方形，四壁有彩绘的壁画。方向正南北，用泥质灌浆和长方砖砌成。共有 6 具骨架，已腐朽，仰面直身。6 具骨架全是再次迁葬。随葬品计有黑釉粗瓷碗 1 个，壁画系用黑、白、灰、缸、蓝、褐六种颜色绘成。东西两壁的人物像，皆是奏乐演唱者。从服饰方面来看，北壁与东西两壁的人物所穿的服饰，是有所不同的。北壁人物的服饰是长袍衣，而东西两壁人物的服饰则是短衣长裤。

简报称，历年来在侯马地区的考古发掘中，像这种带壁画的宋墓还是第一次发现。这一宋墓的发掘，给我国的历史科学研究工作提供了新的资料。

运城市

40.山西芮城永乐宫旧址宋德方、潘德中和"吕祖"墓发掘简报

作　者：山西省文物管理委员会、山西省考古研究所　李奉山

出　处：《考古》1960 年第 8 期

山西省芮城县永乐宫，位于县西 20 公里永乐镇峨崛岭下。北靠中条山，南临黄

河，东有涧水流出，环绕宫周围。永乐宫内有元代初年创建的四大建筑，尚保存完好，各殿内有元代壁画。随着整个永乐宫的迁建，一部分与永乐宫有关的文物古迹，也一并迁往县北 2.5 公里的中龙泉村，所以相传吕纯阳和元代全真教中的知名人物宋德方、潘德冲三座墓也在重点迁建之列。考古人员于 1959 年 12 月 7 日至 1960 年 1 月 15 日配合三墓迁建工作，进行了文物清理。简报分为：一、宋德方墓；二、潘德冲墓；三、"吕祖"墓，共三个部分，有手绘图。

据介绍，宋德方墓位于永乐宫西北峨崛岭上，尚存有 7 米的高封土。冢前立一石碑，上刻"玄通弘教披云真人宋君之墓"。封土下为砖券洞室墓。有墓志，简报未录志文。石椁木棺，内有人骨，仰卧伸直葬。据志文和石椁盖题记，知宋德方，字广道，号披云，山东掖县人，12 岁入道教，元宪宗二年（1252 年）死于陕西终南山重阳宫，1254 年迁葬于此地，1275 年又迁葬一次，即为此墓。

潘德冲，号仲和妙真人，做过当时道教的河东南北两路提点，永乐镇纯阳宫住持兼后纯阳的旧观住持，与宋德方同为重建永乐宫的主要人物。此墓的形制、葬式、椁上雕刻题材，艺术手法，以及死者衣冠服饰与宋德方墓都具有同一时代的特征。

"吕祖"墓在宫门外东约 200 米，冢前立有元刻石碑，上刻"大唐纯阳吕公祖墓"。封土以下为单室土穴墓，但墓顶早已塌毁，墓室满积淤土。文献记载和当地传言均认为吕洞宾即是永乐镇人，又有祠堂及墓葬在此。但在清理中发现此墓为夫妇合葬，并且在尸骨周围和口中，出有北宋祥符和天圣钱，尤其是女骨口中所含的天圣元宝，证明这墓死者是在宋代天圣以后埋葬的。与记载中唐吕祖生存的时代相隔了近 200 年。再从骨架排列的完整情况来看，又非二次迁葬，可以确定此墓不是唐代吕洞宾墓。

41.山西平陆县发现的北宋魏闲墓志

作　者：戴尊德

出　处：《考古》1991 年第 4 期

1981 年 4 月，戴尊德先生在平陆县文化馆见到 1 块早年出土的墓志铭，系北宋司马光撰文，名曰《宋故清逸处士魏君墓志铭》。据说此墓志是在清朝光绪初年由平陆县旧城东北 2.5 公里关家窝村附近出土，当系出于墓葬中。到民国十一年（1922 年），曾有人欲以 30 元银圆将此墓志买去，后被当地人发觉扣留，并将其嵌在平陆县第一高小墙壁上。"文化大革命"期间，由县中学教师将墓志用泥封闭于墙壁之内，幸免于破坏，后交县文化馆保存。简报以照片、手绘图予以介绍。

据介绍，墓志形状基本呈正方形，青石制作，有盖。志盖为古文篆刻，文曰"大宋故清逸处士魏君墓志铭"。墓志边缘作线刻蔓草纹，志文为楷书。这篇墓志铭曾在《温国文正司马公文集》卷第七十七碑志三中收录，经与墓志全文核对内容基本相同，但有些字句稍有差异。简报将墓志全文抄录，与《文集》相异处标在括号内。

魏闲，《宋史》无传，但其父魏野《宋史》有传。北宋魏闲墓志铭之发现，对司马光《文集》中所收录的这篇墓志内容获得了互证和补遗。墓志中不仅反映了司马光与魏闲之深厚友情关系，同时在一定程度上也反映了司马光之政治思想状况。因此，这块墓志铭对于研究北宋历史和司马光都是一种重要的实物史料。

42.山西绛县下村发现一座砖雕墓

作　　者：运城行署文化局、绛县博物馆　张国维

出　　处：《考古》1993 年第 7 期

简报配以手绘图、照片，介绍了山西省绛县下村发现的 1 座砖雕墓。简报共分三个部分：一、墓葬形制，二、随葬遗物，三、结语。

据介绍，此墓由一大一小两个正方形墓室组成，两室之间有甬道。因曾遭盗扰，葬具、人骨不存。传说有人从墓中挖出头骨 1 个。仅见瓷碗 2 件及部分碎片。此墓的年代，简报推断为宋代晚期或金代初期。

简报称，瓷碗题记"尚□□"应是墓主人姓名。只惜字迹模糊不清，难辨具体姓名罢了。据瓦窑场工人提供，此墓东北侧 20 余米处还发现一座砖墓尚未打开，推测此处可能为尚氏家族墓地。至于"皇甫人"，应指墓主人籍贯。现万荣县有皇甫乡皇甫村同为一地，疑墓主人可能与迁居有关。

简报指出，此次发掘最大收获就是墓内砖雕精致考究，比例协调，应出于从事墓砖雕造的专职工匠之手。其斗拱形制、门窗装修以及壁画内容不仅对宋《营造法式》营造制度的研究提供了借鉴，同时对研究宋金时期晋南一带人们的生活起居、社会习俗增添了宝贵的实物资料。

43.山西临猗双塔寺北宋塔基地宫清理简报

作　　者：临猗县博物馆　乔正安

出　　处：《文物》1997 年第 3 期

1995 年 1 月，山西省临猗县原双塔寺西塔地宫被盗掘，考古人员进行了抢救性清理。清理中发现，宫室虽受损毁，但幸喜宫室内的器物未被扰动和盗窃。经认真清理，

出土珍贵文物 20 余件。简报分为：一、双塔寺与双塔，二、西塔地宫，三、出土器物，四、结语，共四个部分，有彩照、拓片、手绘图。

据介绍，双塔寺位于临猗县城北隅。寺创建时代无考，据清理出土的塔宫宫碑记载，该寺在北宋前名"永福院"，宋代名"妙道寺"，清康熙年间更名"雁塔寺"，后又名"双塔寺"。历代寺院佛殿巍峨，僧人数千，为当地名刹，今寺院已毁，仅存双塔。双塔分东、西两塔，其间相距 80 米。东塔坐东向西，砖灰结构，方形七级楼阁式，高 40 余米。西塔建于北宋熙宁二年（1069 年）。砖木结构，方形九级楼阁式，高 40 余米。地宫位于西塔塔基部分。简报推测建造时先将塔基深掘 5 米，然后以一层黄土一层瓦砾回填夯打，地宫则砌筑在回填土层两米以上中端。塔基以瓦砾回填，是防潮湿下沉。

简报称，地宫出土的石函，四周均整刻有人物花草图案，供养佛骨舍利的银棺，制作精美。木棺、彩色绞料舍利瓶、青色玻璃舍利瓶以及各种材质的佛骨舍利等，不仅数量多，而且种类丰富。同时，从宫碑铭文中也可得知，当时为瘗埋佛骨而精选胜地，深砌地宫，金棺银椁，严置道场供养 7 昼夜，僧俗数千人，各持香花，供养瞻礼，雨泪而葬之。表明北宋民间对佛教的尊崇和信奉程序。铭文所载施主"乐仕政"，应系当地望族。简报录有地宫碑铭文全文。

内蒙古自治区

呼和浩特市

包头市

44.内蒙古土默特右旗马留村发现西夏铁币

作　者：史银堂
出　处：《考古》1995 年第 10 期

　　1988 年 10 月 26 日，考古人员在水涧沟门乡马留村后的马留沟口西侧发现散落的西夏铁币 100 余枚。经查问，这些铁币是该村农民云桂林 1965 年盖房挖地基时发现的。当时窖坑上面盖有一个 1 厘米厚的圆形铁器，从其内共挖出铁币约 200 公斤，均倒在房后的山脚下，后来陆续失掉不少。简报配以拓片予以介绍。

　　据介绍，这些铁币有天盛元宝与乾祐元宝两种年号。天盛（1149～1169 年）、乾祐（1170～1193 年）均为西夏仁宗赵仁孝年号。由此推断，这些铁币铸于赵仁孝执政的 1149～1193 年期间；又因在这批铁币中未见到 1194 年继位的桓宗赵纯祐铸造的"天庆元宝"等钱币，故可推断这批铁币的窖藏时间在 1170～1194 年。

　　简报称，马留村位于大青山南麓的山脚下，沿村后的马留河可进入大青山腹地，地理位置十分重要。这批西夏铁币在此发现，对于研究西夏的疆域、经济、生产技术以及夏金关系和土默特右旗的历史，具有一定的价值。

乌海市

赤峰市

45.内蒙古巴林左旗出土北宋银铤

作　者：李逸友

出　处：《考古》1965 年第 12 期

1958 年春季，内蒙古昭乌达盟巴林左旗毛布力格村附近出土银铤 5 件，都为两端宽厚的束腰形，且表面较背面宽大，其上都錾刻铭文或铸款，简报配以拓片、照片予以介绍。

据介绍，这批银铤上錾刻有北宋大观元年（1107 年）和政和四年（1114 年）的年号，可确知为北宋末年所铸造。从铭文得知，此系宋代贡奉银，为封建王朝向民间剥削的一种形式，而其中以圣节和郊祀为名的贡奉银，更是朝廷向民间的一种残酷剥削。从铭文记载，贡奉银是由各地官署搜刮，或由银场铸造进奉。第一铤所以记之同天节，即为宋神宗的圣节；第二铤所记天宁节，即为宋徽宗的圣节；第三铤所记为宋徽宗时郊祀。宋代以圣节或郊祀为名，向民间搜刮财帛数字是非常可观的。第四铤载明为浏阳县永兴银场所产；第五铤载明为铅山县铅山银场所产，均可证史籍不误。

简报称，巴林左旗出土的这批银铤的地点，是在毛布力格村旁的山坡上，并非墓葬出土，可能是一处窖藏。它们输入辽金地区不会早于北宋政和四年（1114 年），其时契丹已衰，女真兴起，贡奉到内府的官物，为何出现于辽金地区，是由于赠纳，或榷场贸易，或战争掳掠，尚不能确定。

通辽市

46.窖藏"紫定"印花瓶

作　者：吉林省博物馆　刘燕平

出　处：《文物》1985 年第 8 期

定窑是北方地区的一大名窑，窑址在今河北省曲阳县涧磁村。它以产白瓷为主，但也产绿釉瓷器，称绿定，"有紫定，色紫"。此窑的器物造型比较规整，碗盘一类采用"覆烧法"，口部留有"芒口"（俗称毛边）。为了弥补这一缺点，在供宫廷使用时，都镶金口、银口或铜口。1975年，博物馆在哲里木盟奈曼旗文物普查时，发现1处窖藏瓷器。这批瓷器多数为白色器物，芒口，有碗、盘、盖钵等44件，胎壁极薄。其中有"紫定"印花碗3件，在传世定窑器中非常少见。简报配以照片予以介绍。

简报介绍，"黑定与紫定的胎都洁白，这是与他窑仿烧品主要的区别点"。3件紫袖印花碗的胎正是白色的。其釉色与北宋章民墓出土"食用酱色"极为相似。再据器物的造型、印花的精美和"竹丝刷纹"等特点看，碗为定窑北宋时期的产品简报认为是无疑的。东北地区出现这样珍贵的"紫定"瓷器并非偶然，足以证明当时边疆地区与中原有着密切的经济往来和文化交流。

鄂尔多斯市

47.准格尔旗发现西夏窖藏

作　者：伊克昭盟文物工作站　王志浩等
出　处：《文物》1987年第8期

1982年10月，内蒙古准格尔旗准格尔召乡农民在敖包渠植树时发现1处窖藏。考古人员前往调查并收集了出土文物。准格尔召乡位于准格尔旗西约70公里，敖包渠南距乡政府所在地约4公里，西面是一条季节性河流，东面为山丘。窖藏出土地点位于河东第一台地上。出土时一个大瓮内盛放瓷器，瓮口上覆盖一铁锅，瓮腹部套一铁箍，铁器堆放在大瓮周围。共出土瓷器21件，铁器54件。简报分为：一、瓷器，二、铁器，三、结语，共三个部分，有照片、手绘图。

据介绍，出土地点北宋初年属麟州，后为西夏所夺。此地属于西夏与北宋接壤地带，常年战乱，故多有窖藏发现。简报又称，西夏重视铁器的生产，史载准格尔一带有冶铁务，这里出现窖藏铁器，或许与西夏冶铁政策有关。

鄂尔多斯市西夏窖藏时有所见，据《考古》1987年第12期报道，伊金霍洛旗也曾发现过西夏窖藏。

呼伦贝尔市

巴彦淖尔市

乌兰察布市

兴安盟

锡林郭勒盟

阿拉善盟

辽宁省

沈阳市

48.沈阳市新城子区出土两批铜钱

作　者：沈阳市新城子区文化馆　隋汉羽

出　处：《考古》1983 年第 11 期

1979 年，沈阳市新城子区孟家公社房申大队平整土地时，发现 1 个装有 100 余斤铜钱的陶罐。宋代以前的钱币较少，宋代的钱币较多。简报配以拓片予以介绍。

据介绍，有汉代、隋代、唐代、五代十国、北宋、南宋钱币。1981 年，新城子区的黄家公社安家大队在小大台子沙场挖到 1 个已被压坏的陶罐，内有铜钱 80 余斤，其种类与孟家公社房申大队所出的基本相同，只是数量不同。

简报称，这两批铜钱，皆用陶罐盛装，所出的钱币都以西汉的"半两"为最早，以南宋理宗的"皇宋通宝"为最晚，当为同一时期的窖藏。

大连市

鞍山市

抚州市

本溪市

丹东市

锦州市

营口市

阜新市

辽阳市

盘锦市

铁岭市

朝阳市

49.辽宁朝阳县石匠山辽、金、元时期的摩崖石刻

作　者：辽宁省文物考古研究所、朝阳市博物馆、朝阳县文物管理所　万欣、华玉冰、杜守昌等

出　处：《考古》2004 年第 11 期

现存于辽宁省朝阳县南双庙乡境内的摩崖石刻，是一处不多见的辽、金、元时期的石刻遗迹，位于蒙古营子村东石匠山上，距地表相对高度约 80 米。其西部不远处为朝阳至建昌公路。1986 年春发现后，考古人员曾于当年 6 月对这处石刻遗址进

行了一次初步调查，并对遮掩石刻的石渣进行了范围有限的清理。由暴露出的采石面可知，石匠山的山石为浅绿色砂岩，材质较好，且覆土薄，无植被，适于大面积开采。因近期采石，采石面已同打落下来的石渣堆积近平。暴露出的石刻内容自西向东分别为龙、佛、虎逐兽、飞鸟和奔鹿及附近的题刻、年款等，显然属全部幸存石刻的一部分。简报分为：一、发现经过及石刻现状，二、石刻内容，三、结语，共三个部分，有手绘图等。

简报指出，根据当地历史沿革，今朝阳县在辽代时为中京道兴中府辖境，金、元两代因之。市区东10公里左右的凤凰山一带很早就是行围狩猎的理想场所。其崖上石刻以写实手法表现的飞禽走兽和由此反映出的习猎好狩的民俗等印证了史志中的相关记载。然而，该石刻所在山崖是否与《元一统志》所记的"香麝崖"有关呢？简报认为石匠山摩崖石刻与辽皇猎麝似并无直接联系，不过倘若将其作为凤凰山余脉的一部分，石匠山及附近山岭则可能同与"麝香崖"一道命名的"驻龙峪"有关。

据简报介绍，摩崖石刻上共有年款18处，计有乾统、大定、至元、大德4个年号。其中，辽代乾统年款最多，达11处（包括诗刻年款2处），金代年款4处，元代年款3处。各代年款的分布纷杂无序。推测随着时间的推移，采石面逐渐降低，年款大致也从上至下自早至晚布列。如大定、至元年款刻位一般皆低于乾统年款，最晚的大德年款又位在至元年款之下。仅在岩画中部有1处"乾统七年"款刻位较低，此属例外。所存全部年款中最早者为辽乾统三年（1103年），最晚者为元大德三年（1299年），时间跨度为196年。

石刻内容较为丰富，所刻图像包括佛、龙、马、鹿、人物、禽等近50处，构成了一个较为庞杂的图像群，它在一定程度上反映出辽、金、元三代民间不同画风和以崇佛、尚龙、祈猎为主的社会意识倾向。简报有"石匠山辽、金、元时间石刻内容一览表"可以参阅。

至于石刻遗址的性质，简报认为石匠山石刻遗址为一处古代采石场。据调查，在已被凿去的石壁上半部原见有辽代于此地采石外运的刻记，其中还有标明某石材用于建某桥、某塔者。今距南双庙乡政府南约5公里处的槐树洞山腰处尚存一座古石塔，构筑该塔的浅绿色砂岩与石匠山石材质地完全相同。实际上对这种砂岩质石材的使用尚不限于辽、金、元三代。在当地发现的上自汉、魏、晋石椁墓，下至现存的清代寺庙的建筑材料中均见有这类砂岩。现虽不能确定这些墓葬、寺庙所用石材皆为石匠山所产，但这类石材开采、利用应有很长的历史。应该看到，石匠山石刻中的一些动植物也曾是辽西地区同时期墓葬内石刻的常见题材。如石刻中的马、鹿、飞禽等同锦西大卧铺辽金墓葬中画像石上的同类图像很相似，而前者所刻之鱼的用意大概与后者所表现的"王祥卧冰求鲤"故事中之"鲤"也不无关系。龙、虎、牡丹则是常见于辽墓志盖和石棺侧壁上的主要图案。如将石匠山石刻中的龙、花分别同辽代重熙年间的赵为干墓中石棺板上剔底阴刻之龙以及开泰年间的赵匡禹墓墓志盖上的牡丹花纹相比较就不难窥见两者在刻绘风格、表现手法上所具有的某种相似性。

简报指出此次清理所揭露的石刻当然只是原有全部石刻中的一部分。在现场可看到随着逐年开采和新辟采石面的不断降低，已在现存石刻壁面的进深方向上（即北面）形成了一个新的高达 5～6 米的石壁面。据此可推知，原石刻壁面至少已有数米高的部分石刻被毁。尽管如此，幸存石刻所提供给我们的有关当时社会生活、民俗等方面的图像资料还是较为丰富的，它无疑为辽、金、元三代石刻的研究提供了重要资料。

葫芦岛市

吉林省

长春市

吉林市

四平市

辽源市

通化市

50.吉林辑安发现宋钱

作　者：辑安县文物管理所　林至德

出　处：《考古》1962 年第 11 期

1961 年 11 月间，在辑安县城镇公社发现一批铜钱，重约 15 公斤。铜钱出于鸭绿江右岸，距江岸 20 余米处。

简报介绍，据发现者谈，铜钱埋有 1.3 米深。同铜钱一起出土的还有 1 个灰褐色夹细砂陶罐，罐已碎。铜钱散落在罐内和罐外，罐外的贯联成串，无秩序地放成一堆，估计可能用绳穿系。铜钱下面铺席，因腐烂得很厉害，只能辨识席纹之遗痕。

这些铜钱中计有开元通宝、宋元通宝、太平通宝等 30 余种共 100 余枚。

白山市

松原市

白城市

延边朝鲜族自治州

黑龙江省

哈尔滨市

51.黑龙江省双城市出土西夏文钱币

作　者：陈家本

出　处：《北方文物》1992 年第 3 期

1985 年 9 月，双城市单城镇政才村农民佟海在村东南方向约 500 米处，发现 1 处古钱币窖藏，200 余公斤的钱币分装在两个灰陶罐中。这批铜钱现为双城市文物管理所收藏。经初步清理，这批铜钱的上限为西汉文帝时的"四铢半两"，下限为金世宗时的"大定通宝"，共有 97 个年号，103 种钱币，内涵十分丰富。

据介绍，尤为令人意外的是，从中选出 1 枚西夏文铜钱。该铜钱为方孔圆钱，币值为小平钱，外观呈黑色，直径 2.45 厘米，字为西夏文"大安宝钱"。

简报称，该钱铸钱技术较低，钱币的轮廓不甚精整，文字也比较模糊，工艺欠佳。但它的出土仍为我们研究西夏货币以及金和西夏的经济交流提供了重要的实物资料。

齐齐哈尔市

鸡西市

鹤岗市

52.黑龙江省绥滨中兴墓群出土的文物

作　者：胡秀杰、田　华
出　处：《北方文物》1991 年第 4 期

中兴墓群位于绥滨县中兴乡东 17 公里左右，1973 年考古人员对墓群进行了清理，共发掘 12 座墓葬，出土文物百余件。林秀贞、张泰湘、杨志军三人在《文物》（1977 年第 4 期）上发表了《黑龙江畔中兴古城和金代墓群》一文，在考古界引起了强烈的反响。它是中华人民共和国成立以来金史考古研究的重大收获，推动了学术界对金代历史的研究。但是，由于时代的局限，文章未能将出土文物全部发表，虽然在文章后面列了出土文物统计表，但也难以反映其全貌，鉴于中兴墓群出土文物在金代考古研究中占有相当重要的地位，同时也为后人研究金史提供丰富的资料，故将中兴墓群出土文物（修复成形入库者）加以整理。

简报分为：一、陶器，二、瓷器，三、铁器，四、铜器，五、金银器，六、玉石器，共六个部分，有手绘图。

据介绍，中兴墓群出土文物丰富，但对于它们的断代，不能一概而论。8 号墓出土了大定通宝，为金代中、晚期墓葬无疑，而其他墓葬出土的铜钱，上限起自 995 年，下限至 1110 年，相差一个多世纪，还有的墓葬未出土可供断代的文物。因此，对这些墓葬的准确年代，还有待于进一步研究。根据中兴墓群的出土文物，简报认为中兴墓群很可能含有辽代文化的遗物。

简报指出，需要说明的是，原报告 12 座墓葬共出土文物 300 余件，其中绝大多数为棺钉。此外，为了便于器物的分类、排队，将少量已发表的器物也列入此篇，以供同行们更好地研究。

双鸭山市

大庆市

伊春市

佳木斯市

七台河市

牡丹江市

黑河市

绥化市

大兴安岭地区

上海市

53.上海西郊朱行乡发现宋墓

作　　者：沈令昕、谢稚柳
出　　处：《考古》1959 年第 2 期

1958 年 7 月，朱行乡在基建中发现 1 座宋墓。简报配以照片予以介绍。

据介绍，此为上下双层、每层双间的墓。上层一间有木棺、墓志及 4 只铁牛，木棺下的一间，同样四角有 4 只铁牛，正中有 1 尊石道教神像，另一间上下双层都是空的。据墓志，墓主人叫张璋，嘉兴府华辛县人，死于南宋嘉定六年（1213 年）。

54.上海宋墓

作　　者：黄宣佩
出　　处：《考古》1962 年第 8 期

1959 年，考古人员在上海市郊嘉定、宝山等县配合基建工程中，清理发掘了 10 座宋墓。这批宋墓，一般都埋葬在地面以下深约 50 厘米，地上没有封土。墓的结构，大致可分石板砖室墓、土坑木棺墓和火葬墓三类。

据介绍，计有石板砖室墓 6 座。一般为夫妇合葬墓，只有个别是单人葬。石板砖室墓内的随葬品一般都较其他类型宋墓丰富，以镇墓的 4 只铁牛的影青瓷盒、瓷罐、瓷盂以及铜镜等，为其特色。漆器虽然也有较多发现，但无一完整的。铜钱一般都遍布墓的底砖上，数量有多至 820 余枚的，也有个别在墓的底砖下面还放有大量的钱。最常见的是宋代年号和开元通宝，但也有汉五铢钱。棺底常有水银发现，可能是有意放置的防腐剂。此外还发现有铁买地券和小陶瓶，买地券长方形，铭文隔行正反倒置，并且上面涂有松香。陶瓶敛口小平底。仅有宝山月浦宝祐四年（1256 年）赵氏墓出土过金银饰品。石板砖室墓一般都有圹志，嵌置在墓室的北端砖壁内。根据圹志记载，这些墓的年代最早为北宋治平三年（1066 年），最迟到南宋宝祐四年（1256 年）。死者生前有承信郎、承节郎、承直郎和保义郎等，有的曾监绍兴府萧山县酒税，有的监镇江府大港镇税。土坑木棺墓，1959 年 9 月当普查嘉定县文物时，在外冈地方发现了多座，清理了其中 1 座。这类墓的结构，仅仅是土坑加木棺，有的在土坑的底部灌浇一层黄土石灰浆。土坑狭小，宽仅 45 厘米，棺木也极薄，一般都早已朽烂。随葬品只发现残黄釉宋瓷碗 1 件。这类墓可能都是宋代的平民墓。火葬墓，从随葬品看，似也为劳苦百姓的墓葬。

55.嘉定封浜宋船发掘简报

作　者： 上海博物馆　倪文俊
出　处：《文物》1979 年第 12 期

1978 年 2 月，上海市嘉定县封浜河工程施工中，在封浜公社杨湾生产队出土古代木船 1 艘，考古人员发掘清理。简报分为：一、木船出土情况及其结构，二、舱内遗物，三、认识与收获，共三个部分，有手绘图、照片。

据介绍，嘉定县封浜公社杨湾生产队位于上海市区以西，地势平坦，南与上海县相邻。1972 年 2 月，封浜东邻上海县新泾公社努力大队吴淞江南岸 100 米、深 5 米处，曾发现 1 处古代船码头。此次发现于流沙层内的古船，船舱内积满淤土。船身因受压稍变形，小部分船板和舱梁隔板木质已腐朽，未腐朽部分木纹清晰可见。船身后部断缺，残长 6.23 米，约为全船长度的三分之二。船舱内遗留器物有建筑材料和日常生活用品二类，简报推断这艘木船的年代可以断在南宋。

56.上海嘉定宋赵铸夫妇墓

作　者： 上海博物馆考古部　王正书
出　处：《文物》1982 年第 6 期

1979 年 10 月中旬，上海郊区嘉定县城厢镇在清河路供电所路南建造新公房时，距地表 1 米深处发现宋苏州乐善居士赵铸夫妇墓。墓葬虽然早期已被破坏，但女墓结构特殊，并发现用皮纸造墓，这是以往考古发掘中很罕见的。考古人员对其作了清理，清理情况简报配以照片予以介绍。

据介绍，墓葬早期已被人盗掘。出土时墓顶全无，随葬器物扰乱，墓坑内充满淤土。男墓与女墓两墓形制都属石顶砖室。出土遗物有四系釉陶罐 1 只、陶坛 1 只、陶瓶 2 只、铁牛 4 只、糯米砖数以千计、唐代钱币 300 余枚、皮纸（用作包装，其量与砖同），男女墓志都腐蚀严重，字迹漫漶，简报未录墓志全文。但从男墓志可知，墓主赵铸，字先颜，卒于嘉祐七年（1062 年），时 79 岁。"世晦迹不求仕"，年轻时"君奋空手，历难苦……不数十年富有甲苏民"。在墓志中记载有两件史料，第一，北宋皇佑前后，苏州地区"累岁年谷不登"。第二，皇佑年间疾病流行，"民中之疾必不起，死者仅千计，骼骴盈路"。

简报称这次清理虽然是残墓，但墓葬结构用的是糯米浆制成的砖和大量桑皮纸，因此它对研究宋代墓葬，特别是造纸术有着重要的价值。

57.上海市松江县兴圣教寺塔地宫发掘简报

作　者：上海博物馆　张明华、孙维昌

出　处：《考古》1983 年第 12 期

松江兴圣教寺塔位于城厢镇东南三公街，为上海市级文物保护单位。因为塔身呈方柱形，当地人亦称方塔（下简称方塔）。塔身九级，总高 48.5 米，此塔多方面呈现唐代的遗风，是北宋砖木结构楼阁式塔中比较典型的建筑。据元人任叔实《兴圣教寺记》载，方塔始建于宋熙宁、元佑年间。1975 年，曾于第七层斗拱壁缝中发现了熙宁、祥符、元丰铜钱，证实方塔确系北宋时期所建。自元至元二十一年（1284年）至清道光二十四年（1844年）曾多次对方塔进行过整修。为了妥善保护好这一古建筑，上海市文物保管委员会决定予以维修。为配合这一工程，1974 年 11 月 7 日至 10 日，考古人员对该塔地宫进行了发掘。简报配以照片予以介绍。

据介绍，发掘工作是在塔内底层中心部位进行的。石砌宫室中有 1 石函，上、下各置 46 枚铜钱。石函中有 1 漆盒，漆盒南侧有 1 铜质卧佛，其北有大上 2 个银匣，亦用丝织品包裹，小银匣内有用丝织品包裹的 6 颗舍利和 1 颗佛牙，大银匣内也有用丝织品包裹的 1 颗佛牙，比第 1 颗稍大，在漆盒底部还发现 101 颗小银珠和 97 枚唐开元通宝。出土的遗物主要有铜造像、钱币、银匣、银珠、石函、药材、漆匣、象齿化石等，共 305 件。经专家鉴定，所谓"佛牙"不是人牙，而是一种动物牙齿。

简报认为，石函中的瘗藏品及地宫的砖室建筑与建塔的时代一致，确系北宋无疑。但在揭露地宫顶面时，发现局部有断裂下凹和松动的现象，这表明南宋初年有人曾撬开过拱顶砖头，安置了泗州大圣座像，同时放入包含有 1 枚"建炎通宝"在内的 87 枚铜钱。

58.上海奉贤县发现大批宋瓷

作　者：孙维昌

出　处：《文物》1987 年第 9 期

1977 年 12 月下旬，上海市奉贤县在兴修三团港水利工程中，于四团公社四明大

队第五生产队农田里发现 800 余件瓷器，主要是碗。考古人员前往调查了解并进行了清理发掘。瓷碗出土时，大部分碗口朝上，集中堆放在一个约 60 平方米的椭圆形坑内，有些碗底下面发现柳条形的编织物痕迹，可能是原来装碗的箩筐。碗原用稻草捆扎，每扎 10 件，附着在许多瓷碗的淤土上还保留着稻草捆扎的痕迹。简报配以照片予以介绍。

据介绍，碗完整和基本完整的 829 件，在这批瓷器出土地点的北部不远，还发现炊事用的大铁锅和砂陶钵各 1 件。简报对这批瓷碗的时代和来源有如下一些看法：从瓷碗的特点看，胎骨灰白，施豆青色亮釉，器外壁施半釉，装饰刻划纹和篦纹等，这些均与宋代浙江南部和福建北部地区烧造的瓷碗特点相类同。这批瓷器堆放的地点，距离现在的海岸线约 10 公里，距离宋代的海岸线遗迹——里护塘外约 400 米。地层处在黄土层之下，灰褐色的沙土层中，其间还夹杂少量贝壳沙。因此，简报推测这里当时很可能是一片海滩。

简报推测，这批瓷器可能是宋代从浙南、闽北一带瓷器产地装运来沪，临时堆放在海滩上，准备转运外地，后因发生某种突发事故而被埋没在这里的。

59.上海奉贤县冯桥宋井的清理

作　者：王世杰

出　处：《考古》1997 年第 5 期

1994 年 1 月 20 日，奉贤县拓林镇开挖东横河水利工程时，在冯桥村地段内发现一眼砖井，民工们挖掉了部分青砖井壁，取出了大部分井中遗物。考古人员 22 日对其进行清理发掘。简报分为：一、井的结构，二、出土遗物，三、几点认识，共三个部分，有手绘图。

据介绍，该井所在的拓林镇位于奉贤县西南方，南濒杭州湾。井的位置于拓林镇东南约 1 公里，北距冯桥村 200 米，西距竹港河 300 米。井身正好坐落在新开挖的东横河之河底与北坡的交界处，井身由砖垒砌，残留 11 层。这次发掘出土的井身构件及井中遗物共有 10 种，80 余件。

冯桥井的始筑年代简报推断为南宋，沿用至元代。

江苏省

南京市

60.江苏江宁东善乡冯村清理两座北宋墓

作　者：陈福坤
出　处：《考古》1959 年第 1 期

两墓位于江宁东善乡冯村，简报分为两个部分，配以照片予以介绍。

据介绍，两墓均为土坑竖穴墓，葬具、人骨几乎全朽。出土有铜镜、瓷器、铜钱、陶罐等。据墓志，一墓主人为徐伯通，其祖父徐的、父徐大受、叔父徐大方，均为官宦。此三人墓考古人员均已发现。据志文徐伯通曾位北宋刑部侍郎，北宋元丰四年（1081 年）下葬。简报未录志文全文。另一墓为徐大方之妻方氏之墓。可见冯村一带为徐氏家族墓地。

61.江苏南京宋墓记略

作　者：朱　江
出　处：《考古》1959 年第 6 期

1957 年 3 月、4 月两个月，仅南京附近就发现了宋墓七八座，其中 6 座有墓志。简报配以照片予以介绍。

据介绍，江苏南京宋墓，可分为砖石墓和土坑木棺墓两大类。此两类墓的共同点有二：一是墓志多放于墓室后壁，砖墙的则嵌入墓室壁上。土坑墓的一般放在墓坑边上，放在墓室前墙的较少。二是木棺上多散放货币，以宋钱为主。简报称，江苏南京宋墓多随葬有漆器、瓷器、石砚、铜镜等。

简报说，过去说"宋人薄葬"，其实也不尽然，有的宋墓仍有金银器出土。

62.江苏江宁东冯村宋徐的墓清理记

作　者：王德庆

出　处：《考古》1959 年第 9 期

徐的墓位于江宁县东善桥镇东冯村西侧的蔡家山南坡，是 1957 年 5 月发现的。简报配以照片予以介绍。

据介绍，此墓为一长方形竖穴土坑墓，墓内仅容一棺，棺已朽。出土有陶器、瓷器、铁器、漆砚盒等，有墓志，简报未录志文全文。徐的，《宋史》有传，行文简洁，主要事实与志文相合，但志文也有可补史书之处。

简报称，徐的墓周围还有几处宋墓，多已被破坏，但采集到墓志 5 合，简报均不录志文全文。据志文知，所葬之人有徐的之妻吴氏、徐的长子徐大受、徐的次子徐大方、徐的长孙徐伯达、徐的次孙徐克温之妻王氏。

63.南京太平门外王家湾发现北宋墓

作　者：金　琦

出　处：《考古》1961 年第 2 期

考古人员于 1960 年 3 月 11 日至 15 日，在太平门外清理了 1 座北宋墓。简报配以照片予以介绍。

据介绍，此墓位于南京太平门外蒋王庙西北约 1 公里的王家湾后山坡上。板砖砌墓壁，棺木和骨架均腐朽，仅存棺上铁环 4 个，亦锈蚀不堪。出土遗物有隐青瓷粉盒、金钗、金簪、金花头饰件、铜镜、铜钱、陶瓶，此墓的年代简报推断当在北宋末年徽宗建中靖国时代。

64.南京中华门外宋墓

作　者：李蔚然

出　处：《考古》1963 年第 6 期

1957 年 2 月 25～26 日在南京中华门外 1 公里余的丁家山北麓，发现 1 座宋墓。简报配以照片予以介绍。

据介绍，该墓部分已被挖毁，系土坑竖穴，木棺已腐烂。该墓出土遗物不多，有 3 件橄榄形陶瓶，1 件影青瓷瓶，1 面四方形素面铜镜。墓内出有石质墓志，无盖，竖立在死者足部的石灰内，有字的一面向着木棺，志文楷书 33 行，满行 32 字，简报录有志文全文。

简报称，根据墓志，这座墓是唐南平郡王钟傅之女，宋龙阁学士礼部侍郎杜镐之妻的坟墓。《新唐书》卷 190 有《钟傅传》，又《宋史》卷 296 有《杜镐传》。墓志的发现，清楚地说明了死者的身份和丧葬年代为天圣五年（1027 年），享年 75 岁。

65.南京市郊区龙潭宋墓

作　者：金　琦

出　处：《考古》1963 年第 6 期

1962 年 10 月 20 日，南京市郊区龙潭人民公社发现了 1 座宋墓。墓位于龙潭镇西南、东阳镇南头里许的王家山麓，是用砖、石建筑的梯形单室墓。

简报介绍，出土遗物有：影青小瓷瓶、银发插各 2 件，影青小瓷鼎、陶灯、陶壶各 1 件，铜钱 7 枚。此外，在死者头部附近发现已腐朽的木梳和铜镜残片。

此墓从墓式、砖型、陶瓷器来看，大体上与南京太平门外王家湾北宋墓相似（《考古》1961 年 2 期）。由于发插上有"建康东门"铭文，因此，这座墓的年代简报推断当在南宋建炎三年（1129 年）以后，为南宋初年墓葬。由随葬银发插和木梳推测，墓主系女性。

66.江浦黄悦岭南宋张同之夫妇墓

作　者：南京市博物馆

出　处：《文物》1973 年第 4 期

南宋张同之夫妇墓是 1971 年 3 月 29 日浦县东方红公社朝阳大队农民在劳动时发现的。考古人员前往调查时两墓出土随葬遗物已大多取出，由朝阳大队送交县文化馆保存。墓上部建筑大部分已经拆除，调查时除将文物出土情况进行了解记录外，并对墓的结构作了测绘，清理了室内积土，继续清出铜器和水晶饰件等随葬品。简报分为：一、墓室结构和内部情况，二、出土随葬遗物，三、结语，共三个部分，有照片、手绘图等。

据介绍，墓位于江浦县西北约 5 公里余黄悦岭的东南麓，分左右两室，无甬道和墓门。棺室作长方形竖井状。左室为男室，右室为女室，木棺已朽，人骨架完好。出土随葬遗物有文具、饮食器、装饰品和墓志等。墓志简报录有志文全文。从墓志刻文来看，张同之系唐代诗人张籍之后，宋代词人张孝祥之子。曾任过"江南西路转运判官"等职，死于庆元元年（1195 年），葬"祖域之旁，黄叶岭之阳"；妇章氏，死于庆元五年（1199 年），祔葬张同之墓右。张同之生前与诗人陆游相友善，简报据墓志及相关文献，附有张氏世系表。

67.南京幕府山宋墓清理简报

作　者：南京市博物馆　朱兰霞等
出　处：《文物》1982 年第 3 期

1980 年 2 月 17 日，南京市港务管理处起重队在幕府山南基建工地推土时发现夫妇分室合葬墓 1 座。墓位于幕府山南的一个向阳山坡上，两墓室并列，距地表深约 2 米。在两室隔墙上部约 40 厘米处还发现一近代墓。简报分三个部分，有照片。

据介绍，两墓室系长方形券顶砖室结构，东西排列，坐北向南，方向南偏东 60 度。两室前端相分，后端相接，两室木棺和尸骨均腐朽无存。出土有金饰、银器、瓷器等。墓志一方，表面剥蚀严重，不见一字。随葬品中瓷瓶为磁县观台窑产品，瓷盆为景德镇产品，均十分精美。金银饰件已极精美，表明当年的金银制造技艺已极高超。此座夫妇分室合葬墓的年代，简报推断为北宋中期。

68.南京市孝卫街北宋墓出土木尺

作　者：南京市博物馆　管玉春
出　处：《文物》1982 年第 8 期

江苏省南京市中山门外孝卫街铁匠营东北水塘北岸，1964 年底施工时发现 1 座北宋墓。经清理，棺内骨架头侧和肩旁出土木尺、竹智、木梳（半截）、影青瓷粉盒（缺盖）、宝相花铜镜（半面）各 1 件，铜钱 22 枚，棺外出土陶瓶及木墓志各 1 件，随葬品保存都较完好。简报配以照片予以介绍。

据介绍，出土铜钱中除唐"开元通宝"7 枚外，都是北宋钱，以"景德元宝"1 枚为最晚。因此，简报推断这座墓葬是北宋景德（1004～1007 年）以后的。出土木尺棕黑色，楠木质，等分十寸，各有刻度。经脱水干燥后实测长 31.4 厘米、宽 2.4 厘米、厚 0.8 厘米。

简报称，宋代度量衡沿袭唐制，官尺由太府寺掌造，主要是为征收布帛用的，所以称为"太府寺布帛尺"，或"太府寺尺"，或"布帛尺"，又因宋初的贡赋由三司使征收，也称"三司布帛尺"或"三司尺"。这种尺在民间通用。简报据以往记载推算得知，北宋中期以后，三司布帛尺已经增至 31.68 厘米了。

69.南京林学院发现北宋墓

作　者：南京博物院　贺云翱
出　处：《考古与文物》1986年第2期

1984年7月，南京林学院实习林区北大山发现1座古墓。简报配以照片、拓片予以介绍。

据介绍，北大山是座小山，高出一般地面约20米。古墓位于北半山腰，属砖石墓。其构造方法是：先在山坡上凿出墓坑的南、东、西三面，再沿石坑边缘用青砖平叠砌墓壁，从上到下共26层。此墓早年被盗，加之农民采砂时破坏，出土物很少。计有瓷瓶1只，铜钱十余枚，瓷片1块，铁棺钉6枚，朽骨数块。墓中出土铜钱可作为断代依据，钱文作"明道元宝"。"明道"是北宋仁宗的年号（1032～1033年），这一年号仅使用了两年。

70.南京南郊宋墓

作　者：南京市博物馆、南京市雨花区文管会　祁海宁、华国荣等
出　处：《文物》2001年第8期

雨花南路，又称纬八路，位于南京城南雨花区境内。此路所经地区丘陵起伏，是南京历代古墓十分密集的区域。1987年秋季，考古人员在纬八路西段邓府山南京市公交公司基建工地，清理了六朝至明代墓葬30余座。其中1座为宋代砖室墓，编号为87YDM17；1996年4～9月，为配合纬八路东进工程的施工建设，又在其东段发掘了六朝至清代墓葬40余座。其中在长岗村李家洼清理了1处宋代墓群，包括土坑墓2座，编号分别为96YGM7、M8；砖室墓4座，编号为96YGM11～13、M16。鉴于宋代墓葬在南京地区发现较少，发表正式报告的更少，特将这宋墓的发掘情况汇集整理予以介绍。简报分为：一、墓葬形制，二、出土器物，三、结语，共三个部分，有照片、拓片、手绘图。

据介绍，7座墓葬中，除M7和M8为长方形土坑竖穴墓外，其余均为砖室墓。砖室墓皆为券顶，除M16墓室平面呈梯形，前有短甬道以外，其余4座墓均为长方形单室墓。墓葬封门均为顺砖平砌。墓壁的砌法大都也是顺砖平砌，仅M13和M17较为独特。M17两侧壁前部各置一"七进八出"的直根假窗，后部各设一长方形抹角壁龛，后壁中央有一拱形壁龛，龛内正中又套设一方形浅龛，后壁外侧，在正中部加砌一道宽50厘米与券顶等高的砖墙，可能起加固后壁的作用。出土遗物有金器、铜器、瓷器、铜钱等。M16出土有砖墓志1方。年代据简报推断，M16、M13、M17为南宋早期。其中M16

有明确纪年(1145 年)。M7、M8 为北宋晚期至南宋。M11、M12 为北宋晚期至南宋早期。

M16 所出砖墓志,计 341 字,楷书。简报未录全文。

据志文,M16 的墓主为娄元,其家世根据墓志的叙述是比较清楚的。其父名娄嗣正,官至武翼郎;祖父名娄楚,官至内殿承制;曾祖名娄绍勋,官至太子左清道率副率。据《宋史·职官志》,皆为低职武官。其四世祖名娄景,曾"……转徙于蜀,从孟氏归朝,授殿前承旨"。可见其原为后蜀孟昶政权的官吏。965 年,宋灭后蜀,孟昶投降,娄景因参与其事,得授殿前承旨的官职。殿前承旨的名号《宋史·职官志》中未见记载,似可补史籍之缺。娄元本人因父职荫补为承信郎。志文称娄元"凡八迁至今,皆悉战功也"。从 1125 年开始,宋金之间爆发激烈的战争,其时娄元 34 岁,正值壮年,因此墓志中所称的战功应当同宋金战争有关。

M17 所出南宋早期料器,在这批出土器物之中,最值得重视。这批器物的特点是重量轻,色彩明丽,制作较精细。从外观和密度上来看,很像今天常用的塑料制品。简报称:"若非从墓葬中出土,极易将两者混淆。"这种器物在宋墓中很少出土,因此缺乏相应的研究,目前对其化学成分、制造工艺等方面的问题尚缺乏科学的分析的测试结果。

无锡市

71.江阴北宋"瑞昌县君"孙四娘子墓

作　者:苏州博物馆、江阴县文化馆　钱公麟、丁金龙

出　处:《文物》1982 年第 12 期

1980 年 12 月,江苏省江阴县夏港公社三元大队发现一座北宋墓,出土了一批文物。此墓位于江阴县城西 2 公里的澄常公路以北,在 1978 年发现的北宋工部侍郎葛宫墓(俗称"尚书墩")以南 50 米。从出土的经卷和买地券题记得知,此墓为故"瑞昌县君"孙四娘子墓。简报分为:一、墓葬结构,二、出土器物,三、几点浅见,共三个部分,有照片和手绘图。

据介绍,此墓为浇浆木椁单穴墓。木椁楠木造,素面无漆,木椁用浇浆固封,棺与椁间用四只木模塞紧固定。此次出土有木俑 30 多件、木质买地券、藤奁盒、漆盒、梳子、剪刀、铜镜、插花、金钩、铜钱、陶罐、佛经等大量遗物。墓中出土的梵夹本写经和家具尤其珍贵。

宋代墓葬出土家具较为少见,此墓出土的供桌、靠椅虽属明器,但制作与实用

家具无异。宋代匠师吸取了大木构架的做法，创造了"苏式"家具，江阴的这 2 件出土物对于研究"苏式"家具有可贵的价值，对于了解明代家具的历史渊源也很有益处。宋代墓葬出土的藤器也是稀见的，此墓出土的藤器盒精致完整，显示了北宋时期苏州地区的手工业技术水平。

据买地券，下葬时间为北宋至和二年（1055 年），下葬地尚书墩为葛氏祖坟，出土佛经上又有葛诱题记。简报推测墓主人孙四娘子或与葛诱有关。

72.无锡市郊北宋墓

作　者：无锡市博物馆　冯普仁、陈瑞农
出　处：《考古》1982 年第 4 期

1977 年冬，无锡市郊扬名公社五爱大队在平整土地时，发现 2 座宋代墓葬，出土有漆尺及瓷器、金银饰等文物，其中完整的漆尺对于研究我国宋代的尺度具有一定的价值。简报配以照片、手绘图予以介绍。

据介绍，2 座墓葬在市南郊丁巷村东，距市区约 5 公里。均为竖穴土坑墓，葬具与尸骨均已朽。只能推测一号墓墓主人为女性。两墓随葬品共 62 件。因器物已被农民全部取出，故出土位置不详。一号墓除棺外墓底散放部分铜钱外，其余均置棺内。二号墓仅出土铜镜和石砚各 1 件。随葬品中最重要的是一号墓所出漆尺 1 件。木质，髹酱红色漆。尺两面分别以相反方向一半刻标志寸的刻度，一半刻牡丹花纹图案。全长 32 厘米，宽 3.1 厘米，厚 0.6 厘米。宋尺实物在全国各地发现较少，河北巨鹿北宋故城曾出土 3 件木尺，河南巩县、河北石家庄和湖北武汉十里铺北宋墓分别出土过铁尺和木尺，但均为北宋晚期实物。这一次发现的漆尺较上述宋尺年代早。此尺保存完整，刻度清晰，长度和巩县出土的铁尺相同。值得注意的是，这件漆尺和巩县、武汉发现的宋尺一样，都出于女性墓内，说明这些宋尺可能都是作为妇女生前使用的日用品而随葬于墓内的。

简报称，两墓均应为北宋中期墓。从一号墓所出铜钱看，一号墓不会早于北宋宝元二年（1039 年）。

73.无锡市锡惠桥北宋墓

作　者：冯普仁
出　处：《考古》1986 年第 12 期

1983 年 12 月，无锡市锡惠桥西北基建工程中，发现 1 座北宋墓葬。墓葬南距人民西路约 30 米。简报配以照片予以介绍。

据介绍，该墓系长方形竖穴土坑墓，中置木棺 1 具，保存完整，外髹黑漆，棺木侧板和档头四角用榫卯结构，但两边侧板与木棺底板及棺盖之间，则仅用铁棺钉连接。木棺四周和棺盖顶部以上均填满石灰。圹底未铺石灰，仅垫铺一层浅黄色冥纸。棺内大量积水，尸骨已朽残，死者头北足南，头部右侧置漆碗和石砚各 1 件，木棺北端外面底部中间石灰层内，竖立木质买地券 1 方。券文共 209 字，简报录有全文。据买地券记载，墓主刘十三郎，无锡县天授乡宾雁里人，入葬于北宋嘉佑七年（1062 年）。

74.江苏无锡兴竹宋墓

作　　者：无锡市博物馆　蔡剑鸣等
出　　处：《文物》1990 年第 3 期

兴竹村位于江苏省无锡市南门外，西南距南禅寺妙光塔约 0.5 公里，西邻京杭古运河，原是古城门外的一块墓地。1986 年 11 月，在兴竹村基建工地发现两座宋代墓葬，考古人员进行了发掘清理。简报分为：一、1 号墓，二、2 号墓，三、结语，共三个部分，有照片、手绘图。

据介绍，1 号墓为土坑墓，墓内棺木完整，尸体腐烂。出土器物成形的有 19 件，包括漆器、瓷器、石器、铜器、木器以及文房用具等。2 号墓距 1 号墓 2.85 米，为砖室墓，早期曾被盗，棺内骨架零乱，淤泥充塞。随葬遗物仅在墓的四角发现铁牛各 1 件，另有墓志 1 方、双系陶瓶 1 件。墓志字迹已漫漶不清，无法辨认。

简报推断 1 号墓为不早于治平时期的北宋中期墓葬，随葬漆器的制作年份当在熙宁四年至六年（1071～1073 年）。简报称，以往江浙一带宋墓出土漆器所记产地有杭州、温州、湖州、四明、江宁、苏州和常州等，而无明确署"歙州"（今安徽歙县）款的。因此，此墓漆器的出土对了解宋代漆器产地的分布，以及宋代江南地区漆器工艺水平、流通情况等，都提供了有价值的实物资料。另外，1 号墓墓主胸、胯、腿部之上分别置木板，板上摆放随葬遗物，这种葬俗比较少见，应引起注意。至于 2 号由于早年被盗，无从判断，简报认为此墓似为南宋墓葬。

75.江苏江阴要塞镇澄南出土宋代漆器

作　　者：江阴市博物馆　林嘉华
出　　处：《考古》1997 年第 3 期

1991 年 3 月 31 日，江苏省江阴市要塞镇澄南化工厂在距地表 1.38 米处发现 1 只较为完整的木棺。棺内尸体已朽，脚部和头部左右侧分别有 1 件大型黑漆盘和 2 件葵花瓣漆盏；另有木梳、瓷碗各 1 件，铜钱 7 枚。民工们将它们取出后存放在厂部办公室。考古人员前往现场调查，并将出土文物全部带回馆内。简报配以手绘图、拓片予以介绍。

据介绍，出土文物有漆盘 1 件。有铭文，漆盏 2 件，有铭文，木梳 1 件，瓷碗 1 件，铜钱 7 枚。出土的 3 件漆器均髹朱、黑两种颜色，且又均为素面；器物上的款识或朱书，或阴刻涂银粉，均标明了制作器的年代、地点和工匠姓名。这些都具有宋代漆器的一般特点。简报推断这批出土文物当属宋代。

76.江苏江阴夏港宋墓清理简报

作　者：江阴市博物馆　高振卫、邬红梅
出　处：《文物》2001 年第 6 期

1991 年 2 月，考古人员在新开夏港河工地清理了 1 座宋墓。简报分为：一、墓葬形制，二、随葬器物，三、结语，共三个部分予以介绍，有彩照。

据介绍，该墓东距江阴夏港镇约 600 米，南距澄常公路约 300 米。墓口距地表约 1.35 米，为砖石混合结构。墓圹砖砌，顶部用 3 块石板覆盖，墓圹内有木棒，木棒盖板上放置 1 根圆木，长 2.5、直径 0.12 米，两端嵌于墓坑两侧的砖墙内。木棒内有朱漆木棺 1 具，揭开棺盖，另有一层薄木板封顶。棺内尸骨头向北，已腐朽，仅头骨尚完整。棺内底部的木架上放置随葬品。墓圹外南侧出土 1 块石碑，铭文已漫漶无从辨认。随葬品丰富，有瓷器、漆器、金器、银器、铜钱、压胜钱、冥钱等。该墓的年代简报推断为北宋末年。

夏港位于江阴市区以西，自古便是水陆交通要冲。从随葬品来看，夏港宋墓的主人具有较高的身份和地位。因墓碑已漫漶，墓主人的身份无从知晓。但其出土地点距离宋代江阴望族葛氏家族的墓地很近，夏港尚书墩曾是北宋工部侍郎葛宫在江阴的祖茔，葬于尚书墩的葛氏族人不少，主要有 1978 年发现的葛宫之子夫妇合葬墓、1980 年发现的葛宫之妻孙四娘子墓。本次发掘之墓西距尚书墩葛氏家族墓地仅有百米，简报怀疑墓主人也应为葛氏家族成员。

77.江苏江阴长泾镇宋墓

作　者：刁文伟、翁雪花
出　处：《文物》2004 年第 8 期

2001 年 9 月，江苏江阴长泾镇在建设梁武堪小学教学楼时发现 1 座古墓。该墓葬位于镇南市级文物保护单位梁武堰遗址西南约50米。简报分为：一、墓葬形制，二、随葬器物，三、结语，共三个部分介绍了该墓的清理情况，有照片、手绘图。

据介绍，墓葬为砖室墓。墓室顶部覆盖3块青石板，石板经过加工，光滑平整，长1.58～1.66米、宽1.04～1.15米、厚0.15米。青石板的接缝处盖有条砖。墓室平面长方形，砖室分内外两层，墓底亦为青砖铺设。内室西壁有2个长方形小龛，壁龛内未见随葬器物。墓室内置棺木，髹黑漆，楠木质。棺木之上置1根边长0.18米、长3.03米的木方。棺盖板的西侧面髹红漆，而东侧面为黑漆，其两端用红漆绘有卷云纹，鲜艳夺目。整个墓室浸于水中，尸体仅存骨架。随葬器物的位置略有改变，大致是银饰除告和挖耳外，其他位于头部，右手侧有瓷碗、锡质明器和告、挖耳；左手侧为铜镜、告。内墓室的西南角放置釉陶瓶1件。该墓的年代，简报推断为南宋。

简报称，此次出土的鎏金银饰，在制作上综合运用了捶打、整刻、焊接、鎏金等多种工艺，特别是I式钗的钗头运用了浮雕形凸花工艺，体现了高超的金银器造型和装饰水平。每1件器物上都有铺号字样，铭文皆出自周姓作坊，说明了这些金银器皿的商品属性。

78.江苏江阴市青阳镇里泾坝宋墓

作　者：江阴市博物馆　翁雪花、刁文伟等
出　处：《考古》2008年第3期

2002年2月，江阴市博物馆对位于江苏省江阴市青阳镇里泾坝村的1座宋代墓葬进行了清理，并将其石椁整体搬运至博物馆内进行修复保护。简报分为：一、墓葬形制，二、出土遗物，三、结语，共三个部分予以介绍，有彩照、手绘图。

据介绍，此墓是20世纪70年代当地村民开挖鱼塘时发现的，当时已遭盗掘。残存的墓坑及石椁、砖室均直接暴露在鱼塘的浅滩处，椁口距塘边地表深120厘米，梓室内淤泥堆积过半。墓葬形制为竖穴砖室石椁墓。墓坑已遭破坏，尺寸不明。土坑底部经夯实后，铺设了厚13厘米的三合土浇浆，其上平放四块厚约18厘米的青石板。石板之间以子母口扣合紧密。石板的上面经过磨平加工，形成中间呈长方形并向上凸起约2.5厘米的光滑石面。在铺底的四块石板之上放置石椁边框，平面呈长方形，长278厘米、宽110厘米、高95厘米，其南北两端略向内收缩12厘米。石椁的四面边框各由上下两块青石板组成，共计8块。东、西两侧的椁板两端凿有凹槽；南、北两侧的椁板则凿成梓头，插入两侧椁板的凹槽内；上、下椁板之间也各有两组榫卯相连。在紧靠石椁边框的外侧用青砖错缝垒砌成砖室。由于外侧有砖

室挡护，石板之间以榫卯扣合，以及三合土浇浆灌注缝隙的作用，整个椁体非常坚固。在椁室内底部用青砖错缝竖铺在石面上，以三层砖平铺的垫棺横档。石椁顶部的盖石，以及砖室的上部结构，因遭破坏已无法了解。由于墓葬已被盗掘，随葬品大多遗失，仅见铜钱 8 枚，但石椁上的浮雕画像尚保存完好。

简报推断该墓葬的年代上限为北宋末年，具体是在北宋末年至南宋早期这一范围内。简报指出，此类样墓的形制在江南地区较为普遍，但石椁上雕刻的画像内容却极为少见。石椁四壁上层青石板上所雕立人像及其旁的动物，反映的是人附生肖的内容，象征死者即使进入幽冥世界也要生肖相随，岁月轮回，有祈祷亡灵顺利投生之意。石椁西壁上层青石板中间的虎形浮雕伏兽，则应是四灵中的白虎。依此类推，石椁东、南、北壁应有青龙、朱雀、玄武，起着镇守四方、驱除邪恶的作用。同时，石椁下层石板的石刻中还出现了仰观神煞与伏听神煞。上述石刻画像的内容，体现了宋代民间对于神鬼、天曹冥府以及风水传说的信奉，以及对死者亡灵祈佑的重视。从保存较好的石椁东、西壁下部石板的浮雕画像看，在取材上没有选择宋代常用的孝道故事，而采用了墓主人没有出场的出行图，人物形象丰富，既有专事厨炊的侍从，又有轿夫和舆夫，其余挑担、荷篮、托盘、把伞者一应俱全。反映了墓主人生前富裕、安逸的生活，富有浓郁的生活气息。在雕刻技法方面，石椁画像的表现手法多样，从主体纹饰看，先将大块的青石板磨平，再在平整的石面上减地突出轮廓，以曲线为主的清晰轮廓线强调了图像的形体与动态特征，使得出行人物、十二生肖、四灵等形象的立体感很强；继而对要表现的轮廓凸面进行打磨，并运用粗细阴线来刻划轮廓的细部，突出显示人物衣服的褶皱及各种器物的纹饰，线条简洁流畅，形象概括而生动。仰观、伏听神煞则以不规则的刀法在减地后的青石面上薄薄铲去背景，斜削以突出轮廓，使形象凸起于平面。

徐州市

79.徐州雪山寺北宋窖藏纪年文物

作　者：李银德

出　处：《文物》1990 年第 3 期

1984 年 2 月，江苏省徐州市铜山县茅村乡大庄村农民在雪山寺遗址发现 1 处窖藏，出土一批有纪年的北宋文物。简报配以照片、拓片、手绘图等予以介绍。

据介绍，雪山寺遗址位于徐州市北约 12 公里，东距茅村乡 2 公里。遗址的北面濒临不牢河，隔河与青龙山、大庄村相望。窖藏在遗址的偏北部，系凿石成坑，深仅 1.2 米。出土文物有铜钹、铙、锣、磬、钱币及石幢等。简报推测窖藏年代的下限应是北宋末年，很可能是金人占领徐州时，雪山寺僧仓促藏匿的。窖藏中除铜器、钱币外，连石幢也一起入藏，也说明不同于一般的财富或特别的藏匿，而是有其政治原因的。

简报指出，钹、铙、锣、磬等均为打击乐器。这批实物的出土对研究我国打击乐器历史很有价值。另外，雪山寺所出铜钹、铙的铭文明确记载了其所属寺院、来源、购买日期和价格以及僧人姓名等，为我们研究北宋佛教法器和寺院经济提供了实物资料。如钹的铭文说明，北宋时期此类法器是僧人自己购买的。北宋流通白银，"一钱一副"当指白银而言。北宋时铜一直比较匮乏，因而由政府统一管理经营。钹和铙铭文都带有"官"字，说明北宋即使对于作为法器一类的铜器的制作、出售也须经过官方勘验。

常州市

80.江苏金坛南宋周瑀墓发掘简报

作　者：镇江市博物馆、金坛县文管会　肖梦龙
出　处：《文物》1977 年第 7 期

1975 年 7 月初，金坛县茅麓公社向阳大队发现一座南宋时期的墓葬，出土一批重要文物，尸体保存完整。据墓内 1 卷补中太学生牒文记载，墓主为周瑀，身份为太学生。简报分为：一、墓葬位置和结构，二、保存完整的古尸，三、星象图，四、随葬物品，五、衣物丝织品的分析五个部分，有彩照、手绘图。

据介绍，金坛县茅麓公社向阳大队，位于镇江地区金坛和句容县交界的茅山东麓丘陵地带，东距金坛县城 30 公里，周瑀墓就在该大队黑龙岗的东向坡上。周瑀墓的结构为长方形券顶砖室，券顶距地面 2 米。葬具为 1 棺 1 椁，棺下垫有 2 根枕木，都很完整。

简报称，墓主尸体外形保存完整，浸泡在棺内清水中，软组织有弹性，肢体大小关节都可活动，毛发俱全，皮肤颜色呈棕黑色。上海自然博物馆、上海第二医学院对古尸进行了解剖研究，发现尸体胸、腹壁肌肉层次清楚，四肢肌肉、血管、神经保存良好，各内脏器官外形完整，在某些脏器上发现明显的病变，粪便检查中找到多种寄生虫卵。病理检查，认为非慢性消耗性疾病致死。

81.金坛南宋周瑀墓

作　者：镇江市博物馆、金坛县文管会
出　处：《考古学报》1977 年第 1 期

南宋周瑀墓在金坛县茅麓公社向阳大队，位于镇江地区金坛和句容县交界的茅山东麓黑龙岗东向坡上，东距金坛县城 30 公里。1975 年 7 月发现。这座墓的形制和随葬品与过去发现的一般南宋墓没有什么区别，不同的是，在这墓中发现了 1 份牒文抄件，大量的衣物丝织品，以及 1 具保存完好的墓主尸体。牒文载明死者的姓名、籍贯、家庭出身以及补中太学生的经历，为研究宋代手卷装裱形式和官方文件程式提供了难得的实物资料。衣物丝织品，保存十分良好，其光泽、手感、弹性、弹力和抗叠性，均为过去出土的丝织品所罕见。这批丝织品，以纱罗为主要特色，绮类也很别致，其中的一些产品，织工精细，组织编结巧妙，图案绘制技艺高超，不仅为考察我国宋代丝织技术提供了可贵的实物资料，而且对我们现代的丝织品的设计和生产工作，也是一批很好的借鉴素材。墓主周瑀的尸体，比长沙马王堆 1 号墓、江陵凤凰山 168 号墓的汉代尸体和衡阳何家皂北宋尸体保存更好，是继上述三尸之后进行解剖研究的第四具古尸。它的研究，为我国的医学史、疾病史、古组织学、古病理学、尸体防腐技术等方面的研究积累了科学资料，对于继承和发扬祖国医药学，有一定的现实意义。

据介绍，墓为长方形券顶砖室。券顶距现地面 2 米。葬具为 1 棺 1 椁，保存完整，为杉木制成。棺内男性尸体一具，浸泡在无色的清水中，从出土现象判断，棺水系地下水渗入。棺底放了不少的灯草，用作干燥剂。尸体仰卧直肢，外形保存完整，毛发俱全，皮肤呈棕黑色，软组织有弹性，肌体大小关节都可活动。随葬器物，墓室前壁小龛内放陶瓶、木牌、铁地券各 1 件，衣物放在棺内或穿着尸体上，其他亦置于棺内。据出土牒文，死者系宋代文学家周瑀。此人生于南宋宁宗嘉定十五年（1222年），死于理宗景定二年（1261 年），享年 40 岁上下。

此次发掘，除了男尸、衣物、牒文，还有一些发现也较重要：

棺内所绘星象图。这幅星象图的大意可能是：日、月、星表示天空，山岳表示地上，在天地之间举行丧礼，所绘马鸡二生肖与死者周瑀的生卒年有关。按干支纪年，马为"午"年，鸡为"酉"年。由墓中出土的牒文抄件记载，知周瑀生年为"壬午"年即"马"年，卒年为"辛酉"年，即"鸡"年。

出土书写工具也很珍贵。书写文具有砚盒 1 件（内残存墨 1 小块），毛笔 1 支。笔杆长 12 厘米、笔头长 2.8 厘米、笔套长 6 厘米。杆、套系芦苇管做成，为研究我国书法史提供了实物资料。

82.江苏溧阳竹箦北宋李彬夫妇墓

作　者：镇江市博物馆、深阳县文化馆　刘　兴、肖梦龙
出　处：《文物》1980 年第 5 期

1978 年 2 月底，考古人员在江苏省溧阳县竹箦公社中梅大队发现并清理了 2 座砖室墓，两墓相距 1 米左右。根据墓一的墓志得知，墓主李彬，右旁并列祔葬的是其妻潘氏墓。这两座墓葬较以往苏南地区发现的宋代砖室墓砌造较为讲究。出土器物丰富多样，特别是一套精致的琉璃楼亭轩棚建筑和造型生动的四神及神像等，为宋代墓葬中所少见。简报分为三个部分，配以照片予以介绍。

据介绍，竹箦公社中梅大队距溧阳县城西北 20 公里，墓葬在中梅村附近一个小土墩的东侧。两墓形制结构完全相同，均为长方形券顶砖室。根据两墓之间的填土现象和李彬墓志的记载（李彬死于元祐六年四月二十八日，其妻潘氏五月十八日继亡，在当年秋八月二十九日祔葬），可知两墓是同穴建造的。两墓出土器物计 93 件，可分琉璃建筑模型、各种神像、陶瓷器皿、金属器具、墓志 1 合等。李彬墓中随葬品较多，建筑模型和各种神像亦多出此墓，潘氏墓仅有两件。

简报未录志文全文，据志文，墓主李彬，字文叔，金陵溧阳人。其曾祖父、父均"累世不仕"，而李彬本人一生也未曾为官。但是，由于四代的经营，到李彬时已成为"货积巨万"的地方富豪。据墓志记载，李彬"平时诵佛书日数卷"，家富资产。出土的神、佛像及楼亭轩棚等随葬品，当是其生前生活的真实写照。

简报指出，此墓出土住宅建筑模型，对研究宋代住宅建筑是一份难得的实物资料。如李彬墓出土的亭台楼阁，屋顶坡度较高，正脊两端的鸱吻或作兽头，垂脊上的蹲兽，岔脊上的尖角，柱子微向内倾斜（宋代称为"柱侧脚"），雕刻铺地莲花柱础，以及整个建筑风格皆为宋代特色。

简报说，《宋史·舆服志》中关于住宅制度的记载："凡民庶家不得施重拱、藻井及五色文采为饰，仍不得四铺正檐。庶人舍屋许五架，门一间两厦而已。"李彬虽为豪富，特别"好治居处"，但身无官职，所以出土的住宅建筑不见施斗拱，没有文采装饰，门堂仅作一面坡式，说明是严格遵循了有关规定的。

该墓出土的一批影青瓷器应为景德镇窑的上等产品。这批影青瓷器均以银包镶边口，过去有人认为这是复烧的芒口瓷器，为了弥补其涩边的缺点而采用的一种做法。其实并不尽然，宋代景德镇有不少影青瓷器并非复烧芒口，而亦作此包口，当是吸取了定窑或其他器物上用金银包镶边口的美观效果，遂成为景德镇影青瓷器的一种独特的装饰艺术。

83.苏南茅山出土南宋金牌、银铤

作　者：李　辉

出　处：《考古与文物》1982年第6期

1979年2月，常州茅山特区茅山公社玉晨大队（现属句容县）的农民在留公山挖土时，于离地表30厘米深处，发现1个小陶罐，内盛金牌、银铤。常州市博物馆闻讯派考古人员前往调查，计出土金牌29块，共重113.7克；银铤12块，共重1647.2克。简报配以拓片予以介绍。

据介绍，金牌呈长方形，重3.6～4.1克，纯金度为99%，正面有戳记。金牌共有21种戳记，其中有五块字迹难以辨认。银铤呈线板形，分大小两种，重225～229克。正面及四角都印有"出门税"字样，简报推断，应是南宋遗物。至于这批窖藏的金、银器的主人是谁，已不可考。

简报称，金牌在全国较少出土，而戳有"出门税"字样的金牌、银铤却有力地证明在宋代杂税中是有这项税目的。

简报指出，茅山出土的这批金银器为宋代货币史的研究，提供了有价值的实物资料。

84.常州北环新村宋墓出土的漆器

作　者：陈　晶

出　处：《考古》1984年第8期

1982年6月，在常州市北环新郁住宅基建工地发现土坑木椁木棺墓1座。由于这座墓葬早已被盗，棺内渗满淤泥和水，人骨架碎乱。出土器物中除有宋代年号钱"太平通宝"5枚、铁牛4只及银匙等器物外，还有一批鲜见的宋代漆器，包括银里漆罐、盒、银包口朱漆托子以及夹纱残漆片等。简报配以照片予以介绍。

据介绍，值得一提的出土物中还有夹罗漆片，推测可能是幞头残片。可见宋代的幞头乃以罗（纱）为表，再涂以漆，这座宋墓中发现的以丝织品花罗为底，两面髹漆的残片，恰好符合以上记载的幞头的质地与制作，而这种漆工工艺的实物在出土的宋代漆制品中似乎也很少得到。

常州北环新村宋墓未发现墓志，虽然无法知道墓主人的身份及墓葬的确凿纪年，根据出土器物简报推断墓葬的年代可能是北宋中期。

85.江苏溧阳平桥出土宋代银器窖藏

作　者：肖梦龙、汪青青

出　处：《文物》1986 年第 5 期

1981 年 10 月及 1982 年 1 月，溧阳县平桥乡小平桥生产队百姓在荷花塘挖沙时，先后发现 2 批银器。一批是盏、碟、盘、盆、瓶、盒等 27 件；另一批是银铤 6 件。考古人员对这两批银器的出土地点进行了实地调查，并收集了全部文物。简报分为：一、出土概况，二、器物介绍，二、银器及窖藏时代，四、结语，共四个部分，有照片。

据介绍，平桥乡位于栗阳县城西南 30 公里处，附近多丘陵山地，以海拔 400 米的伍员山最高。小平桥村荷花塘，就在伍员山东麓沙河水库南侧。这一带古时为中江流域，经常遭受洪灾。盛放银器的两个陶罐，埋于地下生土中，相距约 8 米，罐口盖有一砖头，周围未见其他遗物，出土时均被打碎丢失。种类器皿原均保存完好，出土后由于分散百姓手中，部分器物残损，但都可修复。

简报称，窖藏银器有银盏等银器 27 件、银铤 6 件等，银铤上有戳。银器造型多样，制作精湛。银铤上的铭文等也颇有研究价值。这两处窖藏的埋藏时间，简报估计当在宋末元初之际。据文献记载，1275 年，此地曾发生过战争，这两批银器有可能就是在这次战争前后埋藏的。

86.江苏武进村前南宋墓清理纪要

作　者：陈　晶、陈丽华

出　处：《考古》1986 年第 3 期

《文物》1979 年 3 期《记江苏武进新出土的南宋珍贵漆器》一文刊出后，研究中国古代漆器的学者，对文中介绍的南宋墓葬出土的戗金、填漆及剔犀等品类漆工艺制作非常重视。事实上，村前南宋墓葬除了出土珍贵漆器外，还有丝织品、瓷器、文具、装饰品及其他杂器，随葬品相当丰富。简报分为：一、墓葬结构和清理概况，二、随葬器物，三、结语，共三个部分，有照片、手绘图。

据介绍，墓葬位于武进县村前乡蒋塘村，先后发现 6 座。1976 年 4 月当地农民在开挖排水沟时发现一组三座并列的砖顶木椁墓，编号为 1、2、3 号墓。收集到的出土器物除部分失号外，大部分都可对上墓号，随葬器物有漆器、丝织品、梳篦、铜镜以及文具用品笔、墨、砚等。1978 年 1 月在前述 1、2、3 号墓葬之东北约 50 米处，又发现同类型另一组并列的墓葬。这组葬墓编号为 4、5、6 号墓，随葬品的种类与 1、2、3 号墓出土器物基本类同。

简报称，墓葬均为长方形砖顶木椁墓，棺椁均为楠木，椁未髹漆，棺表为朱漆，里为黑漆。漆器的器形有瓷、盒、镜箱、执镜盒、粉盒等，髹漆工艺有素面、戗金、填漆、剔犀等数种。简报推断4号墓墓主卒年在1260年之后，5号墓墓主卒年当在南宋嘉熙元年（1237年），1、2、3号墓也不会早于北宋徽宗宣和元年（1119年）。至于墓主人，简报推断1号墓墓主人可能是薛极。薛极，《宋史》有传，端平元年（1234年）卒。此地可能是薛氏家族墓地。其中5、6号墓墓主人为女性，4号墓墓主人为男性。

简报最后强调，村前南宋墓葬出土文物，内容十分丰富，这批材料正是反映南宋手工业和商业发展的实物资料。

87.常州发现北宋酒税务印

作　者：徐伯元
出　处：《文物》1987年第6期

1980年7月，江苏常州市电讯器材厂建造住房时，出土1方铜铸官印。简报配以照片予以介绍。

据介绍，铜印通高3.8厘米。印略呈长方形，长5.3厘米、宽5厘米、厚1.2厘米。板纽委角，素面无孔，高2.6厘米、厚1.3厘米。印面阳文篆书"方山县酒税务朱记"。印背纽两侧自右至左分两行浅刻阴文楷书"崇宁三年四月少府监铸"。

简报称，"方山县"历史上有两处：一在今江苏省六合县东仪征县之西。《隋书·地理志》载："开皇四年（584年）改尉氏曰六合，省方山县人焉。"一在山西省西部吕梁山西侧，三川河上游，北川河流经其间，隋置方山县，元人离石县。此铜印之"方山县"当是指山西省的方山县。此印有确切年款，铸于北宋崇宁三年（1104年），是北宋末年税收制度的实物资料。

88.宋影青瓷观音像

作　者：常州市博物馆　陈丽华
出　处：《文物》1991年第11期

1978年夏，常州市委院内基建工程中发现1口古井，出土物中有1件影青瓷观音像。像头部冠饰稍损，颈已断，经修复已恢复原貌。简报配以照片予以介绍。

据介绍，观音像通高22.6厘米，跏趺坐，坐于镂空须弥座上。须弥座中间有一莲花小插，原插之物已失。右边为一小净瓶，左边为一小鸟。观音头戴冠，上有化佛，胸前挂璎珞，腕戴钏，赤足。外着广袖通肩式外衣，领口较大，内穿僧祗衣。面相丰满，眼睑下垂，神情安详端庄。观音像的外衣、须弥座施影青釉，其余部分露胎，表面有冰裂纹。面部和颈部胎色白净，身体部分由于氧化略呈肉红色。釉色白里透青，积釉处呈湖青色，明澈温润。

简报指出，这件影青瓷观音像，经专家从造型、釉色、胎质诸方面鉴定，为南宋景德镇窑系产品。观音像出土于古井中，伴出具有宋器特征的四系陶瓶。在常州地区，出土同类四系陶瓶的宋井多有发现。

89.江苏武进县剑湖砖瓦厂宋墓

作　　者：武进县博物馆　林志方
出　　处：《考古》1995 年第 8 期

1987 年 5 月间，武进县剑湖砖瓦厂工人在取土制砖时，发现了 2 座并列的古墓葬，考古人员进行了清理。两座墓现场均已遭破坏。简报分为：一、墓葬形制及葬具，二、随葬器物，三、结语，共三个部分，有手绘图、拓片、照片。

据介绍，两座墓均为竖穴土坑木椁墓，东西并列，间隔 2 米，椁底距表土分别为 4.76～4.80 米。木椁、木棺用楠木制成，尸骨均已朽。一号墓出土漆器、瓷器 3 件。二号墓出土漆器、瓷器、铜器 4 件及钱币两枚。简报推断为宋代晚期墓葬。

90.江苏常州市红梅新村宋墓

作　　者：常州市博物馆　徐伯元、杨玉敏
出　　处：《考古》1997 年第 11 期

1986 年 3 月至 5 月，常州市在建设红梅新村住宅过程中，先后发现 3 座宋代墓葬，考古人员进行了调查和清理，简报分为：一、一号墓，二、二号墓，三、三号墓，四、结语，共四个部分，有手绘图、照片、拓片。

据介绍，2 号墓葬中出土数百枚钱币，品种多，上至汉代的五铢，下至北宋中期的"皇宋通宝"，特别是北宋前期的钱币，品类比较齐全，此种情况较少见。这些钱币应是有意挑选随葬的，这为判定墓葬时代的下限，提供了较为确切的依据。另 2 号墓葬中出土的圆形花卉蜂鸟纹铜镜，实为宋代铜镜中所少见，宋代墓葬中随葬漆器是较普遍的现象，漆器中以碗、盘、瓷、托子较为常见，也比较精致。

简报称，这 3 座墓出土的遗物对研究常州宋代漆器工艺、冶铸手工业等提供了可贵的资料。

91.江苏常州北环新村宋木椁墓

作　　者：常州市博物馆　徐伯元、杨玉敏等

出　　处：《文物》2001年第2期

20世纪80年代，常州市北郊北环新村住宅基建工地发现1座木椁墓，考古人员进行了清理。简报分为：一、墓葬形制，二、出土遗物，三、结语，共三个部分，有照片、手绘图。

据介绍，墓葬为竖穴土坑木椁墓，椁顶距地表1.6米，葬具为1椁1棺，均为楠木。墓葬早年被盗，一块木椁盖板被凿成两截，木棺盖板中段锯有20×30厘米的盗洞1个。棺内下半部积有红褐色液体，尸骨朽黑散架，器物零乱破损，估计大部分器物被盗。遗存于木棺中的尚有银、铜、漆木等器，棺椁夹缝间有彩绘木牌，椁外坑端有陶瓶，坑四角存铁牛等物。

该墓年代，简报推断为宋徽宗政和年间。简报指出两宋漆器制造业发达，就本墓来说，漆器是主要的随葬器物，不仅品类多，而且其制胎工艺也多样化，可以分银里胎、薄木圈胎、圈叠胎和漆花罗（片）等数种。

简报还汇集了有关这几种工艺的文献记载及考古资料。

苏州市

92.江苏吴江出土一批宋瓷

作　　者：苏　文

出　　处：《文物》1973年第5期

1971年，吴江县同里蔬菜大队农民在劳动中发现1座双室砖石墓，出土有碑式墓志及一批瓷器。简报配以照片予以介绍，简报未录志文全文。

据志文，知此墓为南宋时1座夫妇合葬墓，墓主人叫叶奘，字子思，又称忠训。为宋承信郎，死于南宋淳熙十四年（1187年）；妻邹氏，死于"庆元初载"，当在其夫死后10年左右辞世。出土瓷器有乳白葵瓣六棱大瓷碗1件、乳白八角盘1件、影青小瓷盒1件、影青粉盒1件、瓷碟9件、八角且1件、梅花形胭脂瓷盒1件，都较精美，窑口不详。伴出有银器、陶瓶、钱币、玉饰、铁牛等。

93.江苏沙洲出土包银竹胎漆碗

作　者：沙洲县文化馆　包文灿
出　处：《文物》1981年第8期

1977年，江苏省沙洲县开掘二干河时，在常丰河工地上发现1座宋墓。据残存的墓碑字迹看，墓主曾在苏州、广州、汀州三地当过武官，在一次保卫海防的战役中死亡。

简报介绍说，发掘时，整个墓地全浸于水分很多的乌泥中，棺木已朽，尸体已无存。棺外发现4只小铁牛，棺内泥水中发现1只划花青瓷碗和两只包银竹胎漆碗。出水之后，1只漆碗的银和竹胎很快分离；另1只比较完整。简报配以照片予以介绍。

据介绍，碗胎骨由0.1厘米和0.3厘米厚的竹片编成，两面堆漆，内薄外厚。漆色褐黑带红，至今仍乌亮耀眼。碗的外壁用刀剔刻成云纹式样上下相交的如意图案，刀口断面厚薄不等，显露出堆漆层中有规律的色层。碗内壁包镶薄薄的银筒，由底包到口沿外，反转后嵌入漆中，银边与漆口黏得很牢，似融为一体。银面由于长期浸在水中，已变为黑色，刮去外层，还能露出洁白的银质。整个碗显得华美、厚实、稳重、大方。

简报称，这种剔刻厚漆的工艺，叫"剔犀"，在我国宋代比较盛行。用金属进行镶嵌的工艺，远在西周即已出现。这件包银竹胎漆碗是漆工与金工的合作，在艺术上已达到高超的水平。

94.苏州出土宋代浮雕木尺

作　者：姚世英、陈月英
出　处：《文物》1982年第8期

1973年10月，江苏苏州市西郊横塘公社虹桥大队出土1支褐漆浮雕木尺。简报配以照片予以介绍。

简报介绍，尺长31.7厘米、宽3.1厘米、厚0.6厘米。尺背一端有明显的使用痕迹。尺面遍饰深约0.1厘米的浮雕。对半中分：左半尺雕缠枝牡丹四朵，按对称规律构成二方连续图案，右半尺等分为五格，每格表示1寸，长3.17厘米（有微小差异），格内雕折枝牡丹童子，于大体统一的构图中刻划出童子活泼可爱的5个动态。

从装饰的时代风格看，简报推断虹桥出土的这支浮雕木尺是北宋遗物。

95.苏州发现齐门古水门基础

作　者：苏州博物馆考古组　丁金龙、米伟峰

出　处：《文物》1983 年第 5 期

1978 年 8 月下旬，苏州市城建局市政工程处第四工程队，在疏浚齐门西侧入城河道及建筑齐门泵房的工程中，发现了齐门古水城门的基础，考古人员进行了古水门基础的清理工作。简报分为：一、齐门古水门的基础构造，二、关于齐门古水门的修筑年代，三、结束语，计三个部分，有照片、手绘图。

齐门水城门为南北向，在陆城门的西边。它的基础结构以木排为主，木排置于水门下河底，共计一百余根圆木，分三层叠压。三层圆木用长 40 厘米、截面为 2 厘米 ×2 厘米铁钉加固，并在圆木间隙填嵌石块或石片，使整个木结构组合牢固。另外，在排木南北各竖一排木桩，使之更加坚固稳定，是由粗大的圆木纵横重叠的水门基础。根据碳素断代测定，圆木年代为 1220 年，属南宋嘉定年间。

简报称，苏州齐门水门基础的建造方法还是首次发现，它为研究古代水城门基础构造提供了一个完整的实物资料。

96.江苏吴县藏书公社出土宋代遗物

作　者：叶玉奇、王建华

出　处：《文物》1986 年第 5 期

1982 年 5 月，吴县藏书公社重村林场职工在鹿山南坡造林时，发现 1 座宋墓。此墓已被破坏，形制不明。出土一批遗物，共 29 件。简报配以照片予以介绍。

据介绍，29 件遗物为：月白釉冰裂纹瓷洗、莲花纽影青瓷盖罐、漆渣斗、八棱菱花银盒、荷叶盖柳斗银罐、银盖罐各 1 件，银匙 3 件、铜镜 2 件、铜钱 15 枚、影青瓷粉盒 2 件，铭文砖 1 块，此墓的年代简报推断为北宋末年，墓主人应属宋朝皇室之女。

简报称，墓中出土的银器、漆器、瓷器较为精美，为研究当时的手工业提供了新的实物资料。

97.苏州瑞光寺塔再次发现北宋文物

作　者：陈玉寅

出　处：《文物》1986 年第 9 期

苏州瑞光寺塔内继 1978 年在第三层塔心的窑穴发现一批五代、北宋文物后，

1980 年又在第二层塔壁中发现 2 件北宋文物：1 为木刻熟药方单，1 为木刻《金光明经》残卷。简报配以照片予以介绍。

据介绍，北宋木刻熟药方单，纵 32.2 厘米，横 18.7 厘米，桑皮纸印，中已残破。上印木刻方单，版框直式，纵 17.5 厘米、宽 12.3 厘米，双线边栏，中以双线分隔成三部分，上印药铺牌号，字横向，为"起初朱□发熟药铺"8 字，下右边印方单，文字 9 行，下左边 3 行印启事，告诫人们谨防假冒。为北宋大中祥符年间所印。简报录有全文。木刻《金光明经》残卷，共存 43 折 217 行，每行 16 至 17 字。经文为欧体字，有朱笔圈点。当为北宋初期刻印。

简报指出，北宋药方对研究中国古代医学史有着重要价值。而五代时期，在极端信佛的钱镠统治下，苏州地区佛教盛行，号称"佛国"。北宋沿袭此风，建造了许多塔刹寺院。苏州六朝时就有竺道生在虎丘山讲经的传说，历史上名僧在苏州讲经的不乏其人。讲经时可有人发问，一问一对，随问随答。讲经时设坛斋戒，由名师主持，佛门子弟、善男信女，甚至官宦豪门都踊跃参加，视为佛门之盛事。瑞光寺是苏州的古刹名寺，经常举行传戒讲经活动，此经卷残卷可能为名僧持用之物，虽残犹珍，仍藏于塔内。经卷除朱书日期、围点和眉记外，还在读声方面作了标记，许多字旁用墨笔注"上""下"等声符，有的还在字旁用墨笔画直线，以示延长读声。这些都为研究当时诵经的情况提供了宝贵的资料。

南通市

98.江苏南通狼山发现宋代驻军题名石刻

作　者：南通博物馆
出　处：《文物》1979 年第 2 期

狼山在长江下游北岸的南通市郊区，是临江的一座小山，曾被称作由海入江的第一重门户。1979 年 3 月，人们在狼山山脚整理上山石阶时，出土北宋大中祥符五年（1012 年）驻防军队的题名石刻 1 方，简报配以照片予以介绍。

简报介绍，石刻竖刻楷书文字 11 行。简报录有石刻第一、二行文字。知此石刻于大中祥符五年（1012 年）。这方石刻证明了狼山在军事上的重要地位。它记载了驻防部队的兵力配备，不仅有番号，有人数，还有具体的人名，因此是很有价值的军事史料。同时，这方石刻对地理研究也很有参考价值。

连云港

99.江苏连云港市宋代墓葬的清理

作　者：南京博物院　钱　锋
出　处：《考古》1987 年第 3 期

1973 年 8 月间，连云港市大成制砖厂在扩建晒坯场时，发现了一批古墓，共 15 座，其中汉墓 3 座（M1、M2、M3），宋墓 12 座（M4～M15）。这批墓葬位于连云港市海州南门外。此地原是一道高出地面约 2～3 米的黄土岭。均为砖室墓，规模也较小。宋墓分布在西部，而以西南部尤为集中。

简报分为：一、墓葬结构，二、随葬器物，三、结语，共三个部分，有拓片、手绘图。

据介绍，12 座宋墓均为砖室墓，其规模以 M13 为最大。M5、M11 形制比较别致，M6、M8、M9 等则显得简陋。除 M13 外应都为平民墓。M13 曾被盗。各墓随葬品不多，有的甚至无随葬品。随葬品主要有瓷器、钱币等，瓷器不精致，但窑口很复杂，融汇了当时中国南北方几大瓷系的特色。

这批宋墓的时代，简报推断为北宋早期。

100.江苏灌云县伊山镇发现一座北宋石棺墓

作　者：陈龙山
出　处：《考古》1992 年第 12 期

1980 年 10 月，灌云县伊山镇小园村村民在挖塘蓄水时发现 1 座长方形石棺墓，南北向，人骨已朽。随葬品有陶壶 1 件、铜镜 1 面、瓷碗 2 件。陶壶、瓷碗置于人骨足端，铜镜置于腰左侧。简报配以手绘图、照片予以介绍。

据介绍，墓中所出的瓷碗与连云港市大成制砖厂宋墓所出的敞口碗器形相似（《江苏连云港市宋代墓葬的清理》，《考古》1987 年 3 期），也与连云港市砖厂二号墓出土的影青青瓷碗相似（《江苏连云港市清理四座五代北宋墓》，《考古》1987 年 1 期）。陶壶亦具宋代遗物风格。因此，简报推断此墓的时代当为北宋。

简报称，江苏地区宋墓多见砖室、土坑和砖石墓三种形制，石棺墓尚属首次发现，这为研究北宋时期苏北地区的葬制提供了新的资料。

淮安市

101.江苏淮安宋代壁画墓

作　者：江苏省文物管理委员会、南京博物院　罗宗真等
出　处：《文物》1960 年 8 ～ 9 合刊

1959 年 11 月 30 日江苏省文物管理委员会在淮阴专区进行文物普查，于淮安县西南 3 公里杨庙镇基建工程中，发现宋代嘉祐五年（1060 年）壁画墓 1 座。该墓墓顶的一部分受到破坏。在进行清理发掘时，又陆续发现 4 座宋墓，其中 1 座有墓志，为绍圣元年（1094 年）殿直杨公佐之墓，亦有壁画。按发现先后，依次编为 1 ～ 5 号墓。简报分为三个部分，有手绘图和照片。

据介绍，这 5 座宋墓中两座纪年墓有壁画，其余 3 座也是北宋时期的墓葬，从其墓室结构、分布位置和出土的遗物看，应有相互连带的关系。5 墓中除嘉祐五年（1060 年）墓为长方形砖砌券顶以外，其余四座均为长方形砖砌平顶的砖木混合结构。两座壁画墓的壁画都绘在墓室的东、西、后三壁上，内容为墓主人死后其家属哀悼设祭的情况及奏乐的情况。这批宋墓的壁画和砖木混合结构的墓室，在江苏尚属初次发现，是比较珍贵的历史和艺术资料。

简报称，淮安宋墓墓砖之间均用石灰、糯米汁混浇作为胶合料，过去只从明墓中见到，明以前墓葬中则未见。2 ～ 5 号 4 座宋墓采用砖木混合结构建造，也是少见的例子，淮安宋墓的地层证实了黄河泛滥的历史。淮安宋墓的大批漆器是珍贵的手艺品，为研究我国制造漆器工艺的历史提供了宝贵的资料。这批宋墓共出土漆器较完整的有 75 件，碎片有 12 包，是迄今宋墓发现最多的一次。它们绝大多数为竹胎、木胎，髹以黑光漆，少数为酱红漆，反映了宋代漆器颜色的特点。这次发现的淮安宋墓中最有价值的，当为 1、2 号墓的壁画。这批壁画应是我国古代历史和古代艺术的珍贵遗产之一。

简报录有 2 号墓东室的墓志全文。

102.盱眙出土宋代影青双螭高足杯

作　者：江苏盱眙县博物馆　谢元安
出　处：《考古与文物》2001 年第 2 期

江苏盱眙县观音寺乡村民在淘挖水井时发现宋代影青双螭纹高足杯。简报配以

照片予以介绍。

据介绍，该杯通高9厘米，足高26厘米，口径8厘米。芒口，深腹，喇叭形足，双耳为塑贴双螭。螭首略高于杯口，螭口衔杯口沿，螭目圆瞪，螭躬曲，四足紧贴有力。胎质洁白细腻，釉色青中闪白，白中泛青，釉质清澈似湖水，莹润如玉，杯口和双螭顶端呈酱黄色。造型奇妙，设计独具匠心，为宋代瓷器中的珍品。

103.江苏涟水妙通塔宋代地宫

作　　者：淮安市博物馆、涟水县图书馆　尹增淮、王　剑、严安荣、汪大鹏等
出　　处：《文物》2008年第8期

妙通塔位于淮安市涟水县城西门，东临绿水环绕的五岛公园。据清代雍正《安东县志》，该塔始建于北宋仁宗天圣元年（1023年），为能仁寺（旧名"承天寺"）的主要建筑之一。塔身实体，皆为砖砌，七级八面，高30余米。1948年7月解放战争后期，该塔被炸毁。1998年3月，涟水县政府规划重建妙通塔。同年5月在原址勘探时，距地表2.2米深处发现塔基，随后又在塔基正南面发现地宫拱门。考古人员进行了抢救性发掘。发掘工作分为两个阶段。第一阶段从1998年6月8日至20日，发掘清理塔基表层与地宫的文物。第二阶段从1999年5月26日至6月22日，拆除整个塔基和地宫。简报分为：一、塔基结构，二、地宫形制，三、地宫内出土器物，四、结语，共四个部分，有彩照、拓片、手绘图。

塔基用长条形灰砖垒砌，石灰糯米浆灌缝，坚实牢固。平面呈八角形。地宫建于塔基正中心，由南道、宫室、供台三部分组成。地宫遗物主要出土于供台之上的石函内，有金棺、银椁、玻璃瓶、瓷瓶、云母瓶、麻胎小罐、金钗等11件，还有1000余枚铜钱。在金棺内又发现银盒、佛牙、舍利子，石函和银椁上均刻有精美的佛教图案。

地宫出土的石碑上有碑文，石碑全文139字，简报录有全文。由碑文知此塔是为瘗藏证因大师的舍利而建。

盐城市

扬州市

104.江苏扬州附近出土的宋代铁农具

作　者：蒋绩初
出　处：《文物》1959 年第 1 期

1956 年 4 月间，苏北治淮文物工作组在扬州东北 6 公里的凤凰河工地发现 4 件宋代的铁农具。简报配以照片予以介绍。

据介绍，其中 1 件是铁犁铧，土锈很重，刃边均钢质，有光泽，背面有安犁柄的痕迹。1 件是四齿铁耙，装柄处还很完整。另两件是铁锄，大小各一，均比较完整。这 4 件铁农具都出土于废井中。

简报称，在废井的南面约 500 米处，又发现两座宋代墓葬。随葬品有："开元通宝""元丰通宝"、带柄菱花镜、铜钗、铁剪和盖着粗瓷碗的高颈陶瓶等，其中陶瓶的质料、形式和大小均与废井中所出的完全一样。

简报认为这处废井和井内所出铁农具的时代应属于宋代。

105.扬州城砖文中的韩世忠抗金部队番号

作　者：耿鉴庭
出　处：《文物》1959 年第 5 期

扬州旧城始建于宋，改筑于元，1952 年扬州市在筑路工程中，获南宋城砖极多，其砖文颇具历史价值，可补《宋史》兵志、职官志、地理志之不足，原砖现存史阁部祠。民国初年拆新旧城间之隔垣时，曾有人获得此类砖数十品。1927 年又有人获得若干种，加上此次所得，不同砖文凡 700 余。昔周颐寓扬，获八砖，见于所著《选巷丛谈》中，罗振玉《楚州砖录》10 倍过之，此次拓得者，又 10 倍于《楚州砖录》。简报配以拓片，先行介绍韩世忠抗金部队番号。

据介绍，记录有韩世忠部队番号的砖计 46 种，去除重复，部队番号有：

1.镇江前军

2.镇江四前军

3.镇江前军烧造

4.前军新军

5. 前军

6. 镇江后军

7. 后军

8. 后军新军

9. 镇江左军

10. 左军

11. 镇江右军

12. 右军

13. 右军提点

14. 镇江中军

15. 中军

16. 镇江水军

17. 水二

18. 御前水军

19. 御前后军

20. 镇江都统司左军

21. 镇江都统司右军

106. 扬州施桥发现了古代木船

作　者：江苏省文物工作队

出　处：《文物》1961 年第 6 期

1960 年 3 月，江苏扬州施桥镇挖河工程中，发现古代大木船和独木船各 1 只。考古人员前往清理，木船已运至扬州市博物馆展出。

简报分为：一、船的位置及其周围环境，二、船的结构，三、遗物及遗迹，四、小结，共四个部分，有照片、手绘图。

据介绍，施桥镇位于扬州市南 9 公里，木船出土地点在距施桥东南 400 米的新河底靠西坡处。两船紧靠在一起，1 号船出土有青釉瓷器、铁刀、铁铲等。2 号船内无遗物。

简报认为木船的年代为宋代。

107.江苏扬州宋三城的勘探与试掘

作　者：中国社会科学院考古研究所、南京博物院、扬州市文化局、扬州城考
　　　　古队　俞永炳、李久海
出　处：《考古》1990 年第 7 期

1987 ～ 1989 年，考古人员在进行唐城考古工作的同时，对扬州宋三城也进行了
勘察和试掘，初步了解了宋三城的大体布局。简报分为：一、扬州宋三城的形制，二、
结语，共两个部分，有手绘图。

据介绍，扬州宋三城由 3 个互不相连而又关系密切的城圈组成，自北而南分别
为堡城（宝祐城）、夹城和大城，其分布范围大体与扬州唐城相同，北起今蜀岗之
上的西河湾——尹家庄一线，南至今扬州市南运河北岸，南北全长 5600 米，总体平
面布局略呈"吕"字形。宋三城是在遭受战争破坏的唐城基础上修建的。经实地钻
探和试掘，结合文献记载，考古人员基本搞清了宋三城的范围、形制及其历次修筑
情况，并从地层堆积和出土文物方面找到了宋城建筑及其沿革的可靠依据。

简报称，通过考古勘查试掘并结合历史文献，简报认为，扬州宋三城一方面充
分利用了唐城旧址，另一方面随着政治军事形势的变化逐渐形成其特有的布局。扬
州宋三城的出现与历次增筑，皆与当时的军事形势密切相关。

108.江苏扬州市毛纺织厂古漕河遗址调查

作　者：扬州博物馆　李则斌
出　处：《考古》1992 年第 1 期

1987 年 3 月，在扬州毛纺织厂污水处理建设施工时，发现古代河道遗址。遗址
内出土了排列整齐的木桩、沉船残迹以及宋、元时期的大量铁质、铜质生产工具、
生活用具、货币瓷器等遗物，考古人员对遗址进行了调查。简报分为：一、地层堆积，
二、遗迹现象，三、出土遗物，四、几点认识，共四个部分，有照片。

据介绍，扬州毛纺织厂位于潮河（古称漕河）北岸的土冈上，土冈名为老虎山。
发现的遗址在北现代潮河岸边，面积 600 平方米，东西走向，南距现代潮河 5 米。

扬州毛纺织厂古渭河遗址地层堆积比较单纯，时代跨度较短。从出土器物的类
型来看，绝大部分属于南宋至元代。第三层堆积较薄，定为元代。第四层稍厚，定
为南宋。由于遗址未正式发掘，故两层的遗物尚不能确切区分。遗址中出土了一大
批保存完好、类型众多的铁器，其数量之多、类型之丰、质量之精，在宋元时期较
为少见。出土铁器中砍刀、篦刀、斧、凿、叉、铲、穿孔器、篙首、船钉等皆属渔

民使用的生产工具，当为渔民失落于河中。仅渔具一项就有如此丰富的品种，且铁器的锈蚀程度很小，这些都证明当时的铁器手工业工艺已达到了很高水平。

简报推断此河的开挖时代在宋代。漕河在宋代是一条连通宋大城内外的漕运官河，元代继续沿用宋大城和官河，由于元代扬州城规模缩小，一些官府仓廪设在城外，许多民用设施也是如此，所以沿河一带设有许多码头是很必要的。简报称古漕河遗址的发现，证实了文献的记载，对弄清扬州古代城池、水道变迁有重要的参考价值。

109.介绍扬州发现的两合宋墓志

作　者：吴　炜

出　处：《文物》1995 年第 4 期

在扬州市区和仪征市曹山乡发现宋墓 3 座。均已被盗，墓内随葬品业已不存。其中，2 座宋墓有两合完整的墓志出土。简报配以照片予以介绍。

据介绍，两合墓志，一为曾任宋吏部侍郎柳氏墓志，一为许世京墓。简报录有两墓志志文全文。许氏卒年应在北宋嘉祐四年（1059 年）。另一无墓志宋墓，1975年在扬州市东关城外广陵中学（今扬州印染厂）发现，为一仿木结构砖室墓，应属北宋前期墓葬。

110.扬州宋大城西门发掘报告

作　者：中国社会科学院考古研究所、南京博物院、扬州市文化局、扬州城考古队
　　　　李久海、束家平、徐良玉、张兆维、王　冰、薛炳宏、蒋忠义等

出　处：《考古学报》1999 年第 4 期

1987 年考古人员对扬州城址进行考古勘探和发掘，先后搞清了战国至明代扬州城范围。1995 年 11 月，扬州旧城西门街进行拓宽改建，施工挖掘的下水沟正好从宋城西门及瓮城内通过，打破了城墙、瓮城和铺砖地面。考古人员闻讯后，立即配合工程进行考古发掘。这次发掘的西门遗址，最早的是五代时期西门，其次是北宋和南宋时期的西门，最晚的是明代西门。为保护好西门遗址，只发掘到保存最好的南宋西门及瓮城。压在上面的明代西门，于 20 世纪 50 年代已被拆除。压在下面的北宋和五代时期的西门，只作了局部解剖发掘。简报分为：一、地层堆积，二、遗迹，三、遗物，四、结语，共四个部分，有照片、拓片、手绘图。

据介绍，扬州宋大城西门的发掘，从遗迹叠压关系看，实际发掘了五代、北宋、南宋和明代四个时期的西门遗迹，与过去对宋城的勘探和试掘资料共同分析，解决

了五代之后扬州城的修建年代、继承和演变关系等问题。这一考古发现印证和弥补了历史文献之不足，这是此次发掘的重大收获。

简报称，文献记载五代至明代扬州城的营建均有战争和动乱的背景。五代末期，后周挑起讨伐南唐东都（即扬州）之战。南唐焚城而去，唐代扬州城遭到毁灭。显德五年（958年）周世宗占据扬州，看到城内焚荡后的惨状，发动民工万余人，整理被破坏的扬州城，因城大空虚，"遂于故城内，就东南，别筑新垒"。新筑的城比唐城小，因而世称"周小城"。此次发掘的五代时期的城墙和西门等，应是后周显德五年（958年）始建，下面叠压着唐代文化层。因建城仓卒，城砖多用拆下的唐代罗城旧城砖，所以砖上好多戳印"罗城"二字。"周小城"是后周显德五年（958年）修建，两年后的建隆元年（960年），宋太祖即位，即以周小城为宋代扬州城。北宋继承和沿用了周小城，经160余年，国泰民安，扬州经济得到复苏和发展，北宋时期文献上看不到修城记载。此次发掘出西门的铺砖路面，经行人长久踩踏和车轮碾压，多已破碎，路面上留下凹沟状车轨痕和当时人们丢失的（北宋）铜钱、碗底墨书"西门"等字的瓷碗等物，都是北宋扬州城的历史见证。北宋末期，尤其"靖康之难"以后，时局变乱，扬州西门外修筑了瓮城。宋室南渡后，扬州由经济城市转变为抗金抗元的江北防御城堡。因战事连绵，南宋自建炎至景定间的130余年，文献记载扬州从防守战术到城防工事等事情相当多。南宋绍兴年间（1131～1162年）增筑了堡城（宝祐三年改称宝祐城）和夹城，从此宋代扬州有三城，即宋大城、宝祐城和夹城。宋大城为州城，面积最大，它的前身就是"周小城"，所以周小城、宋大城实同城而异称。此次发掘出的宋大城西门和瓮城等坚固结构，就是在这种战事连绵的历史背景下完成的。因战争关系，出入城门的行人和车辆很少，所以宋大城铺砖道路保存很好。南宋朝廷降元后，扬州宋代守将李庭芝凭借"宋三城"防御布局和坚固城堡还在孤军抵抗。因此，扬州"宋三城"的布局，以及城墙、城门和瓮城的结构坚固，在我国军事史、城防建筑史上具有极其重要的地位。元末扬州城又遭一次兵火浩劫，明嘉靖三十五年（1556年），为防倭寇又增筑外城。自此明代扬州有新旧二城（至正年筑的城为旧城，嘉靖年筑的城为新城），这种称法流传至今。新旧明城范围奠定了今日扬州市规模。这次发掘的西门遗址，就是在旧城西门街改造时发现的。明城在20世纪50年代虽已拆除，但它仍保留部分城墙以及瓮城外靠城壕边的砖石桥墩基础。

简报指出，扬州西门自五代至明代，城门位置未变。从地层叠压关系看，四个时期的西门整齐有序地叠压在一起，反映出它们之间沿用的关系，真实地记录了扬州城市历史演变的全过程。扬州宋代西门为砖砌结构，门道两侧洞壁为砖石基础，厚达1米，在基础和洞壁内未发现任何木构痕迹，从而推知城门为砖砌券顶式，这是我国建筑史上由木构过梁式城门向砖构券顶式城门转变的最早实例。

111.江苏扬州宋大城北门水门遗址发掘简报

作　者：中国社会科学院考古研究所、南京博物院、扬州市文物局、江苏扬州
　　　　唐城考古队　汪　勃、刘　涛、印志华　池　军等

出　处：《考古》2005 年第 12 期

2003 年春，江苏省扬州市扩建改造漕河路西段时，在玉带河和漕河交汇口的东南隅发现了由大型石条砌筑而成的古代遗址。考古人员进行了抢救性发掘，明确了该遗址主要是宋大城北门和北门水门的遗存。2003 年 11 月至 2004 年 1 月，考古人员在凤凰街以西的遗址范围内发掘了主城墙、瓮城等遗迹。但是由于当时水位高、水压大，未能清理北门水门遗址。2004 年 3～5 月以玉带河的疏浚工程为契机，考古人员对北门水门遗址北段进行了抢救性发掘，揭露出了水门北段的东西石壁、东壁滑槽、门道、摆手、局部驳岸等遗迹以及河床中的木桩、木板、擗石等，出土了唐至元代的瓷器、铁器、铜镜、铜钱、铭文砖、玻璃器残件等大量遗物。简报分为：一、地层堆积，二、遗迹，三、出土遗物，四、结语，共四个部分，有彩照、拓片、手绘图。

据介绍，宋大城北门水门遗址是隋至宋代扬州城中的重要遗址。通过发掘，初步判明了遗址的总体形制布局，明确了其始建年代不早于五代，可能是南宋时期的遗存，废弃时代为元代，门洞券顶可能倒塌于明代。该遗址的发现，为研究宋元时期扬州城的水路交通和历史面貌等问题提供了重要的实物资料。

简报称，该水门是在全面规划之下修建而成的。水门基部处理顺序大致如下：打入砌石之下的木桩以加固基础；在基础木桩之上平铺羼加糯米汁的铺垫层；在铺垫层之上砌起石壁；紧贴砌石临河道侧打入护岸木桩；在护岸木桩靠河道中央侧打入两列地钉；在地钉外侧加入南北向竖立木板；在木板外侧再打入地钉以固定木板；在地钉间填充羼加糯米汁的铺垫层；在护岸木桩和地钉之间打入擗石。简报指出，近 20 年来，考古工作者先后发掘了扬州宋大城南、西、东、北四座城门以及北门水门。宋大城北门水门遗址，是继金中都水门遗址之后发掘的又一座水门遗址。北与漕河相连，向东可直通大运河，北门水门向西北与古部沟相接可通蜀岗。此次发掘出来的水门结构完整、保存状态良好，与宋大城北门和北门瓮城一起，共同构成了宋元时期控制扬州城北部水陆交通的重要枢纽。虽然水门南段是否与已发掘出来的北段相对应、水门与北门及北门瓮城的关系等问题尚有待于今后的考古发掘来解决，宋大城北门水门遗址的发现，为研究宋元时期扬州城的水路交通和历史面貌等问题提供了重要的实物资料，对研究扬州城的历史文化和全面复原古城的面貌等工作都具有深远的意义。

112.江苏扬州市宋大城北门遗址的发掘

作　　者：中国社会科学院考古研究所、南京博物院、扬州唐城考古工作队、扬
　　　　　州市文物考古研究所　汪　勃、刘　涛、王小迎等
出　　处：《考古》2012 年第 10 期

2003 ～ 2007 年，考古人员对江苏扬州宋大城北门遗址瓮城西区和水门北段、瓮城东区、主城门和水门南段等先后进行了发掘，出土了唐至元明时期的砖瓦、陶瓷器、铜镜、钱币、料器、石碑等遗物。简报分为：一、地层堆积，二、主要遗迹，三、出土遗物，四、结语，共四个部分，有彩图、拓片、手绘图。

据介绍，宋大城北门和北水门遗址的发掘，揭露出了南宋时期北门和北水门遗址的全貌。简报认为，明确了宋大城北门始建于五代后周，瓮城始建于北宋，南宋时期对北门和北水门都有过修缮或扩建，证实了文献记载无误，说明了北门和北水门是在全面规划之下修建而成的、控制扬州城北部水陆交通的重要枢纽。

113.江苏扬州市宋宝祐城西城门外挡水坝遗迹的发掘

作　　者：中国社会科学院考古研究所、扬州唐城考古工作队、扬州市文物考古
　　　　　研究所　汪　勃、王　睿、王小迎等
出　　处：《考古》2014 年第 10 期

扬州蜀岗古代城址位于江苏扬州北部的蜀岗南缘，城址西城墙历经战国楚至六朝广陵城、隋江都宫城、唐扬州子城、宋堡城和宝祐城等时期。2013 年 11 月 ～ 2014 年 3 月，为了解宋宝祐城西城门外（西）侧经过城壕处的面貌，在"西华门"外现代道路经过城壕处布设探沟，发掘面积约 550 平方米。清理出宋元时期的挡水坝遗迹，出土了唐至明代的砖瓦、陶瓷器、钱币、漆木器等遗物。发掘结果简报分为：一、地层堆积，二、主要遗迹，三、出土遗物，四、结语，共四个部分，有彩照、拓片。

据介绍，发掘结果表明，扬州蜀岗古代城址正对西城门的主城壕向东收窄，南宋晚期在宝祐城西城门外的城壕中修建了挡水坝。挡水坝始建时的用砖规格、砌砖方法、黏合剂等均与扬州城遗址南宋时期包砖墙的典型特点一致。挡水坝两边壁的形制和构造与扬州唐宋城东门瓮城台地和东台地之间的构造较为近似。加之"大使府""宋淮军""镇江都统司前军"等铭文砖，简报判定该挡水坝始建于南宋晚期，具体是贾似道还是李庭芝时期，还有待证明。

镇江市

114.镇江市郊发现南宋墓

作　者：苏　镇
出　处：《文物》1973 年第 5 期

1966 年 5 月，镇江市畜牧场官圹桥大队罗家头生产队在开渠道时，发现 1 座长方形券顶砖室墓，出土文物 16 件、铜钱 40 枚。另有 1 枚"正隆元宝"，"正隆"是金主亮于 1156 年改元的年号，即南宋赵构绍兴二十六年，因此简报认为这座墓是南宋时的墓葬。

简报称，此墓出土文物并不多，但颇有特色。特别是养蟋蟀用的过笼反映封建地主阶级腐朽没落空虚无聊的生活方式的实物，颇为少见。

115.镇江市郊出土的几件宋瓷

作　者：镇江市博物馆　肖梦龙、刘　兴
出　处：《文物》1974 年第 1 期

1973 年 4 月镇江磷肥厂在施工时，发现 1 座宋墓，并将出土文物送交镇江市博物馆。简报配以照片予以介绍。

据介绍，镇江磷肥厂工地在镇江市近郊城南的林隐路北（原鹤林寺对面）。这次出土计有白釉瓷瓶一件，影青瓜棱瓷壶一件，影青划花瓷碗一件，影青盏托二件，铜钱 26 枚，铜镜一面。同时出土的 26 枚铜钱中，除"开元通宝"外，均为北宋钱，其中最晚的为"元祐通宝"钱，数量亦多。由此简报推断，此墓为北宋哲宗赵照时（1086～1092 年）的墓葬，墓中瓷器亦为北宋时代的产品。

简报说，以上出土的几件宋瓷，在镇江市实属少见。从其质地、釉、造型、制法等方面观察，白釉瓷瓶似为北方定窑产品，影青瓜棱瓷壶及影青划花瓷碗为景德镇窑产品。

这几件精美宋瓷的出土，说明了北宋时期我国制瓷工艺的高超水平。

116.镇江市南郊北宋章岷墓

作　者：镇江市博物馆　肖梦龙、刘　兴
出　处：《文物》1977年第3期

1974年7月，镇江市南郊电信局水泥制杆厂在施工建设中发现1座北宋古墓。简报分为三个部分，配以照片、手绘图予以介绍。

据介绍，墓距市中心西南约2公里，在黄鹤山西麓、林隐路东侧，是一座石顶砖壁结构的长方形竖穴墓。墓顶距地面2米，墓室内淤土高约1米，葬具、尸骨均腐朽无存，仅残存铁棺钉数枚。

该墓出土有墓志，简报未录志文全文。根据该墓的墓志记载，墓主章岷，祖籍福建。章岷自北宋天圣五年（1027年）举进士，至"行年七十盍休矣"，其中除在京城任职外，他"乐补外官，每诏还京师，无几何时辄自引去"，先后曾为"六郡守"（婺州、衢州、宣州、越州、福州、海州），在"知宣州"时，因"政有异绩，改刑部郎中，又以特恩改兵部郎中还判三司度支句院"，治平元年（1064年）曾出使契丹。"知越州入辞（英宗）面赐金紫，改太常少卿"，在赴福州时，神宗又"以特恩迁光禄卿直秘阁徙知福州"，这也就是章岷死后篆书墓志盖的官衔。章岷死于"熙宁四年（1071年）十一月六日"。在"得疾前一日犹与客游浮玉山（镇江金山）"，"于十二月十日葬于润州鹤林山长乐乡（即今镇江市南郊一带）"，章岷在《宋史》中无传，但在《英宗本纪》（《宋史》卷十三）中提到：治平元年派他去辽国贺寿，与墓志的记载是一致的。

简报称，该墓出土了一批有确切纪年的定窑和景德镇窑在北宋早中期的精致瓷器，尤其是两件酱釉瓷瓶，为瓷器史的研究提供了新的实物资料。

117.镇江宋墓出土的两件瓷器

作　者：镇江市博物馆　肖梦龙
出　处：《文物》1980年第9期

1975年4月，镇江宾家山1座北宋时期的墓葬中，出土1件银包口搅胎瓷碗，同时出土的还有1件影青瓷粉盒。简报配以照片予以介绍。

搅胎瓷器，过去出土极少。1件影青瓷粉盒亦相当精致，是景德镇的产品。盒为八角形，子母口，盒盖顶部满印古钱纹，盒底印有"潘家合子记"的戳记。胎质洁白精细，内外施淡青色釉，釉色明澈温润，底部无釉，为景德镇影青瓷之佳品。这件影青瓷粉盒印有"潘家合子记"的戳记，显然具有商标的性质，为研究宋代景德镇的窑户及其生产情况提供了资料。

118.江苏镇江谏壁北宋墓出土的瓷器

作　者：肖梦龙

出　处：《考古》1980 年第 3 期

1978 年 2 月，镇江谏壁砖瓦厂工人在黑山湾工地取土时，发现了 1 座古墓。考古人员确知这是 1 座北宋时期的竖穴土坑墓，长 2.8 米、宽 1.22 米、墓底距地表深 4.2 米。出土影青瓷器 9 件、酱褐釉陶罐 1 件，另外还有铜镜、铜钱和一些银饰件等遗物。简报配以照片予以介绍。

据介绍，计影青带温碗注子 1 套、影青带托酒杯 2 套、影青高足杯 1 件、影青碗 1 件、影青三联小瓜盒 1 件及酱褐釉陶罐、铜镜各 1 件、铜钱 38 枚。

简报推断，该墓应是北宋早期真宗大中祥符年间（1008 ～ 1016 年）或其后不远时期的墓葬。影青瓷应出自景德镇。这是我国目前出土的北宋影青瓷中较早产品。

119.镇江市区出土的宋代苏州陶捏像

作　者：刘　兴

出　处：《文物》1981 年第 3 期

在镇江市中心大市口东约 200 米的五条街小学后、骆驼岭高地的南侧，深入地表下 1.5 米处，发现了 1 个宋代遗址。在这个遗址的局部发现有较多的瓦砾和一些经过火烧的房木料，说明它是经过一场火灾而成为废墟的。较多的小陶瓶和陶杯、陶球、影青瓷雀碗、铜钱以及各种陶捏像等遗物即杂出在这些瓦砾中。简报配以手绘图、拓本予以介绍。

据介绍，出土捏像较多，高 10 余厘米，都是用一泥捏成后经过烧制，不施釉，有的加些彩绘，有的仅略加点画。其中有神像、人物、儿童角抵等类。捏像儿童角抵（摔交）的场面是在这批陶人中较完整的一组，它塑造出儿童天真活泼的形态和内心的淳朴、稚气，十分逗人喜爱，可能出自宋代捏像高手。简报认为，这批捏像的产地即是苏州，可见苏州在宋时即有捏像的高手，袁遇昌、包成祖、孙荣亦同是当时的名工。

与这批器物同出土的还有北宋铜钱 10 余枚，其中最晚的是元祐通宝钱，元祐（1086 ～ 1094 年）是宋哲宗赵熙的年号。查苏州是在宋徽宗赵佶政和三年（1113 年）升为平江府的，陶人上的戳记平江，当是元祐以后，即政和三年（1113 年）以后的平江府。所以这批陶捏像的时代简报推断上限不超过北宋政和三年（1113 年），但也不会晚于南宋。

120.江苏丹阳出土"弋阳开国"铜印

作　者：镇江博物馆　徐铁城
出　处：《文物》1986 年第 11 期

江苏省丹阳县河阳公社后马陵村百姓于 1975 年 6 月建房挖土时，发现"弋阳开国"铜印 1 方，1982 年 7 月入藏镇江博物馆。简报配以照片予以介绍。

据介绍，铜印为正方形，弧状实心纽，印边长 5.3 厘米、厚 2.3 厘米、通高 4.5 厘米，重 622 克。印面刻有阳文九叠篆"弋阳开国"四字。简报称，"弋阳"是古代县名。汉代时在今河南潢川县西以及陕西咸阳县东都曾设置弋阳县，六朝时先后被废。隋代将三国吴所置葛阳县改曰飞阳县，今属江西省上饶地区。"开国"，为古代封爵之一种。《通典·职官十三》："注，晋令曰，有开国郡侯公、县公、县侯、伯、子、男及乡亭、关内、关外等侯之爵。"晋时封爵，自郡公至县男，皆冠以开国之号，南北朝迄宋历代多因之。元代以来，开国之爵号不再使用。由此可知，"飞阳开国"铜印的下限当不会晚于宋代。前人总结历代印章演变的一般规律是："汉晋官印大小不过寸许，私印半之，今所见铜印极小而文圆劲者，先秦以上印也；稍大而文方简者，汉晋印也；渐大而文渐柔弱者，六朝以下印也；大过寸余而文或盘屈、或奇诡者，定是唐宋元印也。"（明朱修能《印章要论》）另外，唐以前印章多为阴文，唐以后则多阳文。看来，"弋阳开国"印应是唐代以后的文物。简报最后推断为南宋时印。

121.江苏高资咸淳六年铁刀

作　者：宋　捷
出　处：《文物》1987 年第 7 期

1974 年 5 月，江苏省丹徒县高资公社团结大队十队的农田水利工程工地出土了 1 把南宋铁刀。环首呈椭圆形，心形格，刀脊近茎处錾刻"两淮制置印侍郎任内咸淳六年造"14 字，字迹清晰。简报配以照片予以介绍。

据介绍，这把铁刀是印侍郎任两淮制置使时制作的。高资不在两淮的境界之内，这把铁刀应是从两淮带到高资去的。又据《宋史·本纪第四十六》南宋度宗咸淳六年（1270 年）春正月壬寅："印应雷两淮安抚制置使。"同书咸淳九年（1273 年）十月丁丑："两淮制置使印应雷告老，进二秩致仕。"铁刀铭文所记印侍郎当即印应雷，他是以侍郎的身份出任淮南东、西路制置使的。

简报称，经北京钢铁学院进行金相鉴定，这把铁刀是由夹钢工艺制成的，它以熟铁作本体钢，刃钢用 4% 的碳钢锻接。夹钢的制作工艺比较复杂，特别是本体钢和刃钢的锻接工艺要求很高。这把铁刀的金相组织表明它的本体钢和刃钢部分黏合情况良好，可见南宋时夹钢工艺已达到相当高水平。咸淳六年（1270 年）铁刀是目前检测到的我国最早的夹钢制品，它的发现在冶金史上具有重要的意义。

122.江苏镇江市环城东路宋代遗存的发掘

作　者：镇江六朝唐宋古城考古队　龚　良、吴建民
出　处：《考古》1998 年第 12 期

1991 年春，为了解决镇江古城的范围和走向问题，考古人员在镇江市环城东路东侧进行了小规模的发掘。发掘探沟位于第一中学校园西南角（编号 91ZCT1），东距校办公楼 20 米，西距环城东路 40 米，发掘面积 24 平方米。发掘情况简报分为：一、地层堆积，二、遗迹，三、遗物，四、结语，共四个部分，有手绘图。

据介绍，从目前发掘情况看，夯土主体基本呈水平状，并延伸至探方外，应是筑城遗留下来的夯土城墙，但也不排除大型建筑基址的可能。出土遗物均为宋代，其最下层第 5 层出土了以青瓷、青白瓷为主的南宋瓷器，未见晚于南宋的任何遗物，故其夯土的始筑时代简报推断应为南宋。

泰州市

123.泰州出土宋吉州窑黑釉盏

作　者：黄炳煜
出　处：《文物》1993 年第 12 期

1984 年，江苏泰州南门外基建施工时出土 2 件黑釉盏，都是剪纸贴花纹样，一为云龙图案，一为朵梅图案。简报配以照片予以介绍。

据介绍，云龙盏，唇口微外卷，颈部稍内凹，深矮圈足。制作手法似为先把剪好的花纹蘸窑变釉贴到胎上，上袖后再揭去剪纸入窑烧制。原贴花的地方，映现出黄、白、紫、蓝等颜色。图案简洁明快，新颖别致。

朵梅盏，口微敛，颈部稍内凹，深腹微鼓，矮圈足，内壁口沿下 1.2 厘米有一周向内凸起的边线，盏内底为突起的圆圈形。制作手法似为先在内壁贴蘸黑釉的剪纸梅花，再加施一层窑变釉，揭去剪纸后入窑烧制，在呈白、黄、紫、蓝等色的窑变釉，显现出棕黑色的朵梅图案。这两件黑釉盏简报推断当是宋代江西吉州窑的产品。

简报称，上述云龙纹盏和朵梅纹盏，虽都采用剪纸图案，但装饰手法有别。前者为在胎上粘贴窑变釉图案，再施黑釉，形成黑釉地中现出窑变釉云龙图案；后者为在黑釉上粘贴朵梅图案，再施窑变釉，形成窑变釉中露出黑釉朵梅图案，表现出了工匠丰富的想象力。

宿迁市

浙江省

杭州市

124.浙江临安出土大型瓷瓶

作　者：浙江省临安县文管会　钱平甫
出　处：《考古与文物》1987 年第 5 期

1982 年，浙江省临安县潜阳公社民丰大队在桃花坞口埋设自来水管道时，发现 4 件窖藏瓷器。简报配以照片、手绘图予以介绍。

据介绍，计有缠枝牡丹刻花高颈瓶 2 件，为宋末元初之物。青瓷八卦三足炉 1 件、青瓷双耳瓶 1 件，为南宋之物。

125.杭州北大桥宋墓

作　者：浙江省文物考古研究所　王海明等
出　处：《文物》1988 年第 11 期

1982 年 7 月，考古人员获悉杭州市北郊北大桥联片供热工程中发现墓葬，随即前往现场调查清理。此墓为长方形券顶砖室墓。墓壁单砖平砌，墓底单砖平铺。随葬器物已由工程人员收集保存，据说全部出于棺木之内。简报配以照片予以说明。

据介绍，该墓随葬器物计有瓷器 4 件、完整和残破的漆器 10 件以上、陶器 2 件、石砚 1 件、银器 1 件、铜镜 1 件、铜钱 39 枚。该墓的年代，简报推断为南宋。出土的瓷器似出自多个窑口，漆器当出自淮安。

126.浙江淳安县出土宋代兵器

作　者：淳安县文物管理委员会　鲍绪先、王召里
出　处：《考古》1988 年第 4 期

1982 年，淳安县桐子坞乡驮花坞自然村东北约 400 米的山坡上（当地俗称屋基

坪），出土一批铁兵器，共 20 件。这批兵器埋在约 1 米深的土坑内，外面未经包裹。土坑内尚可捡到刀鞘、剑鞘的外壳碎片。距土坑 30 余米处，采集到一件宋代陶瓶底部。据百姓谈，前些年开山改地时，曾挖出许多碎片和碎瓶罐，还有的农民曾收有完整的宋代陶瓶。这批兵器简报配以手绘图、照片予以介绍。

据介绍，兵器有刀 15 件，剑、矛类，镗钯各 1 件，爪钩 2 件。根据实地调查，这批兵器简报推断应为宋代兵器。兵器出土地点旧称安坑源，是淳安县西部的一条小源，素不为人所注意。据宋代《青溪弄兵录》和《宣和遗事》，安坑源距帮源 25 公里，离方腊与宋兵决战的息坑、血污岭等地 12.5 ～ 17.5 公里，相距都比较近。因此，这批兵器简报认为可能是方腊起义失败后，一部分义军埋藏的，它的出土为宋代兵器的研究提供了宝贵的实物资料。

127.浙江淳安发现有关方腊起义的石刻

作　者：孙　平

出　处：《考古》1992 年第 7 期

考古人员在浙江省淳安县潭头乡王家，发现了刻有方腊起义事迹的石刻。简报配以照片予以介绍。

据介绍，刻文的石头略呈不规则长方形，系溪间常见的鹅卵石。四面都刻有文字，其首面右上角，在出土时被敲掉一小块，有 3 个字被敲去，1 字剩下一半无法辨认。这样连同敲去的和无法辨认的，共计刻有 88 个字，简报录有全文。这块刻石是 1980 年由王家村农民造房挖屋基时掘得。当地村民介绍，该石是在 1 棵植树边挖得的，离地面有五尺多深。植树很古老，早年被砍掉过。植树前古时候有 1 座寺院，寺前临溪，有 1 座木桥，叫寺桥头；寺院下首是田畈，叫寺下畈。查南宋《严州图经》和明嘉靖《淳安县志》寺观条，丰源院在县东北安乐乡，五代梁贞明二年(916 年)建。石刻具名"丰源院僧用琴记"，故刻石出处，古为丰源院址无疑。

石刻只有 88 个字，除去具名 7 字，记事文字只有 81 个。但内涵却十分丰富，概括了方腊起义的兴亡史；对照正史，所记史实正确无误，有些还可补正史之不足和纠正史之谬。

简报称，关于方腊，石刻明确了如下问题：

一是石刻的出土，以实物证明方腊是淳安人；

二是确认方十三即方腊；

三是确证方腊妻姓邰。

简报指出，该石刻关于方腊起义，其起止日期和经过的表述也都十分精当，且能纠史书之说，一般史书讲方腊被俘是 4 月 26 日，石刻记为 4 月 27 日，则更为可信。这次刻有方腊起义经过的石刻发现，为研究方腊起义提供了可贵的实物资料。特别是方腊的乡贯问题，依此可以定论。

128.杭州出土宋代金牌

作　　者：陈　浩
出　　处：《考古》1995 年第 1 期

1988 年 10 月，民工在杭州长命寺巷铺设淤泥管道时发现 9 枚金牌。简报配以拓片予以介绍。

据介绍，金牌呈长方形薄片状，尺寸一致，长 2 厘米、宽 1.2 厘米、厚 0.1 厘米，重均为 4 克。经检测，含金量都为 98%。金牌正中斜直钤有"韩四郎"3 字，两端则横盖"十分金"戳记，钤盖的铭文均为阴文楷书，其背平素。牌应为宋代遗物。

简报称，宋代金牌的货币地位已基本确立，其具有赏赐、保值贮藏、商业支付和纳税等功用。

129.杭州老虎洞南宋官窑址

作　　者：杭州市文物考古所　杜正贤
出　　处：《文物》2002 年第 10 期

老虎洞窑址位于杭州市上城区凤凰山与九华山之间 1 条长约 700 米的狭长溪沟的西端。窑址现场为一约 2000 平方米的山岙平地。老虎洞窑址于 1996 年 9 月因洪水冲刷被发现，同年 11 月考古人员进行了为期一个月的考古调查，发现 2 座窑炉和作坊遗址，出土少量瓷片、素烧坯、窑具等。1998 年 5～12 月、1999 年 10 月～2001 年 3 月，考古人员进行了两次较大规模的考古发掘。除了部分地层被有意保留以外，实际发掘面积约 2300 平方米。两次发掘都有重大收获，第一次发掘获得当年全国十大考古新发现提名奖，第二次发掘又被评为 2001 年度全国十大考古新发现之一。两次发掘材料目前正进行室内整理。简报分为：一、典型地层介绍，二、主要遗迹介绍，三、出土器物选介，四、分期与年代，五、关于老虎洞窑性质的讨论，共五个部分，有彩照、手绘图。

据介绍，老虎洞窑址位于杭州市上城区凤凰山与九华山之间的狭长溪沟中，南距南宋临安城皇城北墙不足百米，距南宋郊坛下官窑约 2.5 公里。完整地清理出窑址范围内的各种遗迹，包括龙窑 3 座、小型馒头窑 4 座、作坊 10 座、澄泥池 4 座、辘铲基座坑 12 个、釉料缸 2 口、原料矿坑 2 处以及大量的瓷器和瓷片。通过发掘、整理并结合历史文献记载，简报认为老虎洞窑址的南宋层即文献记载的南宋"内窑"窑址，也就是学术界所说的"南宋修内司官窑"窑址。而元代层出土的瓷器，则可初步认定为哥窑产品。

相关研究可参阅邓禾颖、唐俊杰先生《南宋官窑》（杭州出版社 2008 年版）一书。

130.杭州南宋临安府街署遗址

作　者：杭州市文物考古所　杜正贤等
出　处：《文物》2002 年第 10 期

2000 年 5 ~ 8 月，考古人员为配合杭州市上城区荷花池头旧城改造工程，对南宋临安府府治遗址进行了抢救性考古发掘。南宋临安府府治遗址位于杭州市上城区荷花池头一带，南起河坊街，北至三衙前，东依劳动路，西邻南山路，总面积超百亩。考古发掘分两个阶段，第一阶段 5 ~ 6 月，发掘 170 平方米，发现了以"变形宝相花"印花方砖铺地的正厅，素面方砖铺地的厢房及有砖砌排水设施的天井等南宋临安府府治遗迹。鉴于发现遗迹的重要性，第二阶段于 7 ~ 8 月，再次组织力量对已拆除旧房的地块进行了考古发掘。由于发掘区的中部有现代建筑，故发掘分南、北二区，两者相距 27 米，南区发掘 410 平方米，北区 470 平方米，共计 880 平方米。发现南宋临安府治诵读书院的厅堂、西厢房、庭院、天井、水井等遗迹，出土了大量建筑构件、生活用具以及练兵器材等遗物。简报分为：一、地层堆积，二、建筑遗迹，三、出土遗物，四、结语，共四个部分，有彩照、手绘图。

简报称，临安府衙署是南宋都城的最高行政机关，其地位非同一般州府，故府治建筑华丽。考古发现表明，并不是主体建筑的诵读书院即用宋代官式做法建造，规模宏大，用料高档，营造十分考究。此次发掘还发现了一些元、明遗迹，应为元代杭州路总管府府治遗迹和明代杭州府府治遗迹。简报未展开介绍。

131.杭州雷峰塔地宫的清理

作　者：浙江省文物考古研究所　黎毓馨
出　处：《考古》2002 年第 7 期

雷峰塔遗址位于杭州西湖南岸，地处南屏山支脉夕照山东侧的平岗上，隔湖北望保傲塔，南距净慈寺仅 100 米，是 1924 年雷峰塔倒塌后形成的废墟堆积。雷峰塔是吴越国王于宋太祖开宝年间动工兴建的佛塔，历史上曾遭受数次大的破坏，明代末年被焚毁后仅存砖砌塔芯，直至倒塌。2000～2001 年，为配合雷峰塔重建工程，考古人员对雷峰塔遗址进行了两次考古发掘，揭露面积达 4000 平方米。2001 年度重点发掘了雷峰塔地宫及塔基、外围遗迹。简报分为：一、发掘经过，二、出土文物，三、基本认识，共三个部分，有照片。

据介绍，发掘中见到，有的塔砖上模印有"辛未""壬申"等纪年文字。由它们的出土状况简报推断，雷峰塔的始建年代在壬申年（972 年）或稍后，即宋太祖开宝五年（972 年）；地宫的营建时间也不会晚于壬申年（972 年），上限为辛未年（971 年）。地宫内出土文物共 51 件（组），铁函居中，它的下面及与砖壁的空隙处堆放大量铜钱和多种质料的供养品。

简报称，出土碑刻《庆元修创记》中的有关记载，为了解雷峰塔与塔院的关系，探寻寺院布局提供了一些线索。雷峰塔地宫的发掘弥补了五代十国时期佛塔地宫考古的空白，对研究唐宋时期地宫及舍利埋藏制度的演变、南北方地宫形态结构的差异等问题具有重要价值。

132.浙江省建德市大洋镇下王村宋墓发掘简报

作　　者：北京大学中国考古学研究中心、杭州市文物考古所　秦大树、马东峰
出　　处：《考古与文物》2008 年第 4 期

建德市位于浙江省西部，钱塘江上游，东滨富春江，西接千岛湖，境内主要是浅山丘陵和新安江河谷地貌，行政隶属杭州市。大洋镇位于建德市东南部，墓葬发现于大洋镇镇政府所在地下王村附近的一座小山的山脚下，东距新安江支流长江数百米。

1977 年 5 月至 6 月，考古人员为配合基建工程联合对一处墓地进行了抢救性发掘。发现了 6 座明代石棺墓，继之发现了宋代并列双室砖室墓 1 座。两墓室均遭到盗扰，但墓中仍出土了一些文物。墓葬情况简报分为：一、墓上建筑及墓室结构，二、葬式及出土文物，三、小结，共三个部分，有手绘图、照片。

据介绍，该宋墓为 1 座长方形并列双室券顶砖室墓，由墓园、墓前建筑、墓室三部分组成。墓园由圆形园墙、砖铺地坪和封土构成。封土已完全坍塌，墓室长达 11 米，未见葬具，葬式不明。出土遗物有铜器、漆器、瓷器等。

简报称，此墓中有两组文物值得注意：一是一摞两件素髹黑漆的盒子，在大漆盒内又放置了 3 件尚保存内部粉状物的小漆盒，同时在盒中还出土了一批金银饰件。在漆盒旁边还出土了六瓣花形湖州镜。宋本《碎金》"梳洗"一项里有犀梳、椓篦、环子、花钿等梳妆用具和胭脂、坯粉、蚌粉、韶粉、面油、漆油之类。表明梳妆用具包括了一套梳篦类的用具和一些脂粉。有学者认为："妆具之齐整者，为妆盒一

件，内置粉盒、胭脂盒，油缸、水盂，妆盘，刷、捉、梳篦，铜镜，是理容所必需，以为女子每一天里不可缺少的生活内容备下一套完善的设施"，大洋镇宋墓出土的这套漆盒、金银器和铜镜为我们展示了一套南宋时期的梳妆用具，除去可能已经腐朽的梳篦类妆具未见出土，主要包括了两件大漆盒，其中放置了我们现在不知道名称的三种粉或油脂，以及一套金银首饰，应该是当时常用的一套妆具，成为印证文献记载的重要实物资料。为我们了解宋代妇女的梳妆用品和用具提供了新鲜的实物资料。在出土的金银器当中，有几件纹饰风格相同的金首饰（B 型四时花卉纹金钗，A 型锤镍花卉纹金指足和金耳环），而且都有"小西门北，吴五郎造"的刻款。因此，其应为一套金首饰，也许代表了一类金首饰的特定组合。《梦梁录》记载嫁娶中聘礼有"三金"，为金银、金跟、金帔坠。南宋时候用为聘礼，无金，银可代之。这组遗物很可能是当时的所谓"三金"，为我们研究南宋婚嫁制度提供了实物资料。

133.杭州市半山镇水晶山 1 号宋墓

作　者：南开大学考古学与博物馆学系、杭州市文物考古所　刘　毅、梁宝华
出　处：《考古》2014 年第 9 期

水晶山 1 号墓，位于杭州市拱墅区半山镇石塘行政村刘文村东南约 1500 米的水晶山北麓半山腰处。2007 年普查时发现，同年发掘。简报分为：一、墓葬形制，二、出土遗物，三、结语，共三个部分，有彩照、手绘图。

M1 封土已不存，结构较为复杂，从外至内分别为挡土墙、排水沟、墓圈内地坪、墓室、墓室前地表建筑等。墓室为石椁式双室。此墓早年曾被严重盗扰，出土遗物较少且大多残破，共计 13 件（组），东室为 11 件（组），西室仅 2 件，包括瓷、铜、铁器等，其中 4 只铁牛应为厌胜之物。仅少部分遗物发现于墓室底部，其他则出土于回填扰土中。该墓年代简报推断为南宋初期，墓主应为一刘姓官员。

宁波市

134.浙江象山县清理北宋黄埔墓

作　者：钱永章
出　处：《考古》1986 年第 9 期

1984 年 7 月，考古人员对 1 座墓门已被盗掘的宋代墓葬进行发掘清理，出土了

一批文物。简报配以手绘图、照片予以介绍。

据介绍，该墓坐落在距县城约 20 公里的珠溪乡常乐寺后西边山麓平坡上，墓后为大山，墓前为竹林，于 1983 年文物普查中发现。墓壁结构即左、右两壁和后壁（前壁已坍塌），均有长方形壁龛共 19 个。随葬品共 14 件，墓志 1 方，志文楷书共 408 字，简报未录志文全文。据志文知，墓主生于北宋天圣九年（1031 年），卒于北宋元祐元年（1086 年），由于有明确的纪年墓志，墓中出土器物即都是宋元祐元年以前的制品。

135.浙江宁海县岔路宋代窑址

作　者：宁波市文物考古研究所、宁海县文管会办公室　丁友甫、沈沂纯

出　处：《考古》2003 年第 9 期

1998 年 11 月，在同三（同江—三亚）高速公路宁海境内岔路段的施工过程中发现了大量的窑具和瓷片堆积，考古人员展开了调查。窑址位于岔路镇虎头山北面约 200 米的茶山（旧称瓦窑山）山坡上，12 月 12 日，考古人员对该窑址（编号为98NCY1）进行了抢救性发掘。发掘工作从 12 月 12 日开始，至 31 日结束，发掘面积约 1000 平方米。窑址的发掘情况简报分为：一、地层堆积，二、遗迹，三、出土瓷器，四、出土窑具，五、结语，共五个部分，有手绘图。

据介绍，通过发掘发现，窑具及瓷器堆积是沿山的坡度呈东西向分布的，由此可推测该窑是一座龙窑。虽然没有明确纪年，根据器物的同类对比和纹饰演变的规律，并参考窑址中出土的"熙宁元宝"铜钱，简报推断该窑的烧制年代应该在北宋中晚期。

简报称，宁海岔路窑址属越窑体系，其产品、窑具既有典型的越窑产品风格，又有自己的特色。精、粗瓷器并烧，更好地达到了产品销售的目的。粗瓷可满足本地区民间日益增长的物质需要；精瓷通过白溪水道经三门湾输向各地，或经海上外销。

温州市

136.温州西郭出土北宋瓷质碑铭

作　者：温州区文物管理委员会　徐定水

出　处：《考古》1965 年第 3 期

1964 年 5 月 18 日，在温州西郭大桥头地方，发现 1 块刻有北宋纪年的瓷质碑铭。

简报配以照片介绍了这块碑铭。

据介绍，温州西郭大桥头有一座古代的大桥，早已沉没在河水之中，最近才从 1 米多深的河床中发掘出来。该桥是一座五孔石桥，桥身长约 34 米、宽约 5 米，每个桥墩均由四根粗大的石柱合砌而成。这块瓷碑，是从这座石桥东面第一号桥墩的石柱下出土的，碑文当是建桥时的祭文。这块碑出土时已残，残宽 14 厘米、长 15 厘米、厚 1.1 厘米。断裂的痕迹已经古旧，又未找到其他碎片，已无法复原。碑的胎骨呈淡灰色，坚硬细致，瓷面施淡青色薄釉，有细碎开片，均匀而润泽，莹洁似玉。背面左上方一角，因火候关系，釉色略带黄褐色。文字的刻划深处和周边凹线处，釉液凝聚颇厚，因而略呈青绿色。因碑铭已残缺，铭文内容已不连贯，但可知其与佛教有关。最重要的是上有"开宝三年太岁庚午"的纪年，开宝是北宋赵匡胤年号，开宝三年为 970 年。它不仅说明了碑的烧造年代，同时也解决了这座五孔石桥建造的年代问题。在调查中，还采集到西山窑制造的其他类型瓷器，都是从河床中出土的，计有瓜棱壶、双系壶、碗、皿和底部划花的残碗各 1 件，还有大量残片。此外，还采集到天禧、熙宁、元祐、政和、崇宁等年号宋钱 10 多枚。

简报称，这块北宋初期西山窑制造的瓷碑和其他瓷器的出土，对于了解和研究古代西山窑的年代，提供了值得注意的资料。

137.浙江瑞安北宋慧光塔出土文物

作　者：浙江省博物馆

出　处：《文物》1973 年第 1 期

1966 年底至 1967 年初，浙江瑞安县仙岩的农民在慧光塔发现了一批珍贵的佛经和宗教艺术品。这批文物共计 69 件，除 3 件为清康熙年间修塔时增入外，其余都是北宋庆历三年（1043 年）以前的。此外，还有 500 多枚唐代至北宋的钱币。简报分为：一、写经，二、刻经，三、舍利函，四、其他，共四个部分。

据介绍，慧光塔在县东 40 里的仙岩寺南面，中有虎溪相隔，宋代直称"仙岩寺塔"，元代延祐年间（1314～1320 年）始改今名。塔作六面七层，每层三面有门。外部原有木檐，后毁。据仙岩的百姓反映，塔基下的"龙宫"和塔身里面原来藏有很多东西，由于 1949 年前被盗掘，大部分都被劫掠去了。现在留下的仅是在砖墙内的一小部分。简报称，慧光塔的兴建，起自北宋景祐元年（1034 年），成于庆历三年（1043 年），已在题记中得到充分的证明。自此以后，经过元代和清初两次修理。后人说此塔为唐代所修，是将寺与塔混为一谈了。有人说为清康熙年间重建，更是错误的。

138.浙江瑞安发现北宋熙宁铜权

作　者：浙江瑞安县文化馆　俞天舒
出　处：《文物》1975 年第 8 期

1972 年 12 月 28 日，浙江瑞安新江公社埠坑大队，发现 1 件北宋熙宁铜权。简报配以照片予以介绍。

据介绍，铜权的出土地点，在该队西北面山坡下距地表约 1 米深的田中。权放置在一个用青砖砌的坑里。铜权相当完整，表面有一些锈蚀，重 62.5 公斤。铭文 168 字，简报录有全文。知此权为北宋熙宁十年（1077 年）造。

139.浙江平阳县宋墓

作　者：叶　红
出　处：《考古》1983 年第 1 期

1971 年 11 月，浙江平阳县桥墩水库某工程施工时，发现南宋淳熙年间黄石夫妇及其子黄裳夫妇合葬墓各 1 座。简报配以照片予以介绍。

据介绍，黄石墓，墓室距地表 3 米，为砖石结构。殉葬品放在椁室里。出土器物有：铜镜 1 件、铜壶 2 把、铜鼎 1 件、玉质印章 1 方、黑釉瓷罐 5 件。有墓志 1 方，简报未录志文全文。由志文知，黄石为温州崧山人，于南宋绍兴八年（1138 年）中进士后，出任福州州学教授，继而在专门培养皇室子弟的"宗学"里充当教授。黄石死于淳熙二年（1175 年）十二月，时年 66 岁。淳熙五年（1178 年）葬于归仁乡贤沙岱之原（即今平阳县桥墩）。

黄石之妻王惠墓，墓室结构与黄石墓同。出土墓志 1 方，简报未录志文全文。出土影青小瓷盒 1 件、黑褐色釉瓷罐 5 件。王惠原籍福建长溪桐山里，死于淳熙十一年（1184 年），次年葬于黄石墓旁。

黄石之子黄裳墓，出土有"太平通宝"等宋钱 116 枚，放在青白刻花瓷盒中。与其妻林氏同墓双穴。黄裳为建康府司户参军，可能死在外地，此处未见尸骨。林氏墓中出土有漆器、青白瓷器、黑褐色瓷罐等。林氏父为左朝散大夫、江南西路转运判官，世居平阳。林氏生于绍兴十五年（1145 年），22 岁嫁给黄裳，死于淳熙十三年（1186 年），次年出葬。出土有墓志，简报未录志文全文。

简报称，出土的黑褐色釉瓷罐，应出自金华的婺州窑或福建建窑。青白瓷或出自景德镇。

140.浙江永嘉发现宋代窖藏银器

作　　者：金柏东、林鞍钢
出　　处：《文物》1984年第5期

1983年3月，浙江省永嘉县四川区下蝶公社山下大队百姓在平整土地时，于距地表约1米深处发现1个磁州窑白地铁锈花盖罐，罐内窖藏一批银器，其中较完整的51件。简报配以照片予以介绍。

这批银器均为装饰品，大部分属发饰类，多有铺号字样。其制作采用翻铸、镂空、切削、焊接、浅刻、捶打、压印等技法，具有较高的工艺水平和艺术价值。简报推断年代为宋代。

141.温州市北宋白象塔清理报告

作　　者：温州市文物处、温州市博物馆　徐定水、金柏东等
出　　处：《文物》1987年第5期

白象塔又称白塔，位于浙江省温州市郊梧田区南白象乡（今属瓯海县），距市区约12.5公里。东、南是水田，北面依山临河，西为古刹瑜珈寺（今白象小学），稍远为白象街。塔砖木结构，六面七层，高31.3米，底径7.8米、壁厚2.2米，外围层层有出檐、平座和栏杆，第一层周有副阶。因受风雨长期浸蚀，中华人民共和国成立后倾斜度已达1.98米，塔身第三层西南面塔砖已溃碎，第三、四层有多处裂缝，无法再行维修加固，随时有塌倒危险。为了塔下学校、医院及村民的生命财产安全，1964年经浙江省文物管理委员会批准，决定予以拆除。《白象塔清理报告》原拟翌年撰写，后因"文化大革命"而停顿，迟至20多年后才发表。简报共分三个部分，有照片、拓片。

据介绍，在拆除白象塔时发现大批文物。根据现场记录，塔内文物分布情况为：（由上至下）第七层（塔顶）有北宋铁质塔刹、覆钵、覆盘各1件。六层无物。五层有咸平、崇宁铜钱177枚，民国印纸质《莲华经》1部、《大乘莲华经》2部，木柄铁斧1把。四层有民国五色白瓷茶壶、青花瓷器（残）各1件，北宋铭文塔砖2块。三层有北宋陶塑菩萨头像2件，泥塑彩绘菩萨2件（残），砖雕4件，朱笔铭文塔砖2块。二层、一层为文物最集中处，占全塔发现文物总数的90%以上，每面塔壁内均砌有方形洞穴，窖藏各类文物，其中以北宋泥塑彩绘菩萨为最多，其次有唐宋铜钱及北宋漆器、木雕、砖雕、佛经、瓷器、铜器、绘画等。台基中也出土北宋铜钱、瓷器、陶塑、泥塑及绘画等物。地宫早已被掘，空无一物。塔中文物，根据其材质

不同，可分铁器、铜器及铜钱、瓷器、绘画、雕塑及石刻等类。限于篇幅，简报先行介绍的是北宋文物。铭字砖录有全文，明代、民国两碑，未录全文。此塔的年代，简报认为是北宋政和五年（1115 年）所造，比寺要晚。

142.浙江洞头县发现一批宋代银器

作　者： 郑永清

出　处：《考古》1987 年第 11 期

1985 年，洞头县北沙乡九昕村渔民在县木材公司仓库工程施工时，于距地表约 1 米深处发现 1 个素面瓷罐，内藏一批宋代银器。简报配以照片予以介绍。

据介绍，计银钗 3 件，其中两件上有铭文；银链 1 件、银条 1 件、银块 4 件，其中 2 件上有铭文；银 11 件、银簪 4 件。简报推断为宋代遗物。

143.温州市宋代褐彩青瓷窑址调查

作　者： 温州市文物管理处　金柏东

出　处：《考古》1988 年第 3 期

多年来，考古人员在清理两宋时期的墓葬时出土了为数不少、制作各异、施釉晶莹的瓷器。为了摸清这些瓷器烧造地点及其分布情况，并试图揭开褐彩青瓷是否产于本地的"不解之谜"，进行了重点调查。令人振奋的是，两年来先后在乐清县大荆乡潘岭山窑址、永嘉县岩头乡下山坟窑址、瑞安县丰和乡含金山窑址以及温州市郊杨府山窑址，发现了具有两宋风格的青釉绘褐彩，间亦有褚红、黑釉彩的完整瓷器、瓷片及窑具。同时又对 1960 年考古人员调查的大荆区屿后窑址（该窑址后被大面积开垦为水稻田，一直难以寻找确定）做了复查，也在田间小路和渠道断面发现青釉绘褐彩的瓷器标本。至此，具有自己特点的温州市宋代青釉褐彩瓷窑情况已越来越多地被我们所了解。窑址分布情况和采集的标本简报分为：一、窑址概况，二、初步认识，共两部分择要介绍，有照片。

据介绍，以上诸窑均为依山而筑、斜度适中的龙窑，长 30 ～ 40 米。它采用明火叠烧法，叠烧的坯件数量不等，其间用泥点间隔，垫座式样有柱形、喇叭形、匣钵形三种。

这批窑址采集的瓷器标本，胎呈灰白色，质地粗而坚硬，釉层薄而透明，呈青、淡青或黑褐色，胎釉结合紧密，剥落现象甚少。杨府山窑址出土的壶杯，是北宋时期典型产品，但点敷褐斑仍保留着唐五代青瓷装饰风格。其他窑址出土的高颈曲翠执壶，短颈长腹瓶以及敛口、矮圈足的洗等，北宋中晚期以至南宋的时代特征较为明显。下坟山窑址出土的花盆，口沿折成花形，颈腹部有堆纹，底部正中穿孔，与韩国新罗海底沉船中发现的花盆很相似。另外，口下微束、底心外凸的碗，亦是宋末元初所常见的。简报推断这批窑址的烧制时间应定为宋代，其中下坟山窑址延续至元代。

144.浙江温州青瓷窑址调查

作　者：王同军

出　处：《考古》1993 年第 9 期

1985 年 10 月，考古人员对温州市古窑址进行了调查。通过调查及对采集标本的分析，发现苍南县大、小星垟诸窑与乐清县瑶岙窑产品风格、特征相类同，而区别于瓯窑和龙泉窑系，具有自身特点。简报分为：一、大星垟窑，二、小星垟窑，三、瑶岙窑，四、结语，共四个部分，有照片。

据介绍，简报推断此三窑的烧制年代应在北宋中晚期至南宋。青釉瓷的面貌特征与东四窑、龙泉窑的青釉瓷既有区别又有联系，而与同安窑产品更为接近。诸窑产品釉色多青黄、青绿，釉面光亮，施釉较匀称，有流釉现象，与东四窑的淡青釉、薄而较均及龙泉窑施釉较薄、呈色较淡、玻璃质感强的特点显然是有区别的。而与同安窑青瓷釉色一致，均外施半釉、釉层较厚、底足露胎，内底有涩圈。

简报称，在日本的镰仓、太宰府、福冈湾、福山等镰仓时代的遗址中，出土了大量被日本陶瓷界称为"珠光青瓷"的产品，特征是器内壁划饰篦梳纹、云气纹，器外刻划数组斜直线纹，底足露胎的青釉碗。简报认为，温州诸窑也是生产"珠光青瓷"的窑场，这意味着宋代生产"珠光青瓷"的窑场，除冯先铭先生所说的福建同安、安溪、南安、闽侯、连江等窑和浙江武义、东阳窑之外，还可增补苍南大、小星垟和乐清瑶岙窑。它们的发现为研究我国"珠光青瓷"的外销提供了新资料。

嘉兴市

145.浙江嘉兴发现南宋铜锣

作　者：嘉兴博物馆

出　处：《文物》1980 年第 8 期

1977 年 11 月，浙江嘉兴县粮食系统西门仓库在距离地表 20 米深处的古井里挖掘出南宋铜锣 1 件，完整无损。考古人员到现场进行了调查。经过洗刷，铜锣熠熠闪光，铭文字迹清晰，敲打起来声音洪亮。锣边沿上镌字两行："知府节制余右司任内重修使用""嘉兴府咸淳四年三月初一日"。咸淳为南宋度宗年号，咸淳四年即 1268 年，距今已有 700 多年的历史了。简报配以照片予以介绍。

简报称，《嘉兴府志》记载，南宋嘉定元年（1208 年）嘉兴升为嘉兴军，领嘉兴、华亭、海盐、崇德四县，管辖范围相当于现在江苏省的松江，浙江省的嘉兴、嘉善、平湖、海盐、海宁、桐乡等县市。这面铜锣，明确刻着"知府节制余右司任内重修使用"，当为嘉兴地方官鸣锣开道专用，属于仪仗一类的器物。

146.浙江省海宁县东山宋墓清理简报

作　　者：海宁县博物馆　潘六坤
出　　处：《文物》1983 年第 8 期

1977 年 4 月至 1978 年 1 月，因基本建设工程，在海宁县东山西麓中段先后发现宋墓 14 座，编号为海宁 M2、M3、M4、M5、M7、M8、M9、M10、M18、M19、M20、M21、M25、M26,考古人员对这 14 座宋墓进行了清理。简报分为"墓葬结构""随葬器物""结语"，共三个部分，有照片、手绘图。

据介绍，这 14 座宋墓均为砖室结构，大都为双穴并列。从单穴外形看似倒覆的船形，可称船形砖砌双穴墓。这一宋墓群中出土的随葬器物共有瓷器、陶器、银器、石器以及铜镜、铁牛等 167 件。此外尚有钱币 300 多枚。这 14 座宋墓又可细分为三组：

第一组，共 4 座（M7、M8、M19、M20）。平面布局略成"串"字形，分前后两室及左右 4 个耳室。简报推断年代为北宋早期。

第二组，共 3 座（M9、M10、M21），平面布局为前后两室。封门、墓壁砌法同第一组墓，无耳室。简报推断年代为北宋中期。

第三组，共 7 座（M2、M3、M4、M5、M18、M25、M26）为单室带龛墓。年代简报推断为北宋晚期。

147.海盐出土宋朝军印初探

作　　者：海盐县博物馆　鲍翔麟
出　　处：《文物》1984 年第 9 期

1978 年冬，浙江省嘉兴、嘉善、德清、平湖、桐乡、海宁、海盐 7 县民工开挖出海排涝工程——长山河。在施工中，平湖县前港公社民主大队民工在古镇澉浦挖掘到宋朝铜质军印 9 方。简报分为：一、印文和印背凿款，二、印文注释，三、军印补正了《宋史》记载上的失误，四、军印丰富了南宋水军史的资料，五、军印证实了澉浦是古代要冲之地，共五个部分，有拓片。

据介绍，9 方军印上铸的印文，都是阳文篆字，印背上都有楷书凿款，表明铸印年代和铸印单位。印 1 为"雄节第一指挥第三都朱记"，北宋元祐五年（1090 年）少府监铸。印 2 为"殿前司平江府许浦驻扎水军第一将印"，南宋开禧元年（1205 年）文思院铸。印 3 为"嘉兴府澉浦驻扎殿前司水军第一将印"，嘉定十六年（1223 年）文思院铸。印 4 为"金山防海水军第二将印"，淳祐七年（1247 年）文思院铸。印 5 为"嘉兴府澉浦驻扎殿前司水军第四将印"，开庆元年（1259 年）文思院铸。印 6 为"沿海制置司定海水军第一将之印"，景定元年（1260 年）文思院铸。印 7 为"嘉兴府金山防海水军统领印"，景定元年（1260 年）文思院铸。印 8 为"嘉兴府驻扎殿前司金山水军第二将印"，德祐元年（1275 年）文思院铸。印 9 为"嘉兴府驻扎殿前司金山水军统制印"，德祐元年（1275 年）文思院铸。

简报称，据《宋史·职官志》，"少府监"和"文思院"都是宋朝管理宫廷手工业的官署，北宋称少府监，南宋并入文思院。简报指出，整部《宋史》是北宋详细而南宋简略，理宗以后没有"实录"，修得更为草率。在《宋史·兵志》上，对水军的发展过程、组织编制、统率关系和用兵情况等都缺少记载。这次有八方水军印在澉浦一起出土，为我们提供了不少新的资料。加上"雄节"军印，多处可补史书之缺。

湖州市

绍兴市

148.浙江绍兴缪家桥宋井发掘简报

作　　者：绍兴县文物管理委员会　方　杰

出　　处：《考古》1964 年第 11 期

缪家桥位于绍兴市区东南部。1963 年 10 月，考古人员在该地清理了古井 2 座。简报分为：一、井 1，二、井 2，三、结语，共三个部分，有手绘图。

据介绍，井 1 圆形，口径 0.7 米，单砖横立砌 17 层，每层 9 块，残深 2.4 米，井底立木桩 7 根，垫于砖底，井内积满黑色淤泥。出土有陶器、瓷器、铜钱等。井 2 为圆形，口径 0.6 米，单砖横立砌。出土器物均为铜器。计有铜镰斗、铜熨斗、铜钵、铜镜等。

简报称，井 1 出的陶器均为宋代常见之物，并有宋末钱币，可以定为南宋水井无疑。青、白瓷占绝大多数，而未见越窑青瓷器皿，当时绍兴地居越中，民间用器不见越窑，是否当时越窑已趋后期，或停烧已久，这可供研究越窑发展史者作参考。井 2 出的 7 件铜器，镰斗形制与晋墓中出土者相似，井砖一边有几何形印纹，时代比宋要早。井 1 出土瓷器均上等品，量多质高，且未见其他杂件，或系富户之私用水井。从几件龙泉青瓷器皿来看，形制优美、实用，特别是几件欠烧的龙泉青瓷，色泽鲜明温润。用铜皮黏以胶质补合瓷器，对于研究古代补瓷技术，是很好的资料。

149.浙江诸暨南宋董康嗣夫妇墓

作　者：诸暨县文管会　方志良
出　处：《文物》1988 年第 11 期

1981 年 7 月下旬，诸暨电除尘器厂在基建工程中发现 1 座宋墓。考古人员赶到现场时，墓室四壁砖墙已被破坏，仅残存墓底，部分随葬品已经扰乱。简报配以照片、拓片予以介绍。

据介绍，墓葬位于诸暨县城西面约 1 公里的长山脚下一土阜上，此处俗称金畚斗山。墓葬为砖室墓，平面呈长方形。分左右两室，中间隔一道砖墙，无甬道和墓门。淤泥中夹有大量腐朽的漆器和红色漆皮。尸骨和棺木均已无存。右室出土瓷罐、铜镜、石雕犀牛镇纸、石雕笔架、石雕龟纽水盂、石砚、墓志石、铜钱等。简报附有墓志全文。左室为墓主人董氏之妻周氏。另外，考古人员在附近还征集到董氏之母周令人墓志，也录有志文。

据志文可知，右室墓主人董康嗣，字子宁，生于南宋绍兴四年（1134 年）八月十七日，官至通判筠州（今江西高安县）军州（宋代以文臣知军州事，代节度使之职），卒于庆元六年十二月八日（1201 年 1 月 14 日）。左室墓主人周氏，系董康嗣之妻，生于绍兴丙辰（1136 年）正月十日，卒于开禧丙寅（1206 年）九月四日，嘉定戊辰（1208 年）四月三日"合葬于先君之墓"。

简报指出，这座宋墓遗物虽然不多，但出土的石雕文房用品制作精美，造型生动，在宋墓中比较少见。出土的 4 件瓷器，应属本地瓷窑中烧造的器物。这座墓年代清楚，对于研究当地宋代青瓷器分期，是大有帮助的。此外，墓志写到墓主人"本贯河南开封府祥符县，自南渡寓居绍兴府诸暨□（县）"，说明董康嗣是随宋室南迁后定居诸暨的。在他的仕途中，曾有过 1 次"郊祀"、2 次"磨勘"和 3 次"覃恩"的机遇，才得以升迁。这对研究南宋官制很有价值。

150.浙江绍兴市桐梧村南宋墓葬

作　者：绍兴市文物考古研究所　蒋明明等

出　处：《考古》2006 年第 4 期

2003 年 5 月，绍兴市越城区东湖镇桐梧村村民在平整土地时发现古墓 1 座，此墓位于该村东南面的王家山半坡，距绍兴市区约 10 公里。由于村民在平整土地时采用机械化推土作业，墓葬顶部覆盖的封口石板被推塌，墓内器物也被村民取出。考古人员只对墓室做了清理。按历次发掘古代墓葬的先后次序，将此墓编号为绍 M323。简报分为：一、墓葬形制，二、随葬器物，三、结语，共三个部分，有手绘图。

据介绍，该墓为长方形石顶砖室墓，坐北朝南。墓室四壁用青砖错缝砌筑，四壁中部有一周凹槽。南壁有一壁龛，壁龛呈长方形。顶部覆盖 3 块大石板，石板四周用石灰封口。墓底两端各有棺床基砖，由单砖平铺而成，用于放置木棺。木棺已朽，仅存残片，未发现人骨痕迹。墓室内有大量淤泥。随葬器物共 14 件，有青瓷器、铜镜、钱币、金银器、水晶饰品等。

简报推断该墓的时代当为南宋时期。从墓内出土的金手镯、金缠指、银发簪等随葬品来看，此墓的主人简报推测应为具有一定身份和地位的女性。

简报指出，这座南宋墓的随葬品种类较多且精美，在绍兴地区发掘的南宋墓葬中较为少见，这为进一步研究南宋墓葬形制，特别是对认识江南地区南宋墓葬石顶砖室墓的结构和丧葬习俗以及金、银、瓷器等的制作工艺提供了宝贵的实物资料。

金华市

151.浙江金华青瓷窑址调查

作　者：张　翔

出　处：《考古》1965 年第 5 期

陆羽《茶经》上提到的唐代婺州窑窑址在哪里，至今还不清楚。陈万里先生于

1936年在金华古方附近发现了一些青瓷窑址，曾被认为是探寻唐代婺州窑址的一个线索，引起了人们的注意。1955年浙江博物馆曾派人对古方附近的青瓷窑址作过一次调查，找到数处窑址。1963年2月又前往再次调查，了解了窑址分布和遗物内容，找到10多处窑址。在离古方西去约15公里汤溪镇以南厚大庄也发现了1处窑址，说明窑址不限于古方地区，在其他地区很可能还有。已发现的这10多处窑址规模不小，遗物堆积也很丰富，产品的制作有粗糙的，也有比较精致的。简报分为：一、窑区的地理条件，二、窑址分述，三、遗物，四、断代讨论及其他，共四个部分，有手绘图。

据介绍，金华地区的遗址系一片平原，平原的南北两方为山区挟抱，古方镇位于平原地区。古方镇以南数公里便进入山区，燃料获取应很方便。窑址多集中分布在古方镇东南方面，自镇南二三公里起，直到山区的边缘地区。窑址分布的地区交通并不便，虽有白沙溪北向流经古方，但距离窑区较远，且水流浅窄不能通航。另一处厚大庄窑址也在山区边缘，地理形势相同。简报介绍了窑岗山、厚大庄、外山等窑址及瓷器、窑具等遗物。简报认为这批窑址属于宋代，繁荣期当在北宋。产品有一些独具的特色。金华窑有粗糙和较精致时产品两个类型，其精致类的也远不及北宋以后龙泉窑产品的制作水平，简报认为这里应不是唐代的婺州窑。

简报认为，金华窑产工艺制作水平并不高的原因，可能与适应民间要求的性质有关，同时原料情况或者也有些关系，当然仍不排除一定技术条件的问题。就原料来说，以其交通条件情况，主要原料产地或不会太远。

152.兰溪南宋墓出土的棉毯及其他

作　者：浙江省博物馆　汪济英
出　处：《文物》1975年第6期

在"文革"中，浙江兰溪县密山公社的农民于密山南麓发现了1座石椁墓，出土了一批重要文物。

据介绍，此墓石椁重棺，里面放置草席、棉毯各1条，绸面木屑芯枕头1个，包袱2件（1件包绸裤，1件包绸衣和头纱，分别置于胸部两侧），贴金木梳1柄，木质佛珠1串，纸质墨书若干卷。此外尚有缎面鞋子1双，丝棉球若干（兰溪迷信的旧俗，以此为馒头，有狗来，则抛之，免害死者）。在上述出土文物中，棉毯是最引人注目的。它虽然不是迄今已知的最早的棉织物，却是迄今已发现的最早和最完整的毯子。它以实物有力证明了南宋时期的江南地区已经比较普遍地使用棉织品，这个事实十分值得重视。据墓中所出纪年墨书，知墓主人为潘慈明前妻高氏。当地也传说此地为潘氏祖茔。

简报称，高氏是官僚高阅之女，生卒年月不详。其夫潘慈明（1133～？），字伯龙，南宋绍兴二十一年（1151年）登赵逵榜进士第，历官国子监主簿、秘书承、权知江州兼荆湖南路转运使。所为文词议论，出入于道学之门。淳熙三年（1176年）知江州时，曾建书堂奉祀周敦颐，朱熹为之作记。从子潘恭任邵州太守，因残酷镇压瑶族人民的反抗斗争，得到周必大和朱熹的联章荐举，迁升广南东路经略兼知广州。潘氏为兰溪望族。

153.浙江兰溪县北宋石室墓

作　　者：金华地区文管会　贡　昌
出　　处：《考古》1985年第2期

1979年2月，浙江省兰溪县灵洞公社下店大队飞龙里白塔坞发现1座古墓。简报配以照片予以介绍。

据介绍，墓葬为石室墓，南向，平面呈长方形。两墓之间的门右侧放男墓主人墓志，当地风俗亦男右女左下葬，故右室为男墓，早年已被扰。左室当为女墓，墓志系直接书写，已模糊不清。随葬品有瓷器、铜镜、铁锁、金耳环、墓志2方，简报未录墓志全文。

据男墓主人墓志可知男墓在北宋元符二年（1099年）下葬，女墓在元祐六年（1091年）下葬。简报说，出土青白瓷器的宋代墓葬有墓志或纪年的文物不太多，这座墓对研究青白瓷器烧制年代有很大的帮助。

154.浙江磐安县安文宋墓

作　　者：磐安县文管会　赵一新
出　　处：《文物》1987年第7期

1984年，浙江省磐安县安文镇寺口村农民在半月山脚下建房动土时，发现2座古墓。考古人员得知后进行了清理。简报配以照片予以说明。

据介绍，两座墓上下叠压，上面一墓编号为M1，下面一墓为M2。M1虽已受到破坏，但仍可以看出墓室结构，墓壁用条砖砌筑，墓底铺方砖，墓顶用石板铺盖。棺木周围空隙填满桐油石灰，并经夯实。棺木与尸骨皆已朽坏。墓中仅出墓志1块、铁环钉和角钉各1组。M2棺木、尸骨皆朽，出土陶瓷器6件、铜镜1件、古钱10余枚。M1所出墓志，简报录有志文全文。这两座墓葬，M1据志文葬于南宋嘉定癸未年（1223年）。M2被M1叠压，理应比M1早数十年乃至上百年，估计为北宋时期墓葬。根据其中所出铜钱看，上限在北宋天圣年间（1023～1032年）。

155.浙江兰溪市南宋墓

作　者：兰溪市博物馆　俞立军
出　处：《考古》1991年第7期

1987年6月，浙江省兰溪市灵洞乡费垄口村农民在毛埠基采石时，发现1座夫妻合葬墓，考古人员进行了清理。简报分为：一、墓葬结构，二、出土文物，三、结语，共三个部分，有照片、手绘图。

此墓坐落在离城1公里许的一个山坡上。方向正北，竖穴式券顶双室砖石结构。男左女右，两室大小一致，高度不同。男室地面有地砖并覆盖一层石灰、一层木炭，还有排水沟。女室无地砖也无排水沟，但男室尸骨已成稀泥，女室却有完整的头颅和股骨。女圹早年被盗，墓室距墓门80厘米，有一个63厘米×44厘米的盗洞，室内尸骨混乱，随葬品仅存1方铜镜；男圹中出土文物较多，摆放位置被农民扰乱。该墓出土文物较多，金器、银器、玉石、瓷器、文房四宝，一应俱全。墓葬结构又极为坚固，墓主可能是一位没有任过官职，而拥有丰厚家资的地主或富商大贾。此墓无墓志，也没有纪年砖，在男墓中出土38枚铜钱，均为"明道元宝"（北宋仁宗的第二个年号）。简报推断此墓年代为南宋。

简报最后指出，经过此墓的清理，可以清楚地看到：一是同一圹式的夫妻合葬墓中女室明显低于男室，封建社会中男尊女卑的关系在葬制中也得到体现；二是棺木架空比石灰、木炭填底更能保存尸骨。

156.浙江东阳市胡前山村发现南宋墓

作　者：东阳市文物办　赵　宁
出　处：《考古》1996年第9期

1992年9月，胡前山村民在狗头山挖到1座南宋宝祐年间的石板墓。墓为方形双室石板墓，用48块条石建成，长、宽均为3.3米，残深1.2米。墓底铺有青砖，二横二竖排列，另发现有青膏泥和少量鹅卵石、炭灰等。墓已被破坏。简报配以手绘图予以介绍。

据介绍，墓中随葬品多已散失，现存银罐1件、银勺1件、锡蜡器1件、钱币、墓志等不多的几件。简报录有墓志志文全文。知墓主人叫厉简。此墓的发现，对了解宋代民间墓的堪舆之术等有一定的作用，对东阳市史志研究也起到了补史的作用。另外，在东阳市横店镇的一个农民家中发现了1块厉悼的墓碑，从碑文看，厉悼、厉简是父子关系。

衢州市

157.浙江衢县出土北宋铁铸张氏墓记

作　者：衢县文管会　崔成实
出　处：《文物》1979 年第 8 期

1976 年 7 月浙江省衢县全旺公社马依大队的农民在村外大寿坞山坡上取土，发现双穴宋墓 1 座。墓中出土铁铸墓记 1 方，简报录有全文并配照片予以介绍。

据介绍，墓记名"孺人张氏墓记"，知张氏乃北宋刘正夫正妻。《宋史》记有一刘正夫，字德初，衢州西安人。未知是否与志文所指为一人？张氏病故于北宋宣和六年（1124 年），宣和七年（1125 年）合葬。

158.浙江衢州市发现南宋窖藏

作　者：衢州市文管会　崔成实
出　处：《考古》1983 年第 9 期

1978 年 3 月 31 日，沟溪公社洞头大队社员于古代开仙院遗址旁挖到窖藏 1 处。出土石匣 1 件，无盖，上压 1 块厚石块，匣内铺垫古钱约 15 公斤。古钱上放银牌 2 件、银片龙 3 件、水晶球 1 件。简报配以照片、拓片予以介绍。

据介绍，铜钱中字迹可辨者 39 种，3092 枚。其中以北宋"太平通宝"最多，计 1554 枚。银牌 2 件上均有楷书铭文，简报录有全文，从铭文知，该窖藏系奉佛弟子献给开仙院的供养之物。题记时间为宋高宗绍兴丙寅年（1146 年），但从出土的 1 枚绍定通宝看，其入窖时间应晚于绍定元年（1228 年），前后相距 82 年，原因不详。

159.浙江衢州市南宋墓出土器物

作　者：衢州市文管会　崔成实
出　处：《考古》1983 年第 11 期

1974 年 11 月下旬，衢州市王家公社瓜园大队在地里挖到 1 座双穴砖室墓，墓顶早年已被挖去，墓底亦被破坏。出土了不少随葬器物，部分已毁坏散失，考古人员收集了随葬器物。简报配以照片、手绘图予以介绍。

据介绍，出土有龙泉窑瓷器、银杯、玻璃器等。有史绳祖墓志，隶书，约720字。其妻杨氏圹志，隶书，约971字。两志简报均录有全文。

史绳祖，《宋史》无传，《四库全书总目》中《学斋占毕》条有简单记载。由志文知史绳祖生于南宋绍熙二年（1191年），终于咸淳十年（1274年），享年83岁。史绳祖一生笃志强学，著述丰富。墓志中记有篇名的即达10余种，可惜大多失传，如今仅能从《四库全书总目》中看到《学斋占毕》四卷。史绳祖墓中的硃（蛋形瓶中）、墨、印、砚、笔架、镇纸等文房用具从侧面反映了墓主人"闭户读易""著书立言"的儒家学者的生活，而同出的瓷观音像、八卦纹银杯等，表明他同时也是佛教与道教的信徒。

简报称，此墓系史绳祖与继配杨氏的合葬墓。墓中出土1双底刻"罗双双"字样的银鞋，鞋的尺码较小，可能是明器。

160.衢州市发现有关方腊起义的石刻

作　者：崔成实

出　处：《文物》1987年第5期

1982年8月，考古人员在市区东南10公里的樟坛公社红星大队发现了湮没已久的金仙岩洞。简报配以照片予以介绍。

简报称，据文献记载，金仙岩洞又称金仙岩、寿圣仙岩院。其地层峦叠嶂，林泉幽美，古代住僧因岩建寺，遂成胜迹。北宋熙宁元年（1068年）赐额岩院。明太祖朱元璋曾在洞门悬岩上墨书"仙岩洞天"4字，至今墨迹隐约可寻。因地处衢江之滨，水陆交通便利，其东面不远就是著名的安仁古驿，唐宋以来，名贤、官吏、文人墨客来此宴赏迎送，留下不少鸿来之迹。近代因驿站，水运衰落，仙岩洞及洞内摩崖也随之隐没于荒山僻野之中。这次发现的金仙岩洞坐北向南，高约5米，洞内壁面布满石刻题名，纪年有"元丰""绍圣""宣和""绍兴"等宋代年号，其中"绍兴"年间所刻约占全部题名的半数。题名中有1处与方腊起义有关，简报录有全文。

据记载，宋徽宗宣和二年（1120年）方腊在青溪邦源峒（今浙江省淳安县洞源里村）举行起义，在不到四个月时间里迅速攻克睦州、歙州、杭州、婺州、衢州、处州等六州五十二县，极大地震撼了北宋王朝的统治。宋徽宗以童贯为江、浙宣抚使，残酷地镇压了这次农民起义。石刻所记"宣抚公"即为童贯，所记方腊失败被害时间为宣和三年（1121年）二月间。而《宋史》所载为宣和三年（1121年）四月。石刻作者为镇压方腊起义的直接参与人，所记史实可靠性较大，因此，方腊失败被害时间应为宣和三年（1121年）二月。

161.浙江"衢州徐卸五叔青铜照子"铭文镜

作　者：衢州市博物馆　张云土
出　处：《考古》1997 年第 5 期

1992 年 6 月，衢州市博物馆征集到 1 面南宋铭文铜镜，是衢县石梁镇陈家村农民在建房挖基时出土的，简报配以拓片予以介绍。

据介绍，该镜为六瓣葵花形，钮右侧长方框内有"衢州徐卸五叔青铜照子"牌记，南宋铜镜背面刻铸的铭文，对铜镜的称呼不一，或称"镜"或称"监子"，或"镜子""照子"并称，但南宋湖州镜大多称"照子"。因此简报认为"衢州徐卸五叔青铜照子"镜应该是这个时期的产品。

简报称，从已知的材料看，带有"衢州"字样的铭文镜，在出土的宋代铜镜中，目前只发现两面。另一面在江山市博物馆，时代为北宋，有"衢州郑家"牌记。简报称，这两面铜镜的出土，为研究衢州宋代制镜业的发展提供了珍贵的实物资料。

舟山市

台州市

162.浙江临海市发现宋代赵汝适墓志

作　者：徐三见
出　处：《考古》1987 年第 10 期

1983 年，临海县在文物普查中，于大田区岭外乡岭外村农民钱元璋家中发现了宋赵汝适墓志。墓已毁，墓志现藏临海市博物馆。

据介绍，墓志志文为赵汝适长子赵崇缜所撰，共 21 行，满行 36 字，楷书阴刻，字体严谨挺秀，刻工亦佳。志石完好，文字除少数剥蚀外，余均清晰。简报未录志文全文。

赵汝适（1170～1231 年），字伯可，宋太宗八世孙，《诸蕃志》的作者。《诸蕃志》是一部记述我国与海外各国贸易、交通方面的重要著作，内容涉及许多国家及少数民族的史事、物产、风土人情等。在《宋史·外国传》与一些宋人的著作中早见引用。《四库全书总目》称其"叙述详核，为史家所据"。但对此书作者的生平，则慨叹"始末无考"。诚如所述，赵汝适不但《宋史》无传，即方志亦未见记载。该墓志的发现，为研究《诸蕃志》的成书及写作年代提供了较清晰的脉络。

据志文，赵汝适本籍开封，后随宋室南迁，寓居台州。从墓志叙述的履历来看，赵汝适自21岁（绍熙元年，1191年）踏上仕途，至62岁（绍定四年，1231年）病卒，步步递升，素无停顿，宦海生涯，绝少闲居。根据墓志的叙述，赵汝适于嘉定十七年（1224年）"九月除提举福建路市舶，宝庆元年（1225年）七月兼权泉州，十一月兼知南外宗正事（治所均在泉州），三年（1227年）六月除知安吉州，未上，改知饶州"。据此可知，赵汝适提举福建路市舶计2年9个月，同时兼权泉州市舶1年余11个月。该志文对我们了解宋代海外贸易情况有一定价值。

163.浙江黄岩灵石寺塔发现北宋戏剧人物砖雕

作　者：王中河
出　处：《文物》1989年第2期

1987年11月，浙江省台州地区黄岩县灵石寺塔在落架大修中，发现一批北宋初年的戏剧人物砖雕。这批砖雕共6块，包括方形砖和长方砖两类。方形砖由素砖烧成后稍经打磨，用刀在砖面雕刻人物；长方形砖是于素砖烧成前在砖面刻划人物。方形砖人物构图严谨，线条工整，长方砖人物线条流畅，近似速写。简报配以照片予以介绍。

据介绍，计方形砖2块、长方形砖4块。据同时出土的塔砖上的线刻铭文记载，这批砖雕为北宋乾德三年（965年）八月于灵石寺塔所在地"潮际铺村"（今黄岩县头陀区潮济乡）制作。砖雕内容应与宋代戏剧有关，似为唐宋流行的"参军戏"表演，人物或即参军戏中的参军、苍鹘等角色。北宋初年，台州尚在吴越辖治之下。吴越国君钱弘俶及其弟钱弘仰曾先后任台州刺史。砖堆制作的年代，则是钱氏宗室钱昱任台川刺史时期。皇亲国戚在台州，对于文化艺术自有需求。文献记载，钱氏任内，"政事宽简"，士农工商各安其业。由今台州地区的临海、黄岩等地发现晚唐至北宋时期烧造精巧青瓷的许多窑址，可知当时台州正处于人口发展和经济繁荣的时期。在这样的政治和经济背景下，当地文化艺术的兴盛也是可以想见的。

简报称，黄岩县灵石寺塔壁砌筑戏剧人物砖雕，说明至迟在五代时期，黄岩、台州已经有了比较普遍的戏剧演出。这批砖雕的发现，为探索我国南方戏曲的滥觞提供了宝贵的实物资料。

164.浙江天台县发现宋贾涉墓志

作　者：徐三见

出　处：《考古》1993 年第 12 期

1984 年，天台县在文物普查中，于石溪乡溪边村发现了宋贾涉墓志。墓于“文化大革命”间被掘毁，墓志现藏天台县博物馆。简报配以拓片予以介绍。

据介绍，志石高 108.3 厘米、厚 9.5 厘米。志文为贾涉长子贾贯道所撰，共 16 行，满行 21 字，额和文均楷书阴刻，书法潇洒端丽，刻工娴熟。志石完好，除拗去 1 字及“瘁”字已模糊外，余皆清晰。简报未录志文全文。

据志文，贾涉（1178 ~ 1223 年），字济川，天台人，官至京东河北路镇抚大使，《宋史》有传。贾涉是被史书称为“奸臣”的著名人物贾似道的父亲，其女为宋理宗贵妃。墓志的撰文者以贾涉的勋业“有国史在”，故所叙官历极简略，不过，此志还是很有价值的。《宋史》本传于贾涉的生平虽叙述较详，但不载其生卒年月。墓志的发现明确了贾涉的生卒年月、籍贯等。贾似道是贾涉的次子，南宋末期的著名奸相，其生平载入《宋史 · 奸相传》，但史传于其世系无多叙述。此志对于贾氏家族世系、地望等均为第一手资料。

丽水市

165.浙江碧湖宋塔出土文物

作　者：金志超

出　处：《文物》1963 年第 3 期

在丽水县城西碧湖镇有 1 座宋代砖塔，因损毁无法保存，1960 年春开始拆除。在拆除过程中，发现一批珍贵文物，于 1961 年运送浙江文管会，其中有刻经、写经、铜镜、铜造像、碑刻、砖刻、琉璃珠、钱币、牙齿等多件。简报配以照片、拓片予以介绍。

据介绍，塔身为六面七层青砖筑成，下有石砌塔座，座下有基。塔中出土文物，除两卷写经分别发现于塔的第六层砖缝和塔刹下外，刻本经七卷发现在第四层壁龛内，其余都发现在塔基下龙宫中。除了佛经、铜镜、造像、建塔发愿文碑外，还有牙齿 1 对（长 7.5 厘米），青瓷残器一件，钱币十余斤，砖刻、琉璃珠等。

据出土的“建塔发愿文”碑，此塔应建于南宋绍熙四年（1193 年），简报录有发愿文全文。

166.龙泉新出土的三件北宋早期青瓷器

作　　者：浙江龙泉县图书馆文物管理小组

出　　处：《文物》1979 年第 11 期

1976 年秋，龙泉县茶丰公社墩头大队农民在水利工程中，在山坡上的 1 个土穴（似为土洞墓）中发掘出了 3 件瓷器：五管瓶、长颈瓶和执壶。简报配以照片予以介绍。

据介绍，五管瓶胎体较薄，烧结坚致，通体施淡青色薄釉，光洁如绢。执壶曲柄，长流，肩上有双系，腹作瓜棱状，各部位的弧线浑然一体，非常优美。

以上 3 件器物，从其造型特点和胎釉质地来看，简报推断是北宋早期龙泉窑产品。

167.浙江龙泉青瓷山头窑发掘的主要收获

作　　者：李知宴

出　　处：《文物》1981 年第 10 期

1979 年 4 月，考古人员对龙泉青瓷窑窑址进行了发掘。简报分为：一、勘察与发掘，二、窑址堆积和窑炉结构，三、青瓷种类和装饰艺术，四、几点认识，共四个部分，配以手绘图等，先行介绍故宫博物院发掘的一部分。

据介绍，故宫博物院考古组发掘的窑址编号为 79 龙 BY12，即龙泉青瓷窑址 B 区第 12 号窑。该窑窑址在龙泉雁川公社大白岸的山头窑村。出土器物 90% 以上为各种碗、盘。产品釉色大部分发灰或发黄。

生产时间简报推断为北宋中晚期。

168.浙江丽水市发现一座南宋墓

作　　者：丽水市博物馆　吴东海等

出　　处：《考古》2004 年第 10 期

1976 年，在浙江丽水市莲都区丽阳门外黄泥山地区水电工程处基建工地发现 1 座古墓葬（编号为 LM36），考古人员对其进行了抢救性发掘。简报分为：一、墓葬形制，二、出土遗物，三、结语，共三个部分予以介绍，有拓片、照片等。

据介绍，黄泥山位于丽水市城北侧丽阳门外东缘，这是一处低矮的山丘，当地人称之为"山背"，属于丽水城关镇红旗大队范围。其西北约 150 米是丽水丽阳门汽车站，南约 50 米是丽青路，西南 200 米为丽水动力厂东门。该墓开口于耕土层下约 1 米。墓道位于墓葬南部。墓室内有石柱支撑的石梁架，其上盖石板。墓壁先抹一层厚约10厘米的三合土泥，再用单砖错缝平叠砌筑。墓底无铺地砖。墓门呈牌坊形，用砖封堵。墓内有红漆木棺的葬具痕迹。墓室西北角有一个内置人骨的长方形石匣，长1.2米、宽0.8米，是由1块残石柱、3块残石板围砌而成。其内有6块青砖，每两块相对组成1张尸床，共计3组，其中1组尸床较宽，可能是为墓主设计的。每组尸床的青砖之间空隙处用沙子填平，其上再陈尸，然后再用沙子填满石匣，上面再盖一块厚20厘米的长方形石板。石匣盖上叠放着两方青石圹志。墓室东西壁脚均凿有排水沟，墓室中部有3处抹三合土拌小石子的面，疑为石柱基础。墓前有圆形祭坛，祭坛周围以青砖砌有弧形围墙。

出土遗物中，值得注意的有铁剪刀1件，出土于墓底乱土中，锈蚀严重。形同现代剪刀，长7厘米。圹志2方。叶宗鲁圹志长75厘米、宽60厘米。正面铭文21行，每行26字，首行18字，末行14字。真书，首行题"宋故朝请大夫宫使知府提举郎中叶公圹志"。背面下部刻有元代至元丁亥年（1287年）《重葬记》一篇，记述该墓被盗后重葬的情况。计14行，首行11字，末行7字。宜人郑氏圹志，长72厘米，宽60厘米，已碎成六块。铭文20行，首行为"宋故宜人郑氏圹志"8个字，末行10个字。铜钱433枚，出土于墓底，有的腐蚀严重。主要为宋钱，其中北宋钱共393枚，计有25个年号59种钱文；南宋钱共4枚，计有3枚淳熙通宝、1枚嘉泰通宝。另外，还有1枚五铢钱、35枚开元通宝、2枚乾元重宝。

简报称，从墓志铭文可知，该墓为叶宗鲁夫妇二次葬墓，石匣内所置人骨是叶宗鲁及其发妻王氏、继妻郑氏。叶和王均为丽水人，郑氏是郊县青田人。叶宗鲁为南宋淳熙乙未科榜进士。《处州府志》记载其曾任刑部郎官、河南提举，晚年奉祠禄闲居在家，其墓葬的规模在丽水市同期墓葬中罕见。宋末元初，元军大肆南侵。丁丑年（1277年）十月抗元义军攻占处州城，元处州总管府派兵镇压。元军再度占领丽水，盗掘了叶宗鲁等一批宋墓。经4年后，叶氏后裔将叶宗鲁等人的遗骨重葬旧穴。

简报指出，此墓出土的遗物以钱币为大宗，其中北宋钱币数量很大，占99%。葬于南宋末年的叶墓中，出土大量的北宋钱币，说明可能是其子孙将质量较好的北宋钱币陪葬。

简报称，该墓中出土的钱币为两宋钱币史研究提供了实物佐证。此外，墓中发现元、明青瓷片，说明墓葬在明代也曾被盗过。

安徽省

合肥市

169.安徽省博物馆发现宋刘豫伪齐的铜官印一方

作　者：韩明祥
出　处：《文物》1963年第5期

1962年10月，安徽省博物馆高长友先生在该馆大楼东北面空地上劳动生产时，挖出1方铸有"阜昌"年号的铜官印，红绿斑驳，古色盎然。印背面钮左右侧铸有"阜昌五年""内作坊铸"8字。可惜印文在入土前已被砍毁，加之锈蚀过甚，无法辨认。简报配图予以介绍。

据介绍，"阜昌"为宋刘伪大齐政权年号，阜昌五年为1134年，正值南宋之初。当时大齐伪军占据合肥，义军收复合肥时，掌印之人将印砍毁后埋入土中。

简报称，安徽博物馆大楼所在地，是宋元庐州府署旧址。出土此印实属正常。伪齐历时甚短，遗留文物不多。此印已为安徽省博物馆收藏。

170.合肥市出土宋代金铤和金牌

作　者：合肥市文物管理处　程如峰
出　处：《考古》1981年第6期

1979年11月，合肥市扩建阜阳路，8位女工挖土方，当挖到1.8米深时，发现零散在一起的金条和金片，接着又在约1米远处发现1束金钗。计有金条、金片、金钗、金箔四种共33件，重813克，应是1个金器窖藏。简报配以拓片予以介绍。

据介绍，计金条3枚，各重19克，长条形，上有戳印；金片11枚，长方形，上亦有印；金钗18根，上有戳印；金箔1块。简报推断为宋代遗物。值得注意的是，戳记上两次出现"界内"2字。南宋与金以淮河为界，合肥时称"边城"。如"界内"与这种社会背景有关，则更可认为是南宋时物。

简报称，宋代金铤和金牌，金器上多用"助聚"2字即帮助储蓄之意，不是流通的货币，主要用来支付和储藏，有时也作为价值尺度，这些发现为研究宋代货币提供了宝贵的实物资料。

171.合肥北宋马绍庭夫妻合葬墓

作　者：合肥市文物管理处　彭国维等
出　处：《文物》1991年第3期

1998年1月8日，安徽合肥市32中学张伟毅、朱海峰两同学报告，郊区城南乡五里冲一村民在住宅后院挖鱼池时发现1座古墓。次日，考古人员前往察看，并进行抢救性的发掘。简报分为：一、墓葬概况，二、随葬器物，三、结语，共三个部分，有照片、拓片、手绘图。

据介绍，墓葬位于合肥南3.3公里，青年路东侧1公里，五里冲村庄中部。古墓为长方形竖穴土坑墓。圹内并列放置两口棺木，坐北朝南，两棺间隔仅0.3米。棺板均为整块楠木所制，本色。左侧棺木稍大（编号为1号棺），右侧棺木较小（编号为2号棺）。棺内积满淤泥和水，尸体已腐烂，但人骨架完整，仅2号棺内头骨和部分骨髓位置移动。1号棺内的骨架较长，骨髓粗壮，为成年男性。2号棺内骨架稍短，骨髓较细，为成年女性。

出土遗物有漆器、瓷器、金银器、铜器、"忠肃之后"铜印以及文房用品等共计65件。其中2锭徽墨、5支毛笔、围棋子280枚，均十分珍贵。出土的青白釉瓷器应为北宋湖田窑出品。

该墓出土有墓志，简报未录志文。由墓志得知，墓主人是宋太师舒国公孙马绍庭同大互相文穆公孙吕氏。可知墓主人马绍庭同妻吕氏应是马亮和吕蒙正的后代。马、吕家族为北宋名门望族，据《宋史》，马亮的女婿为吕蒙正的侄儿吕夷简（曾任丞相），此次马绍庭夫妻合葬墓的出土，又为我们提供了马、吕家族新的联姻关系，反映了当时官宦之间通过血缘关系而编织封建网络的状况。马绍庭夫妻的墓志，无论形制还是志文都十分简单草率，马绍庭本人又无任何官职，这可能由于北宋末年政局不稳，时势混乱，草率入土安葬；或是由于当时政治舞台上新、旧党之争，马、吕家族衰败、破落所致。这些为研究当时的历史提供了新的资料。

据墓志，1号棺应为马绍庭，下葬年不详。2号棺吕氏应比马绍庭早卒十几年，卒于北宋建中靖国元年（1101年）或稍后，应为二次迁葬。

172.合肥市西郊宋墓的清理

作　者：合肥市文物管理处　汪　炜、路文举等

出　处：《考古》2006 年第 6 期

2000 年 3 月 18 日，安徽省合肥市西郊的省射击馆建设工地在挖地基时发现 1 座宋墓（编号 M1）。考古人员进行了抢救性清理。简报分为：一、地理位置及墓葬形制，二、出土遗物，三、结语，共三个部分予以介绍，有出土钱币拓片、手绘图。

据介绍，该墓葬位于合肥市西郊董铺水库南岸的高地上，周边曾发现过一些宋代墓葬，但基本都被破坏。清理时，该墓除墓顶有少许损坏外，其他基本保存完好。该墓为仿木结构的砖砌单室墓，砖仿木结构为门楼形式，通高 1.61 米、宽 1.8 米。墓门由两列砖券砌成，封门砖凌乱地堆砌着，砌法不明。券门高 1.71 米、宽 0.87 米。门两侧是由两列弧边砖竖砌凸出的立柱，上承柱头铺作，墓门券顶的上边也用两层弧边砖横砌成阑额。柱头上承托着一斗三升式斗拱。立柱外侧再单砖错缝平砌成外墙。墓门内的甬道长 0.37 米。墓室平面呈两头窄中间宽的船形。

简报指出，合肥位于安徽中部，地处江淮之间，北宋设庐州于合肥县，属淮南西路，处在南北交通要道上。从出土的钱币推测，该墓时代应为北宋晚期。宋墓形制上有土坑竖穴墓、砖室墓、石室墓，由于地处南北之间，砖室墓和土坑竖穴墓的数量基本相当。砖室墓墓室平面多呈船形，但未发现过砖仿木结构墓。此次发掘的墓葬是该地区发掘的第一座砖仿木结构的宋墓。

简报认为，该墓虽然小，结构简单，出土器物也少，但它是合肥地区的一次重要发现。对于了解宋代合肥以至江淮地区的丧葬习俗以及宋代墓葬形制在南北方的差异等提供了新资料。

芜湖市

173.安徽繁昌县老坝冲宋墓的发掘

作　者：繁昌县文物管理所　陈衍麟

出　处：《考古》1995 年第 10 期

1984 年 5 月，在繁昌县城西郊柳墩老坝冲基建工程中发现 1 处古墓群，考古人员及时进行了清理。其中 13 座宋墓较具特色，分别编号为 M1、M2、M3、M8、M9、M10、M11、M12、M14、M15、M16、M17 和 M18。简报分为：一、墓葬结构，

二、随葬器物，三、结语，共三个部分，有手绘图。

据介绍，13 座宋墓皆为单室，分砖室墓 10 座和土坑墓 3 座（M8、M12、M17），其中部分墓葬用残窑具（匣钵、垫饼等）和瓷片封顶。13 座墓共出随葬品 210 余件，其中瓷器 188 件。M1 为北宋早期墓葬；M9、M10、M15、M16 属北宋中期墓葬；M8、M17 为北宋中晚期墓葬。简报认为这批宋墓结构简单，瓷器多为本地繁昌窑产品，墓主应是当时的窑工。出土的一些瓷器互相烧结在一起，实为废品，也说明他们的主人是以窑业为生、终生勤苦、生前没有积蓄的窑工，死后只能将自己烧制的普通瓷器作为随葬品。

174.安徽繁昌县柯家冲瓷窑遗址发掘简报

作　　者：中国科学技术大学科技史与科技考古系、安徽省文物考古研究所、繁昌县文物管理所　杨玉璋、张居中、李广宁、徐　繁等

出　　处：《考古》2006 年第 4 期

柯家冲瓷窑遗址位于安徽省繁昌县城南约 1.5 公里处的笠帽顶与锥子岭之间，北临长江支流峨溪河，现为全国重点文物保护单位。该遗址发现于 20 世纪 50 年代。1958 年，安徽省文物局文物工作队曾进行过一次试掘，后安徽省博物馆又做过两次试掘。2002 年，又对该遗址进行了发掘。清理出龙窑窑炉 1 座、作坊基址 1 处，获得大量的瓷器、窑具等。简报分为：一、地层堆积，二、遗迹，三、出土遗物，四、结语，共四个部分。有彩照、手绘图。

据介绍，发现有龙窑基址、作坊基址、沉淀池和宋代墓葬，出土了大量瓷器和窑具标本。瓷器主要是碗和盏，窑具主要是匣钵和垫具。这座窑址是我国最早生产青白瓷的窑址之一，此次发掘为研究青白瓷早期生产历史提供了重要资料。

简报指出，此次发掘为我们系统了解这处青白瓷早期烧造史上的重要窑址提供了珍贵资料。此次发现的窑址保存良好，矿源、窑炉和作坊结合紧密。龙窑规整，坡度很高且有变化，对研究专烧青白瓷的窑炉结构、窑壁的砌筑方法、窑炉内温度分布及各个不同部位的功能等提供了第一手资料，对研究瓷器烧造工艺流程和过滤池及成型作坊的结构、功能等也具有重要价值。目前，大量标本的系统整理正在进行中，仅从发掘情况和初步整理结果看，该窑瓷器特征的早晚变化比较明显。下层瓷器的釉色青白或近白，但越到上层，偏青的程度越逐渐加重。简报推测该窑区在北宋中期后已逐渐衰落。

简报称，隋唐以来，我国陶瓷生产形成"南青北白"的格局，青白瓷是继青瓷、白瓷之后的又一瓷种。关于青白瓷的早期烧制历史，以往并不清楚，一般认为以北宋时

景德镇湖田窑为代表，但景德镇至今未发现五代青白瓷窑址。目前，见诸报道的五代青白瓷窑址唯有安徽繁昌窑与湖北湖泗古窑址群。根据目前的发掘，繁昌窑的创烧时代不晚于五代，北宋早期是其发展、繁盛时期，北宋中期开始衰落，至北宋晚期已基本停烧。

另外，文献记载，五代时期的南唐国有宣州窑，五代时属南唐所辖。简报推测繁昌窑或曾为南唐烧制宫廷用瓷，甚至很可能就是文献记载中的宣州窑。

蚌埠市

淮南市

马鞍山市

淮北市

175.安徽濉溪县董楼宋墓发掘简报

作　　者：安徽省文物考古研究所、濉溪县文物保护管理所
出　　处：《华夏考古》2009 年第 2 期

为配合修建合徐高速公路，考古人员于 2001 年对濉溪县马桥乡董楼行政村蒋店的古代墓葬进行了发掘，共清理宋代墓葬 51 座，多为单室墓，双室和多室墓仅占少数。墓葬平面形制可分为腰鼓形、船形、蝉形、圆形及"中"字形，出土器物较少，仅见铜镜、瓷碗、铜饰品等。这批墓的大致年代在北宋晚期。简报分为：一、地理位置，二、墓葬形制，三、出土器物，四、董楼宋墓所反映的相关问题，五、结语，共五个部分，有手绘图。

据介绍，此次清理的 51 座墓葬排列紧密有序，方向基本一致，随葬品甚少。除 M142、M143 外，其余均有 2～4 具骨架，但放置零乱无规律，部分未被扰乱的墓亦如此。墓室面积不大，多在 1 平方米左右。因此，这些墓葬应为二次迁葬墓，系定居者将亲人的尸骨从外地迁葬于此。简报称，该墓群葬具简陋，陪葬品极少，且埋葬草率，即使是一次葬的陪葬品也是寥寥无几，反映出社会动荡，经济水平低下。

铜陵市

安庆市

176.宿松县宋墓出土一批文物

作　者：宿松县文化馆
出　处：《文物》1965 年第 3 期

宿松县隘口公社洛土生产队建窑挖石块，于 1963 年 11 月 23 日发现 1 座古墓，考古人员前往勘察清理。

据介绍，墓地坐落在公路旁边的一座小山坡上，墓顶距地面约有 3 米。整个墓地用石块建成，工程比较坚固细致。有两具石椁，墓室内除左右两壁竖立两块石刻墓志外，全部摆设有石砚、铜勺、铜匙、铜箸、铜镜、铜币、铁香炉、铁盆、铁壶、陶罐、彩瓷碗、碟、狮子香炉、白瓷酒壶、大罐、莲花灯、钵、盂、碗等，椁内有铁钉、铁环、金耳坠等共计 123 件，除铜铁器烂坏外，陶瓷器绝大部分完好无损。简报未录墓志全文。

根据墓志和钱币的考察，确定是宋代一地方管库官吏吴正臣夫妇的墓葬，宋元祐丁卯年（1087 年）葬。

177.安徽望江出土一批北宋瓷器

作　者：望江文物管理所　　宋康年
出　处：《考古与文物》1990 年第 1 期

1987 年元月，安徽望江县城西约 1 公里的护城村窑场在取窑土时发现一批宋代瓮器。考古人员赶赴现场调查，据了解当时还挖出许多长方形小型砖，可能系一座北宋时期的砖室墓。由于破坏严重，墓的形制不明。同时出土的还有一些唐、宋时期的钱币。出土瓷器有 11 件保存较完好，由望江文管所收藏。这批瓷器全为白釉瓷，造型精美。简报配以照片、拓片予以介绍。

据介绍，这批瓷器有盏托、钵、折肩执壶、杯、器盖、圆腹执壶等。同出钱币有唐"开元通宝"，北宋"至道元宝""淳化元宝""咸平元宝""治平元宝""祥符元宝""绍圣元宝"等，为这批瓷器断代提供了依据。从出土的圆腹执壶和盏托的造型看，与江西婺源和江西南丰白舍窑出土的北宋同类器相似，时代应与之相当。简报称，这批瓷器釉色光洁，圆润晶莹，透明度和光泽感强，胎薄坚致，质地细腻，具有鲜明的定窑产品风格。

178.安徽望江县青龙嘴北宋墓

作　　者：望江县文物管理所　宋康年

出　　处：《考古》1991 年第 4 期

1988 年 3 月，安徽望江县杨湾乡农民在开挖土地时，发现 1 座宋代砖室墓，考古人员进行了清理。简报分为：一、墓葬形制，二、出土遗物，三、结语，共三个部分，有照片、拓片、手绘图。

据介绍，墓葬位于望江县城西南约 10 公里的圩区杨湾乡杨湾村青龙嘴南部的台地上。墓地距地表 150 厘米，南北向，券顶砖室墓。墓室券顶及门砖均遭到破坏，仅剩少量墓砖。墓内随葬器物的位置已被扰乱，有的器物已受到损坏。未见棺木和尸骨。墓内随葬器物除少数残破外，大部分尚保存完好。计有陶罐、陶注子、瓷钵、瓷执壶、瓷碗、碟、铜镜、铁鼎等 16 件，还有数十枚钱币。该墓年代简报推断为北宋时期。

179.安徽望江发现一座北宋墓

作　　者：程霁红

出　　处：《考古》1993 年第 2 期

1990 年 9 月，望江县城护城窑厂工人在城西南 0.5 公里处的黄土坡上取窑土时，发现了 1 座券顶单室墓，考古人员进行了抢救性清理。简报配以照片、拓片、手绘图予以介绍。

据介绍，墓为长方形砖室券顶，墓底用长方形砖平铺，砖皆无纹饰。随葬品已全部取出，原来的位置已不清楚。随葬品约 50 件，以瓷、陶器为主，还有少量铜铁器及墓志 1 方。其中 1 件瓷坛形似唐代塔式罐，值得注意。瓷器以白瓷为主，瓷屋模型 7 件。屋顶皆悬山式。其中有开 3 个门洞者，有开 2 个门洞者，也有的正面开 1 个大门洞。皆无门扉。还有 1 件开 1 个门洞，前后穿通。另 1 件只画出门框范围，未挖门洞。墓志，楷书，部分文字已难以识读。简报未录志文全文。根据墓志，墓主卒于嘉祐七年（1062 年）四月十日，可知墓葬的时代为北宋嘉祐年间。由志文知墓主人为一商人之妻，社会地位并不高，却随葬有武士俑、文吏俑等。

180.安徽潜山彰法山宋墓

作　者：李丁生

出　处：《考古》1994年第4期

1991年，潜山县造纸厂基建工地发现2座古墓，考古人员前往查看，可惜墓室毁坏严重，部分随葬品已被取出。为及时抢救文物，迅速组织力量对两座墓的残存部分进行了清理，并追回被取文物。简报配以手绘图予以介绍。

据介绍，M1、M2位于县城北500米处的彰法山南麓，县造纸厂院内。据1978年文物普查发现，彰法山南麓有一分布密集的战国墓群，中夹有大量汉唐宋墓。此次由于施工取土，墓坑已被破坏，形制大小等情况不明。从残墓底可知，M1、M2前后相距0.2米，均为坐北朝南向。两墓葬具已朽，仅剩10余枚锈蚀严重的铁棺钉，人骨除M2保存1块右下颌骨外，其余腐烂无存。M1出土文物共6件，M2出土文物共8件。此外，M1、M2还出土有数枚铜钱，其中仅1枚能辨出为"熙宁元宝"（篆体），余者锈蚀不清。根据出土的湖州镜与"熙宁元宝"铜钱分析，简报推断两座墓的年代约为北宋晚期。

简报称，M1、M2的发现，对于研究该地区宋代葬俗提供了新的资料。潜山近年出土的宋镜，多为湖州石氏镜，故镜铭字号主要为"湖州真正石家青铜照子""湖州真石家念二叔照子""湖北真正石家无比炼铜照子"等。M1出土八出葵花形镜，镜铭"湖州石家青铜铃子"。这种称"铃子"的铜镜，从目前考古发掘材料和传世材料看，实属少见。

181.安徽潜山县宋代太平塔地宫的清理

作　者：潜山博物馆　汪宗武等

出　处：《考古》2004年第5期

安徽潜山县宋代建筑太平塔位于县博物馆院内。1981年太平寺塔被公布为安徽省重点文物保护单位，1986年前后局部进行加固维修，1994～1995年对其全面修复，1995年7月对底层塔心室进行清理。简报分为：一、形制，二、出土遗物，三、结语，共三个部分，有拓片、手绘图、照片。

据介绍，该塔为7层楼阁式砖塔，内铺楼板11层，修复前残高35米，现高43米。底层塔心室内壁为正八边形，边长1.35米。表层为乱砖灰渣，其下为黄土填层，厚约0.9米。填土较松软，夹杂有宋代刻划纹砖块。黄土填层下为石灰层，厚2～3厘米。黄土填层上残存铺地砖1块，砖表面残存石灰砌料痕迹。塔心室东部埋有石函1匣，石函盖板中部残毁，周围填充物自下而上交替为厚 15 ～ 20 厘米的黄土砖渣混合层和厚约 2 ～ 3 厘米的石灰层。各层均经夯打，总厚约 95 厘米。石函内淤满黄土，夹有砖渣等杂物。出土遗物有石函、铁函、青花舍利瓶、水晶念珠、舍利子、铭砖等。简报录有两块铭文砖铭文全文。

简报称，太平塔地宫虽早期被盗掘，但残留下的铭文砖等遗物，仍具有较高的研究价值。此次修复之际，发现底层至三层外壁及楼道砖缝内填垫不少"崇宁""大观""政和"铁钱，而四层以上未见钱币。地宫出土铭文砖"适丁回禄"语中"回禄"即火灾的代名同。"适丁回禄"是指绍兴二十四年（1154 年）正月初十四更时分，太平塔偶然遭受火灾。据上推断，现存的太平塔始建于北宋崇宁至政和（1102 ～ 1115 年）年间。南宋绍兴二十四年（1154 年）遭受火灾，二十九年（1159 年）重建，乾道四年（1168 年）竣工。据现存塔体的一些迹象，火灾可能只烧毁四至七层。铭文砖中"旧塔基"指的是北宋建造的原塔。关于童师菩萨妙济真觉大师的身世及活动情况，待考。

182.安徽潜山县太平村北宋潘氏墓

作　者：潜山县博物馆　李丁生等
出　处：《考古》2008 年第 10 期

1993 年 10 月 7 日，在合（肥）九（江）铁路的潜山梅城镇太平村路段修筑"潜河"特大桥桥墩时，发现一座宋墓。考古人员对这座墓葬进行了清理。简报分为：一、墓葬概况，二、随葬器物，三、结语，共三个部分，有拓片、手绘图。

据介绍，太平村南距潜山县城及梅城镇 1.5 公里，东面紧靠彰法山战国墓群。国道 105 线横穿村的南北，合九铁路直贯村的东西。20 世纪 70 年代初农田改造时已全部夷为平地，墓葬被覆于水田之下。墓葬为竖穴土坑墓。墓底距地表深 2.5 米。清理时由于墓圹已被破坏，结构不清。木质葬具已朽，仅剩数枚锈蚀严重的铁棺钉。墓底铺垫一层厚约 10 厘米的石灰。人骨绝大部分已腐烂，仅存 2 根腔排骨。随葬器物共 20 件。由于墓葬破坏较严重，部分器物在施工中被民工取出，原出土位置不清。有墓志 1 方，简报未录志文。

据出土墓志，墓主为潘景唐，卒于北宋乾德四年（966 年）3 月 3 日，同年 4 月 26 日下葬。潘氏墓是近年来潜山发现为数不多的北宋纪年墓。潜山境内早期宋墓多土坑墓，晚期多砖室和石室墓。土坑墓以随葬施釉的小底瓶为主，砖室和石室墓多伴有青白瓷器出土。潘氏墓为土坑墓，出土 2 件施釉小底瓶，应为吉州窑产品。

另外，潘氏墓出土铜钱 12 枚，有"开元通宝""天圣元宝""皇宋通宝""元丰通宝""元祐通宝"等，除"开元通宝"外，其余铜钱均晚于该墓志所记下葬年代。简报认为该墓初葬后，墓主后人曾迁葬。

黄山市

183.安徽黟县发现有关方腊起义的碑刻

作　者：安徽省展览、博物馆　石谷风
出　处：《考古》1976 年第 5 期

安徽省展览、博物馆现藏有 1 通有关方腊起义的碑石，是 1962 年 10 月间在黟县西武公社上堂山古庙址发现的，1972 年移至省博物馆保存。

据介绍，碑呈长方形，下面边角略残，碑面镌南宋绍兴二十七年（1157 年）《敕赐黟县灵惠庙额碑》，碑文分刻三段，连接成为长卷式"牒"，字体有篆书、扁宋体、楷书、行书四种。在碑文中有"窃见有庙在地名上堂山，其神谓之胥公。昨方腊等贼入界，保全生灵安业。连年亢旱祈祷，各得大雨……"等内容，是一通有关方腊起义的碑刻资料。该碑的碑阴镌有乾道二年（1166 年）《敕封灵惠庙神胥公为善应侯碑》，仅存上段文字，下段因石面风化文字残损。发现该碑的地点，在黟县城西 10 公里，自虎岭东南行经泉石岭，鲍村以南为上堂山的古庙遗址。碑文只简单提到方腊"入界"，没有讲明具体时间。有关史料记载，方腊起义军是在宣和二年（1120 年）十二月十三日攻克黟州城。

184.安徽黄山发现宋墓

作　者：安徽省黄山市黄山区文化局　程先通
出　处：《考古》1997 年第 3 期

1986 年 3 月，位于黄山北麓的黄山市新年乡三保村农民在村旁山坡地取土建房时，发现 1 座宋代砖室墓。考古人员前往现场进行调查处理，赶到现场时，墓已被挖开，随葬品也被取出。调查情况简报分为：一、墓葬形制与随葬品情况，二、随葬品，共两部分，有手绘图、照片、拓片。

据介绍，该墓系券顶砖室异穴夫妻合葬墓。东室出土遗物有瓷器、青釉罐、钱币 14 枚。字迹多不清，仅 1 枚可识为"绍圣元宝"。西室出土遗物铜器、瓷器、青釉器物、金属丝 1 根。墓志 1 方，阴刻楷书，共 322 字，简报未录墓志全文。

简报称，从随葬品看，该墓两室随葬品基本相同，八棱形瓷枕在黄山地区首次发现；出土的金属丝在过去宋墓中未曾有过，属何种金属尚有待验证。西室有包氏墓志1方，东室未见到墓志，但在墓的左壁上有砖砌的缺口，与西室嵌墓志处相对称，可能是出土时遗失了。从东室墓志记载和两墓随葬品、墓地状况，简报推断东室为沈格之墓；西室为沈格之妻包氏之墓，卒年65岁，葬于北宋宣和三年（1121年）九月十二日。

简报称，沈格夫妇合葬墓的发现，为研究黄山地区宋代葬俗提供了实物资料。

滁州市

185.安徽全椒西石北宋墓

作　者：滁县地区行署文化局、全椒县文化局　朱振文、刘乐山等

出　处：《文物》1988年第11期

1986年6月，安徽省全椒县下集乡西石村予庄村民在清挖渠道淤泥时，发现一座宋墓。考古人员对此墓进行了清理。简报分为：一、墓葬概况，二、出土遗物，三、结语，共三个部分，有照片、拓片、手绘图。

据介绍，此墓位于梅花垅古墓群范围内，此墓群中汉至清代的墓葬星罗棋布。

此墓为长方形砖石结构单室墓，墓室地面不铺砖。上部以6块青石板平铺封顶，石板长1.6米、宽0.5米、厚0.15米。墓内置木棺1具，内有人骨，均已朽烂。墓内东壁下置一青石板。随葬品青白瓷等大多置于其上。墓外东壁附近置墓志1方。志文楷书计289字，简报附有志文全文。

据墓志铭知，墓主张之纥，字师文，全椒县人，进士。于北宋元祐四年（1089年）卒于吴郡（今苏州市），元祐七年（1092年）十一月迁葬于此。墓主祖父张琬，官为太常寺少卿，而墓主本人或其父官至左朝奉郎。

据《宋史·职官志》，太常寺少卿从五品，左朝奉郎正七品。

阜阳市

宿州市

186.安徽灵璧县发现宋代银铤

作　者：卢茂村

出　处：《考古》1989 年第 3 期

1982 年 9 月 12 日，灵璧县韦集公社陈于大队农民在西李生产队庄东南掘地时发现一银铤。该银铤重 2 千克，银铤正面右上角压印有"界内王三郎"，左上角有"真花录银"四字；银铤正面右下角、左下角皆压印有"出门税"三字。从其造型来看为宋代之物。简报配以照片予以介绍。

简报称，这枚银铤的出土，对研究我国古代货币史有一定的参考价值。这枚银铤与江苏苏南茅山出土的南宋银铤的形制、戳记、重量大同小异，与河南方城出土的南宋银铤亦基本一致，与安徽省利辛县江集公社、临泉县古城村，福建建阳水吉公社玉瑶大队所出银铤也大致相似。因此，简报推断这枚银铤当是南宋遗物。

巢湖市

187.无为宋塔下出土的文物

作　者：不详

出　处：《文物》1972 年第 1 期

1971 年 1 月，在无为中学宋代金利塔下发现砖砌小墓，内置小木棺 1 具。绕棺列置小木雕佛涅槃像、磨花兰玻璃瓶、黑漆彩绘小罐各 1 件和五代显德三年（956 年）吴越国王钱弘俶印宝箧陀罗尼经 1 卷、北宋印真言 2 纸、景祐三年（1036 年）涂用和写"佛说功德陀罗尼真言"1 纸、景祐三年（1036 年）许氏二娘一家舍资愿文 1 纸。

简报说，此墓内遗物大都完好。小涅槃像雕刻洗练，北宋玻璃瓶、漆罐也比较少见，真言两纸给北宋木板印刷增加了新标本。

188.安徽省和县发现古代窖藏铜钱

作　　者：巢湖地区文管所　张宏明
出　　处：《考古》1984 年第 12 期

1983 年 3 月，和县腰埠公社山王生产队发现 1 处古代窖藏铜钱，出土铜钱 350 余公斤。考古人员前往调查，据了解，铜钱是村民在挖树坑时发现的，距地表约 45 厘米深。出土时铜钱均用线绳穿孔成串，呈方形堆放，铜钱周围有腐烂发黑的木质遗迹。简报配以拓片予以介绍。

据介绍，这批铜钱最早的是汉代五铢钱和无文字无郭边的剪轮钱，其次是唐代的背有星月纹的"开元通宝""乾元重宝"和南唐时期的"唐国通宝""开元通宝"，其余均为北宋货币。如此大量的窖藏铜钱在巢湖地区还是第一次发现。根据没有发现晚于"宣和通宝"的铜钱判断，这批铜钱应是北宋末年埋入地下的。

189.庐江发现宋代影青瓷熏炉

作　　者：张宏明、张哲民
出　　处：《文物》1986 年第 8 期

1984 年 7 月，安徽省庐江县轮窑厂发现 1 座古墓，出土 1 件完整的影青瓷熏炉。简报配以照片予以介绍。

据介绍，熏炉施釉均匀，釉层薄而无开片，釉色晶莹呈半透明状，瓷胎白色，质地细密坚硬。

简报称，整个器型规整典雅，制作精细，是 1 件难得的珍品。简报推断年代为北宋。

190.安徽无为县发现宋代石室墓

作　　者：巢湖地区文物管理所　张宏明等
出　　处：《文物》1987 年第 8 期

1983 年，安徽省无为县虹桥乡发现 1 座古墓。考古人员对这座墓葬进行了清理。简报配以照片、拓片予以介绍。

据介绍，虹桥乡政府位于无为县城南 10 公里，墓葬就在乡政府西面不远的一个土丘上。墓为双穴石室，长 4.4 米、宽 3～3.5 米、高 1.5 米。用条石压缝平砌 9 层。条石大小不等，一般长 0.7～1 米、宽 0.3～0.35 米、厚 0.1～0.2 米。条石间用石灰糯米浆结合，胶结牢固，墓上用 12 块长约 1.6 米、宽 0.65 米、厚 0.15 米的石灰岩石板平铺封顶。墓中间用条石砌一隔梁，分成东西两墓室。两墓室均略呈梯形。为防止墓壁坍塌，紧靠两墓室东、西壁下还竖立一些条石。两墓室中棺木与尸体均已腐朽，仅可见板灰遗迹和朱红色漆皮残片。西墓室内残存几颗牙齿，东墓室内尚存 1 颅骨和 2 节腿骨。墓中共出土陶瓷器 10 件、银器 2 件、铜镜 2 件、铜钱 86 枚，还有铁棺钉 30 枚、石墓志 1 合。

墓志为楷书，23 行，行 29 字。简报未录志文全文。根据墓志可知，此墓为北宋末年的夫妇合葬墓，男墓主姓胡，名士宗，淮南无为人，卒于宋徽宗崇宁五年（1106 年）正月，享年 90 岁。家业殷实，一生好佛，曾多次为佛事捐资，其妻曹氏卒于同年九月。大观三年（1109 年）十月，其子胡植将他们合葬于"无为县无为乡东历里高家之原"。根据随葬品可以看出，胡士宗葬于东墓室，曹氏葬于西墓室，男左女右，下葬时均头南足北。东墓室所出随葬品略多。随葬铜钱最晚的是宋徽宗建中靖国年间（1101 年）铸造的"圣宋元宝"，没有墓主卒年前后的崇宁、大观年款铜钱。墓志中记载胡士宗一生笃信佛教，曾在元丰年间刊刻《金刚经》5000 部，又在崇宁初年无为建万寿寺时，翻刻了佛教的《法华经》和道教的《度人经》共 3000 部。数字可能略有夸张，但从中可以看出当时佛教的兴盛，也反映了道教与佛教并存的现象，也可看出当地印书业的发达。墓志提到了史志未载、现已无遗迹的万寿寺。

此外，此墓所出银钗上的錾刻符号，不同于宋代银铤的刻凿文字，有可能是表示其重量或数目的。出土的两件瓷炉造型端庄奇巧，它们与两件青白瓷碗有可能都是景德镇窑的产品。黑釉瓷碗应是建窑的产品，而陶瓶与陶罐则是当地烧制的。

191.安徽无为县发现一座宋代砖室墓

作　　者：无为县文物管理所　何福安等

出　　处：《考古》2005 年第 3 期

1999 年 9 月，无为县赫店乡平安窑厂取土工地发现 1 座古代墓葬。墓葬已遭破坏，墓室尚存，随葬器物已经被民工取光，后来在县公安部门和乡派出所干警的配合下，追回了出土文物。考古人员对墓葬进行了清理。简报分为：一、墓葬形制，二、出土遗物，三、结语，共三部分，有照片、手绘图。

该墓为长方形竖穴双室砖墓（编号为 M1），两室相距 0.75 米，形制和大小基本相同。墓室两壁以平砖错缝叠砌，券顶遭破坏，形制不明。墓室内人骨均腐朽无存。出土遗物共 24 件，包括铁牛、铁地券、铜镜、铜印章、石砚、银碗、银盏托等。另有铜钱 144 枚。

简报称，此墓无墓志出土，推测该墓为夫妇合葬墓，男左女右。该墓出土遗物数量不多，为宋代常见。根据出土铜钱分析，简报推测该墓年代约为北宋中后期。

六安市

192.安徽六安出土南宋银锭

作　者：六安县文物管理所　邵建白
出　处：《文物》1986 年第 10 期

1985 年 6 月，六安县罗管乡罗管村农民在塘底挖土时挖出陶罐 1 个，内盛银锭 12 块，共重 4330 克。这批银锭系浇铸而成，首尾两端较宽，束腰，背面如蜂房密布，平滑微凹，腰或四角錾有"真花银""出门税"等款识。经检验，纯度为 95%。简报配以照片予以说明。

据介绍，这批窖藏银锭与苏南茅山出土南宋金银锭（《考古与文物》1982 年第 6 期），与河南方城出土南宋银锭（《文物》1977 年第 3 期），其形制、重量、戳记基本相同。且这次出土的 10 号银锭上面又刻有"买到绍兴二十一年秋季"字样，绍兴为南宋高宗赵构年号，这批银锭应是南宋遗物。

据介绍，银锭上所錾"真花银"款识，为银铺对银锭成色鉴定的标识。"出门税"，据吴兆莘《中国税制史》："宋真宗景德元年（1004 年），由京师运银于诸路州军，出京门，有一两课钱四十文云例。"当为纳税后所砸印的标识。银锭上的画押符号，则是银锭易主后被新主陆续打印上的。这批银锭中有被截的 4 块，是以重量为计算单位的作为货币流通手段的证明。

193.安徽舒城县三里村宋墓的清理

作　者：舒城县文物管理所　奚　明等
出　处：《考古》2005 年第 1 期

舒城县城关镇三里村位于舒城县城西约 3 公里处。1998 年 6 月，该村窑厂在取土烧砖时，发现同向排列的木棺 3 具，考古人员进行了抢救性清理。简报分为：一、墓葬形制，二、随葬器物，三、结语，共三个部分，有照片、手绘图。

据介绍，此宋代墓葬为长方形竖穴土坑墓，葬具为呈南北向排列的 3 木棺，内葬 1 男 2 女。随葬品主要为瓷器，有碗、盘、罐、壶、盂、盏等，其他还有少量陶器，另外还出土了部分铜镜、银器、钱币等。根据墓葬形制及出土遗物，简报推断墓葬年代为北宋晚期。简报认为墓主人应是当时较为富裕的大户人家。

简报称，此墓出土的"团冠"，为研究女性服饰提供了实物资料。

该墓共土出铜钱473枚，从钱文看包含了北宋大多数年号，应是特意挑选的。在死者的腰部或胸部用布袋装入大量钱币而在足部仅放几枚，头部不见。另外，该墓在每个棺内皆放有一个瓷盂，这种放置方式也见于舒城地区宋墓，质地有瓷有陶，是把这些盂作使壶下葬的。3棺中1号棺和2号棺应是同时葬入的，而M3应是后期葬入的。

亳州市

池州市

194.安徽青阳金龟原北宋滕子京家族墓地清理简报

作　者：青阳县文物管理所　朱献雄等
出　处：《中原文物》2013年第3期

1992年12月10日下午318国道途经青阳县新河镇光荣村金龟原处，公路拓宽取土时发现1块屋顶式石质墓盖，盖面阴刻"赞善大夫滕公墓盖"铭文。因明万历、清光绪版《青阳县志》均有滕子京墓葬于县城东金龟原的记载，1983年文物普查时在当地还征集到明万历年间青阳知县蔡立身撰文，滕文斗、文焕所立"名臣"石碑1块。考古人员对墓盖出土地进行了发掘清理。简报分为：一、墓葬概况，二、出土遗物，三、结语，共三个部分，有拓片和手绘图。

据介绍，共发现5座墓葬（M1～M5），M1至M4四墓随葬品甚少，但有反映墓主身份的墓志或墓盖。M5虽无墓志和墓盖，但出土有经鉴定为国家一级文物的吉州窑绿釉罐和精美水晶饰件等随葬品。据墓志，M1墓主推断为滕子京之父。M2墓主滕梅娇系滕子京之妹，北宋淳化甲午年（994年）生，大中祥符乙酉岁（1009年）卒，享年15岁，景祐二年（1035年）"迁神柩葬青阳金鸡原，从先公之新域也"。M3墓主为滕子京夫人李氏，明道二年（1033年）卒，享年31岁，景祐乙亥岁（1035年），与其妹同年葬入墓地。M4墓主为滕子京幼女，天圣戊辰岁（1028年）生，景祐甲戌年（1034年）亡，年仅6岁。上述之墓从发掘情况看均为一次葬，与墓志所载信息相符。M5 为北宋时墓，当为其晚辈族人。

滕宗谅（991～1047年），字子京，河南洛阳人，《宋史》有传。据记，大中祥符年，滕子京与范仲淹同中进士，初任地方幕僚，因建请刘太后还政，仁宗亲政后擢左正言、左司谏，以言宫禁事贬知信州，再降潘阳郡榷酤，请改池州榷酤久之。其间寄情九华山水，于九华山筑滕子京书堂，就九华以葬先父。庆历七年（1047年）卒于苏州任所。此次发掘清理，证实方志关于滕子京及其族人葬于青阳的记载，清理中未见滕子京本人墓葬的遗迹，怀疑滕子京墓在早年修公路时即已被毁。

此次出土3块墓志，均为滕子京撰写书石。简报录有全文，中多缺字。

宣城市

福建省

福州市

195.闽清大安村发现宋代火葬墓

作　者：丘家炳、严惠芳
出　处：《文物》1985 年第 4 期

1957 年 6 月间，闽清县大安村修建南福铁路时，在取土时发现铜像 1 个、石俑 25 件、陶棺 1 部、带盖青瓷缸 3 件，其中部分被破坏，简报配以照片予以介绍。

简报介绍，铜像高 11 厘米、长 11 厘米、宽 4.5 厘米，腹下有一孔，重 12 两。石俑大的高 13 厘米、宽 3 厘米，小的高 14 厘米、宽 2.5 厘米。还有石鸟 1 只，敛口、广腹、圈足，内外施豆黄色釉。陶棺为紫褐色，长方形，内装骨灰，发现后已被破坏。从出土文物看，简报推断这是 1 座宋代火葬墓。

196.闽侯县怀安村的一座宋墓

作　者：谢子源
出　处：《文物》1962 年第 3 期

这座墓在清理之前，地面建筑部分已大半被毁，随葬品也被民工乱挖出来了。墓室前后有两个很旧的小盗洞。墓室结构与一般砖室者有所不同，且石俑数量较多，俑的体积也较大，雕刻颇为精致写实，具有历史艺术价值。

据简报介绍，原有砖石混构的地面建筑，可惜已经全部深没土中，且曾被部分破坏。由暴露的断面来看，其形如围椅，完整的细部结构已无法尽知了。有墓碑，墓室构造简单，分左右二室，平面呈正方形。出土物计有石俑、铜钱、铁牛、瓷器、铁棺钉、棺木片、碎人骨等。

据墓碑知此为宋墓。

197.福建闽侯硋油宋代瓷窑调查

作　者：林登翔

出　处：《考古》1963 年第 1 期

　　硋油窑址位于福州市郊北岭官溪乡东 1.5 公里的硋油村，距市区 19 公里。窑址分布在硋油与新唐两自然村之间，有城里坪、佛哥、崎坪顶、釉池谷、新厝后门山及板桥新厝山等处，规模颇大，南北长达 1.7 公里。据当地老农民谈：这几座山自古以来有"三十六窑"之说。1956 年，因修建公路，在城里坪、崎坪顶两山发现很多完整的瓷器，从公路断壁观察其堆积厚达 1.2 米。地面散布大量的瓷片和匣钵，采集到的器物有碗、壶、钵、罐、瓶、盘、碟、炉、盖和灯盏 11 种，其中绝大部分是碗。釉色以灰青为主，次为影青、淡黄、豆青、青绿、米黄等。胎有厚、薄两种，都是灰白色，质地不精细。简报配以手绘图予以介绍。

　　据介绍，除了瓷器，还发现有匣钵、碗状匣钵、柱托、土垫等窑具。该窑址的年代，简报推断为宋代。

198.福州市北郊南宋墓清理简报

作　者：福建省博物馆

出　处：《文物》1977 年第 7 期

　　1975 年 10 月，福州市第七中学在该校所在地——浮仓山的西北面扩建操场时，发现 1 座三圹并列的宋墓。据出土砖质买地契：右圹墓主为黄昇，左圹墓主是"孺人李氏"。出土的随葬品中有大批珍贵丝织品，包括服饰和衣料，这是研究我国丝织业发展史及当时经济发展状况的重要实物资料。简报分为：一、墓室结构和内部情况，二、随葬器物，三、结语，共三个部分，有照片、手绘图。

　　据介绍，浮仓山位于福州市北郊新店公社盘石大队的背后，是一座突起于田野之中的小山丘，高约 38 米，距市区约 5 公里。古代这个小山丘就是 1 个墓葬区。三座宋墓位于山丘的西北面坡地，墓室为 3 座并列的长方形石室砖椁。为叙述方便计，将三圹分别编为左圹、中圹、右圹。浮仓山南宋墓系宋室后裔赵师恕家族的墓葬。左圹被盗，遗物几乎无存。出土的砖墓地券，由于文字漫漶，仅知死者为"孺人李氏"，死于南宋淳祐七年（1247 年）；券文提到死者"天年限至，俄掩泉台"，应是年长的老妇。中圹遗物亦少，无墓铭、地券，墓主不详。右圹墓主黄昇，据墓铭记载，系赵师恕季孙赵与骏的妻子，16 岁嫁，17 岁淳祐三年（1243 年）卒。其父黄朴，《宋史》及《福州府志》等均有记载。左圹曾被盗，右圹出土遗物多达 410 余件，尤其是大量丝织品的出土，十分珍贵。

简报附有"宋故黄氏墓铭""黄昇身穿顺序说明（从外至里）""包袱内含说明"等。

199.福州发现"巨宋绍兴"石桥

作　者：福州市文管会　官桂铨
出　处：《文物》1982 年第 6 期

福州市文管会最近在福州市南台岛东端林浦乡发现1座刻有"巨宋绍兴"的残桥。简报以此予以介绍。

据介绍，此桥为三门桥，缺向北的一门。中门只留一块长石条，桥面上刻"巨宋绍兴三年（1133 年）岁次癸丑八月辛酉二十六日戊申作，都官翰林康、林元均洎诸劝首等"。从前，宋人说书人往往自称"皇宋""我宋""大宋"，其他的文献未见记载。这里宋人自称"巨宋"，十分罕见，据此可知宋时民间有"巨宋"的说法，这为研究宋代说书史、小说史提供了实物资料。

200.福建福州郊区清理南宋朱著墓

作　者：福建省博物馆　卢茂村
出　处：《考古》1987 年第 9 期

1974 年 3 月，考古人员在新店猫头山挖土填平路面时，发现古墓1座（编号 M1）。3 月 18 日考古人员前往现场，用了两天时间将墓葬清理完毕。简报分为：一、墓葬概况，二、随葬物品，三、小结，共三个部分，有手绘图、拓片、照片。

据介绍，该墓为券顶长方形砖室墓，墓内以宽 0.48 米的砖墙分二室，男左女右，为夫妇合葬墓。葬具、人骨已朽。右室出土遗物共56件，其中墓志1方，简报录有墓志全文。左室出土遗物共63件，其中石墓志1合，简报未录墓志全文。

据志文，此墓为南宋朱著与夫人洪氏合葬墓。朱家是宋代的一个官宦人家，世代为官。朱著曾任兵部尚书、吏部尚书，封为"闽县开国伯，食邑八百户"，可算是荣极一时。出土石俑最多，可考当时衣饰。其他随葬品不多。

墓中有 12 枚"万历通宝"，简报怀疑此墓明代曾被盗过。

201.福州茶园山南宋许峻墓

作　者：福建省博物馆　郑　辉等
出　处：《文物》1995 年第 10 期

1990 年 3 月，福州市茶园山中心小学在修建操场时发现 1 座古墓，考古人员追回散失的文物并对墓葬进行清理。简报分为：一、墓葬概况，二、随葬器物，三、结语，共三个部分，有照片、拓片、手绘图。

据介绍，墓葬位于福州市区杨桥路西段、茶园山中心小学内。墓葬距地表约 1 米，竖穴式平顶三圹砖石结构。男圹居中，左右两圹为妻室。表砖上有"淳祐拾年"等铭文。墓室上部用 8 块长方形青砖横向铺盖，墓顶用 4 块长方形花岗岩石板横向封顶，白石灰嵌缝；各墓室之间用长石板圈砌分隔，砖墙与石墙之间注满松香；墓室地面以青砖双层错缝平铺。中室及左室各用 2 根长条形青铜棒作棺垫；右室用 4 块圆柱形的石棺垫。中室保存较好，棺木、人骨架及随葬品仍较完整，左右两室破坏严重，未见棺木及人骨架，随葬品也腐蚀严重。其中右室早年曾被盗，墓室前上方有一直径约 0.6 米的盗洞，室内曾被焚烧过，留有一堆灰烬，墓壁被熏黑，随葬品仅存 1 方墓志、数件石俑及石棺垫。左室由于基建时被扰乱，随葬品位置不清。出土器物中能辨认器形并复原的有 59 件。器物种类繁多，生活用品、梳妆用品、佩饰品、文房用品等一应俱全。出土器物质地有鎏金银器、铜器、铁器、漆木器、石器等。器物造型优美、錾刻精湛、装饰典雅，尤其是大量的鎏金银器，运用模压、捶打、錾刻、鎏金等工艺，还有不少器物打印有当时银铺匠户的字号款识，如"张念七郎""低银刘打"等。这批文物数量之多、制作之精美，实属罕见。

该墓出土有 3 方墓志，简报未录志文全文。由志文知左室所葬为墓主许峻之妻陈氏，志文计 374 字。陈氏系宋国子监主陈伯震的孙女、干办诸司粮料院士陈谨之女，生于南宋宝庆丁亥年（1227 年）闰五月癸巳，卒于淳祐己酉年（1249 年）八月丁巳，时年 22 岁。淳祐庚戌年（1250 年）十二月壬寅葬于福州城西末山，即今茶园山。中室所葬为墓主许峻。志文计 1316 字。由志文知许峻，字景大，福唐（今福清、长乐）人。其曾祖许材，赠太傅；祖许仲容，承义郎知潭州潭浦县，赠少保；父许应龙，资政殿学士，检书枢密院事，赠少傅。其母为唐国夫人张氏。许峻生于宋嘉定癸未十六年（1223 年）五月，淳祐壬寅年（1242 年）补承务郎铨中授饶州商税务，后主管架阁户部文字，官至架阁朝请通判。卒于咸淳八年（1272 年）八月初七日，终年 50 岁。同年十月二十九日"移柩于樵隐之坟庵"，十二月初六庚寅合葬于前安人陈氏之坟。许峻先娶陈氏、后继赵氏，生有 2 男 4 女。其子许性仁，承奉郎监建宁府嘉禾县麻沙镇税兼烟火公事；次子许体仁，通仕郎。右室所葬为墓主许峻继妻赵氏。据志文，妻赵氏其父赵忟夫官为朝奉郎、通判永州。赵氏生于南宋端平元年（1234年），卒于丁亥年（1287年），终年54岁。同年八月十四日入葬。赵氏以夫爵封为安人。安人是宋代命妇之封号，自正、从六品朝奉郎以上至朝散大夫之妻、母封安人。

简报指出，3方墓志均为朝廷官员或地方名人撰写，刻工精细，史料丰富，不但详细记载了墓主人许峻及夫人陈氏、赵氏的籍贯、家世、官职、生卒等情况，也记载了宋代许多重要史实，牵涉到许多达官显贵，如刘克庄、郑性之、赵师恕、陈昉、陆德与、姚希得、陈桦、赵彦晦、赵忟夫、曾公祐等。有些史实虽在《宋史》《福建通志》《八闽通志》《三山志》等史书上有记载，但不如志文详实、可靠。因此，这3方墓志的出土，对于研究宋史尤其是福建地方史有着不可替代的史料价值。

202.福建罗源陈太尉宫建筑

作　　者：东南大学建筑研究所　张十庆
出　　处：《文物》1999年第1期

在中国南方各地建筑中，福建建筑以其独特的风格形制，别具特色。然以木构建筑而言，我们所熟悉的基本上是明清时期的福建建筑，而对于早期，且不说隋唐，即使宋元建筑也了解甚少，对其演变过程所知亦不多。遗构留存较少，是最大的障碍。在所遗存极少数的宋代木构建筑中，福州华林寺大殿和莆田元妙观三清殿是人们所熟悉的，而宋构罗源陈太尉宫正殿，为认识福建早期建筑提供了又一珍贵而重要的实例。简报分为四个部分，配以照片、手绘图予以介绍。

据介绍，陈太尉宫在福州以北的罗源县山中，与福建其他两座宋代木构建筑华林、三清二殿，在地理位置上相近，均位于闽东南沿海一带。故三殿所反映和表现的应是宋代闽东南建筑的风格和技术。华林、三清二殿是寺观建筑，规模形制较高，而陈太尉宫正殿作为民间祠堂祭祀建筑，在性质、规模及相应的做法上，是有别于华林、三清二殿的。陈太尉宫初为陈氏宗祠，后祀同族都统伏魔太尉陈庆，于南宋嘉熙三年（1239年）改称现名。现存建筑有正殿、配殿、山门和廊庑，除正殿为宋构外，余皆为明清遗构。根据正殿样式及技术成分分析推测，至少应为南宋之构，其中许多成分特色所反映的时代性甚早，某些甚至要早于华林寺大殿。在一些做法上，如层栌叠斗、梭柱、补间铺作等方面，其形制似较华林、三清二殿更具古风，这是陈太尉宫正殿的重要特色。

简报指出，历史上，宋代福建建筑对外的传播和影响，形成了日本和朝鲜相应的天竺样和柱心包建筑样式。比较可见，由华林寺大殿和陈太尉宫正殿建筑所表现的福建宋代建筑的技术特征和样式形制,如梭柱肥梁、层栌叠斗、插拱皿斗以及独特的昂嘴梁头曲线、单材偷心做法等,均在日本天竺样、朝鲜柱建筑上不同程度地反映出来,并可一一找到对应的表现和相似的形象。陈太尉宫建筑为进一步研究天竺样和柱心包建筑的传播、源流及影响关系提供了新的重要实例。同时,日本天竺样和朝鲜柱心包建筑也为深入地分析陈太尉宫建筑的性质及样式技术特征提供了相应的参照。

203.福建闽侯县碗窑山宋代窑址的发掘

作　者:福建博物院　温松全
出　处:《考古》2014 年第 2 期

闽侯县地处福建省东部、福州市西南部。碗窑山窑址位于闽侯县西南部,隶属南屿镇,在双龙村和窗厦村的交界处。2010 年,考古人员对窑址的地段进行了抢救性考古发掘。发掘工作于 2010 年 7 月上旬开始,11 月下旬结束。此次发掘共发现清理 4座斜坡式龙窑窑炉,分别编号为 Y1、Y2、Y3、Y4,实际发掘总面积约 2500 平方米。简报分为:一、Y1,二、Y2、Y3,三、Y4,四、结语,共四个部分,有彩照、手绘图。

据介绍,经分析,Y2、Y3 叠压在 Y1 上,Y4 晚期叠压在 Y3 上,Y1 的时代最早,Y2、Y3 次之,Y4 最晚。简报推断:Y1 的年代上限约为北宋晚期;根据碗窑山Y2、Y3、Y4 出土黑釉碗的器型特征,参考建窑系黑釉碗器形演变的特点以及白礁 1号遗址碳 14 年代判断,Y2、Y3、Y4 的年代约为南宋中、晚期。因此,简报推断碗窑山窑址的大致生产年代为北宋晚期至南宋晚期。

厦门市

204.福建厦门郊区发现北宋水井

作　者:厦门市文管会、厦门市博物馆　张仲淳、郑　东
出　处:《考古》1989 年第 3 期

1987 年 1 月,考古人员在海沧镇上瑶村坑内发现 1 口水井。简报配以手绘图予以介绍。

据介绍,古井上部建筑已破坏,残高 3.1 米。使用大、小井圈和大、小模型砖交错砌成。水井构筑,先挖一深穴,在含水砂层置放二节小井圈,中间夹一层大模型砖,井圈外壁填塞瓦砾。由第二节小井圈向上扩张,错缝斗角叠砌七层大模型砖,又续

砌十二层小模型砖。其上，套接大井圈，因井面建筑已遭破坏，大井圈个数不可考。古井剖面，近似倒立涵瓶状。井中除堆积破碎的陶井圈、泥土外，共获陶瓷汲水器铜钱等遗物 16 件（仅指完整器和有口、腹、底的残缺陶瓷器）。在古井底部，发现 8 枚铜钱。除 1 枚唐"开元通宝"外，均为北宋初期至中期铜钱。因而，简报认为，古井的使用时间主要是北宋初中期。有些古井遗物，保留了唐代作品的特征。

简报指出，水井确定是当地居民的 1 口饮水井。大小井圈与模型砖交错砌造，是上瑶水井的一个构筑特点，是古井建筑技术上的一个进步。

莆田市

205.莆田窑址初探

作　者：李辉柄

出　处：《文物》1979 年第 12 期

1949 年以来，在福建莆田县境内发现了古代窑址多处，其中以庄边和灵川 2 处窑址较为重要。庄边窑是在 1958 年修筑莆永公路（莆田—永泰）时发现的。1976 年 6 月，考古人员调查了庄边窑。1979 年 6 月，又调查了灵川窑。简报配以照片、手绘图予以介绍。

据介绍，庄边窑址位于莆田县城北约 40 公里的庄边公社，遗物散布在莆永公路两旁的徐州与碗林的小山坡上。遗址范围广大，遗物丰富，是福建南部沿海地区所发现的较大瓷窑之一。庄边窑烧制的青瓷大致分为印花、光素无纹饰青瓷与刻划花间以篦点纹青瓷两大类。前者多为灰青色釉，后者釉色青中闪黄。以仿龙泉青瓷为主，又烧制类似同安窑的青瓷。时代为南宋至元。

灵川窑位于灵川公社的海头大队，碎片和窑具散布在村庄附近的许山坡上。灵川窑是 1 处专烧青白瓷（影青）的瓷窑，烧制器物以碗为最多，杯、洗等次之。器口无釉，是其重要特征。时代上限为南宋，下限为元。

206.福建仙游发现宋代蔡襄所植古荔枝树

作　者：福建省仙游县博物馆　陈职仪

出　处：《农业考古》1996 年第 1 期

在福建省仙游县枫亭镇赤湖枫溪村，有 3 棵古老的荔枝树，1978 年经省科委和省农科院有关专家，根据年轮鉴定为宋代遗存。县科委拨款进行筑坡加固，培土施肥，加强管理，仙游县政府于 1980 年公布为第一批县级文物保护单位。简报配以照片予以介绍。

据介绍，简报认为此 3 棵荔枝树为宋代学者蔡襄所植，当年不止 3 棵，宋代大观四年（1110 年）天降大雪，荔枝树冻死不少，仅存 18 棵。明清两代又陆续死去一些，今仅存 3 棵。

207.福建莆田广化寺释迦文佛石塔

作　者：莆田市文化局　吴天鹤
出　处：《文物》1997 年第 8 期

释迦文佛石塔位于福建省莆田市区西南凤凰山麓的广化寺东侧，又称广化寺塔，建于南宋乾道元年（1165 年）之前，仿木构楼阁式石塔，八角五层空心，高 30.6 米。塔身满雕各类佛教题材造像，极为精美丰富，是福建省除泉州开元寺双石塔外又一处建构水平较高、体量较大、年代较早且保存完好的中国传统仿木构楼阁式石塔，1988 年被国务院批准为第三批全国重点文物保护单位。

简报分为：一、石塔沿革，二、石塔结构，三、石塔雕刻，四、石塔题铭，五、小结，共五个部分，有照片。

据介绍，此南宋石塔的价值主要表现在以下几点：

其一，建筑方面。为研究古代建筑的斗拱结构等提供了不可多得的实物资料。

其二，浮雕方面。塔身许多精美的浮雕，体现了较高的艺术水平。尤其是罗汉立像的面部表现神态，刻画得生动且有个性。值得重视的是石塔浮雕的菩萨和罗汉，或手施密宗手印，或手持铃之类的密宗法器，这些密宗形象的浮雕，无疑为研究南宋佛教密宗在莆田这样的东南沿海地区的传播提供了宝贵的实物见证。

其三，题铭方面。石塔除了浮雕立像画面的题刻外，各层塔身内外题刻共有 46 处，包括塔身内外壁、门额、影门门额、门框、画框、瓜楞柱等处题刻，最短题刻 1 行 5 字，最长题刻 26 行 127 字。题刻内容大多为舍钱建塔、修佛、祈福寿、保平安、荐亡灵等，也有登游的内容。题刻时间有宋、元、明历代纪年。莆田市汉代为闽越属地，称蛮地。据载汉代仅有陈、胡、何少数姓氏人物出现，晋太康时已有汉族入莆；永嘉之乱，中原林、黄、陈、郑、詹、邱、何、胡八大姓相继入莆；隋唐之际中原南渐入莆士族增多。从石塔题铭中的众多姓氏可以窥知，至宋代，中原人士入莆已形成相当规模，成为当地社会生产活动的主要力量。

三明市

208.泰宁县发现了一处宋代木构建筑

作　　者：福建省文物管理委员会
出　　处：《文物》1959 年第 7 期

福建省考古人员普查文物时，在泰宁县城南 30 里的甘露岩，发现 4 座殿宇为宋代木构建筑，梁架和粉壁上还保存有宋代以来的墨笔题记、题诗、壁画。由题记知 4 座建筑中的观音阁始建于宋代绍兴二十三年（1153 年），当年曾是僧人进食的膳堂。

209.福建尤溪宋代壁画墓

作　　者：福建省博物馆、尤溪县文管会　严晓辉等
出　　处：《文物》1985 年第 6 期

1983 年 11 月，尤溪县林业科学研究所潘山苗圃基建工地发现 1 座古墓。考古人员搜集了已被取出的随葬品，并进行了清理。简报分为：一、墓葬情况，二、壁画，三、随葬品，四、结语，共四个部分。

据介绍，潘山位于尤溪县团结公社（原名七口），西距县城 1.5 公里。古墓发现于潘山南坡山腰，墓为券顶砖室，平面长方形，墓内葬具和尸骨均已腐朽无存，葬式不明。此墓早年曾被盗，墓室两侧和顶部的白灰面上绘有壁画，无墓志、地券、铭文砖。随葬品已被扰动，器物位置不详，有些已散失，取回的有瓷器、石俑、铜镜和铜钱。简报初步推断此墓的年代为北宋。

简报称，尤溪是著名理学家朱熹诞生与早年成长的地方，宋代文化较为发达，但北宋墓葬的发现还是首次。墓中的壁画线条流畅，画风朴实，弥足珍贵。此墓的发现，对研究当时的物质文化、社会风俗以及福建地方史，都提供了新的资料。

210.福建尤溪城关宋代壁画墓

作　者：福建省博物馆、尤溪县文管会、尤溪县博物馆　杨　琮、王祥堆、
　　　　朱世武等

出　处：《文物》1988 年第 4 期

1986 年 8 月底，尤溪县城关居民在公山北坡建房时，发现 1 座宋代双室墓，考古人员对此墓进行了清理，并追回了已被取出的随葬品。简报分为：一、墓葬概况，二、壁画，三、随葬物品，四、结语，共四个部分，有照片、拓片、手绘图。

据介绍，该墓为长方形砖室券顶墓，有两个墓室。左墓室左、右、后三壁及顶上均有壁画，右墓室未绘壁画，也无随葬品及入葬痕迹，说明右墓室是空的尚未葬人。随葬品有陶俑 10 件、陶器、瓷器、铜镜、铜钱等。简报推断年代为北宋。

211.福建尤溪麻洋宋壁画墓清理简报

作　者：福建省博物馆、三明市博物馆、尤溪县博物馆　杨　琮

出　处：《考古》1989 年第 7 期

1987 年 2 月 28 日，考古人员在团结乡进行文物调查时，从当地老乡处得知麻洋村尾的山坡上发现 1 座古墓，立刻赶到现场勘察，确定是 1 座被破坏的壁画墓后，将被当地村民挖出的带有壁画残迹的墓砖运回县博物馆保存。尔后对该墓进行了发掘清理。简报分为：一、墓葬形制，二、墓室壁画，三、墓室砖雕，四、出土遗物，五、结语，共五个部分予以介绍，有手绘图、照片。

据介绍，此墓系用青砖砌起的券顶墓，分前后两室。墓葬前后室两壁均绘有彩色壁画。后室左右两壁各嵌 6 ～ 7 个狮子雕砖；墓葬中的随葬品已流失，仅找回 2 件器物及棺钉 2 枚。简报推断，此墓葬应是北宋时期的壁画墓。

简报称，值得注意的是这种分前、后二室的墓葬形制，不同于福建地区其他的北宋墓葬，而与福州五代闽国刘华墓的形式大体相同，证明其沿袭了五代墓制的遗风。此外，在尤溪所发现的另外两座北宋墓室壁画，皆以白描为主，并且在人物造型上已不见唐五代人物画那种丰硕的形象。这可能是因为它们的年代晚于此墓，反映出后来的画风已变的情况。但目前还难以完全排除当时彩画和白画共存的可能。

212.福建尤溪发现宋代壁画墓

作　　者：福建省博物馆、尤溪县博物馆　杨　琮、王祥堆、林玉芯、张文仁、
　　　　　林洪湘

出　　处：《考古》1991年第4期

1990年3月中旬，在尤溪县城关第一中学进行的基建工程中，发现了1座古墓葬。考古人员赶赴现场时，这座墓葬已被揭开几日，受到了一些破坏，考古人员进行了清理。简报分为：一、墓葬形制，二、墓室壁画，三、墓室砖雕，四、出土遗物，五、结语，共五个部分予以介绍，有手绘图。

据介绍，此墓坐落于尤溪一中校园后门的山腰处，距山脚高度约30米。墓顶距山坡地面约2～3米。墓扩为长方形砖室墓，内有壁画、砖雕。从遗迹看原有木棺，已朽。但后来又打开放入一骨灰罐，此墓或为夫妇合葬墓。年代简报推断为北宋。

213.福建尤溪县城关镇埔头村发现北宋纪年壁画墓

作　　者：陈长根

出　　处：《考古》1995年第7期

1991年10月下旬，尤溪县城关镇埔头村村民因扩建厢房，发现了1座古墓葬。考古人员前往调查时发现该墓已被打开多日，左室墓门已拆毁，右室基本完好。随葬品多嘴壶、女墓志已被宅主拿出。根据宅主提供的情况并测量了墓穴有关数据，并将出土器物收回。简报分为：一、墓葬概述，二、随葬器物，三、结语，共三个部分予以介绍，有照片、拓片、手绘图。

据介绍，埔头村北宋纪年壁画墓位于尤溪城关镇东南约2公里处，墓为长方形砖构双室墓。出土有陶俑、陶模型及墓志两方。墓志为小楷，简报未录志文全文。由志文知男墓主先葬，女墓主后葬，但墓志是同时凿刻并一起放入的。死者儿子是进士。该墓与尤溪民间传统习俗男左女右相背。有确切纪年（靖康元年即1126年），已是北宋末年。

214.福建三明市岩前村宋代壁画墓

作　者：福建省博物馆、三明市文管会　杨　琮、吴秀华
出　处：《考古》1995年第10期

1993年4月下旬，福建省三明市岩前镇岩前村民工在水泥厂住宅楼旁挖下水道时，发现1座壁画墓，该墓遭到一定破坏，考古人员对该墓进行清理。清理完毕后，对该墓采取了妥善保护措施，并追回部分流散的出土遗物。该墓编号为三明岩前1号墓（SYM1）。简报分为：一、墓葬形制，二、墓室壁画（左室），三、遗物，四、结语，共四个部分，有照片。

据介绍，墓葬坐落于岩前村街旁，所在地原系一座小山，传说山名为"五姑殿"，近代已修整削为平地，成为村镇的中心地段。该墓为双室。墓室平面为长方形，券顶。左、右室宽窄稍异，左室（北室）长3.3米、宽1.12米；右室（南室）长3.3米、宽1.16米。两室高度相等，为1.47米。墓墙均厚0.25米，两室中隔墙厚0.5米。左室葬人，右室尚未葬人，也无壁画、随葬品。简报推测该墓的营建方法系先挖竖穴大土坑，然后砖砌墓室，四壁绘好壁画，下葬后封墓顶填土并加盖大石板。至于石板上是否还有封土或冢，已不可考。左室壁画已被乡民严重毁坏，只剩残迹。有四灵图、鸡犬图等。随葬品中未见瓷器，有湖州产铜镜。该墓的年代，简报推断为南宋时期。

简报称，此墓壁画的绘制，采用黑红两色来表现，也是福建宋墓壁画的一大特色。此墓用的红色，除了与以往发现的以赤铁矿为原料的红色外，还运用了"胭脂红"，特别是在表现雄鸡上，另外在人物面庞上采用淡红色晕染，亦为福建地区壁画墓的特点之一。此壁画墓在对人物形象的表现上，用笔准确、细腻而流畅，造形较生动有韵致。特别是在青龙的表现上，运笔酣畅老到，表现的神龙气势宏大，开宋元壁厚墓中气势磅礴之先河。简报指出，三明岩前南宋壁画墓的发现和清理，不仅进一步扩大了福建地区宋代壁画墓的分布范围，而且对研究这一时期民间艺术和美术史，也提供了不少不可多得的珍贵资料。

泉州市

215.泉州、南安发现宋代火葬墓

作　者：王洪涛
出　处：《文物》1975 年第 3 期

1973 年至 1974 年底，考古人员在泉州、南安先后发现和清理了 4 座宋代火葬墓。简报配以照片予以介绍。

据介绍，这 4 座火葬墓为：

一、1974 年 10 月泉州市城东公社前头大队农民在桃花山罗钟东北的山坡上，发现宋代火葬墓一座，墓室系砖石砌成。

二、1974 年 12 月，在泉州清源山工地发现宋代火葬墓两座。墓在山坡岩石缝隙深处。两墓中各有一个骨灰罐，罐外套一个较大的青瓷罐。

三、1973 年，南安县城关公社三堡大队农民在西峰寓舍埔发现宋代火葬墓一座。砖筑，墓室四周各放小铁牛 1 只，中放青瓷骨灰罐 1 个。此外还有双系陶罐 4 个，绿釉鼎状香炉 4 件，黑页岩墓志铭 1 方，铁铸阳文地券 1 方。简报录有志文和券文全文。

简报称，泉州地区佛教盛行。火葬为佛教葬俗，所以除了穷人（如无一件随葬品的清泉山墓），富人（如三堡大队墓）均采用火葬。

216.泉州湾宋代海船发掘简报

作　者：泉州湾宋代海船发掘报告编写组
出　处：《文物》1975 年第 10 期

1973 年，在距泉州市区东南约 10 公里的后渚港，发现 1 古代海船，1974 年进行了发掘。简报分为：一、地理环境和沉船位置，二、海船出土的现状及其结构，三、船舱出土遗物，四、关于海船年代的推断，五、结束语，共五个部分，有照片、手绘图。

据介绍，出土遗物以香料木、药物为主，还有木牌、铜钱、陶瓷、竹木藤器等。简报推断此为南宋末年（13 世纪晚期）南宋一艘远洋货船。

217.福建晋江磁灶古窑址

作　者：陈　鹏、黄天柱、黄宝玲
出　处：《考古》1982 年第 5 期

磁灶位于泉州西南部，距泉州市区约 16 公里，属于晋江县的一个公社。有梅溪自西北向东流经，构成五坞十八曲的地势。在傍溪的小山坡上，古窑址历历可数，瓷片、窑具，比比皆是。磁灶也因传统烧制陶瓷器而得名。自此，舟楫可直达晋江，入泉州湾而泛洋，产品运输具有便捷的水陆交通。境内多山丘，盛产陶瓷土，历经采掘，遗迹累累，有的已成池塘。考古人员到磁灶进行一次全面调查，发现古窑址 26 处，对其中的溪口山、蜘蛛山、土尾庵、童子山 1 号窑还进行了局部试掘，共采集标本937 件。简报配以照片、手绘图予以介绍。

据介绍，在泉州地区的窑址中，数磁灶窑烧制的年代最早、延续时间最长、产品具有浓厚的地方特色和时代风格。从考古发掘情况看，从南朝晚期，经唐、宋元直至明清，经久不衰。明晚期至有清一代，已转入烧制粗陶器，但仍远销海外。除泉州外，磁灶产品在国内发现甚少，地方史记中没有官营或官府督造的记载，由此推测，磁灶灶窑应是 1 处专为海外贸易需要而生产的民窑。

宋元窑具、瓷器，多见铭文。铭文大都刻划在窑具上，可能是作为窑具的编码或窑工的记号。模印在器物底部的"程家工夫"，应是窑坊主的标记。"工夫"二字是宋元工艺品的常见用语。童子山一窑出土的题诗盆，反映了当时寒食节的民间风俗。还有从侧面表现社会背景的，如题有"山河无寸草，天地是何人"等句，可以从中悟出泉州沦入元朝统治后，南宋遗民们忧国感时的情怀。

218.泉州法石发现宋代碇石

作　者：陈　鹏、杨钦章
出　处：《考古》1984 年第 10 期

1982 年夏天，考古人员对泉州湾内法石乡的 1 艘古代海船进行试掘时，在工作地点约百米处江边的滩地上，发现了 1 块碇石。简报配以照片予以介绍。

据介绍，1975 年 4 月，泉州市东海公社乡民于法石晋江畔滩地上挖掘房基至 1.5米深度，出土 1 块古代碇石（亦称石锚）。后在邻近 3 米处掘井到同一地层时，发现大量宋元时期的划花青瓷和白瓷片。碇石系质地一坚硬的花岗岩雕成，全长 232厘米、中段宽 29 厘米、厚 17 厘米。两侧对称地凿有 29 厘米 ×16 厘米 ×1 厘米的凹槽；另两侧也对称地凿有 17 厘米 ×3 厘米 ×2 厘米的凹槽。碇石自正中向两头渐细，端部宽 22 厘米、厚 10 厘米，重约 400 斤。现存福建省泉州海外交通史博物馆。

漳州市

219.福建漳浦县古窑址调查

作　者：福建省博物馆　梅华全
出　处：《考古》1987年第2期

1982年底，考古人员根据漳浦县万安农场技术员林敦仁先生的报告，在该县石榴公社坂龙大队坪水山区调查发现了1处明代青花窑址，同时考察了沙西北旗、赤岭南山、城关英山三个白瓷和青瓷窑址，采集了一批瓷器标本。简报配以手绘图予以介绍。

据介绍，自20世纪50年代漳浦杜浔祖妈林水库发现宋代窑址以后，迄今为止一共有5处。这次调查的4处，坪水窑为明代中晚期青花窑址，其余3处分别为青瓷、影青或青黄釉系统，年代上起北宋，下至元代。其中北旗窑的年代可能是由北宋中晚期至南宋，当地传说有99条龙窑，规模应不小。南坑窑的年代在南宋，英山窑以青黄釉为特征，玻璃质感强，可能始烧于南宋，终烧于元代。

简报称，漳浦窑瓷器生产是从北宋开始，历经南宋、元代至明末，代无中断，前后共有600多年的历史。综观漳浦瓷器发展全过程，其产品是以日用瓷为主，主要为外销。北宋生产白瓷和影青，南宋至元生产青瓷，明代生产青花瓷器。这些产品的更新换代，与当时国内瓷器的兴衰、国际市场的需求是紧密相连的。

北宋时期，定窑瓷器风靡全国，各地窑场纷纷仿效，随之而起的有著名的景德镇"南定"等窑口。漳浦北旗窑的白釉和影青，显然是仿定窑刻划篦梳纹而生产的一种"土定"。其产品的特征是造型轻巧规整、轮廓线条流畅明快。胎体厚薄均匀，底心比较平坦，足跟转角棱角分明。釉白而匀薄、滋润，刻划线条细腻。

南宋时期，龙泉窑在吸取了越窑和瓯窑的产品优点后，经过了北宋时期的发展，形成了具有自身特点的龙泉窑体系，创烧了环球称誉的翠青、粉青和梅子青。国内的各窑竞相仿制，因而在福建出现了青瓷盛而白瓷衰的局面。漳浦的窑业这时也比较发展，除北旗窑转产青瓷以外，南坑窑和英山窑则以生产刻划篦点纹的"珠光"青瓷为主。品种釉色也有所增加，如南山窑的影青釉"珠光"青瓷，就是以刻划篦点纹为装饰的一种新釉色。本期瓷器的特点是造型淳朴，口薄底厚，圈足宽矮，体态稳重。刻划花纹题材丰富，刀法娴熟洗练。釉质薄而匀净，光可鉴人。

元代产品，在前代基础上烧造技术已非常成熟，窑炉的火焰控制也达到相当熟练的程度。英山窑产品的釉色，这时为单纯的青黄和青灰釉两种，胎质坚硬火候极高。

此期产品的加工工艺颇为粗糙，胎釉厚重，器壁往往带有刮砂痕。

明代以后，国内一色釉没落，青花瓷器独占鳌头，漳浦坪水地区的窑工们，虽然身处东海地区的深山一隅，然而也不甘落后，紧跟时代的步伐，烧制出了具有特色的青花瓷器。

220.福建漳浦县发现一座北宋墓

作　者：王文径

出　处：《考古》1990 年第 8 期

1983 年 4 月，福建漳浦县赤土乡埔阳村农民张万祥在挖掘房屋地基时，发现了 1 座古代砖室墓。墓葬位于埔阳村东北侧的山坡上，墓室已被雨水冲刷破坏，墓砖纹饰为半切的雷纹，排列没有规则，墓葬形制已不可知，仅出土随葬品 9 件。简报配以手绘图、拓片予以介绍。

据介绍，器物有青灰釉瓷罐 2 件、青灰釉谷仓 1 件、陶杯 4 件、钱币 2 枚。从出土 2 枚钱币看，此墓简报推断应属北宋晚期的墓葬。简报称，这一时期的墓葬在漳浦为首次发现。从青灰瓷罐中发现骨灰及墓葬中没有发现棺痕看，应为二次葬。埔阳村《林氏族谱》记载，该村始建于宋初，墓主简报认为极有可能为林氏先祖。

南平市

221.浦城出土的宋代龙虎瓶

作　者：林　许

出　处：《文物》1959 年第 3 期

福建近年来在基建工程中发现了一些宋墓，墓中往往有精美的瓷器，其中以青瓷为多。简报配以照片予以介绍。

简报称，浦城东风人民公社在开荒时，发现残墓 1 座，出土了龙虎瓶 1 对，小瓷罐 5 个。瓶的制作精美，二瓶的大小一样。1 件的肩部以虎为主，另一件以龙为主，龙虎旁边塑有人物、禽兽等。二瓶都有带鸟形钮的墩式盖，施影青色釉，加棕黑色彩绘，釉色匀润，造型精美，是福建宋墓出土的瓷器中最精美的 1 件，现藏福建省博物馆。

222.福建顺昌宋墓

作　　者：福建省博物馆　郑金星、林尉文
出　　处：《考古》1979 年第 6 期

1978 年 1 月，考古人员先后在顺昌县九龙山和大干公社各清理了 1 座宋墓，前者编为 1 号墓，后者编为 2 号墓。简报配以手绘图予以介绍。

据介绍，顺昌县九龙山、大干宋墓的出土器物较多，并有许多精美的瓷器。制造技术上也很精巧，如瓷多嘴罐、瓷坛，无论造型、装饰和釉质上均与福建省宋墓所出同类型的瓷器有所不同，是目前福建省发现的瓷器中较好的几件实物。瓷壶、罐颈部绕龙的装饰，应承唐代遗风。这两座墓虽属中型墓葬，但有它的特殊之处，如 1 号墓中有砖建仿木结构，2 号墓为圆券顶石室墓，这是福建省宋墓中是比较少见的。

223.福建邵武沿山宋墓

作　　者：福建省博物馆　郑金星、王振镛
出　　处：《考古》1981 年第 5 期

1975 年 9 月下旬，邵武县沿山公社在基建工程中发现 1 座宋墓。简报配以照片予以介绍。

据介绍，该墓位于沿山公社沿山大队茅阜生产队北部后山。墓葬为石顶砖室墓，墓室平面呈长方形，分左右两室，中间隔一砖墙，无甬道和墓门。左室木棺已被取出，右室葬具和尸骨均腐朽无存。左室出土有瓷执壶、瓷罐、瓷碗、瓷盘、瓷碟、陶执壶、陶罐、石砚、铜镜等 26 件。其中影青瓷器尤其是执壶十分精美。该墓的时代，简报推断为宋墓。

224.福建顺昌大坪林场宋墓

作　　者：曾　凡
出　　处：《文物》1983 年第 8 期

1975 年 4 月，福建省顺昌县洋口公社发现 1 座古墓。墓葬位于洋口公社石溪大队大坪林场的一个半山坳里，这是 1 座夫妻合葬墓。清理时，墓室几乎被淤泥填满。男棺室（右）已被扰乱，女棺室（左）似未扰动。两室共出土遗物 30 余件。简报分为"墓室结构""随葬器物""墓葬的年代与墓主的身份""几点认识"，共四个部分，有照片、手绘图。

据介绍，墓室坐南朝北，用花岗岩石板、石条砌筑，十分坚固。棺台上有两棺，男棺居右，女棺居左。出土有青瓷、铜镜、铜钱等，其中两件黑釉兔毫盏，简报认为是建窑出品。两件青釉划花碗为同安窑系出品。该墓的年代，简报推断为北宋元丰时期。简报称，该墓墓室结构坚固，随葬品大多是死者生前日用品，没有特殊珍贵的东西，这证明墓主身份不高，没有功名，而只是一个比较富有者。

225.福建顺昌县北宋墓清理简报

作　者：顺昌县文管会、顺昌县文化局、顺昌县文化馆　谢道华、陈建标
出　处：《考古》1987 年第 3 期

1985 年 6 月 13 日，顺昌县大干乡良坊村民在建房挖基时发现 1 处古墓葬，考古人员前往调查清理。良坊村距大干乡政府所在地约 2.5 公里，墓葬地点在良坊小学附近的缓坡地形处。墓葬为双室洞穴墓。简报分为：一、墓葬形制，二、出土遗物，三、几点认识，共三个部分，有手绘图。

据介绍，良坊宋墓均采用白岩石筑成。清理前，墓室已被扰乱，器物存放位置不详。墓室内渗透少许黄泥，未发现尸骨，仅有数十块已腐朽的棺木碎片及数十枚生锈的铁棺钉，葬式已无从考究。墓室平面呈长方形，中间用长条石叠砌成一道隔墙，将墓室分为南北两室。北室出土有铜镜等，墓主人应为女性，南室为男性。出土随葬品有瓷器、铜器、铜钱等，其中不乏精品。该墓的年代，简报推断为北宋时期。

226.福建建阳县水吉北宋建窑遗址发掘简报

作　者：中国社会科学院考古研究所、福建省博物馆、建窑考古队　李德金
出　处：《考古》1990 年第 12 期

福建省建阳县水吉镇后井村与池中村周围山坡上分布的古瓷窑址遗迹，是闻名中外的建窑遗址。1957 年与 1977 年曾由福建省博物馆和厦门大学人类学系联合进行调查并在芦花坪遗址发掘，取得一批重要资料（福建省博物馆、厦门大学、建阳县文化馆：《福建建阳芦花坪窑址发掘简报》《中国古代窑址调查发掘报告集》，文物出版社 1984 年版）。近年来，由于文物走私活动猖獗，建窑遗址遭到严重盗掘破坏。为抢救国家文化遗产，1989 年 5 月至 1990 年 5 月，考古人员先后两次对建窑遗址进行全面的调查和重点发掘。简报分为：一、地理位置及调查概况，二、窑炉，三、窑外遗迹，四、出土遗物，五、结语，共五个部分，有手绘图。

据介绍，庵尾山窑址面积约 100 平方米，该窑址未发现有黑釉瓷，只有青釉瓷，器形有莲瓣口碗、盘等，胎质粗松，有气孔，呈浅灰色，釉色青灰，釉层薄易剥落，器内底有支钉叠烧痕，制作工艺较粗糙。简报推断其时代应在五代。大路后门山发掘的 Y1 与 Y3 两座窑炉，从窑炉结构分析比较，简报推断应属于北宋时期，Y1 的时代可能到北宋晚期南宋初期。此次发掘的大路后门山及源头坑二处窑址内均未发现有绝对年代的遗物。但二处出土的黑釉器器型与芦花坪窑址出土器型有多处相似，简报推断芦花坪窑址的黑釉器为北宋时期，大路后门山与源头坑出土的黑釉器时代也应属北宋时期。

简报称，大路后山的 Y1 中段窑室内还出土几十件带黄色釉彩的黑釉器，是建窑遗址中新发现的产品，它为研究建窑的生产技术、制作工艺提供了重要资料。

227.福建顺昌出土宋代釉下彩瓷器

作　者：林长程、陈建林
出　处：《考古》1991 年第 2 期

1984 年秋，福建顺昌水泥厂工地发现 1 座古墓，考古人员到现场时，墓葬已毁，仅收集到釉下彩青瓷谷仓坛、多角罐、白釉碗、青灰釉小碟、多角小罐等随葬品，其中谷仓坛、多角罐作釉下彩绘装饰以往未见。简报配以照片等予以介绍。

据介绍，此二器花纹均为酱褐色，为釉下彩绘，釉层薄厚均匀，透明度好，花纹清晰，胎釉结合紧密。纹饰线条流畅，布局合理，与堆塑浑然一体，表现出民间匠人娴熟的艺术技巧。简报推断年代为北宋晚期。

228.福建南平市西芹镇宋墓

作　者：南平市博物馆　林蔚起、张文崟
出　处：《考古》1991 年第 8 期

1987 年 4 月 17 日，南平市西芹镇税务所基建工地的民工在挖土方时发现 1 座古墓。为了"取宝"，他们擅自挖塌墓门，取出部分器物，有的被毁坏，有的随泥土被倾倒。次日，考古人员闻讯赶赴现场调查清理，找回了大部分器物。简报分为：一、墓葬结构，二、随葬器物，三、几点认识，共三个部分，有照片、手绘图。

据介绍，西芹镇位于南平市西南 10 公里的富屯溪畔，墓葬为双室砖券洞式，平面呈长方形。出土遗物有釉陶器、白瓷、影青瓷等，另有铜钱。简报推断年代为北宋中期。

该墓为夫妻合葬墓，左右墓室大小形制一样，结构简朴。随葬明器多数是农家

日用器皿，男室仅 1 件仿汉投壶，未见文房四宝之类的明器，因此简报推测墓主为一般富户或乡绅。简报称，随葬品是一批体积很小、制作精细而准确的微型明器，种类丰富，十分逼真地模仿了当时人们的日用器具，很有时代和地方色彩。其中 1 件陶火盆座，结构合理、科学，尚属首见。而且，这些明器绝大部分制成一式两份，按照"男左女右"的习惯分别放置在夫妻两室之中，这种葬俗也比较罕见。

229.福建南平大凤发现宋墓

作　者：南平市博物馆　张文崟
出　处：《考古》1991 年第 12 期

福建南平大凤宋墓，是 1987 年 4 月建阳地区文物普查队调查发现的。该墓由于当地村民开挖水渠而暴露封门。简报分为：一、墓葬形制，二、随葬器物，三、结语，共三个部分，有手绘图、照片。

据介绍，墓葬位于大凤乡西洋村后山，西距南平市区约 15 公里。墓葬系长方形砖构双室券顶，双室为左右并列。葬具、人骨已不存。出土遗物有白瓷器、陶器、铜镜、铁器、铁地券等 32 件，另有铜钱 80 枚左右。地券已锈，文字无从辨认。此墓为宋代闽北地区习见。夫妇合葬墓，男右女左，墓主可能为当地富豪。除青白釉碗系景德镇产品外，其余陶瓷造型、釉色均与南平茶洋窑址产品相类似。年代似在南宋早期。

230.福建南平店口宋墓

作　者：张文崟
出　处：《考古》1992 年第 5 期

1989 年 3 月，南平市大凤乡店口村农民，在村南面山坡刨土种橘树时，于地下 1 米处，发现 1 座双室古墓，并挖开墓穴，取出随葬器物。市博物馆闻讯后派员前往考察墓葬遗迹，追回出土文物。简报分为：一、墓葬形制，二、出土器物，三、结语，共三个部分，有手绘图、照片。

据介绍，墓葬位于大凤乡店口村南部约 30 米的山坡。该墓系砖构券顶双室墓，墓室平面呈长方形。两室出土的陶、瓷等器物共计 33 件。瓷器可按釉色划分为黑釉和青白釉两类。铁地券 1 方，墨书楷体，简报录有可辨文字，中多处空字，另镇墓砖一方。

墓中未出墓志铭，地券字迹又已模糊不清，所以墓葬的年代只能据出土器物加以推断，这座墓葬的年代简报推断应属南宋早期。

231.福建建窑发现油滴釉瓷片

作　者：谢道华

出　处：《考古》1994 年第 11 期

建窑坐落在福建省建阳县水吉镇，以生产黑釉瓷器著称，有结黑、兔毫、曜变、珍珠斑、油滴等，而尤以后三者最为名贵，其中油滴釉碗有传世品，且大多被日本国收藏，被视为国宝级文物，而遗址出土却极为罕见。历次科学发掘均未发现上述标本。这种现象一度使陶瓷界迷惑，也给瓷器鉴定带来一定困难。简报配以照片予以介绍。

据介绍，1986 年 9 月 1 日，到建窑参观调查时，在营长墘（社长埂）窑址北段林业工区附近窑址堆积中采集到一片油滴釉碗腹片，为建窑成熟时代的典型产品。在其周围窑址堆积中，还采集到数片带"供御"字样的垫饼。1989 年 5 月下旬，考古人员在大路后门窑址南部半山腰一块窑址堆积中也采集到一片略小的同类标本，简报推断当属宋代"油滴"无疑。

简报称，油滴是一种结晶釉，烧造难度较大，温差一般只能在 10℃ ~ 20℃，因而成品率低，传世甚少，而窑址更是罕见。这两片标本是窑址迄今仅有的两片油滴标本，可谓稀世珍品，是近年来考古调查的重大收获，为建窑的研究提供了新的宝贵资料。

232.武夷山发现宋代斗茶遗址

作　者：武夷山市茶叶学会　巩　志

出　处：《农业考古》1994 年第 2 期

武夷山的奇山异水是大自然的造化，摩崖石刻是历史的见证，全山景区有摩崖石刻 400 余幅，内容丰富、书法精美；众多的"万丈丹青"中，武夷茶事的摩崖不少，特别是"竞台"的摩崖石刻，是一帧研究武夷茶文化的宝贵资料。

在武夷九曲溪之五曲的接笋峰下，问樵台后面的巨石上有 1 方摩崖上刻"竞台"（原刻字为钟鼎文）2 字；其下有一石台，长约 1.50 米、宽 0.80 米，高约 0.70 米，台面修平为"评茶台"；石岩旁有似"煮茶灶"的残迹。这里是古代从平林渡通向茶洞的路，是宋代建州茶乡斗茶的地方。

据介绍，斗茶，创始于以产贡茶闻名于世的建州茶乡。唐代陆羽《茶经》讲究茶汤香和味，其鉴别方法不是"干看"而是"湿评"，即通过泡茶加以识别茶质，"嚼味嗅香，非别也"。历史上的"斗茶"，虽然一去不返，而古代的斗茶风俗作为传统文化，发展至今日闽南、粤东、港台的饮"功夫茶"以及武夷山的"武夷茶艺"，继承了古人煮茶、斗茶、鉴茶的传统品茶的方法，在发展茶文化事业中发挥了作用。

简报称，斗茶是武夷传统文化奇迹。"竞台"是宋代武夷斗茶的遗址，是研究武夷茶叶历史和茶文化的宝贵资料，开发宋代斗茶的竞台遗址，进一步开拓武夷旅游的事业，为海内外游人品尝武夷岩茶，观赏武夷茶艺，观赏武夷茶文化遗址的好地方。

233.福建建阳市出土宋代铜镜

作　者：建阳市博物馆　谢道华
出　处：《考古》1996 年第 1 期

20 世纪 80 年代，建阳市博物馆陆续收集了一批在基建工地中出土的宋代青铜镜，其中较有特征者简报配以照片选介。

一、圆形带柄双莺纹镜，2 面。1 号镜 1982 年建阳营口乡陈垺水库工地出土。柄残断，现藏市博物馆。2 号镜 1984 年 4 月市城关西郊考亭书院故址基建工地出土。柄上窄下宽。两镜均已轻度氧化，表面带铜锈绿斑。均无钮、素缘。简报推断应属宋代铜镜。

二、圆形带柄水波双鱼镜，1 面。1982 年建阳麻沙镇界首粮站宋墓出土。该镜表层已有轻度氧化的铜锈绿斑。主题纹饰突出，线条优美，动物形态栩栩如生。简报推断当为宋代遗物，该镜由市博物馆收藏。

234.福建建阳县水吉建窑遗址 1991 ～ 1992 年度发掘简报

作　者：中国社会科学院考古研究所、福建省博物馆、建窑考古队　栗建安
出　处：《考古》1995 年第 2 期

1989 年 5 月至 1990 年 5 月，考古人员曾先后两次对位于建阳县水吉镇后井村的建窑遗址进行了全面的调查和重点发掘。此后，1991 年 10 月和 1992 年 4 ～ 7 月，对建窑遗址又进行了两次发掘。简报分为发掘概况、窑炉、结语等几个部分，介绍了 1991 ～ 1992 年度发掘情况，有手绘图。

据介绍，1991 年 10 月的发掘地点在后井村东大路后门山的白果树，庵尾山窑址有 Y5、Y8、Y10 三座窑炉。庵尾山窑址的发掘证实了以往在此地调查所发现的青瓷器确为当地所烧制。其他的产品还有盆、盘口壶、多嘴罐、执壶、小水注等。釉色除青袖外，还有酱釉、釉下褐斑等。此外，还发现了在烧青瓷的窑炉中也烧黑釉器。简报推断年代上限可至晚唐，下限当在五代。大路后门山发现窑炉两座（Y4、

Y9），简报推断年代为北宋至南宋早期。营长墘发现窑址两座（Y6、Y7），烧青白瓷，Y6 年代为南宋晚期至元初，Y7 年代在南宋中晚期。

简报称，1991～1992 年对建窑遗址的发掘，揭示了建窑自晚唐、五代至南宋晚期或元初较为清晰的历史面貌的烧瓷工艺的发展脉络，为研究建窑及中国陶瓷史增添了一份重要资料。

235.福建建瓯县水南宋元墓葬

作　者：张　家、徐　冰

出　处：《考古》1995 年第 2 期

福建省建瓯县城郊水南一带属古代墓葬区，常有古墓发现。1991 年 6 月，县水南罐头厂因建设施工，在厂部东侧空坪发现古墓两座。考古人员赶到时，其中 1 座墓顶已被民工凿穿；另 1 座几乎被夷平。两墓中大部分随葬器物也被民工掘出取走，墓室扰乱严重。经公安部门配合追查，大部分器物被追回，并经当事人认真辨认后，对两墓进行"对号入座"。6 月 27 日至 7 月 2 日考古人员对两墓进行了清理，其间又于厂部西北侧工地发现已暴露的古墓一座，即一并进行了清理，分别编号为 91 瓯水南 M1、M2、M3。简报分为：一、墓葬形制，二、出土器物，三、几点认识，共三个部分，有手绘图。

据介绍，M1、M3 为券顶砖室墓，M2 墓顶已被夷平，平面呈"凸"字形。三墓计出土瓷器、银器、铁刀、铜镜等。其中 M1 和 M2 分别出土的两件铜镜上分别刻划有铭记"祥符二年（1009 年）八月"和"大中祥符二年（1009 年）八月"，知 M1、M2 下葬上限为北宋大中祥符二年（1009 年）。M39 为元墓葬，出土青绿釉器，为元代龙泉窑派生的窑系所产，俗称"土龙泉"出品。

236.福建建瓯市迪口北宋纪年墓

作　者：建瓯市博物馆　张　家

出　处：《考古》1997 年第 4 期

迪口镇位于建瓯市东南 80 公里处，1992 年镇政府机关新建大楼，于基建工地象山脚下发现双室券顶墓 1 座。考古人员前往调查时，墓葬已遭破坏，墓室扰乱严重，随葬器物已被民工取光，后在镇政府机关人员的配合下，追回了出土器物。对墓葬进行了抢救性清理，整理情况简报分为：一、墓葬形制，二、出土器物，三、结语，共三个部分，有手绘图。

据介绍，墓葬分左右二室并列，形制与大小相同。平面均呈长方形，出土器物共计有陶器、瓷器11件。此墓无墓志出土，故墓主人身份不明。根据纪年铭、墓内出土器物特征及钱币年号分析，简报推断此墓下葬时间下限不会晚于北宋时期，根据墓葬形制可能是夫妻合葬墓。

简报称，墓内出土器物数量不多，却十分引人瞩目，陶婴戏谷仓罐（原有彩绘），为闽北乃至整个福建地区同时期出土器物之仅见，陶质荷叶罐（原有彩绘）亦极富艺术特色，为本省同时期墓葬出土器物中所不见。又称，该墓出土器物有纪年铭佐证时代，具有本地区宋代墓葬标型器物的重要资料意义。

237.福建南平宋代壁画墓

作　者：南平市博物馆　张文崟
出　处：《文物》1998年第12期

1989年9月间，南平市来舟镇游地村在修建公路时发现1座古墓葬，当地村民擅自挖掘，取出随葬品。数日后，考古人员前往实地调查，对该墓进行清理，并追回部分出土器物。简报分为：一、墓葬形制，二、墓室壁画，三、出土之物，四、结语，共四个部分，有照片、手绘图。

据介绍，墓葬位于距南平市区西南约30公里的来舟镇游地村前山丘处。该墓为单圹双室券顶墓。墓门已被挖毁。出土的影青瓷器应为景德镇出品，墓中壁画线条自然流畅，技法娴熟自如。简报推断该墓的年代为北宋中晚期。

238.福建南平市南山镇发现一座宋墓

作　者：南平市博物馆　张文崟等
出　处：《考古》2004年第11期

1998年4月，南平市延平区南山镇一民宅后山塌方暴露墓葬，其后一些村民擅自挖墓，私分出土文物。南平市博物馆闻讯后即派员赶往实地调查，追回部分出土遗物。简报分为：一、墓葬形制，二、出土遗物，三、结语，共三个部分，有照片、手绘图。

据介绍，该墓（编号为M1）位于南山镇镇口约500米处的吉溪东岸山坡上，系砖构双室券顶，平面呈长方形。墓砖有长方形、楔形二种，均为素面青砖。封门用长方形砖错缝砌堵，墓壁用长方形砖平砖错缝，因砌至83厘米处凸出4厘米，后改用楔形砖起券封顶，中部以隔墙分成大小相等的左右二室。室前有甬道。两室后壁用单砖横砌至 0.36 米处做一平台为壁龛。墓底横砖错缝铺砌。出土遗物有瓷器 6 件、陶器 19 件、铜镜、铜钱、铁地券和墓志。

简报称，此次发现的墓葬，因随葬品被取出，其在墓内所放的位置不详。据出土的墓志记载：墓主吴淀（泉），字全一，南剑州吉溪人，生于北宋绍圣四年（1097年），卒于南宋绍兴二十二年（1152 年）。吴淀于南宋绍兴二年（1132 年）考中乙科进士，历任江西吉州吉水县丞、抚州州学教授、福建泉州晋江县丞、建州建阳县丞、建州浦城知丞。夫人魏氏，卒葬于南宋乾道七年（1171 年），享年 78 岁。

简报指出，该墓出土的彩绘陶器，部分画面保留较为完整。虽然画面较为简单，但应用红、黑两色颜料在白灰面涂抹的器表上设色作画，技艺较为娴熟，绘画线条流畅。此次发掘对研究南宋历史以及研究闽北地区的丧葬习俗均提供了珍贵的实物资料。

239.福建建瓯出土的铜茶盏

作　者：福建农林大学　林更生
出　处：《农业考古》2007 年第 2 期

1982 年 5 月，建瓯南雅镇出土了窖藏铜器 32 件，其中有矮圆足铜盏 12 件，似茶盏。每件高 3 厘米，口径大小不一，重量各异，150 ~ 270 克。12 件中 10 件完好。敲击时可各自发出不同音阶，能奏出古朴清脆的乐曲。据《中国音乐》杂志说，此出土文物为我国迄今出土的 1 套最为完整的古代打击乐器——铜音盏。经专家鉴定，为青铜制品，制作于宋代，距今已有近千年的历史了。其盏因高低厚薄之故，叩之能发出不同的音响，犹如金玉之声，并可加减水量以调音色，发出音乐的音阶。显然，福建建瓯出土的这些铜盏，因可作为打击乐器使用，从音乐学的角度来命名，称为"铜音盏"是正确的，也是可以理解的。据悉，这些出土文物在建瓯俗称"铜瓯""铜瓯仔""铜盏""铜茶盏"，是古代饮茶器具之一，可兼作打击乐器。古时的瓯在闽北，于酒宴时用于盛酒，于茶宴时用于盛茶。后来闽北"斗茶"风盛，茶盏演变为矮脚圆足，而酒盏演变为高脚。所以出土的该铜盏，从茶学的角度来命名，称为"铜茶盏"应该也是无可非议的。简报还认为，这套铜茶盏应该就是建瓯生产的。

龙岩市

宁德市

240.福建福鼎市太姥山宋代国兴寺遗址的发掘

作　　者：福建博物院、福鼎市文体局、福鼎市旅游局、太姥山风景区管理局
　　　　　郑　辉

出　　处：《考古》2003 年第 12 期

国兴寺遗址位于福建福鼎市太姥山国家重点风景名胜区内。2001 年 9 ~ 11 月，考古人员对国兴寺遗址进行了正式发掘。发掘位置选择在遗址的中部和南部，共发掘面积 1300 多平方米，揭露出房屋、天井、水沟、花台等遗迹，出土了大批遗物。另外，对遗址周围所发现的舍利塔基址和古墓葬也进行了清理，基本弄清了国兴寺的布局和年代。简报分为：一、历史沿革及地理环境，二、地层堆积，三、遗迹，四、出土遗物，五、结语，共五个部分，有手绘图、照片。

据介绍，国兴寺建筑的平面布局基本上遵循中国传统的建筑方法，坐北朝南，顺着山势依中轴线排列分布。寺院的各个遗迹单位均为石构，尤其是须弥座台基、天井、寺塔等，制作考究、刻工精美，简报认为是近年来福建省发现的同期建筑中的精品，是一处由封建政府敷建、高僧望族积极参与、在广大信徒中有着重要影响的高规格禅寺。国兴寺这些建筑遗存的建造时代简报推断为北宋晚期宣和甲辰年（1124 年）前后，从此时起至南宋晚期淳祐甲辰年（1244 年）寺院毁于战火的 120 年间，是国兴寺的鼎盛时期。

江西省

241.江西分宜和永丰出土的宋俑

作　者：彭适凡、刘　玲
出　处：《考古》1964 年第 2 期

1961 年冬，分宜县城西南约 4 公里的山岗上，出土了一批陶俑。这批陶俑是从两座相距不远的宋墓中出土的，一座出有买地券。两墓出土的陶俑已混乱，但据取土工人谈，大部分俑是从有地券的墓中出土的。俑的种类有文吏俑、套衣俑、揖拜俑、狗俑、鸡俑。买地券，简报录有全文。知此墓为南宋庆元五年（1199 年）墓葬。伴出有皈依瓶 1 对、铜镜 1 件及铜钱。

1962 年春，永丰县估龙公社的农民，挖掘了 1 座古墓，出土墓志 1 方，上有皇祐年号，可惜已散失。此外，还有陶俑 30 余件，但保留完整者仅 7 件，有文吏俑、十二辰俑、四神俑、羊俑。

简报称，彭泽县曾发现北宋墓陶俑（《江西彭泽宋墓》，《考古》1962 年 10 期）。但三处所出陶俑风格不同，以文吏俑而言，永丰出土的是粗眉大眼，举止庄严；彭泽出土的却是秀眉杏眼，举止文雅飘逸。至于分宜出土的这批南宋俑，却显得造型简洁，风格朴实。

242.江西南城、清江和永修的宋墓

作　者：薛　尧
出　处：《考古》1965 年第 11 期

简报分为：一、南城北宋墓，二、清江南宋墓，三、永修南宋墓，四、小结，共四个部分，配以拓片、手绘图介绍了江西省南城、清江、永修三地发掘的宋墓。

据介绍，南城北宋墓出土有南丰窑影青瓷，在确切纪年（北宋嘉祐二年，1057年）。铁刀应为厨房实用品。清江的 3 座南宋墓，2 号墓出土有地券。根据 2 方地券记载，男墓主人王宣义，于南宋嘉定四年（1211 年）岁次辛未十一月已酉葬其妻周氏。而他本人则死于宝庆二年（1226 年）九月，葬于宝庆三年（1227 年）九月。3 号墓

是 1964 年秋樟树镇开土方时发现的，随葬品由民工取出上交省博物馆，出土有墓志，简报未录志文全文。墓志记明，墓主人韩氏，葬于景定庚申夏四月己酉。景定系南宋理宗赵昀的最后一个年号，庚申为景定六年（1260 年）。该墓出土的青瓷器当为龙泉窑产品。

永修南宋墓是 1965 年 4 月百姓发现于罗亭公社义坪大队西侧杨家坟，出土的地券字已不清，墓志 1 方，简报未录志文全文。根据墓志，此墓为宋魏王后裔赵时诇及其妻曹氏的合葬墓，2 人同死于南宋理宗嘉熙四年（1240 年）。志文为其子所撰。按《宋史·表》卷 234，时诇系魏王廷美三子颍川郡王德彝的九世孙，与墓志所载相符。唯其子为若栅，或误笔，故当以墓志所言"若栖"为准。

简报指出，从史料价值看，南城北宋嘉祐二年（1057 年）地契较为重要。地券一名幽契，盛行于宋代。该地契记有死者故籍为建昌军南城县雅俗乡训俗里后潭新津保，后潭新津保则应为里以下的行政基层单位。宋初为加强对农民的控制，曾以"伍保法"把农村居民编制起来，但后来逐渐废弛。仁宗时在局部地区又将这种"伍保法"加以恢复。地契中的后潭新津保当即为"伍保法"的"保"，而建昌军南城县亦应为仁宗时"伍保法"恢复的地区之一。因此，上述地契的发现，为补史料的缺佚提供了可靠的资料。

243.江西发现几座北宋纪年墓

作　者：彭适凡、唐昌朴

出　处：《文物》1980 年第 5 期

1966 年至 1973 年，考古人员在德安、彭泽、星子、吉安等地，先后发现了 6 座有纪年的北宋墓葬。简报分为六个部分予以介绍，有照片。

据介绍，这 6 座纪年墓依次为：一、德安宋墓两座。1966 年 3 月，德安县河东公社红青大队第五生产队在修水利过程中发现了 1 座纪年宋墓。该墓用条形青石砌墙，石板盖顶，底部铺设石灰和粗细泥砂。出土有影青瓷器、铜镜等。据墓志，墓主叫蔡清，病逝于北宋景祐四年（1037 年）。1973 年，在德安县义峰山发现宋墓 1 座，据出土墓志，墓主卒于宝元三年（1040 年）。

二、彭泽宋墓 1 座。1972 年 3 月，彭泽县湖西公社湖西大队第二生产队发现一座石椁墓。圹室用青石板构砌，有石椁和木棺。随葬品有金银器、影青瓷、铜镜、柏木人等。据墓志，死者叫易氏八娘，北宋元祐五年（1090 年）下葬。

三、进贤宋墓 1 座。1972 年 2 月，进贤县池溪公社焦家生产队农民在村后取土时发现 1 座砖石构砌的夫妇合葬墓，两墓间以圹壁相隔。随葬器物主要有瓷俑、十二生肖俑、人首龙身俑等。据墓志，死者于北宋政和七年（1117年）下葬。

四、星子宋墓1座。系长方竖穴石椁合葬墓，木棺与人骨皆已腐朽。所出器物有影青瓷、陶器、铜镜、铜、银饰品、铁器等物和墓志两方。由志文知男子叫胡十四郎，北宋元符二年（1099年）卒，停柩家中，靖国元年（1101年）下葬。妻陈氏，元祐七年（1092年）卒，同年下葬。

五、吉安宋墓1座。系砖墓，已被拆毁，仅出土影青瓷钵、铜镜、墓志、地券等。据志文，死者为江注，熙宁六年（1073年）卒。

简报称，这几座墓葬，墓志记载了墓主入葬日期，有绝对年代可考。墓中出土的影青瓷器是江西宋墓中稀有的珍品。随葬的柏木人，是古人一种迷信葬俗，上有墨书，简报录有全文。但上述墓志、地券，简报均未录全文。

244.江西出土的宋代瓷盒

作　者：范凤妹

出　处：《文物》1988年第3期

在宋代瓷窑遗址调查发掘和墓葬清理中，经常可以见到造型各异、烧制精巧、装饰秀丽的青白瓷盒，江西省发现甚多，其中不少伴出墓志、地券等，有绝对年代可考，是值得重视的资料。简报分为：一、北宋瓷盒实例，二、南宋瓷盒实例，三、有关瓷盒上的姓氏款识，四、关于瓷盒的名称和用途，五、关于宋代瓷盒的时代特征。有手绘图。有关各瓷盒出土时间、地点，详见所列表格。

简报称，江西出土的北宋瓷盒造型精美，器型较大，品种多样，装饰讲究，质量较好，数量亦多。而南宋瓷盒虽继承了北宋传统的造型和装饰，生产量大，但并无新的创造和发展，甚至在质量上还不如北宋时期。瓷盒流行发展的盛期应是北宋。

南昌市

245.江西新建县发现宋代官印

作　者：余家栋、陈柏泉

出　处：《考古》1973年第5期

1971年秋，江西鄱阳湖畔之新建县昌邑地区出土宋代铜质官印1方。印正面铸阳文12字，文为"澂海第六十九指挥第三都记"，篆文。印背于钮之左右刻正书阴文 2 行计 10 字，文为"元祐六年二月少府监铸"。钮顶刻正书阴文"正"字。发现的这 1 官印，当即为广南路厢军澄海水军之官印。

景德镇市

246.景德镇市郊出土宋瓷俑

作　者：彭适凡

出　处：《考古》1977 年第 2 期

1966 年以来，江西景德镇市郊先后发掘了 2 座宋墓，出土了大批瓷俑和随葬明器等。特别是那批瓷俑对于研究我国宋代的服饰、社会习俗以及雕塑艺术等具有一定的价值。简报配以照片予以介绍。

据介绍，1966 年 3 月，景德市东郊古城舒家庄生产队在村侧后山取土，掘出 1 座宋墓。墓为砖构，室内填满石灰。棺木、尸体全朽。出土的俑类和明器中，除四神施影青釉外，其他俑类和模型器等均为素胎，胎呈黄白色。墓中出土有墓志一方。碑首篆文"宋故舒氏之墓"，碑文为楷书，简报未录志文全文。志文中有："治平元年九月十一日，史府君讳琳，夫人舒氏卒，以明年十二月廿日，葬于饶之鄱阳县龙圹……"可知该墓主是浮梁、鄱阳地区的史琳之妻舒氏，卒于治平元年（1064），葬于治平二年（1065 年）。

1970 年，景德镇市郊新平公社洋湖大队毛蓬店生产队取土时，掘出了 1 座宋墓，出土的瓷俑和其他陪葬明器、建筑模型等，大部分后来都由景德镇陶瓷馆收集、保藏。该墓系夫妇双室合葬墓，青砖砌。两墓室之间有墓道相通。出土的瓷俑和"明器神煞"等，男女各 1 套，分别置于两墓室前面的两个小室中。两套瓷俑的胎质均呈灰白色。烧制时头部、身体等分别塑造，黏合后再施釉焙烧，且俑身多采用拉坯法。男墓出土的系影青釉，女墓的影青釉下加酱褐彩。该墓未见墓志，但应与前述舒氏墓相差不远。

简报总结说，江西地区宋墓中出土的俑类及陪葬明器，一般可分为两大类：第一类是人物俑和生活模型等，反映死者生前生活状况的各个方面；第二类是所谓"阴器神煞"，主要是指随葬品中神异怪物及其与迷信有关的遗物，诸如十二生肖、四神、伏听等。两类代表的意义完全不同。第二类内容，凡出土俑类的宋墓中一般都置有，这无疑和宋、元以来江西地区道教的广泛流传有关。而第一类内容，则因墓而异，它的多寡和类别，反映死者生前生活状况和社会地位。

247.江西景德镇柳家湾古瓷窑址调查

作　　者：江西省文物工作队　陈定荣
出　　处：《考古》1985 年第 1 期

　　柳家湾是景德镇窑系的 1 处著名窑场，位于景德镇市东南 22 公里的寿安乡境内，西与南市街窑毗邻，北距牛屎岭窑不远，周围还有宁村、汪村等窑址，是古代制瓷的集中地区之一。柳家湾窑址堆积散落在柳溪河东侧，有的在柳溪的平地起建，有的依山而筑，堆积有雷打山、匣钵墩等处，匣钵墩堆积不久前在修筑铁道时被切去填路基，露出较高断面。考古人员闻讯后，到现场进行考察，采集了主要标本，并对该窑各堆积做了调查。简报配以手绘图予以介绍。

　　据介绍，这里盛产青白瓷（即影青瓷），器型以碟、盏、碗、盘为大宗，还生产杯、盅、注壶、注碗等。瓷器胎壁平薄，成形规整，瓷釉细腻光洁，薄胎器有透明感。釉色多淡青，也有湖绿、米黄等。柳家湾窑的内涵是十分丰富的，制烧技艺等方面都很具典型性，是景德镇窑系的一个代表。该窑主要为宋早、中期堆积，或为该窑在长期烧制后，由于瓷土资源枯竭等原因，向西北方向移动，集中到景德镇湖田窑、镇窑一带，为景德镇日后成为全国的瓷业中心奠定了技术基础。

248.江西乐平宋代壁画墓

作　　者：江西省文物考古研究所、乐平县文物陈列室　陈定荣、詹开逊等
出　　处：《文物》1990 年第 3 期

　　1987 年 4 月中旬，在江西省乐平县礼林乡九林村石榴花尖山北麓发现石室古墓一座，墓室内壁有彩绘人物壁画，考古人员赶赴现场清理。简报分为：一、墓葬概况，二、墓室壁画，三、结语，共三个部分，有照片、手绘图。

　　简报称，此墓前有斜坡神道，道旁砖石瓦砾遍地，原应有享堂建筑。紧靠墓门前有一石砌长方形护碑槽墙，内面平整，底部有长方形凹槽可承碑座。墓顶以长条石横铺封盖，上有厚 1 ～ 2 米的封土，由于积年重压，盖板多已断裂。墓内底部以两层条砖铺地。棺木四周充填石灰砂浆，封固结实，形成一个厚重的石椁，对棺木、壁画当起到良好的保护作用。墓室南、东、西三壁分别绘有屏风、交椅及仪卫、侍从人物彩画。由于石灰砂浆层的保护，色彩尚鲜艳。壁画布局规整，比例准确，手法洗练，均以铁线勾勒，随类赋彩。人物五官重点特写，形神兼备。墓室气氛宁静肃穆，彩绘人物两厢排列，秩序井然，文武司职明确，恭候伫立，中置交椅，旁有侍女相伴，犹待主人登座帐，俨然一处以墓主人为主宰的议事公堂，是南方保存尚

好的宋代壁画，颇有价值。

此墓墓主人当非普通官吏，石榴花尖山世为土著王姓祖坟山，传为宋代执宰（同知枢密院事）王刚中之敕葬地，历代均有王姓祭扫，并存有宗谱为证。王刚中，字时亨，江西乐平人。《宋史》有传。绍兴十五年（1145年）进士第二名。因秦桧怒其不诣己，授洪州教授。桧死，擢秘书省校书郎，迁著作佐郎，进中书舍人。后以龙图阁待制知成都府。孝宗受禅，以宫僚进左朝奉大夫。金兵犯淮，陈战守之策，除礼部尚书，进同知枢密院事。卒谥恭简。著有《易说》《春秋通义》《仙源圣纪》《汉唐史要览》等百余卷。王刚中卒年不见正史载录，简报认为应是乾道初年去世。此墓应为南宋初年墓葬。

249.江西景德镇竟成铜锣山窑址发掘简报

作　者：江西省文物考古研究所、景德镇民窑博物馆　张文江、李育远、吴太平等
出　处：《文物》2007年第5期

为配合景德镇市环城高速公路南环段的基本建设，2006年2～4月考古人员对公路途经的铜锣山窑址进行了抢救性的考古发掘。铜锣山窑址位于景德镇市昌江区竟成镇银坑村银坑小学后山叶家坞西侧铜锣山的山坡上。简报分为：一、地层堆积，二、遗迹，三、出土器物，四、结语，共四个部分，有照片、手绘图。

据介绍，在该窑址发现了一处作坊遗迹和一个练泥池，出土了大量青釉、黑釉、青白釉瓷器和窑具。铜锣山窑址是一处以烧制青白釉日用生活用瓷为主，兼烧少量青釉、黑釉瓷器的民窑。上限或可早到五代晚期，下限当在北宋晚期。第一期的年代大致为北宋早期，即北宋建隆元年至乾兴元年（960～1022年）。第二期的年代当为北宋中期，即北宋天圣元年至元丰八年（1023～1085年）。该窑为景德镇乃至江西地区的陶瓷史研究提供了新资料，对于探索青白瓷的起源、生产和发展具有重要意义。

250.江西浮梁凤凰山宋代窑址发掘简报

作　者：江西省文物考古研究所、浮梁县博物馆　张文江、叶　飙、崔　涛、
　　　　李新才、何　敬等
出　处：《文物》2009年第12期

凤凰山窑址位于江西省景德镇市浮梁县湘湖镇盈田村委山脚下自然村西南侧凤凰山的西北山坡上。这一带沿南河两岸窑址密布，水上交通便利，地处丘陵山区，柴草

充裕，靠近瓷土产地——近坑瓷土矿，资源丰富，具有烧造瓷器的优越条件。凤凰山窑址于20世纪80年代初第二次全国文物普查时发现，当时在山脚下村附近发现6处窑业遗存，其中村内2处、口坑坞1处、凤凰山3处，是景德镇地区宋代主烧青白瓷的重要窑场之一。窑址相比较20世纪已经遭到较严重的破坏，村内遗存荡然无存，口坑坞和凤凰山窑址的分布面积大为缩小，凤凰山窑址现在只存1处堆积，在5000平方米的山坡上可见散布残瓷碎片及窑具，窑业堆积依然十分丰富，地表可见执壶、碗等瓷器标本及匣钵、垫饼等窑具标本。2006年8～11月，考古人员在景德镇南外环高速公路穿过凤凰山窑址的红线范围内进行了发掘。简报分为：一、地层堆积，二、遗迹，三、出土遗物，四、结语，共四个部分，有彩照、手绘图。

据介绍，此次发掘清理古墓葬一座，揭示龙窑遗迹一处和手工作坊遗迹一间，出土了一批青釉、酱釉瓷、青白釉瓷器和窑具标本，其中青白釉瓷占出土物的绝大部分，执壶类占90%。可复原的器物达数百件。简报推测，此遗址主要兴盛于北宋中晚期。

简报指出，通过考古发掘和对发掘资料的整理研究，可以看出该窑址产品种类丰富，有青白釉、酱釉和青釉瓷器，其中青白釉瓷占绝大部分。器物的造型精致规整，有执壶、花浇、钵、碗、碟、器盖以及瓷塑狗等。产品依据瓷釉的不同分三种：青白釉瓷胎质细腻，淘洗较精细，多数呈白或灰白色，应该是比较好的瓷土原料制作而成。器物内、外壁满施或内满、外壁及底足施青白釉，釉面光亮，玻璃质感强。有的器物还采用贴花装饰工艺。

酱釉瓷器的胎质相比较青白釉瓷来看，稍差，整体仍然是胎白细腻，胎体的颗粒较粗，淘洗不很精细，这类器物的原料次于青白釉瓷，也不排除这类釉瓷采用这样的瓷胎是有意仿烧定窑白胎酱釉瓷的。

青釉瓷的瓷胎粗糙，呈灰或灰黑色，有可能是青白釉和酱釉瓷淘汰下来的下脚料，器物仅口沿及外壁至腹中部施釉，且釉面不光亮，釉层较薄，质量较差。可以看出陶工们是根据市场的需求，根据瓷釉品种的不同，充分利用原料，用较好的原料制作高档产品，同时不浪费原料，用下脚料烧造青釉粗瓷，以使其适合不同阶层的需求，已有较强的市场意识并能较好地控制成本。

251.江西景德镇道塘里宋代窑址发掘简报

作　　者：江西省文物考古研究所、景德镇民窑博物馆　张文江、李育远　吴太平等
出　　处：《文物》2011年第10期

道塘里窑址位于江西省景德镇市昌江区竟成镇小港嘴村委东南山林场道塘里五显庙前东北面的山坡上。窑址于20世纪80年代初文物普查时发现，现保存有数处

窑业堆积，地表散见碗、盘、碟、酒台等瓷器标本及匣钵、垫饼等窑具标本，堆积十分丰富，最深可达 8 米，面积共 4000 余平方米。景德镇环城高速公路南环段途经该窑址东部，为了配合南环段高速公路的基本建设，2006 年 2～6 月考古人员对其进行了抢救性考古发掘，揭示龙窑遗迹 1 座、作坊遗迹 2 间，出土了一批青釉、酱釉、青白釉瓷器和窑具标本，青白釉瓷器和匣钵窑具占出土物的绝大部分，其中完整和可复原的器物达数百件。

简报分为：一、地层堆积，二、遗迹，三、出土器物，四、小结，共四个部分，有彩照、手绘图。

简报指出，道塘里窑址应是一处以烧制青白釉瓷器为主、兼烧青釉、酱釉瓷的综合性瓷窑。简报推断年代上限当在北宋早期，甚至早到五代晚期，下限为北宋中期或稍晚，超不出北宋晚期。窑址的发掘为景德镇和江西地区乃至中国陶瓷史以及制瓷手工业的研究提供了新资料、新思路，为研究宋代制瓷工艺、宋代手工业和景德镇的区域经济发展史提供了珍贵资料，对探索我国青白瓷的起源、生产、发展及其早期烧选历史具有重要意义。

萍乡市

九江市

252.江西彭泽宋墓

作　者：江西省文物管理委员会　陈柏泉

出　处：《考古》1962 年第 10 期

1962 年 2 月 14 日，考古人员在彭泽县先锋公社的曹家境山沟斜坡上，清理了 1 座宋代砖室墓。该墓为当地农民筑窑取土时发现，墓室前端已经扰乱。简报配以照片予以介绍。

据介绍，该墓系砖筑单室，葬具、尸骨已朽。出土遗物有陶俑、瓷器、石砚、银器、铜镜、铜钱等。其中陶俑最高者 19 厘米，最低的仅 5 厘米，制作精美。墓中出土有墓志，简报未录全文。

据志文记载，该墓为彭泽县刘宗的坟墓，卒于北宋庆历七年（1047 年）三月，葬于同年九月十三日。

253.江西九江市、乐安县发现宋墓

作　者：江西省文物工作队、乐安县博物馆　李科友、梅绍裘
出　处：《考古》1984 年第 8 期

1983 年 1 月，九江市赛阳公社汤桥一队农民作新屋平整地基时发现 1 座宋墓，考古人员前往调查了解。到现场后，墓已另作他用，埋葬形制不明。据发现人讲，发现墓的地点名绿豆山，位于庐山的西麓，墓离地表 1.7 米，长约 2 米、宽约 1 米，土坑竖穴墓，平面呈长方形，棺木尸骨全腐，仅存棺钉两枚。出土有陶瓷器 10 件，残铜镜 1 块、铜钱 4 枚（1 枚残）、墓志 1 方、地券 1 方，均放置基的前端。简报配以照片予以介绍。

据介绍，墓志记载，墓主洪觉顺，"生于绍兴庚辰（1160 年）""死乃嘉泰甲子（1204 年）六月二十有二日，得年四十有五。""卜地于乐安邑东一里，明城之原。嘉泰四年（1204 年）十二月十有八日，詹恕书丹，杜志皋刊"。

据墓志记载，墓主为"洪氏觉顺，其家自五季离乱，繇丹阳徙南康之建昌，遂为邑人，族大而衍"。"曾大父讳鱼，为山谷四生之一，登绍圣元年第，有诗名，在江西派中。""大父讳桥，任朝散郎，知永州。""父讳光谦，任文林郎静江府观察支使。""母双井黄氏……以大父与其外祖有同僚之旧。""山谷"即宋代诗人黄庭坚，"双井"即黄庭坚的家乡修水双井，可见洪氏家族与黄氏家族有亲缘关系。

254.江西瑞昌发现两座北宋纪年墓

作　者：瑞昌县博物馆　刘礼纯等
出　处：《文物》1986 年第 1 期

1982 年 11 月，瑞昌县黄桥公社白杨大队新屋王村村民王友贤在取土时发现 1 座宋墓。1983 年 3 月，瑞昌县大德山林场内港大队社员徐清和开荒时也发现一座宋墓。县博物馆收存了 2 座墓的出土文物，并调查了两座墓的形制及器物出土情况。简报分为"天圣三年墓""景祐三年墓"分别予以介绍，有照片、拓片。

据介绍，天圣三年（1025 年）墓位于黄桥公社白杨大队新屋王村前旱田内，距公社 8 公里。此墓为土坑竖穴墓，墓室距地表 0.8 米，死者骨架无存，葬式不明。随葬品全部置于墓室东南，地券平放于墓底，旁边放越窑青瓷盘口瓶，内装铜钱；瓶口上叠放两只影青碗；与瓶并排放置影青点彩瓷盒及铜刀。景祐三年（1036 年）墓位于大德山林场，出土有铜镜、铜钱等。两墓地券简报均录有全文。

简报指出，这两座墓都有纪年地券，表明墓葬年代一在北宋仁宗天圣三年（1025年），一在北宋仁宗景祐二年（1035年）。出土器物不多，但纪年地券与越窑青瓷、景德镇影青瓷同出，为研究这两个窑的产品提供了年代依据，对北宋器物断代及器型演变的研究，提供了资料。

255.江西瑞昌县李洋湖南宋墓

作　者：瑞昌县博物馆　刘礼纯

出　处：《考古》1986 年第 11 期

1983 年 2 月，江西省瑞昌县大桥公社金凤大队李洋湖村村民李子江，因建房屋，在打墙基时发现古墓 1 座，考古人员进行了详细调查及清理。简报分为：一、地理位置，二、墓葬形制，三、随葬器物，共三个部分，有照片、手绘图。

据介绍，该墓位于大桥公社金凤大队李洋湖村后的红壤台地上，距公社约 8 公里，墓的东、西、南面百米处为赤湖。此处曾出有古墓，据征集的出土器物看，大多数为宋代遗物，同时也有少量的带有支钉的青瓷盘、杯等南北朝遗物。墓室坐西北朝东南，为长方形单室竖穴墓，无墓道，墓室全部用凿打规整的石灰石错缝砌成，十分坚固。室内棺木髹红漆，已朽，棺与墓壁间浇灌有 30 厘米厚的三合土。三合土凝结得不很牢固，手捏即成粉末。四壁共砌石 8 层，计 64 块。该墓的墓室较讲究，但随葬器物较少。计有青白瓷器、玻璃簪、铜镜、铜钱等不多的几件。有石地券 1 方，正楷计 231 字，简报录有券文全文。

据券文，墓主人为女性，姓黄。黄氏死于南宋咸淳八年（1272 年）十月二十八日。因而该墓出土器物的下限应为南宋咸淳八年。此形制的墓葬在当地宋墓中是首次发现，从该墓所处的地理环境看，周围较远的地方都无石灰山，但墓葬全由石灰石砌成，说明此石是远道而来的。墓中地券上的铭文，字行采取倒顺交错的排列法，并且铭文又错以桃红色粉质颜料，这在其他墓葬出土的地券和墓志铭中均不鲜见，南宋墓中发现这种情况，还有待研究。墓中出土器物虽少，由于有地券同出，这些器物因具有纪年而为研究我国南宋时期的产品提供了有价值的资料。

256.江西星子县宋墓出土宋版古籍

作　者：吴圣林

出　处：《考古》1989 年第 5 期

1975 年 7 月，星子县横塘乡和平村村民，在和平小学背后挖排水沟时，发现 1

座宋墓。开棺时，尸体浸泡在红色液体的棺木内，衣冠穿戴整齐，尸体保存完好。因当时人们对出土文物没有认识，将尸体全部扒烂，出土文物及枕在死者头部的书籍也都散失不明。仅有墓志1方，与尸骨迁葬他处。1982年，星子县进行文物普查时，经过多方面寻访，终于在西平大队周杨普家查到了1部该墓出土的《邵尧夫先生诗全集》。同时，对迁葬墓进行了清理，出土了墓志《宋故陶公提干堂长圹中记》。简报配以照片予以介绍。

据介绍，《宋故陶公提干堂长圹中记》，楷书，中间有一道裂缝，字迹大多清晰，简报录有志文全文。由墓志可知，墓主人姓陶，名桂一，南康星子人，系陶渊明22代孙。任过地方小官，与当时的达官名流颇有交往。志中所交往的人物，在当时都很有影响，说明墓主人在当时也有一定的身份。关于陶桂一，在地方志书中没有什么记载，仅《白鹿书院志》中载其任过白鹿洞书院堂长，时间为1260年，这与碑志的记载是相符的。陶桂一《圹中记》的出土，不仅对研究陶桂一本人具有重要价值，同时对研究地方史也具有一定的意义。特别是关于己未年（1260年）元军侵南康，陶桂一与郡守陈淳祖"讲求所以扞鞯卫民之计"的记载，可弥补地方志资料的不足。出土的《邵尧夫先生诗全集》装潢亦很讲究，从书背面可以看出，原书为硬质绢面装，十分精美。书分两部分：第一部分为《邵尧夫先生诗全集》9卷，三、四卷合为1卷，实际上只有8卷，计319首；第二部分为《重刊邵尧夫击壤集》。卷第一有"内集敬室蔡弼重编"，计213首。全书共15卷，532首。此书由于出土时被人挖了1齿耙，修复后，中间部分仍有残破。

简报称，宋墓出土的古籍，毫无疑义是宋代版本。然而这种版本到底产生于什么年代呢？墓主殁于1261年，书作者邵雍的生卒年代为1011～1077年，其间相差200多年。书中又无序，据简报考证为宋淳熙年间所印。

宋版《邵尧夫先生诗全集》，为目前国内发现的最早版本，它的发现至少有如下三大价值：一是校正传世的《伊川击壤集》，指出明版多有错讹甚至篡改；二是对邵雍的生卒年提出了疑问；三是对北宋、南宋之际版本鉴定提供了依据。

257.江西德安南宋周氏墓清理简报

作　者：江西省文物考古研究所、德安县博物馆　李科友、周迪人、于少先等

出　处：《文物》1990年第9期

1988年9月，江西德安义峰羽绒厂在桃源山建水塔时发现1座宋墓，考古人员赶赴现场进行了初步清理，发现完整的棺木1具。为确保文物的安全，将棺木运回馆内。据出土墓志得知，墓主为南宋新太平州（今安徽当涂）通判吴

畴妻周氏。出土遗物中有大批比较完整的丝织衣物，包括袍、裙、裤等。简报分为：一、墓葬形制及葬具，二、随葬物品，三、结语，共三个部分，有照片、拓片、手绘图。

据介绍，墓葬所在的桃源山位于德安县杨桥乡，东距南昌至九江的公路约300米，山高约10米，周围是丘陵地带。墓葬为长方形砖墓，石椁内置红漆木棺，棺椁之间填石灰，厚约0.3米。漆棺长方形，棺由整板制作，转角处以榫卯结合，生漆填缝。棺内四壁涂抹松香，棺口与棺盖以子母槽衔接，外用束腰形木榫楔合，再用苎蔴布紧贴木壁，涂以生漆、油灰密封。出土时棺木油漆完好，色彩尚鲜艳。漆棺上放置青石墓志1合。棺内表面覆盖一幅彩绘星宿图，星宿图下为褐色丝罗，揭去丝罗即为尸体。尸体保存完好，身长152厘米，仰面直肢。墓中随葬物品408件，以衣物和丝织品为主，共329件，有蔴制品、梳妆用品及其他物品79件。另有棕子2个，是我国目前发现最早的棕子实物。

简报详述了死者穿戴：上身着黄褐色罗袍，下身穿黄褐色罗裤，系褐色素罗卫生带3条。死者缠足，脚裹浅黄色罗脚带，穿素罗袜，外穿黄褐色素罗翘尖鞋。梳高髻盘结头顶，发型整齐，上插金钗4支，鎏金银钗3支，两鬓和后脑各戴2把木梳。头戴金丝彩冠，额中部有半圆形铜头饰。右手拿一桃枝，上系棕子2个，右边靠棺壁处有彩绘团扇1把。左手边放褐色罗绣花钱包1个，内装纸钱和1条提花手帕。尸体四周有银奁、衣物包、鞋包、丝线包、做衣剩余的布料包和碎料包各1个，整幅的丝织品4匹，丝绵袄2件，丝绵裤2条。身下腰部到臀部有丝绵2块，内夹宋代银钱35枚，分7排置放，每排5枚，似象征死者35岁。丝绵下放罗质提花印金夹裙。身下有褐色罗、绫面的丝绵被14床。棺内最下面垫有约5厘米厚的灯芯草，棺底散见水银，整个棺内被酱褐色液体淹没。

出土墓志计153字，简报录有全文。由志文知墓主周氏为隆兴府武宁（今江西省武宁县）人。其父周应合，字淳叟，自号溪园先生，淳祐间举进士，官至实录院修撰，以疏劾贾似道谪饶州通判，后任宁国府通判，知瑞州，至元十七年（1280年）卒。其夫吴畴为新太平州（今安徽当涂县）通判。据《周瑞州神道碑铭》记吴畴官至"朝奉郎、经略参议官"。周氏生于嘉熙四年（1240年）十二月，咸淳十年（1274年）四月以疾卒于江州（今江西九江市）廨院，同年九月葬于邑西长乐乡晚侯社之桃源，享年34岁。

简报说，长乐乡即今德安县杨桥乡一带，社相当于现在的村。桃源是山名，此山名至今当地仍沿用。死者系卫生带并裹有草纸，身旁还放置一小捆草纸，另外尸体下所垫的14床丝绵被位于臀下的部位均有血迹，推测周氏有可能是难产而死。从墓志的语气看，撰写者即是周氏的丈夫吴畴。

258.江西德安北宋墓

作　　者：于少先
出　　处：《文物》1990 年第 9 期

1986 年在德安县城南发现 1 座北宋纪年墓，砖结构，出土青白瓷器、灰陶器、地券、墓志等。简报配以照片予以介绍。

据介绍，出土器物有青白瓷钵 1 件、青白瓷点彩粉盒 1 对、青白瓷碗 1 对、灰陶钵 1 件、灰陶四系罐 1 件、灰陶碗 1 件、祥符通宝钱 5 枚、石地券 1 件、石墓志 1 件。

简报称，此墓出土的青白瓷器精美，在德安以往发现的北宋墓中发现过同类器物，应为同一窑口烧造。另据墓志可知，墓葬所在的德安县城南在北宋时名为"梧桐村"。

259.江西九江北宋墓

作　　者：九江县文物保护管理所　刘晓祥等
出　　处：《文物》1990 年第 9 期

1982 年冬，九江县五丰村农民谢宗林翻地时挖出几件文物，考古人员前往调查，并征收了全部出土文物。简报配以照片、手绘图予以介绍。

据介绍，文物出土地点在县城沙河街北 4 公里当地称为纱帽山的地方，东距南浔铁路约 100 米，在山脚下，傍近耕地。据发现人介绍，地面下似为一长方形墓穴，但没有发现墓砖、葬具或人骨，仅捡到几枚锈蚀严重的铁棺钉。据此推测可能为一竖穴土坑墓，因已全部挖毁，形制大小已无法测量。其中铜镜、青白瓷碟较为珍贵。出土有墓志，计 9 行，满行 26 字，共 351 字，简报未录全文。志文南唐国号，而纪年却使用北宋雍熙年号，雍熙三年为 986 年，其时南唐已亡国 11 年。简报认为，九江一带民间袭用南唐国号，也是有历史原因的。南唐亡于北宋开宝八年（975 年）十一月，而江州（今九江市）守将胡则、宋德民孤军据城又坚守了 5 个月，至开宝九年（976 年）四月城破，宋兵屠城泄愤。这起屠杀使江州百姓对宋朝廷产生仇恨，以致在版图归宋 10 年后民间仍沿用南唐国号，并反映在为死者撰写的墓志里。

260.江西瑞昌发现南宋纪年墓

作　　者：刘礼纯、周春香
出　　处：《考古》1991 年第 1 期

1987 年 3 月 2 日，瑞昌县武蛟乡金凤村农民李俊湖在自留地栽树时发现宋墓 1 座。

同年3月12日，横港乡繁荣村下南湾中学教师范先棠在建房挖墙基时也发现宋墓1座，县博物馆收藏了2座墓的出土文物，并调查了其出土情况。简报分为：一、绍兴三年墓，二、景定二年墓，共两个部分，有照片等。

据介绍，绍兴三年（1133年）墓位于横港乡下南湾黄土埂上，墓室距地表1.5米，系长方形砖室墓。因室被破坏，墓葬形制、葬式均不明。出土有青白瓷器2件、釉陶罐1件、铜勺1件、铜币数枚、买地券1方，简报录有券文全文。景定二年（1261年）墓位于武蛟乡李洋湖，墓室距地表0.7米，系长方形土坑竖穴墓。墓顶部平盖3块120厘米见方的正方形青石板。死者尸骨无存，葬式不明。亦出土有地券，简报录有券文全文。由券文知，绍兴三年（1133年）墓墓主为吴氏，景定二年（1261年）墓墓主为黄氏。吴氏为黄氏的婆婆，黄氏的丈夫叫杨梦斗，是南宋进士。生于南宋嘉定元年（1208年）十月初六日，殁于南宋景定二年（1261年）四月初三日，同年十二月初二日下葬，享年53岁。黄氏生年不详，殁于南宋咸淳八年（1272年）十月二十八日。吴氏较黄氏早死11年，婆媳俩同葬于"刘师坑"，且两墓相隔较近，按其旧的风俗习惯推测，吴氏之子杨梦斗墓应同葬于该地，或妻室黄氏墓旁。从两座墓的墓葬结构来看，吴氏为土坑墓，黄氏为石室墓，较之吴氏要阔气得多，显然在安葬上有厚薄之分，只是两者同样是用红棺木埋葬罢了。从殉葬器物看，数量上不相上下，种类也基本相同，同样都陪葬有青白瓷罐、青白瓷盒底、铜镜、簪等类器物。只是在刻地券时有别，黄氏地券为石质，吴氏地券为砖质。吴氏墓中出土的青白瓷剔花罐、盒盖，应属江西南丰白舍窑所生产的产品。

简报指出，2墓都出土有纪年地券，表明墓葬一在南宋高宗绍兴三年（1133年），一在南宋理宗景定二年（1261年）。出土器物虽不多，但有明确的纪年，无疑为其他同类器物的断代提供了年代标尺。

261.江西九江县发现两座北宋墓

作　者：九江县文物管理所　刘晓祥

出　处：《考古》1991年第10期

1988年5月，九江县马迴岭乡蔡桥村和沙河乡天波村均发现北宋墓葬，出土了一批随葬器物。简报配以照片予以介绍。

据介绍，蔡桥村北宋元丰八年（1085年）墓是村砖瓦厂取土时发现，现场已被破坏。据在场人介绍，墓距地表1米深，平面呈长方形，是1座土坑竖穴式墓。葬具、骨殖腐朽无存，仅发现朽烂的铁棺钉6枚。在墓的一端挖出陶器、瓷器、地券、铜钱及残铜镜。简报录有券文全文。由券文知为北宋元丰八年（1085年）墓。沙河乡天波村墓，也出土有瓷器、陶器等。此墓的年代，简报定为北宋中期。

262.江西瑞昌县发现七座宋代纪年墓

作　者：刘礼纯

出　处：《考古》1992 年第 4 期

1982 年至 1986 年间，瑞昌县横立山、范镇、溢城等乡镇农民在建房时发现纪年宋墓 5 座，瑞昌县第一砖瓦厂在取土时发现纪年宋墓 2 座，考古人员分别对这 7 座纪年墓作了详细调查，并收集了墓中的出土文物。

这次调查的 7 座纪年墓（编号为 M1～M7）中，M1～M5，M7 为土坑墓，M6 为砖室墓，出土时都遭到不同程度的破坏。这些墓葬中的棺木和骨架都无存，从出土的纪年地券看，其中北宋纪年墓 2 座，南宋纪年墓 5 座，分别葬于宋神宗、徽宗、宁宗、理宗时期，最早的为北宋熙宁三年（1070 年），最晚的为南宋宝祐六年（1258 年）。7 座墓共出土陶器 12 件，瓷器 12 件，铜镜 1 件，铁炉 1 件，铜钱 18 枚，青石质地券 6 方。各墓中出土器物数量有别，多则近 10 件，少则 1 件。随葬器物的多少及优劣之分，显示了墓主人的身份及其贫富状况。简报分为：一、熙宁三年（1070 年）墓（编号 M1），二、宣和六年（1124 年）墓（编号 M2），三、庆元五年墓（编号 M3～M5），四、嘉定九年（1216 年）墓（编号 M6），五、宝祐六年（1258 年）墓（编号 M7），共五个部分，有照片。

据介绍，从以上 7 座墓的出土器物分析，北宋熙宁三年（1070 年）墓出土的酱褐色袖陶壶，在器型上与本县北宋景祐二年（1035 年）墓（瑞昌县博物馆：《江西瑞昌发现两座北宋纪年墓》《文物》1986 年 1 期）出土的双系釉陶壶相一致，只是在装饰、釉色上稍有区别。说明这两个时期生产的釉陶壶在风格上有继承关系，同时稍加变化。宣和六年（1124 年）墓出土的青白瓷罐、碟，器型规整，器壁较薄，胎质细白坚致，釉色明澈莹润，光泽青翠，简报认为为宋代青白瓷中的上等品。南宋庆元五年（1199 年）与嘉定九年（1216 年）两个墓中出土的深腹釉陶罐，在器型釉色上完全一致，且大小基本相等；宝祐六年（1258 年）墓出土的深腹釉陶罐，较前两墓出土的深腹釉陶罐矮小，釉色带浅黄，说明南宋时期一直沿用该种器型，简报推测此罐应为盛酒器。

简报称，以上这些伴有纪年地券器物的出土，对于鉴定宋代其他同类器物的年代，确是一把很好的标尺，同时亦为我们搞清楚宋代陶瓷器的分期及其衍变规律提供了部分珍贵的实物资料。

263.江西武宁县出土的北宋陶鸡

作　者：江西武宁县文物管理所　闵正国

出　处：《农业考古》1992 年第 1 期

1974 年 4 月间，武宁县新宁镇友爱村（今东渡村）农民在县化肥厂（今麻纺厂）附近的土堆上挖南瓜墩时发现古墓 1 座，考古人员到现场进行了抢救性清理，发现该墓早年被盗（墓后有一个很大的墓洞）。但仍出土了俑、轿、桌、椅、床、盆、罐等一批陶制品，伴随出土的有元丰通宝、元祐通宝和宣和通宝铜钱数枚，可惜铜钱腐蚀严重，无法拓片，但为该墓器物的断代提供了佐证，可知墓葬年代的下限应在北宋末期。简报配手绘图予以介绍。

据介绍，在众多的陶制品中，有 1 件陶鸡造型生动，保存完好，具有较强的写实性和艺术性。陶鸡通高 18 厘米，体长 11 厘米，身宽 6.5 厘米。是一件较为少见的工艺品，反映了当时民间工匠的娴熟技艺。观其外貌、造型，该陶鸡当为良种型的芦花母鸡。

264.江西瑞昌出土北宋铜权

作　者：冯利华

出　处：《考古》1994 年第 3 期

1987 年 1 月，瑞昌县博物馆征集 1 件铜权，一工人在溢城镇取土时发现。简报配以照片予以介绍。

据介绍，铜权双合范铸成，铸工粗糙，两侧有明显合铸痕。方环纽，束腰，圆底。通高 9 厘米，底径 4 厘米，重 425 克。权身面铭"江东路造"铭文。

简报称，"江东路"即"江南东路"。《宋史·地理志》载，江州在北宋时期为江南东路，南宋建炎二年至绍兴元年（1129～1131 年）为江州路，绍兴元年（1131年）后为江南西路。铜权形制具北宋末期特征，故简报推断其时代为北宋末期。

新余市

265.新余出土吉州窑绿釉瓷枕

作　者：胡小勇

出　处：《文物》1993 年第 11 期

1989 年，江西省新余市渝水区下村乡一农民在村东狮子口水库附近的山坡上挖出 1 件瓷枕，随后送交给当地文博部门。据农民口述及考古人员的实地调查，这件瓷枕为一砖室墓葬内出土。简报配以照片予以介绍。

简报介绍，该古墓已被近代墓葬打破，没有发现另外的遗物。瓷枕枕面为如意头形，前低后高，中部微凹。上刻划四片蕉叶纹，沿周边刻饰如意形线纹。枕壁环印圈纹。左后壁有一小孔。太平底座，中部有一压印款，已模糊无法辨识。灰白色素胎，上施绿釉，釉色莹润，部分已脱落。简报推断该枕为北宋时期吉州窑的产品。临川等地墓葬均出土过这种类型的瓷枕，从造型、制胎、施釉及纹饰等工艺特点判定，该枕应为北宋时期吉州窑的产品。

266.江西新余市草溪村出土南宋铜镜

作　者：江西新余市博物馆　章国任

出　处：《考古》1998 年第 5 期

1996 年 6 月 22 日，江西省新余市渝水区罗坊乡草溪村出土铜镜 1 面。现由新余市博物馆收藏。简报配以拓片予以介绍。

据介绍，此镜为六瓣菱花形，稍有绿锈斑，有铭文。根据铭文的记载，此镜作于南宋淳祐六年（1246 年），距今 750 余年。这是一面不可多得的南宋纪年铭文镜。简报称，它的出土，为研究古代铜镜的形制和断代提供了年代标尺，也对古代民俗的探讨提供了实物见证。

鹰潭市

赣州市

吉安市

267.江西永新北宋刘沆墓发掘报告

作　者：江西省文物管理委员会　彭适凡、程应麟、秦光杰
出　处：《考古》1964 年第 11 期

考古人员于 1963 年 11 ～ 12 月间，在永新县发掘了 1 座北宋墓。该墓位于永新县埠前公社三门前（又称三坟前）村后，距县城 5 公里。坟堆很高，背有后隆山，坟前 0.5 公里左右有禾水流过。简报分为四个部分，有照片。

据介绍，在坟前约 240 米处，立有一石翁仲。露出地面部分的高度 0.25 米。坟前约 245 米处，尚有一早年就已倒卧的石马。石翁仲、石马不远处的大路旁，还有被搬动的石狮、石羊各 1，石狮高 1.2 米；石羊半截埋于地下，露出地面部分高 0.9 米。石羊、石狮面部残损得很厉害。坟左右两侧，以前立有东西二碑，西碑早已不存，只留故址；东碑则在三门村的后隆堂（现为埠前小学）内。碑为青石质，碑文清晰完整，镌有宋仁宗亲篆神道碑额"思贤之碑"四字和吕惠卿所撰的碑文。碑阴则刻有仁宗撰的挽诗和墓主人刘沆的画像。据碑下部刻着的明里人刘定之、王礼等所撰的颂词看，知该神道碑为明成化年间其后裔重新镌刻的。在这巨塚左右，尚有两座较小的坟，左坟较前，右坟较后。《后隆刘氏族语》载，左前为刘沆长子刘瑾夫妇合葬墓；右后为三子刘琯墓。这次只发掘了刘沆的墓。三座坟前，原都各有一墓碑，后经搬动过。这次多方探寻，只找到了刘沆的墓碑。从碑文看，知居中的确系刘沆夫妇合葬墓。该碑是清光绪三十三年（1907 年）冬月后隆堂刘氏子孙重立的。

此墓尚存 6 米高封土，墓室用砖、石、木料筑成，以石灰、糯米汁混浇。这种建墓方式，过去常见于明代墓葬。出土遗物中值得注意的有金饰品、细银条（疑为穿线用的）、黑釉瓷瓶等。

刘沆，《宋史》有传。据《宋史》本传并参照吕惠卿所撰《刘公神道碑》文（简报未录碑文全文），知墓主刘沆，字冲之，吉州永新人，生于北宋太宗至道元年（995 年），天圣八年（1030 年）进士。皇祐中累官至同中书门下平章事，后为工部尚书知应天府，又迁刑部尚书知陈州。嘉祐五年（1060 年）二月死。死后封为楚国公，谥文安公，赠尚书左仆射兼侍中。神宗即位，复累赠太师中书尚书令，追封兖国公。葬时，其妻段氏（被封为秦国夫人）祔葬。

268.江西出土的几件宋代吉州窑瓷器

作　者：陈柏泉

出　处：《文物》1975年第3期

吉州窑在江西吉安市南郊8公里的永和镇，由于吉安自隋迄宋都称为吉州，故名之为吉州窑。又因当时烧瓷的地点是在永和镇，所以也有叫作永和窑的。根据文献的记载，吉州窑有1000多年的烧瓷历史，它创始于唐末五代，极盛于南宋。吉州窑的产品有青釉瓷、绿釉瓷、白釉瓷、彩绘瓷和黑釉瓷。其中以黑釉瓷最多，是这个窑场最具代表性的名产。吉州窑运用了剔花、洒釉、贴花、彩绘、印花等装饰艺术手法，使产品美观大方。尤其是剪纸贴技艺是吉州窑制瓷工人在生产劳动中的独特创造。简报配以照片，介绍了几件有明确出土地点的吉州窑瓷器。

简报共介绍了10件：一是彩绘跃鹿纹盖罐。1970年南昌县南宋嘉定二年（1209年）陈氏墓出土；二是同上墓出土的彩绘莲纹炉；三是1967年南昌市出土彩绘海涛纹瓶1对；四是1969年南昌市出土剔花朵梅纹瓶；五是1972年吉安市永和镇吉州窑出土剔花折枝梅瓶。简报称这是吉州窑最标准而又较常见之器；六是同上一处出土的同名瓷瓶；七是1971年南昌市出土的贴花朵梅纹碗；八是1970年安义县出土的贴花鹿树兔毫碗；九是1962年南昌市出土的贴花木叶纹样碗；十是1958年南昌市出土的贴花鸾凤梅花碗。

简报指出，黑釉剔花瓷，是吉州窑最具代表性的产品，是吉州窑瓷工在生产劳动中创造的优良品种。黑釉贴花是吉州窑产量最多、装饰纹样丰富和具有独特风格的产品。上述瓷器的出土，为研究宋代吉州窑瓷器的制作、工艺等方面提供了新的实物资料。

269.吉安发现一座北宋纪年墓

作　者：王吉允

出　处：《考古》1989年第10期

1987年3月初，江西省吉安县敖城乡半圹村农民在栽种柑橘树苗时发现1座石棺墓。考古人员前往了解。至墓地时，墓中的随葬器物已被取出。简报分为：一、墓葬形制，二、出土器物，三、结语，共三个部分，有照片。

据介绍，墓葬位于半圹村东南约1.5公里的山坳中，南北向，葬具为1棺1椁。墓室呈长方形，木棺1具，已腐朽，结构不详。出土器物买地券，石雕明器23件，银簪1对。据出土的买地券（甲）上载明，墓主王氏二娘，年83岁，死于北宋开宝七年（974年）。乙券的形式在江西各地宋墓中常有发现。该墓出土的石雕俑，大部分服饰都带有唐代的遗风。出土的带莲座的石雕版依瓶盖，在赣州地区唐墓和唐窑中常有出土，在江西省北宋墓中极少见。出土的买地券表明，该墓是目前江西省具有确切年代依据的最早的北宋墓。出土的随葬器物，都是用石雕成，这在江西省目前也属罕见。简报判断这一带很可能是北宋时期的冢地。

宜春市

270.高安、清江发现两座宋墓

作　者：陈柏泉、刘　玲
出　处：《文物》1959 年第 10 期

1959 年春季二三月间，江西省高安、清江两县先后发现 2 座宋墓，简报配以照片予以介绍。

据介绍，孙叔恭夫妇 3 人合葬墓，在高安县独城孙家山，因修公路被发现。墓室被破坏，据工程部门人谈，墓室相连，砖砌券顶，主室向南伸出，形成一"凸"字形，随葬品有武士俑 1 件，瓶 1 对，陶屋 1 幢，瓷仓 1 个，瓷杯 1 个，鸡肝石石砚 2 件，铜镜 2 面和半面的铜镜 2 个，有铭文，铜钱 28 枚，料珠 3 粒，银发钗 1 支，笔管 1 个，圹记 1 块（已破碎），简报有节录。得知此墓为南宋时孙愿的墓葬，距今已 700 多年。圹记又说到孙叔恭原娶某氏，继娶汪氏。现圹记放置于中室之前，由此又知中室为孙叔恭墓室，两侧为其 2 个妻子的墓室。

杜师伋墓在清江县临江镇南门外小山丘上，因砖瓦厂扩建工程而发现，墓室也被破坏，只知为砖砌单室券顶。随葬品有石簋 1 件、唐菱花缘龙凤铜镜 1 面、鸡肝石石砚 1 件、陶罐 1 个、铜钱 1 串，内有五铢钱、墓碑 1 块，碑首刻有"宋故荆南府判杜公墓碑" 10 个篆字。碑文简报有节录。据碑文记载，得知此墓为南宋初荆南府判杜师伋墓，距今已 800 年。

271.江西丰城出土的宋代稻谷

作　者：丰城县历史文物陈列室　万良田
出　处：《农业考古》1981 年第 2 期

1979 年 11 月，江西省丰城县文物陈列室在一座宋代墓葬中取出一批宋代稻谷。简报配以照片予以介绍。

据介绍，出土时，该批稻谷满盛在 1 对影青皈依瓶中，由于封盖严密，所以谷粒保存完好。该墓葬出土的墓志碑文,记载了该墓确切的年号为"皇宋咸淳八年"(1272年)。简报称,这对于研究宋代南方稻谷品种,具有一定的参考价值。

272.江西宜春市发现宋墓

作　者:谢志杰、黄颐寿
出　处:《考古》1985 年第 5 期

1982 年冬,宜春市文物普查工作队在市郊珠泉丘陵坡地上发现了 1 座早年掘开的古代券顶小型砖室墓,即时进行了清理,出土遗物有瓷瓶、炉、碟、灯座和铜币,简报配以照片予以介绍。

据介绍,瓶、炉、碟的造型,底足切削粗毛,胎质粗松,器物施釉不及底,纹饰的制作技巧及作风,皆显示了吉州窑产品的特色和时代特征。简报认为,该窑可能已有玉毫条器皿问世,兔褐金丝碟的出土提供了佐证。简报推断,该墓的时间属北宋晚期。若这种认识不误,可知北宋时吉州窑不仅大量生产乳白釉瓷,并已烧造成熟的黑釉剔花了。

273.江西清江出土的南宋青白瓷器

作　者:黄颐寿
出　处:《考古》1989 年第 7 期

清江,是江西腹心之地,位于赣江中游两岸,历年来在水利建设和开垦土地或基建工程中,出土了许多宋代墓葬,而且大部分瘗有墓志或地券,为考证研究出土的遗物提供了可资断代的依据。现择其造型精美、质地优良的南宋青白瓷,简报配以照片、手绘图予以介绍。

据介绍,影青菊瓣纹阑干灯,1972 年 3 月大桥乡江溪村北侧坡地小型砖室墓葬中出土。同出的墓志,为泥板烧制,朱书文字大部分脱落,不能连续阅读,墓主人下葬年代仅见有"绍兴癸□……"绍兴乃宋高宗赵构第二个年号,简报推断该灯应属南宋初年制品。

同出土的《李氏夫人墓券》系青石镌刻,保存颇好,文句清楚。

映青芒口草杯,1980 年春,樟树镇东郊青郭小型砖室墓出土。

墓主李氏死于淳熙十六年(1189 年),停棺一年,葬于绍熙元年(1190 年)。绍熙为南宋光宗赵惇之年号。简报认为此杯应为当年或早于几年的产品。

影青海棠花口炉,1976 年冬出土于临江镇花果山一座小型砖室墓葬中。同出有墓志，据志文载："葬于开禧元年十月……"开禧，为南宋宁宗赵扩年号。

粉青长颈球腹瓶，与影青海棠花口炉出于同一墓葬。造型匀称，瓶体修长秀美。

东青直口瓜棱罐，1980年出土于樟树镇东郊墓葬中。从墓券的纪年，佐证了该罐为南宋赵扩嘉定年间的产品。

粉青鼓腹莲瓣罐，1984年4月，临江镇江西省煤炭机械厂厂房驻地墓葬中出土。同出有墓志和地券，墓志石因建厂房施工中砸碎，文句不全。墓主死于淳祐辛丑（1241年）秋。从墓券所载来看，简报认为停柩到四年（1244年）下葬，该遗物可能是理宗淳祐四年（1244年）或四年以前的产品，但距四年不会太远。

影青四神生肖瓶，2件，1964年观上墓葬中出土。该墓出土的朱书墓志证明，葬于"宝祐丁巳冬十一月"，丁巳系理宗赵昀宝祐五年（1257年）。故此，简报推断这对四神生肖瓶应是宝祐中烧造。

白釉竖耳鬲式炉，1973年出土于伍江镇仰山村后丘陵坡地的砖室墓葬中。伴随出土的朱书墓志，文字因脱落过甚，所记下葬时间为"景定四年岁次癸亥□□□□□□□□卜葬于仰山之祖茔……"景定为南宋理宗赵昀年号。简报据此推断这件白釉鬲式炉大体烧造于景定初年。

简报指出，宋代手工业中的造瓷工艺的发展，是最杰出的，质精而量多。在造型、胎骨、釉色、纹饰等各方面都有显著的提高。

简报推断：上述青白瓷与景德镇湖田、湘湖等窑青白瓷对照，胎骨、釉色完全相同，应是该地的产品。

274.江西宜春首次发现袁州镜

作　者： 蔡汝传
出　处：《文物》1990年第4期

1984年12月，江西省宜春市东郊3公里处的宜春地区农科所，一农工在屋侧挖土时，发现已破坏的白砖券拱墓1座，拾得铜镜1件。考古人员闻讯后赶赴现场，将铜镜征集收藏于当地文博部门。简报配以照片予以介绍。

据介绍，铜镜为六瓣葵花形，素面，小圆纽，突沿。镜背一侧铸有"袁州江北祖代杨家青铜照子"，字体为行楷。直径17.5厘米、沿厚0.5厘米，重550克。简报推断其年代为南宋。

简报称，这件袁州镜的发现，对研究宜春地区古代的青铜冶炼技术等提供了珍贵资料。

275.江西宜春出土袁州镜

作　　者：苏茂盛

出　　处：《文物》1992 年第 12 期

1984 年 12 月，江西省宜春地区农科所一职工在建房挖土时发现 1 件葵花形铭文铜镜。该镜直径 17.5 厘米，重 550 克，圆纽，无座，素缘，镜身平薄，镜背右侧一长方形印章式铭文"袁州江北祖代杨家青铜照子"。简报配以拓片予以介绍。

简报称，宜春地区宋时属袁州，过去出土的宋镜多为"湖州镜"，此件"袁州镜"的发现在江西省内尚属首次，值得珍视。

276.江西高安县发现南宋淳熙六年墓

作　　者：陈行一、肖锦秀

出　　处：《考古》1994 年第 12 期

1988 年 10 月 20 日，高安县城东北郊、东方红乡赤溪村农民在其村内的罗山（龙王庙下龙岗）砖瓦窑侧掘土时，发现古墓 1 座，考古人员立即进行了清理。简报配以手绘图、照片予以介绍。

据介绍，墓葬坐落在一黄土丘陵缓坡上。为长方形券顶砖室墓，四壁均为素面条砖平砌。葬具、尸骨已腐朽，遗有铁棺钉 7 枚，圆头铁泡钉若干枚，大小不等，随葬品除铜钱外皆为明器，石碑 1 块。置于地券旁。灰白石质。碑首铭刻 12 个字，其下刻冥府图一幅，图中以小字楷书标注 17 个府、宫名称；地券 1 块，陶质。另有朱雀 1 件、玄武 2 件、堆塑陶瓶 2 件，有铭文。此外，还有陶鸡 1 件，陶犬 1 件，铜钱 34 枚，其中包括"开元通宝""淳化元宝""圣宋元宝""大观通宝"等。

此墓地券有"皇宋淳熙六年"的文字，故其时代简报推断当为南宋淳熙年间（1174～1189 年）。

277.江西宜春出土南宋袁州铜镜

作　　者：苏茂盛

出　　处：《考古》1995 年第 11 期

1984 年 12 月 3 日，宜春地区农科所职工在挖建房基脚时露出 1 墓，出土几件文物，并主动交给市博物馆。简报配以拓片予以介绍。

据介绍，几件文物中的 1 件南宋袁州铸造的六弧形铭文铜镜，极为罕见。镜直径 17.5 厘米，重 550 克，圆纽无座，素缘，镜身平薄。镜面光亮呈银灰色，镜背在长方框内铸"袁州江北祖代杨家青铜照子"铭文两行。从镜的造型特征和铭文题记风格观察应为南宋镜。镜身留有轻度铜蚀斑迹。过去宜春地区发掘出土的宋镜多为"湖州镜"，袁州镜是目前江西省所知唯一的 1 件。

278.江西高安市发现北宋瓷器窖藏

作　者：高安市博物馆　杨道以
出　处：《考古》1999 年第 7 期

1996 年 9 月，江西高安市城区供销社摩托车销售中心大楼基建工地施工中发现一批瓷器，市博物馆获知消息后赶至现场，可惜大部分器物在施工中已被破坏成碎片，仅存 6 件完整器。其中 2 件为青白釉斗笠碗，4 件为青白釉花口碗，简报配以手绘图予以介绍。

据介绍，此次出土的 4 件花口碗，器足偏高，胎体成型上薄下厚，外型处理上有金银器平薄劲挺、整刻精致的风韵。6 件器物均采用足内垫饼单件仰烧法，釉色均为白中泛水青色。

根据上述特点，简报推断 6 件出土瓷器均属北宋景德镇窑作品，具有较高的艺术价值和研究价值。

279.江西高安市南门村出土一件宋代瓷枕

作　者：高安市博物馆　杨道以
出　处：《考古》1997 年第 3 期

1983 年 5 月，江西省高安市东方红乡南门村砖瓦窑在取土时发现 1 件褐彩梅花纹镂空扇形瓷枕，后被高安市博物馆收藏。简报配以照片予以介绍。

据介绍，瓷枕器胎白色质坚，除底部素面外均施白釉，釉色白中泛青黄，釉面稍有剥落。

从该枕的造型、胎质、釉色和装饰技法等方面看，简报推断应属宋代景德镇窑产品。该枕综合使用刻划、镂雕、点彩等多种技法，工艺高超，造型精美，已被国家文物局文物鉴定专家组定为一级文物。

抚州市

280.赣州通山岩调查

作　者：陈柏泉
出　处：《文物》1963 年第 2 期

通山岩位于江西省赣州西北约 10 公里。1962 年 10 月，考古人员前往调查。据简报介绍，尚存古刻 97 品，其中宋代 33 品、明代 36 品。还有一些古代造像，上有题铭，说明多属北宋遗存。

281.宋曾巩墓志

作　者：洛　原
出　处：《文物》1973 年第 3 期

江西南丰县莱溪公社杨梅大队周家堡村村民，于 1970 年冬在县城南郊 7 公里的源头村崇觉寺侧取土时，发现宋曾巩墓志铭。考古人员随即前往调查，并于 1972 年将该墓志运省博物馆妥加保存。简报配以照片予以介绍。

据介绍，曾巩墓在南丰县南 11 里，原有神道碑，早已毁。曾巩墓志正书，计 2700 字，系著名碑工李仲宁、李仲宪所刻。简报录有志文全文。

曾巩，字子固，江西南丰人。生于北宋真宗天禧三年（1019 年），卒于宋神宗元丰六年（1083 年），年 65 岁，卒谥文定，人称南丰先生。据《宋史》卷 319 本传载，曾巩于宋仁宗嘉祐二年（1057 年）登进士，先在史馆供职，不久出任通判和刺史，最后官至中书舍人。在史馆任职时，曾整理、校勘《战国策》《说苑》《新序》等古代典籍。他的文章很早就得到当时大文学家欧阳修的称赞，后来成为北宋著名的散文家，与唐韩愈、柳宗元和宋欧阳修、王安石、苏洵、苏轼、苏辙等人，并称"唐宋古文八大家"。曾巩墓志铭在《四部丛刊》影印元刊本和清顾崧龄据宋本校定重刊之《元丰类稿》中均已收录，唯元刊本卷五十收录曾巩墓志铭不署撰写人，顾校本卷五十三收录的墓志铭署孙固撰。今据出土墓志铭证实，曾巩墓志铭实为林希撰文，沈辽书丹，陈晞篆盖，可补正文集和方志之缺漏，志文原文也可供校勘之用。

282.江西吉水纪年宋墓出土文物

作　者：陈定荣

出　处：《文物》1987 年第 2 期

1982 年春，吉水县金滩乡洞源村农民在太平山坡地劳动时发现 1 座长方形砖室墓。墓为券顶，坐北朝南。墓内出土一批随葬器物，其中几件瓷器甚为精细。这批文物大多由中共吉水县委宣传部收集，其中 1 件瓷枕现存丰城县文物陈列室。经调查，该墓伴出地券，为一纪年宋墓。简报配以照片予以介绍。

据介绍，出土瓷器分属三四个窑口，有青釉刻花瓷盘 2 件、白釉印花瓷盏 1 件、白釉刻花瓷碗 1 件、三彩枕 1 件。另有铜镜等铜器 3 件、地券 1 方。简报录有券文全文。由地券得知，此为宋张宣义之墓。张卒于嘉熙元年（1237 年），原葬于庐陵县（今吉安县）境，于宝祐二年（1254 年）改葬至此。为这批器物提供了入葬的下限年代，其中的棺中之物——瓷枕的下限可以上溯到死者入殓的嘉熙元年。

283.江西南丰县桑田宋墓

作　者：江西省文物工作队、南丰县博物馆　陈定荣

出　处：《考古》1988 年第 4 期

1984 年 10 月，南丰县桑田乡农民在桑田墟北侧修筑沟渠时，发现石室古墓 1 座，并在墓室北端的砖墙小龛中出土若干瓷俑。考古人员闻讯后对该墓作了发掘清理。简报分为：一、墓葬结构，二、出土遗物，三、结语，共三个部分，有手绘图、照片。

据介绍，桑田墓为双室合葬制，男东女西，头向 138°。整个墓室由红砂条石垒砌而成，中间以砖墙相隔。简报分析东室为男性，西室为女性。此墓的众多瓷俑基本出自男室，唯有 1 件"玉犬"出在女室，而男室中出有"金鸡"。据《大汉原陵秘葬经》之天子、亲王、公侯卿相及大夫以下庶人"明器神熬法"中，均有"金鸡""玉犬"成套随葬的记述，视桑田墓中之"金鸡"与"玉犬"雕塑风格一致，应为 1 套，所以该墓应是同时下葬的夫妇合葬墓。出土器物除瓷俑，男室还出土菱花镜、石砚、瓷盏、水盂、发笄、"金鸡"等；女室出神兽镜、料簪、铜钱、铁炉和"玉犬"等。地券 1 方，出男室北端，因被洗涮，失去绝对纪年资料。简报推断桑田墓的下葬时代当为北宋晚期，或即为大观、政和年间的古墓葬。桑田墓的主人因缺乏文字资料，已难确定，但墓室营造比较讲究，并出土明器神熬百余件，墓主应有一定身份。

284.江西临川县宋墓

作　者：陈定荣、徐建昌
出　处：《考古》1988 年第 4 期

1985 年 5 月，江西临川县温泉乡莫源李村农民在窑背山发现 1 座古墓。墓地现场被毁，尚可见残砖乱土，经调查询核，知该墓为双穴砖室合葬墓，坐北朝南。

该墓出土文物丰富，有金质饰件、水晶佩挂、文房工具、陶瓷器皿、铜锡器物等，特别是出土了大批瓷俑，文吏武士、明器神煞，形象多种，情态各异，共七十余件。大部分俑底座下有墨书题记，尚隐约可见。

该墓伴出墓碑、地券，有纪年可考。墓主为南宋邵武知军朱济南，死于庆元三年（1197 年）五月初三日，葬于四年（1198 年）九月二十五日。出土文物现存临川县文物陈列室。简报分为：一、出土器物，二、结语，共两部分，有拓片、照片。

据介绍，出土墓碑 1 块，阳刻楷铭，简报未录全文，地券 1 方，上刻楷铭，简报录有铭文全文。据墓碑，墓主朱济南，邵武知军，查《邵武府志》与《临川县志》未见载录，此碑志有补史价值。地券称谓"朝请朱公"，"朝请"为宋代官"朝请大夫"或"朝请郎"之简称。元祐改制后"朝请大夫"为从六品，"朝请郎"为正七品。朱曾任邵武知军，按元祐官品令有关规定，品位为从六品。朱济南墓及其出土文物为我们研究宋代有关官品的葬制提供了例证。

简报称，朱济南墓出土的随葬器物，为我们展示了宋代金银首饰的錾刻延制、水晶与玉石的镂刻研磨、陶瓷雕塑等手工制作的艺术水平。尤其是一批有明确题名的瓷俑，为我们了解宋代随葬明器神煞的名称及其司职提供了直接依据。

285.江西金溪宋孙大郎墓

作　者：陈定荣
出　处：《文物》1990 年第 9 期

江西金溪地处赣东，临近福建。1987 年 12 月，在县城北侧鹧鸪岭南麓发现 1 座宋代夫妇合葬墓。简报分为：一、墓室概况，二、出土遗物，三、结语，共三个部分，有照片、拓片、手绘图。

据介绍，墓葬坐北朝南，墓室青砖砌就，平面长方形。墓内以砖墙分隔成三部分：北端为一宽 0.6 米的横室；横室以南为并列的两个竖室，大小相同。三室间有拱形小门相通，均为券顶。墓室内没有发现尸骨。随葬品主要放置在横室内，有瓷质的碗、盏、盘等，均两两扣合，摆放整齐。另有石地券两方，分别正对两竖室的拱门，地券前各放铁鼎 1 件。在东竖室内发现铜镜、石砚、头饰等计 15 件，现藏于江西省博物馆。出土遗物中影青瓷器甚为精细。据地券，知墓主为孙大郎及其妻徐氏。下葬之年均为北宋大观二年（1108 年）。

上饶市

286.上饶发现雕刻人物的玉带牌

作　者：陈柏泉
出　处：《文物》1964 年第 2 期

1956 年 9 月，上饶市郊茶山寺某茶厂在基建工程中，曾发现宋墓 1 座。该墓出土文物甚多，计有影青瓷熏炉 1 件、影青瓷粉盒 1 件、玉带牌 9 件、水晶环 1 件、水晶球 1 件、水晶珠 1 串（64 颗）、水晶狮 1 件、绿色料石狮 1 件、白色料石璧 1 件、水晶饰物 1 件、银碗 2 件、墓志 1 件，此外还有少许铜钱及 2 件破铜杂器。其中较为特殊的，当为有人物雕刻的玉带牌。简报配以拓片予以介绍。

据介绍，该墓共出土玉带牌 9 件，一件为桃形，一件为长方形，7 件为正方形。其中除 1 件桃形的素面外，余者均有人物雕刻。这些人物雕像全作儒者打扮，颇似古代所谓之“高士”风度。从雕刻技法上看，其衣折线条刚劲柔和兼而有之，明暗折叠随之而现，体现出高超的雕刻技巧。该墓出土有墓志 1 方，根据这篇简短的志文，得知该墓是为宋高宗叔祖赵仲湮之墓，葬于建炎四年（1130 年）十二月四日。

287.江西波阳宋墓

作　者：余家栋
出　处：《考古》1977 年第 4 期

1972 年 9 月，波阳县团林公社东湖大队东湖生产队在平整土地时，发现北宋熊本妻施氏墓 1 座，考古人员进行了清理。简报配以照片予以介绍。

据介绍，该墓位于波阳县城郊东北 0.5 公里许，因墓室挖开，大部分器物被取出，故器物位置被扰乱。根据现场观察和了解，该墓为长条形麻石砌叠，墓室平面呈长方形，墓壁用 7 层麻石平砌，墓底横平铺，墓顶用石板复盖，十分牢固。石刻碑记置于石椁上面，直行阴刻楷书 80 字。墓室前端放置瓷器，后端为金银器和铜钱、铁板等物，墓室四角各放铁牛 1 只。墓志铭 1 方，置于墓室前端 1 米处。保存较为完整的器物有瓷器 8 件、金器 5 件、银器 3 件、铜镜 1 件、铁器 5 件、水晶饰牌 1 件（似为项链），均较精致。

简报未录墓志全文。由志文知，墓主人为北宋官员熊本妻施氏。卒于大观三年（1109 年），享年 69 岁。其夫熊本，《宋史》有传。根据墓志铭记载，施氏之祖父施元长，乃宋尚书兵部郎中、金紫光禄大夫。其父施涣官至尚书刑部侍郎，《宋史》无传。据墓志可知，施氏家族亦为官位显赫的大官僚家族。

288.江西鄱阳发现宋代戏剧俑

作　者：唐　山
出　处：《文物》1979 年第 4 期

1975 年冬，在鄱阳县磨刀石公社殷家大队发掘了南宋洪子成夫妇合葬石椁墓。墓中出土 1 方墓志和一批陶瓷器物，其中一批人物瓷俑十分引人注目，简报配以照片予以介绍。

简报介绍，这批瓷俑共计 21 件。俑无釉，胎质姿态生动，表情细腻。因长期被石灰裹蚀，致使色彩剥落，只面部、袍带微见朱彩墨痕。据墓志记载，洪子成是宋代著名的史学家洪迈的孙子，生于南宋淳熙十三年（1186 年），卒于景定五年（1264 年），做过天台的税务官和临川的典狱官等，后来又做星子、靖安的县令，是个中下级官僚。按他的社会地位，死后是不能享有大规模的仪仗俑随葬的，同时，从瓷俑的姿态来看，应该是一批戏剧俑。

简报称，洪子成墓中出土的这批戏俑，在江西宋墓中是首次发现，显示了南宋时期景德镇制瓷匠师们巧夺天工的雕塑技艺，同时也为研究我国南方戏曲的发展和宋代服饰提供了新的实物材料。

289.江西婺源县出土的几件北宋瓷器

作　者：李　放
出　处：《文物》1982 年第 12 期

1981 年 2 月，婺源县武口茶场百姓在县城西北 2.5 公里外的孤山上挖土时，发现北宋墓 2 座。墓已被破坏，但墓内出土的一批北宋瓷器十分珍贵。简报择精品予以介绍，有照片。

精品器物有：影青折肩子莲瓣形注碗 1 套 2 件、影青圆腹注子与瓜棱形注碗 1

套2件、影青盏1件、影青葵口带棱碗2件、影青圆腹杯2件，与这批瓷器同时出土的还有1枚北宋咸平元宝钱。简报推断这批瓷器为北宋中晚期文物。

简报称北宋瓷器无论造型、胎质还是釉色、花饰，都处理得非常成功。其中两套酒具影青注子与注碗，是江西北宋影青日用瓷器少见的上品。

290.江西铅山县莲花山宋墓

作　者：江西省文物工作队、铅山县文化馆　王立斌、陈定荣
出　处：《考古》1984年第11期

1983年5月，铅山县新滩公社莲花大队王家坂村农民在村后莲花山发现1座宋墓，出土部分随葬器物，考古人员到实地进行考察和调查，并作了清理。该墓的构筑有一定的特色，在出土的器物中，1套影青带碗酒注，胎釉细腻，造型别致，堪称精美。简报分为：一、墓室结构，二、出土器物，共两个部分，有手绘图、照片。

据介绍，墓地位于莲花山向阳坡地，长方形墓室，全由麻石条、块构筑而成。墓内葬具及尸骨均朽无存，墓室前半部出土大小棺钉12枚，可确定原棺木位置。后半部出土一批瓷器、铁器等文物。墓志铭1方，上有"宋故金公夫人吴氏墓铭"篆刻，楷书、阴刻，一部分文字已漫漶不清。由墓志铭得知，墓主吴氏为宋"铅山县清流乡汭口镇"金天宠之妻，其"祖信州弋阳县新政乡人""以年五十有二""元丰八年十二月十三日"卒，于"元祐改元十一月初三庚申日葬"。墓志铭的出土提供了墓葬和出土文物的绝对年代。简报录有墓志铭文全文，其中有多处文字不辨。

简报称，这次出土的3个堆塑瓶，宝珠式居中，宝塔式的分置两侧，放置在墓室后部，这种葬习还不多见。莲花山宋墓的石室结构虽不复杂，却有一定地方特色。这些都是了解和研究北宋时期的随葬风俗和营造工艺的珍贵资料。

291.江西铅山县盏窑调查

作　者：江西省文物工作队　陈定荣
出　处：《考古》1985年第11期

江西铅山县新安公社杨箭大队有一处叫"盏窑里"的地方有古瓷窑址。窑址位于猪头山脉南麓，饶鹰公路（上饶至鹰潭）东侧丁家村后山坡。进入丁家村，瓷片、窑具俯拾皆是。现尚可见龙窑遗址二处：来龙山窑床、公公山窑床。简报配以手绘图、照片予以介绍。

据介绍，该窑盛产黑釉茶碗，古代称茶盏，故有"盏窑"之名，"盏窑里"

应是古代沿用下来的乡里名称。窑址分布在东西约 100 米，南北约 200 米的两个小山坡上。考古人员在早年破坏的断层中采集了部分有代表性的标本。盏窑的制瓷时代，不见文献记载。盏窑的器物特征具有南宋风格，简报推断应是南宋时期的瓷窑遗存。

简报称，盏窑是专事茶具的窑口，主烧黑釉茶盏，也带烧一些与茶事相关的器具，如茶罐、汤壶及储水坛等。其中 II 式碟或作为盏托使用。盏窑为一处民间窑口，它为我们了解宋代饮茶风俗提供了实物资料。

292.江西德兴县香屯宋墓

作　者：德兴县博物馆　孙以刚
出　处：《考古》1990 年第 8 期

1988 年 5 月 27 日，德兴县香屯乡叶家农民在工厂附近挖房基时，发现古墓 1 座。考古人员前往现场调查清理。简报分为三部分，有手绘图、拓片。

据介绍，墓地坐落在村北白湖山凹地，墓室坐西朝东，墓葬为券顶双室合葬墓。出土完整器物 37 件，墓志 1 块，楷书，293 字，简报录有志文全文。据墓志知，墓主是宋故将仕郎蓝良蔚，死于南宋绍定庚寅年（1230 年）六月初九，与夫人合葬于同年十月初三。墓主为将仕郎。至政和六年（1116 年）改称迪功郎，而将假将仕郎改为将仕郎，授予初与官而未入仕者，相当于试衔或斋郎。为九品小官。

293.江西德兴市宋乾道徐衍墓

作　者：孙以刚
出　处：《考古》1995 年第 2 期

墓葬位于江西省德兴市内银山路西侧的官仓背山麓。1985 年 4 月 12 日，有一居民在官仓背开山筑房基时挖到 1 座古墓，取出了许多瓷器。考古人员前往处理，得知是一双券拱砖室墓。简报配以照片、拓片予以介绍。

据介绍，清理时墓室已破坏，挖出的青砖堆放一地，墓内随葬器物已被取出，故墓室大小、葬式皆不明。据当事人介绍，墓内棺木、骨骸无存，随葬器物放置分散。该墓出土一些铜钱，但都已锈蚀粉碎。另见有墓志 1 块，无盖，竖放在墓室前。简报称，由志文知，墓主为徐衍，墓地为徐氏家族墓地。徐衍墓规模不大，结构简单，随葬器物 36 件，有较多的文人用品和装饰品。出土的龙尾砚，又名歙砚，砚色石俱佳，小巧精美。银晕金星砚又是龙尾砚中的上品。龙尾砚就产于德兴毗邻的婺源县，为历代文人所推崇。墓葬出土的瓷器较多，可分2～3个窑口。青白釉瓷又名影青瓷，是宋代景德镇窑场的新瓷品，堪称一代绝品。其余均为黑釉瓷，其中特别值得珍视的是乌亮精美的银毫黑釉盏，系福建建阳窑所烧造。此墓出土的石家造铭文铜镜，重实用，不饰纹饰，制作比较精良，代表了宋代的工艺特色和技术水平。从这些铜镜铭文看，当时的制镜行业已相当注重商品信誉。而值得注意的是其中一枚铸刻"石念二叔孙男五一郎照子"镜，可见其时湖州石家铜镜作坊业主已是第三代从事祖业了。

294.江西玉山渎口窑址发掘简报

作　者：江西省文物考古研究所、玉山县博物馆　李荣华、赖祖龙、余　琦、
　　　　严振洪、余盛华等

出　处：《文物》2007年第6期

玉山县位于江西省东北部，东临浙江省，南接广丰县，西南邻上饶县，北毗德兴县。为配合浙赣电气化铁路改造工程，考古人员于2004年5～7月对渎口窑址进行了抢救性发掘。窑址位于玉山县东部下镇渎口村东约1公里的小山坡上，地势北高南低，最高处高出周边水田约40米。窑址东西长约100米、南北宽约60米，面积约6000平方米。下镇溪和八都溪从窑址南部蜿蜒流过，汇入信江，向西注入鄱阳湖。

简报分为：一、地层堆积，二、遗迹，三、出土器物，四、装烧工艺及装饰，五、结语，共五个部分，有手绘图、照片。

据介绍，共发现房基2处、窑炉2座、灰坑2处，出土遗物2000多件，以瓷器为主。

简报称，渎口窑以烧造青瓷为主，胎多呈灰白或灰色，质粗而坚；釉色青中闪黄，多有流釉现象，开片较少；装饰技法主要是刻划花，纹样简单，以花卉为主；器物一般施釉不及底，碗、盏等器外施半釉，釉层较厚；碗、盘口壶、罐等与浙江衢州地区属婺州窑系龙游窑的产品相似，因此渎口窑与婺州窑一脉相承。同时也受到越窑的影响，如胎体多光素无纹，很多器物的釉色青中带黄等。

据简报推断，渎口窑的始烧年代大致为晚唐；从窑炉底部及地层中所出土的"元丰通宝"分析，其终烧年代约当在北宋中晚期。

简报指出，渎口窑址的发掘不仅为江西地区陶瓷发展研究提供了重要的资料，而且为研究赣浙两省窑业的相互交流提供了新的证据，同时也为研究当时江南地区的经济史提供了新的资料。

山东省

济南市

295.济南市南郊耿家林北宋残墓出土瓷器

作　者：宋晓源
出　处：《考古与文物》1988 年第 3 期

1984 年 11 月下旬，在济南市南郊文化东路耿家林旧址基建工地施工时，发现遭受早期盗掘的耿姓砖室残墓 2 处，基建工人曾进入其中 1 墓室，由凌乱散置的随葬品中搜集到唐宋铜币、铜镜、镂空铜饰、古墨及瓷器等遗物。经鉴定，一铜镜系流行于北宋时期之花卉镜。在出土的 16 种钱币中，以北宋"元祐通宝"为最晚，崇宁、元丰、元祐三种年号钱最多，该墓的年代应在北宋元祐年间或其后不久。遗物中以瓷器为数最多，共 13 件。简报配以照片予以介绍。

据介绍，耿家林残墓出土瓷器有白釉褐花四系瓶、绿彩龙纹双耳带盖三足炉、釉碗、白釉茶褐双色缠枝花釉珍碗、白釉印花小盘等，应为民窑所出精品。简报称，此次发现对推动山东地区古陶瓷研究工作的进一步发展，特别是对各地出土古陶瓷的烧造、产地和窑口的鉴定，无疑都具有重大的意义。

296.山东长清县宋代真相院释迦舍利塔地宫

作　者：济南市文化局文物处、长清县博物馆　刘善沂、张传英、于　茸
出　处：《考古》1991 年第 3 期

释迦舍利塔地宫位于长清县城内西北隅真相院旧址上，今县粮油加工厂院内。1963 年以前，在这里还耸立着残塔 1 座，屡经破坏，今已不存。此塔抗战前尚存 8 层，图像见于 1935 年《长清县志》，中华人民共和国成立前夕尚存 6 层，1958 年又拆掉两层，1962 年至 1963 年，县里建粮油加工厂，将塔身彻底拆除。1965 年，县粮油加工厂修建道路时，将塔基地宫顶部及两侧甬道打开，地宫被发现，出土文物散失

到百姓手中，县文物部门闻讯后及时赶到，将绝大部分出土文物收回，计有银制椁盖、棺身、酒盅、罗汉和供养人塑像，铜质器座及苏轼撰书的《齐州长清县真相院释迦舍利塔铭并引》刻石（下简称塔铭）等遗物。简报分为：一、地宫结构，二、出土遗物，三、结语，共三个部分，有拓片、手绘图等。

据介绍，塔基上部早已破坏，地面现为露天水泥地面仓库，塔基地下结构不详，后来工厂利用地宫的南道，作为人防工程的一部分。地宫于塔基中间，地面经夯打实，为砖筑仿木结构，平面作"中"字形。地宫瘗埋的银器中，最为出色的是9件罗汉和1件女供养人雕像。这9件罗汉雕像表现佛祖涅槃后，弟子们精神沮丧、痛不欲生的神态；供养人的花冠、服饰做得相当细致。这些人物雕像铸造的比例适度，小巧精细，神态各异，形象动人，表现出匠人丰富的想象力和高超的制作工艺。目前已发表的宋代出土银器资料，以器皿为多，像这样以人物为主的成组银器尚属少见。简报又称，从元丰八年（1085年）释迦舍利塔建成到绍圣五年（1098年）才瘗埋这批银器，时间相隔达13年之久。

青岛市

297.即墨市博物馆收藏的一件宋代铜印

作　者：即墨市博物馆　王灵光、王新夏
出　处：《文物》2007年第3期

1978年春，村民在山东即墨市中山街邮局门前东侧（古即墨城西门瓮城）挖土坑时，出土1件古代铜印，现收藏于即墨市博物馆。简报配以照片、拓片予以介绍。

据介绍，铜印为方形，边长5.5厘米、高4.5厘米、纽2.7厘米×1.1厘米，重300克。印文为篆书"即墨县印"4字。根据铜印的形制及印文判断，应为宋代遗物。

298.山东胶州发现大量宋代铁钱

作　者：胶州市博物馆　鹿秀美
出　处：《文物》2009年第9期

1996年冬，在胶州市老城区常州路市政府宿舍基建工地发现大量古代铁钱。考古人员闻讯后，在距地表1.6米深处发掘清理出铁钱约30吨。铁钱锈蚀严重，已锈结成块，其中最大的1块重约14吨。能辨清字迹的钱币有"圣宋元宝""大观通宝""崇宁通宝""崇宁重宝""政和通宝"等，钱币均为窄缘、狭穿，均为北宋徽宗时期的钱币。简报配以照片、拓片予以介绍。

据介绍，由于宋辽、宋与西夏的战争，货币需求量大，铜又匮乏，于是只能发行纸币和铁钱。宋徽宗大观三年（1109年）及以后，宋朝政府在胶州等地销毁夹锡钱等劣质货币。清理现场发现有红烧土和被烧卷的铁钱，中间还夹杂有宋代瓷片、砖片等。简报怀疑此处是一处销毁劣质货币的场所。

淄博市

299.山东淄博出土宋代影青瓷器

作　者：淄博市博物馆　张培德
出　处：《文物》1982年第12期

1971年，山东淄博市博山区公安分局在挖防空洞时挖出一批瓷器，1978年交淄博市博物馆收藏。其中江西景德镇的影青瓷器，十分精致。简报配以照片择要予以介绍。

简报择要介绍的有影青瓜棱带盖执壶1件，影青香熏炉1件，影青收口碗2件，影青茶盏1件，影青盏托1件，影青葵口碟1件，影青带盖小罐1件。

简报称，以上器物应是宋代江西景德镇湖田窑产品。

300.山东临淄出土宋代窖藏瓷器

作　者：淄博市博物馆、临淄区文管所　张光明、杨英吉
出　处：《考古》1985年第3期

1978年12月，在胶济铁路复线工程施工中发现了一批瓷器，当即被交送临淄区文管所收藏。这批瓷器出土于淄博市临淄区齐陵公社淄河店村西南约400米处，共68件（包括白釉瓷缸），皆完整。器类有碗、盘、碟、瓶、盒、且、缸。釉色有白釉、黑釉、黄釉、天蓝釉，其中以白釉为主，其他釉色次之，纹饰有印花、划花等。简报配以手绘图、照片予以介绍。

据介绍，68件瓷器中，59件为北宋晚期定窑产品，9件为北宋晚期本地产品。

301.山东淄博市临淄宋金壁画墓

作　者：许淑珍

出　处：《华夏考古》2003 年第 1 期

　　1998 年 7 月，山东淄博市临淄区召口乡北金召村村民在取土时发现 1 座宋金壁画墓。墓葬曾多次被盗，墓内随葬品荡然无存，仅在填土中发现 1 枚"开元通宝"和一枚"元祐通宝"。墓内有散乱不全的骨架，经鉴别为两个个体，性别不详。虽然墓内随葬品被盗一空，但却留下了完整的墓葬形制和精美的壁画。简报分为：一、墓室结构，二、墓室壁画，三、结语，共三个部分，有照片、手绘图。

　　据介绍，该墓位于召口乡北金召村南约 70 米处。坐北朝南，为砖室结构，由前后室、左右耳室、甬道、墓门和墓道等部分组成。各墓室平面均呈圆形，并以南道相连。墓室顶部为穹窿顶结构，墓葬全部用青条砖砌成。墓室内部除南道外，前后室、左右耳室的四周及顶部全部用厚约 0.5～0.8 厘米的白灰抹成，壁画就绘在白灰面上。使用黑、红两色，内容有人物、莲花、十字纹、卷云纹、供奉品等。人物画主要集中在后室的四壁，前室及左右耳室的壁画主要集中在顶部。原可能有地券或志文，已被人凿下取走。该墓的时代，简报推断为宋、金时期。

枣庄市

302.山东枣庄市出土的古代铁农具

作　者：山东省枣庄市博物馆　文　光

出　处：《农业考古》1987 年第 2 期

　　最近，山东省枣庄市博物馆在进行文物调查工作中，陆续收集到了三批汉至宋代铁农具，共计 20 余件。简报分为：一、张山子镇出土的铁农具，二、滕楼村出土的长柄锄，三、渴口村出土的铁农具，共三个部分，有照片。

　　据介绍，1984 年 11 月 15 日，枣庄市台儿庄区张山子镇村民在村东的台（台儿庄）张（张镇）公路东侧约 300 米处，进行农田水利基建工程时，挖掘出 1 件陶罐，内装汉代铁制农具 20 余件。

　　1983 年冬，枣庄市台儿庄区泥沟镇滕楼村农民在菜园里挖土时，发现了长柄铁锄 2 件。这两件铁锄的出土地点为汉代遗址，附近散布着密集的汉代墓群，历年来均有成批的汉代遗物出土。而铁锄的形制与湖北省博物馆馆藏枣阳出土的西汉铁锄形制基本相同。根据上述情况分析，简报推断这两件农具也应当属于汉代。

1985 年 6 月，枣庄市市中区渴口村农民蔡正喜在建房挖土时，距地表 1 米深处发现了 1 口六耳大铁釜，釜内装有犁镜、踏犁铧等铁农具，共 3 件。这批铁农具的时代，简报推断属北宋时期。

简报称，近年来，枣庄地区通过文物普查，发现了几处冶铁遗址，陆续有铁农具出土。这次征集的古代铁农具，为枣庄地区农业考古提供了新的资料。

东营市

303.山东广饶关帝庙正殿

作　者：颜　华

出　处：《文物》1995 年第 1 期

广饶关帝庙正殿，位于山东省东营市广饶县城内西北隅（现东营市历史博物馆内）。殿所属原寺名无考，明、清时期称"关帝庙"。据清嘉庆五年（1800 年）《重修乐安关帝庙碑》记载，该庙始建于南宋建炎二年（1128 年）。庙内原有三义堂、春秋楼、戏台等建筑（均系明清时的配套建筑），现已无存，仅余正殿三间。简报配以照片予以介绍。

据介绍，正殿是一座面阔三间、进深三间、单檐歇山绿琉璃瓦顶的木构建筑。殿高 10.39 米，东西阔 12.63 米，南北进深 10.70 米，坐落于 1.12 米的台基上，具有明显而独特的早期木构建筑特征。经专家考证约为宋元时期作品。此殿规模雄伟、保存完好，木构架基本未经后世更换，是山东省现存时代最早的木构建筑，为研究我国早期的建筑技艺提供了珍贵的实物资料。鉴于该殿所具有的历史、艺术和科学研究价值，1977 年 12 月被列为山东省首批重点文物保护单位。

304.山东广饶出土宋代佛教石造像

作　者：山东省东营市历史博物馆　赵正强

出　处：《考古与文物》2002 年第 2 期

1988 年 5 月，山东省广饶县大王镇李西村村民建房时出土 1 尊佛教石造像。县文物部门闻悉后，随即赶赴现场及时征集，现收藏于东营市历史博物馆。简报配以照片予以介绍。

据介绍，该像为全身造像，青石，基本完整。该像脖颈处残断，身脖部位有直径约 4 厘米的圆形修复榫眼。造像总体比例适度，俗化特点明显。从造像总体风格特征表现，简报推断当属宋代作品，为研究我国历代佛教造像地域性特点又提供了新的实物资料。

简报称，造像出土地点近广饶县北魏时期的马鸣寺，故应属原马鸣寺遗物。马鸣寺遗址曾出土过著名的魏碑石刻，佛教造像尚属首次发现。

烟台市

305.莱州市出土大量窖藏钱币

作　者：张华坤、潘云广
出　处：《四川文物》1992 年第 2 期

1984 年，山东省莱州市总工会在院内搞基建时，距地表约 1 米深处发现大量窖藏铜钱。钱多锈结，呈绿色与青兰色，重量共计 230 余公斤。清理中有不少钱已锈残，钱文无法辨认。字迹较为清晰的有 51754 枚。简报配以拓片予以介绍。

据介绍，这次出土窖藏钱，共 55 个品种，绝大部分是两宋年号钱。北宋年号钱 35 种，南宋年号钱 6 种。有一小部分是秦、两汉、新莽、唐、五代以及金国钱，但没有发现 1 枚元明时期的钱。因此，简报推断此窖藏的下限是在宋末战乱时期。

306.山东招远县发现宋墓

作　者：侯建业、杨文玉、王春启
出　处：《考古》1995 年第 1 期

1989 年 9 月，山东省招远县辛庄镇磁口村村民在村北 1 公里处取土时发现 1 座古墓。考古人员进行了清理，简报配以拓片、手绘图予以介绍。

据介绍，该墓位于磁口村北的海边平地里，是 1 座用大型石材砌筑的八角形仿木结构单室墓。墓室坐北向南，由墓室、甬道、墓门、墓道四部分组成，其中墓道未做清理，人骨已朽。出土有钱币等，墓中有精美石雕。简报称，此墓应属宋代。墓室规模较大，特别是使用大型石材建筑，在当时是少见的。此墓在建造前大部分构件都是按规格预制，然后组合而成。其组合程序为：一、留出砌棺床时要用的生土台子；二、在墓室前半部、甬道、墓门处用大型石板铺成平面，在墓门处的铺底石板上凿出两个圆洞代替地袱；三、在墓室北侧利用生土台子砌成棺床；四、安装墓门、甬道，然后修彻墓室。招远县宋墓的发现，为宋代墓葬的研究提供了有价值的资料。

307.山东栖霞市慕家店宋代慕伉墓

作　者：栖霞市牟氏庄园管理处　李元章
出　处：《考古》1998 年第 5 期

山东省栖霞市观里镇慕家店村东，原是慕氏墓地，面积约 2000 平方米，地面现存有石碑、石坊、华表、翁仲、獾马等。1980 年初，该墓地被规划为宅基地，村民在建房时常发现古墓，并有文物出土。同年 3 月，考古人员到慕家店进行调查并清理了两座宋代墓葬，编号为 M1 和 M2。1982 年 7 月 25 日，慕家店村村民在村东北 100 米处建房时，又发现 1 座古墓，考古人员再次进行了清理，编号为 M3。简报分为：一、墓葬形制，二、随葬遗物，三、墓葬年代，共三个部分，有手绘图、拓片。

据介绍，该墓为圆形穹窿顶砖室墓，以长方形青灰砖砌成；随葬遗物共 38 件，有瓷器、铜器、铁器、银器和墓志等。墓志 1 合。志盖与志石合在一起，楷书，阴文"宋故朝奉大夫墓志"，墓志铭文合计 796 个字，字迹清晰，简报未录志文全文。据 M3 墓志记载，墓主慕伉死于北宋政和四年（1114 年），政和六年（1116 年）入葬，据墓志和谱书记载，慕家店村东确系宋代慕氏墓地无疑。

简报称，该墓不但出土了众多的瓷器、铜器等，而且还对研究当地地名的历史变迁提供了极富价值的资料。

潍坊市

308.山东青州发现宋代铜锭

作　者：青州市文物管理站　魏振圣
出　处：《文物》1986 年第 9 期

1986 年 1 月，山东省青州市法庆寺旧址出土 1 件古代铜锭。简报配以照片予以说明。

据介绍，铜锭呈束腰状，两端为圆弧形，正面微凹，背面平。长 14 厘米、腰宽 5 厘米、厚 2.5 厘米，重 1865 克。正面凹部契刻铭文，因锈蚀严重，只可辨认出"重

□五十两"几字。经专家鉴定，这一铜锭的形制与已发现的宋代金、银锭相同，刻铭和锈斑也表明其为宋代铜锭。这一宋代铜锭不仅在山东省，甚至在全国也是少见的。锭长期作为称量货币，大的重约50两，主要用于收缴税银、进奉银，或为压库币。宋代铜锭铸造不多，经过几百年保存下来的已极为罕见，在宫廷档案中也是一项空白。专家认为，这一铜锭的发现，为古代货币的研究提供了有益的资料。

威海市

济宁市

309.曲阜发现宋代瓷俑

作　者：孔繁银
出　处：《文物》1980年第3期

1978年5月，山东曲阜县陵城公社北宫村大队农民在村西北1公里许清皇庄高地生产动土时，挖出白釉黑花瓷人4个，经县文管会鉴定，系宋代瓷俑。简报配以照片予以介绍。

简报介绍，这4件瓷俑，皆以白、黑、红三彩釉色装饰。其中坐俑2个，1男1女；站俑2个，1男性老人和1女童。这些瓷俑造型优美，色泽纯朴，釉胎细腻，质地坚实，是宋代的珍品。

简报称，宋代瓷俑在曲阜一带发现这是第二次，第一次是1953年在曲阜城北20公里杨家苑村发现，保存在山东省博物馆。这次发现是在城西南17.5公里，这对于研究宋代瓷器和曲阜的几处宋代的瓷窑址，都有重要的参考价值。

310.山东嘉祥县钓鱼山发现两座宋墓

作　者：山东嘉祥县文管所　曹建国、付方笙
出　处：《考古》1986年第9期

1973年，嘉祥县纸坊镇朱街村农民在村东北500米的钓鱼山西平整土地时发现并掘开了2座古墓。考古人员进行了调查，收回了杨氏墓志和12尊石雕像等24件遗物。根据墓志和出土遗物的时代特征，将两座古墓编为钓鱼山一号、二号宋墓。

一号墓出土的杨氏墓志和二号墓三层阁楼式的建造形式很有特色，在已发现的宋代墓中较少见。简报分为"一号宋墓""二号宋墓""结语"，共三个部分，有照片、手绘图。

据介绍，一号宋墓位于朱街村果园中部，由于墓室被全部破坏，其结构形制不详。据调查了解，是一座墓口南向的砖室券顶墓。墓内遗物大部分被破坏，仅收集到出土于墓道中的一只高2厘米、长5厘米的青铜卧马和杨氏墓志一方。根据墓志铭，知此墓是北宋秘书省著作佐郎晁端友和其妻杨氏夫妇合葬墓。墓志盖已被农民运走，下落不明。志文小楷书写，计1081字。墓志的主人杨氏为济州任城（今济宁市）人，北宋尚书比部郎中、赠右朝议大夫杨早之女，秘书省著作佐郎、赠朝奉郎晁端友之妻。墓志中提到，杨氏生有2子7女。长子补之，字无咎，是北宋著名的文学家、诗人，为苏门四学士之一；累官承议郎、秘书丞、著作郎、知齐州事等职，《宋史》中有传。墓志中特别提到：杨氏因补之之名，而被封为寿光县太君。次子将之，为瀛州推官，知莱州、胶水县事，曹州州学教授。杨氏生前，其夫端友早亡，曾随补之寓居于京师。补之因故被贬通判应天府（河南商丘南）时，杨氏亦相随。后补之又连受贬谪，便送杨氏到曹州（今荷泽市）任职的将之处。中途行至丹徒（今江苏丹徒县），杨氏染疾，于北宋绍圣二年（1095年）病卒，殁年67岁。由补之护柩归里，与其夫端友合葬。杨氏墓志的撰文者杜纯，是晁端友和杨氏的儿女亲家。补之娶杜纯兄杜纯女为妻，而杨氏又将最小的女儿嫁给了杜纯长子。杜氏兄弟在宋朝中拥有一定权势，二人生平事迹《宋史》中皆有传。从晁、杜两家的联姻和杨氏墓志铭中引以荣耀的"女皆嫁士族"来看，宋朝权贵之间的婚姻，仍是他们相互联结的重要纽带。

二号墓建靠在钓鱼山西坳的土坡上，是三层阁楼式石室夫妇合葬墓，墓门南向，墓顶距地表约2米。建造方法是：先在土坡上掘一深约7米的方坑，底部夯实，再用石块逐层垒砌，椁室在最下层，安放棺椁后，用石块封砌，再向上砌成中室和上室。然后用土封成坟堆，墓道建在中室，长度不详。

简报称，晁氏家族为北宋一个有影响的家族。此次发掘，尤其是墓志的出土，为研究晁氏家族提供了实物资料。简报未录墓志志文全文。

311.山东嘉祥山营村发现一座宋代经幢

作　　者：鲁建国

出　　处：《考古》1988年第1期

1970年春，山东省嘉祥县马村乡山营村出土1座北宋绍圣四年（1097年）石经幢。经幢上刻佛像和般若波罗蜜多心经。简报配以拓片予以介绍。

据介绍，经幢由基座、仰莲座、经幢、幢帽四部分组成，通高87厘米。基座呈方形。经幢石呈八棱柱形，置于仰莲座上，高41厘米、径20厘米。佛经后刻有经幢的制造年代和立幢者的身份、姓名。幢帽呈石鼓形，置于经幢柱上，幢帽四周的空余部分，分别刻有书字人、刻字人姓名。

从经幢题刻可知，此经幢系本地"维那首邵旻""罗汉殿维那首马熙"等人所立，简报认为经幢应属原佛寺中遗物。

312.山东济宁市出土一件宋三彩龟形壶

作　者：解华英

出　处：《考古》1993年第8期

1989年8月，济宁市东门大街路北一基建工地民工在挖基槽时，在4米深处发现1件三彩龟形壶。龟形壶出土后，济宁市第二电器厂工人古钱币爱好者曹荣华先生从工地拿回家保护，然后交济宁市博物馆保存。简报配以照片予以介绍。

据介绍，龟形壶的背部呈椭圆形，其上覆盖龟壳，平腹，左右两边附有四个扁形足。龟首前伸上昂，张口，两目圆睁，作捕食状，龟口为壶的开口处。龟壶的肩部有两个扁形穿鼻，龟尾附半圆形圈足，圈足两边有系绳穿孔，龟形壶既能立起也能平放，既能背也能挂。龟形壶从头至尾全长28厘米，龟背壳长18.5厘米，重1750克，盛水后重2150克，龟壶立起从口中灌满水后，再平放，水仍不外流。壶内古人采取了什么特殊构造，还有待于研究。龟壶首及腹部施绿、白两色釉，龟壳施绿、白、黄三种相间的色彩，三色釉从上部向下部施釉，釉色从上至下均匀地流泛在龟壳的表面上，下垂欲滴，给人一种似流非流、似动非动的感觉。底部无彩处露出白色化妆土，胎色白中微泛黄。这件三彩龟形壶制作规整精美，釉色鲜艳晶莹闪亮，造型生动，具有写实风格。整件器物完好无损，是三彩中的佼佼者，为研究宋代三彩器造型及烧制工艺提供了珍贵的实物资料。

313.山东兖州市出土的宋代漏泽园墓砖

作　者：兖州市博物馆　樊英民

出　处：《考古》2002年第1期

1975年，山东兖州旧关村出土了1块刻字青砖。砖为正方形，边长32厘米、厚3厘米，阴刻"崇宁四年三月十八日兵士刘善效字号"16个字，正书。

旧关村位于兖州城西北约1里，北朝至元代的兖州城的西门外，简报推断，该墓砖当为宋代义地漏泽园中之物。兖州所出墓砖正面在"宁"字左下旁有1个模印的"官"字,说明这块墓砖是为某种用途专门制造的,砖上的文字刻划工整,与陕西出土的漏泽园墓砖刻文的潦草简陋形成鲜明对比。简报推测,兖州的漏泽园已具备军队墓地的性质。

314.兖州兴隆塔北宋地宫发掘简报

作　者:山东省博物馆、山东省文物考古研究所、兖州市博物馆　肖贵田、
　　　　卫松涛、宋　波等
出　处:《文物》2009年第11期

兴隆塔位于山东省兖州市城区的东北部,现在兖州市博物馆大院内。塔为八边形,13层,高54米、现底面边长约6米、对边长约15米。下7层形体巨大,上6层形体邃然缩小,形成塔上塔。1985年,兖州市政府对兴隆塔进行了维修和加固,现护基为当时所建。此塔为北宋所建,清康熙时倒塌并重建,但此次清理发掘的塔基和地宫,均为北宋所建。简报分为:一、概况,二、1号塔(兴隆塔),三、2号建筑基址,四、出土遗物,五、结语,共五个部分,有彩照、拓片、手绘图。

据介绍,2008年8~9月,考古人员对兖州兴隆塔地宫进行了抢救性发掘,共发掘清理1座地宫、1座八边形建筑基址和8座灰坑。地宫由宫室和南北甬道组成。宫室基本坐落在塔基中央,南、北各有一条甬道,南甬道限于条件没有清理。出土石碑、石函、鎏金银棺、金瓶、玻璃瓶、佛牙、舍利、佛像、瓷器、铜钱等。其中的北宋嘉祐八年(1063年)纪事石碑记录了造塔与地宫的起因、经过以及修塔僧众及施主姓名等,为研究兴隆寺、兴隆塔的沿革提供了重要资料。

泰安市

315.山东肥城发现宋司勋郎李穆夫妇墓志

作　者:肥城县文化馆　程兆奎
出　处:《文物》1987年第3期

1984年,考古人员在肥城县边院镇(宋代为奉符县)东向南庄发现了北宋故司勋郎知兖州军州事李穆及其妻长安县君任氏的两块墓志。据当地百姓反映,这两块墓志是1970年平整土地时出土的。简报配以照片、拓片予以介绍。附有墓志志

文全文。

简报称，据县志记载，李穆以明经取高第，官至尚书司勋郎中，墓在军寨村西。其父李忠信宋赠兵部侍郎（李穆墓志记载为累赠工部尚书），通五经，尤长诗礼，其墓在东向南庄。墓前原有碑刻多通及翁仲、石兽等，1958 年后逐渐平毁。李穆及其妻任氏墓志并非出于军寨村，而是在其父李忠信墓西一个大坑内挖出。

李穆墓志保存完好，字迹清晰。据墓志记载，李穆年轻时于徂徕山从石介学经，北宋天圣五年（1027 年）以明经及第，曾在许多地方做过地方官，卒于北宋熙宁八年（1075 年）。任氏墓志亦完整清晰。记载了任氏的生卒时间，颂扬她安于节俭、辅佐丈夫等"妇德"。

简报指出，李穆墓志内容涉及当时的政治、经济、军事等方面，对宋史研究有一定的参考价值。

316.岱庙发现欧阳修等题跋碑

作　者：贾运动
出　处：《文博》1999 年第 1 期

1997 年 3 月，泰安市博物馆重建岱庙延禧门时，在施工中出土欧阳修等题跋《会真宫》诗残碑。高 45.5 厘米、宽 46 厘米，其上刻有欧阳修、王洙、程戡、蔡襄等名人题跋 14 则。简报配以照片予以介绍。

据介绍，此碑为北宋熙宁十年（1077 年）所立，碑立于会真宫斋厅西壁。明万历年间，会真宫毁于大火，题跋碑幸存，后被移置岱庙环咏亭东西壁间，后因故沉埋于地下。简报录有 14 则题跋全文。

317.山东泰山岱庙出土宋代石刻画

作　者：泰安市博物馆　倪　雁
出　处：《文物》2014 年第 11 期

2002 年 4 月，全国重点文物保护单位——岱庙进行西城墙修复。泰安市博物馆在清理遗址过程中，于西华门南侧马道基址发现了几块用作"土衬石"的长方形石条，其上刻有图画，发现条石内侧面也刻有图画，且条石上部均有柱状凸起及被砸损的痕迹，可知这些"土衬石"是"借用"而来，而与其相对应的北侧马道基址并无土衬石的设置。于是取出条石，将其收藏于泰安市博物馆另行保护。简报配以彩照、手绘图予以介绍。

据介绍，经整理、分析，发现马道基址中的长方形条石应是一种石护栏的构件，双面刻有图画的部分当为华板。图画均为减地浮雕，画面保存较为完整的有 15 幅。刻画内容包括人物图、瑞兽图及瑞物图三类。

简报推断，岱庙出土石刻画的年代应为北宋。石刻画的年代大致在北宋中晚期。

日照市

318.莒县马鬐山出土南宋、金、元之际有关"红袄忠义军"的文物

作　者：山东省莒县博物馆
出　处：《文物》1961 年第 7 期

1960 年 5 月，在莒县古城东南 70 华里的马鬐山北山脚下中楼人民公社刘家峪生产队，百姓锄地时发现 5 件铁器，简报配以照片予以介绍。

据介绍，计有铁锅 1 件、铁炉 1 件、铁把壶 1 件、长柄双股钢叉头 1 件、长柄钢剥刀枪头 1 件。具体出土地点在四关埠村以南、"皇城"以北约百米处。

所谓"皇城"，是指南宋、金、元之际以杨妙真（杨四娘子）、李全（李铁枪）为首的红袄军遗址，也是红袄军据马鬐山抗金的城垣。

319.山东日照县发现窖藏铜钱

作　者：杨深富
出　处：《考古》1985 年第 3 期

1983 年 5 月，日照县涛雒公社李家潭崖大队农民在村东菜园刨地时发现窖藏铜钱，重达 110 多公斤。铜钱埋于一直径 40 厘米、高 35 厘米的圆坑中，上盖三块长方砖。简报配以拓片予以介绍。

据介绍，全部铜钱共 33 种 57 式，面文篆、隶、真、行各体皆备。出土时钱币用绳穿贯，但多数铜钱锈蚀严重。铜钱中年代最晚者为"建炎通宝"，铸于南宋高宗建炎年间（1127～1130 年），因此，这批铜钱应系 1130 年后的私人储藏。

莱芜市

临沂市

320.山东平邑出土银锭

作　者：刘心健、李常松
出　处：《考古》1984 年第 4 期

1981 年 4 月，平邑县柏林公社蒙山前的古蒙祠遗址，出土银锭 1 件。简报配以照片予以介绍。

据介绍，银锭亚腰形，长 14 厘米，上宽 8.4 厘米、下宽 8 厘米、腰宽 5.5 厘米，重 2000 克。正面有"宋、伍拾两、使司、行人、朱甫、守甫、杨原"等文字及印记符号。这些文字和符号有印有錾，方向不一，且有互相叠压的现象。背面孔隙大小不一，如蜂巢状。

321.山东沂水宋墓

作　者：沂水县文物管理站　马玺伦
出　处：《考古》1985 年第 2 期

1983 年 8 月，建筑队在沂水故城南 300 米县文化馆院内建楼施工时，在离地表 1.8 米深处发现了 1 座砖室墓。墓口已被工人挖掉，扰乱不清。经过清理，墓室为呈平面长方形，木棺已腐朽，人尸骨未存，在墓室左端放有瓷碗、盘、碟、陶埙、三彩陶埙 10 件，另有 4 块未腐朽的幼猪腿骨。从墓室结构和殉葬的陶瓷器看，简报推断是 1 座宋代早期墓，这对考证沂水故城历史，研究沂蒙山区宋代陶瓷器发展和古代乐器提供了实物资料。

322.山东苍山县出土一批古铜币

作　者：李玉生、林茂发
出　处：《考古》1985 年第 5 期

1983 年 4 月，地处苏鲁交界的山东省苍山县向城公社泇头村农民，在平整菜园地（张家古宅基遗址）时，挖至离地面约 70 厘米深处，发现 1 长方形地窖，里面放了一窖铜币。据当事人反映，在挖掘中未发现任何盛币容器，系用麻绳穿成串，直接放入窖内的，能看出似麻绳的痕迹。简报配以拓片予以介绍。

据介绍，由于这批古货币年长日久受泥土的压力，已经粘在一起，随地窖的形状成为一个长方体。解体后个个完好，字迹清晰可见，清点共计130斤，12610枚。从这批古币的制作朝代来看，有几枚是汉时期的"五铢"钱，有少量唐代时期的"开元通宝""乾元宝通"，还有南唐的"大唐通宝"，大部分则是宋代的，尤其北宋钱占的数量比较大。

简报称，这批古铜币的发现，对研究古货币的流通及经济发展情况，提供了实物例证。

323.山东郯城出土宋代铜盔

作　者：刘心健、徐敏生
出　处：《考古》1986年第7期

1980年秋，郯城县城北25公里处的新城古城遗址出土铜盔1件。盔高8.5厘米、内口径16厘米、沿宽3厘米，重1.9公斤。盔顶外周饰花纹三组，口沿上铸有铭文"宝祐四年吉日"七字。"宝祐"系南宋理宗赵昀的第五个年号，宝祐四年为1256年，距今已700多年。

324.山东省莒南县发现窖藏铜钱

作　者：李　宏
出　处：《考古》1990年第2期

1983年秋，莒南县板泉镇谷家岭村农民建房用土时，发现一批窖藏铜钱，重69公斤。铜钱保存较好，字迹清晰，主要有汉"半两"、西汉"五铢"、新莽"货泉"等。铜钱中年代最晚的是"宣和通宝"，铸于宋徽宗宣和年间（1119～1125年）。因此，简报推断这批铜钱应为宣和年间以后的窖藏。

325.山东苍山县发现宋代铜镜

作　者：林茂法
出　处：《考古》1990年第12期

1985年春，苍山县大官庄农民战广进在县城西关1里处的晒米城故址西南角翻地，发现1面仙人鹤龟像镜。简报配以拓片予以介绍。

据介绍，此镜形小而薄，桥形组，方形座，平缘，直径8厘米、边厚0.3厘米，重 75 克。镜背画中有 1 株四季常青菩提树，树下有 1 对仙鹤。右边立 1 侍女，双手捧 1 宝葫芦状物。左边结跏趺坐 1 人像，身着袈裟，两手前置，头后有项光。此镜图像与《岩窟藏镜》第四集二九图近似，简报推断时代为宋或金代。

326.山东临沂市出土一件宋代银锭

作　者：临沂市博物馆　冯　沂
出　处：《考古》1999 年第 5 期

1988 年 10 月，临沂市西 6 公里处的赵家红埠寺村砖厂在烧砖取土时发现 1 件银锭，简报配以照片予以介绍。

据介绍，银锭系浇铸而成。两端近腰部錾有"真花银"三字，背面为蜂窝状，经检验纯度为 98%。经核实，砖厂处为 1 遗址，原有几座封土较高的墓葬，后被盗掘。现砖厂周围表面还有大量的汉代砖瓦、陶片等。

这件银锭从形制、款识看，与平邑出土的银锭基本相似（刘心健《山东平邑出土银锭》，《考古》1984 年第 4 期）。简报推断其时代为宋代。宋代每两折合现在重量为 40 克，这件银锭重 2005 克，折合宋代重量为 50 两，当属较大型银锭。

327.山东临沂市北老屯村宋墓的清理

作　者：临沂市博物馆　冯　沂　杜凯志
出　处：《考古》2001 年第 3 期

1992 年 4 月，在山东省临沂市罗庄镇北老屯村后发现 1 座古墓葬。考古人员前往调查，并对古墓进行了清理。简报分为：一、墓葬形制，二、随葬品，共两个部分，有手绘图、拓片。

据介绍，北老屯村位于临沂市南 13.5 公里，北距罗庄镇政府 2 公里。墓葬位于村后的丘岭上。这座墓葬用石块垒砌，并在棺西侧砌一小石棺，小石棺内有腐朽的骨骼。部分随葬器物放置在棺外北侧。这种形制结构的墓葬在临沂发现不多，故有一定的特点。随葬的钱币有 10 余枚，品种较繁杂，最晚的钱币为宋徽宗时期所铸"大观通宝"，以此为下限的话，该墓的下葬时间简报推断约在北宋晚期或金兵占领山东以后。

德州市

聊城市

328.山东省莘县宋塔出土北宋佛经

作　　者：山东省博物馆　崔　巍
出　　处：《文物》1982 年第 12 期

1968 年，山东省莘县宋塔内出土北宋写本《陁罗尼经》1 部、北宋刻本《妙法莲华经》5 部。

这几部佛经的写印时间，写本定在宋真宗以前，五部刻本中最早者为北宋仁宗庆历二年（1042 年），最晚者为神宗熙宁二年（1069 年）。这些北宋佛经大部分保存完好。

佛经用白罗纹麻纸写印，纸厚而韧，帘纹约两指宽。因塔内潮湿年代久远，纸色微黄，而墨色青纯，非常醒目。写本《陁罗尼经》放在木匣内，出土时纸墨如新。简报介绍，写本有北宋《陁罗尼经》卷轴装等，刻本有北宋庆历二年（1042 年）杭州晏家刻《妙法莲华经》7 卷，卷轴装等。

简报称，综上 5 部《妙法莲华经》除北宋庆历二年（1042 年）一部是卷子本外，其他都是梵夹本。行款字数和宋代几部大藏经格式相同。有一个特点是遇宋讳都不缺笔。从雕版艺术来看，每卷佛像构图各异，线条细致流畅，法像庄严，字体方正圆润，刀法遒劲古朴。这些足以说明宋代雕版印刷事业是极为兴旺发达的。

329.山东聊城北宋铁塔

作　　者：山东聊城地区博物馆　刘善沂
出　　处：《考古》1987 年第 2 期

铁塔位于聊城市体育场东南角，原东关旧运河南岸，明代隆兴寺遗址之上。由于年久失修和自然风蚀的破坏，经历年多次雷击和地震，塔身上段及塔刹均早已断毁，散落倒埋地下。维修前只存有塔基座和 5 层塔身，残高有 8 米多，全形不得详知。1973 年 5 月，考古人员对此塔进行了清理，从四周地下寻找到 7 层塔身和一块刹座残片，在塔基中发现10块浮雕刻石，在塔基底部发现一地宫，清出石函、银函、铜佛、铜器和瘞钱等一批佛教器物。随后进行修葺工作，修复后的铁塔为八角十三级楼阁式铁塔。由地宫、塔基座、塔身、塔刹四部分组成。简报分为三个部分介绍了此次清理情况，有照片、拓片。

据介绍，铁塔的建造年代，以往没有定论。简报结合清理情况，认为似在北宋晚期。据实物观察，塔身中空，系是以整块泥模为芯，外面制范进行浇铸，现铁塔外部还留有明显的范块拼接痕迹，塔身多层应是分节叠铸的，如此高大沉重的仿木构建筑的制成，说明宋代铸塔工艺技术方面已达到相当高的水平。

简报称，地宫出土的文物，除有早期货币之外，时代均在明代，石函和银函上即有明确的铭刻纪年，可以断定此塔至少在明成化年间进行过重修。该塔是我国现存为数不多的铁石结构建筑，造型俊秀挺拔，不论在建筑结构或石雕艺术上，均有很高的研究价值。

330.山东阳谷县张大庙遗址的发掘

作　者：山东省文物考古研究所　刘延常
出　处：《考古》2000 年第 5 期

张大庙遗址位于山东省阳谷县定水镇张大庙村西北部，南距县城约 20 公里，北至徒骇河 3 公里，新建京九铁路从中部穿过。1992 年秋季，发现了该遗址。1993 年春季，考古人员进行了复查、钻探，5 ～ 7 月对遗址进行了发掘。此次发掘面积约 230 平方米。另在遗址北部的路沟崖面上清理了部分灰坑。发掘情况简报分为：一、地层堆积，二、遗迹，三、遗物，四、结语，共四个部分，有手绘图。

据介绍，张大庙遗址发现的窑炉，窑室平面呈圆形。根据窑炉结构和遗址出土瓷碗等遗物分析，简报推断张大庙遗址的时代为北宋时期。

简报称，该窑址的发掘，对山东聊城地区北宋时期的政治、经济及手工业作坊等，具有非常重要的意义和研究价值。

滨州市

菏泽市

河南省

郑州市

331.河南巩县孝义镇发现宋益王墓

作　者：游清汉
出　处：《考古》1961年第9期

考古人员于1961年2～7月在巩县孝义镇发掘了1座宋代中型砖室墓。墓室为圆形尖顶，直径6米，高6.42米，青石板铺底。墓门向南，墓门与墓室相连接处有长4米的砖券甬道。墓门为砖石仿木结构，在墓道内发现1个石人。该墓早年已被盗掘，少数残瓷器及乱骨散存在填土中，出土两盒石墓志。大者盖上篆"宋皇叔魏王墓志铭"，四侧刻青龙、白虎、朱雀、玄武四神图。墓志四侧刻着人物画像。小者志盖篆刻为"宋皇叔益端献王妻魏越国夫人墓志铭"。

以墓志铭文与《宋史》核证，知该墓为宋英宗（赵曙）的四子赵頵夫妇合葬墓。赵頵死于北宋元祐三年（1088年）七月，享年33岁。曾任武胜、山南等十节度。死后，宋哲宗赠太师尚书令，追封魏王，谥端献。宋徽宗改封为益王。赵頵生前好医书，手著《普惠集效方》，且储药以救病者。其妻魏国夫人，为宋永州团练使王克善之女，死于北宋崇宁二年（1103年），即于是年与益王合葬于河南永安县（今巩县）。

332.宋魏王赵頵夫妻合葬墓

作　者：周　到
出　处：《考古》1964年第7期

宋魏王赵頵夫妻合葬墓，位于河南省巩县西9公里孝义镇的南郊。根据文献记载和实地勘查，宣祖赵宏殷的永安陵位于常封村西1公里；太祖赵匡胤的永昌陵位于永安陵西2公里；太宗赵匡义的永熙陵位于潬沱村东头；真宗赵恒的永定陵位于蔡庄东北 1 公里；仁宗赵祯的永照陵位于孝义镇南 2 公里；英宗赵曙的永厚陵位于永照陵西 400 米；神宗赵顼的永裕陵位于八陵村南 0.5 公里；哲宗赵煦的永泰陵位于永裕陵之右旁。宋魏王赵頵的墓地发现于永厚陵之北约 0.5 公里，这与赵頵墓志所载"葬（頵）于永厚陵之北"是完全吻合的。1961 年上半年，考古人员对魏王赵頵夫妻合葬墓进行了发掘。发掘中，发现盗洞 4 个，随葬品已被洗劫一空，仅见一石刻"魏王告匣"盖 1 个及少量陶片。最大收获就是两合墓志。墓志放在第二道门内的两侧，左为"宋皇叔魏王墓志铭"，右为"宋皇叔益端献王妻魏越国夫人墓志铭"，简报均录有全文。

333.河南巩县宋陵调查

作　者：郭湖生、戚德耀、李容淦

出　处：《考古》1964 年第 1 期

简报分为：一、综述，二、现状，三、陵墓石刻艺术，四、残余建筑遗迹，五、永熙陵西北袝葬石陵，六、宋陵制度，共六个部分，有照片、手绘图。

宋建国初年，追改祖先四世的坟墓为"陵"。其中僖祖（赵眺）钦陵、顺祖（赵珽）康陵、翼祖（赵敬）靖陵均葬幽州，或说葬保州保塞县柳林庄。真宗时，将康陵及靖陵由保州迁至巩洛地区，因所迁茔墓与记载不符，改用一品礼葬于河南县（洛阳）。此三陵宋初已不知所在，是否依照帝陵制度营建，还有疑问。太祖乾德三年（965 年），是在巩县形成北宋陵区之始。其所以选定巩县，除地形环境原因外，还可能与宋初赵匡胤准备迁都洛阳有关。其后，除徽宗、钦宗以外，北宋的皇帝都葬在巩县，即：

太祖（赵匡胤）	永昌陵	976 年
太宗（赵光义）	永熙陵	998 年
真宗（赵　恒）	永定陵	1022 年
仁宗（赵　祯）	永昭陵	1063 年
英宗（赵　曙）	永厚陵	1067 年
神宗（赵　顼）	永裕陵	1085 年
哲宗（赵　煦）	永泰陵	1100 年

连永安陵统称八陵。各陵均袝葬后陵，其数不一，不另立名。

简报指出，宋陵每陵占有一定地域，称"兆域"。于兆域内建设上宫、下宫等。凡皇后、皇子等葬入兆城，称为袝葬或陪葬，不另立陵名。兆域内禁樵采、耕牧。兆域四周植篱（以棘、枳橘等为之）为界，域内植柏树成林。所谓"上宫"，指神墙范围之内，或即指皇堂（玄宫、地宫）而言。上宫方城的面积，当地居民估计"帝陵一百庙，后陵四十庙"，与实总约略相当。后陵上宫亦有四神门及门狮、角阙，石刻计有：宫人 1 对（位南神门里），文武臣各 1 对，羊、虎各 2 对，马及控马官 2 对，望柱 1 对。尺度远较帝陵为小。其南有乳台、鹊台，或因地位逼仄省去鹊台。所谓"下宫"，乃日常奉养所在，有宫人、陵使、卫兵居留。二者宜分隔而不连属，同在兆域内而各自成区。

简报还提到陵区有所谓"柏子户"。陵区植柏，汉代已有。唐代则称兆域为"柏域"。下逮明清，仍于陵地植松柏常青树种，为我国陵墓绿化固有传统。宋制，每陵设"柏子户"若干，免去其余通税，专责培育柏苗，移植养护柏林。兆域内、神道两侧、陵台皆植柏树。

宋陵大体继承唐制，唐陵除了因山营穴的以外，在平地营建的献陵（高祖）、顺陵（武则天父武士蕃）、崇陵（德宗）、端陵（武宗）等，都用"方上"陵台，四方周垣置门，南向列石人、虎、羊、马、狮、柱等，宋代就继承了这种制度。但是唐代各陵的尺度和墓前石刻的数目很统一，而宋代则不是那么整齐划一。

宋代陵墓的规模，远逊于唐代。宋陵不如唐陵宏伟，除经济和礼制上的原因之外，营陵期短也有影响。因为宋代照例在皇帝死后营陵，自皇帝死日至下葬皆在七月期内。仅仅真宗永定陵因更改穴位，以致延迟至 8 个月。于此短促期间，须择址、运料、营造以迄入葬，陵之规模自不得不受限制。

北宋八陵在靖康、建炎间被刘豫勾结金兵破坏，元时一切地面建筑已荡然无存。考古人员调查了地面残余陵台、门阙等实测尺寸及墓前石刻等存毁情况，列表附于文后。此次调查表明，永安陵保存最差。各陵尚存有望柱、象与训象人、瑞禽、角端、仗马、虎及羊、蕃使、文武臣、门狮、武士、宫人等石刻遗物。诸陵尚残存陵台、门、神墙、角阙、乳台、鹊台等夯土址。永泰陵西北角阙残存高度达 7.5 米，较近原高。乳台、鹊台残存以永定陵最高，达 6.2 米。夯土址附近都有大量瓦砾。

334.郑州南关外发现一座宋墓

作　者：河南省文化局文物工作队　刘建洲
出　处：《文物》1965 年第 8 期

1965 年 3 月 27 日，郑州市第五中学在校内修建时，发现了 1 座墓葬，考古人员前往进行了清理。简报配以照片予以介绍。

据介绍，这座宋墓位于郑州南关外第五中学的北边。形制为土坑竖穴墓，葬式为仰身直肢。棺木已朽，不见遗迹，随葬器物共计 11 件。此墓墓主人骨架短小，随葬物品除铜钱外均为瓷人、瓷铃等玩具，或为未成年人。

335.河南巩县稍柴清理一座宋墓

作　者：巩县文物管理委员会　傅永魁

出　处：《考古》1965 年第 8 期

1965 年 2 月 25 日，在河南巩县（孝义镇）西南 7.5 公里的稍柴村，百姓发现 1 座宋墓。该墓在村南的稍柴遗址偏西约 1 里许。考古人员前往调查清理。简报配以手绘图予以介绍。

简报介绍，该墓坐北向南，长方形墓道（未发掘）。墓室平面呈圆形，尖顶。北壁和南壁破坏严重，墓顶有盗洞，室内随葬遗物被盗尽空。墓室结构用小砖平错砌成，仿木结构，而砌有突出壁面的柱和一斗三升斗拱。另在西壁砌有突出壁面的桌、床和柜，东壁砌有桌，两侧各有一椅，桌面上放置酒壶和杯、碗，桌下放酒坛。西壁砖砌的床上似绘有白色被子一堆，上有灰圈套小紫红圈花纹。门的西侧站有穿紫红袍扎腰带的守门文官一，估计东侧可能也有，现已破坏无存。东壁桌子两侧的椅子上坐有彩绘男女人物各一，似为夫妇对饮。根据墓室结构和壁画，简报推断为 1 座北宋墓。

336.密县北宋三色琉璃塔

作　者：不详

出　处：《文物》1972 年第 1 期

1966 年 8 月，在密县法海寺旧址发现北宋黄、绿、褐三色琉璃方塔、匣四座。最大的 1 座是七层密檐塔，通高 98.5 厘米，塔身遍饰禽兽、莲花。塔有确切纪年：咸平二年（999 年）。北宋琉璃器物是在唐三彩的基础上发展起来的，现存有明确纪年的琉璃制品，以这次发现的为最早。与琉璃塔同出的还有百余枚如鸡卵状的玻璃器，器胎极薄，面显银锈。这样大量极薄易碎的玻璃器，不可能来自远地，有人推测它和琉璃塔都是本地西关外的唐宋瓷窑的产品。我国玻璃器制造的历史，一向因为实物稀少而多臆测，这次发现和洛阳关林唐墓、无为宋塔所出的玻璃器，为研究我国 8 ~ 11 世纪的玻璃工艺，提供了可靠的研究资料。

337.河南省巩县石窟寺发现北宋写本佛教文稿和经卷

作　者：河南省巩县文管会　傅永魁

出　处：《文物》1975 年第 10 期

巩县石窟寺位于县城北约 9 公里的邙山南麓。1973 年 10 月，修葺清理石窟第 1

窟，在中心柱东龛南侧发现竖放灰黑纸一卷。这是一批佛教材料的抄本，绝大部分保存完好，已初步整理出佛经论文 1 篇、僧传 1 篇、信函 1 件、佛经讲授列表提纲 16 卷，中间并卷有 1 包"佛骨"。抄本大多记有年代，如"雍熙四年（987 年）""辛卯十一月十六日""景德元年（1004 年）"等，说明这批卷子是北宋早期的遗物。简报配以照片予以介绍。

据介绍，据初步研究的结果，这批经卷涉及的内容属于"法相宗"中的"不相应行法"的第 24 法。可知是龙兴寺和尚文广在当时东西两京（开封、洛阳）及河阳（孟县）等寺院内听经和讲经的心得体会，记录而成的提纲和论文。大批完整的北宋早期佛教文稿和经卷的发现，在中原地区还是第一次。

338.巩县宋陵

作　者：傅永魁

出　处：《河南文博通讯》1980 年第 3 期

巩县位于郑州、洛阳之间，南有嵩岳屏障，北依黄河天险，洛水东西横贯县境。北宋帝后陵分布在县西的孝义、芝田、西村、回郭镇公社 15 平方公里的范围内。现存帝陵有宋太祖永昌、太宗永熙、真宗永定、仁宗永昭、英宗永厚、神宗永裕、哲宗永泰陵，加上太祖父赵弘殷的宣祖永安陵在内统称"七帝八陵"。后陵 21 座，亲王冢 15 座。另外还有寇准、包拯等大臣墓 7 座。简报分为：一、帝、后陵分布，二、地面建筑遗址，三、石刻艺术，共三个部分，有拓片、手绘图。

据文献记载，陪葬宋陵的亲王、子孙和大臣墓，计 144 座。经过多次实地调查，在回郭镇公社的清西、清中、清东和柏峪大队南原上，共计发现 93 座墓，其中有墓志、墓碑的墓共 74 座。这批墓志、碑刻，大部分属太祖之子德昭、德芳直系后代，帝系太子、公主和宗室亲王，甚至还有一些少年、小儿墓。简报列有表格予以介绍。简报还介绍了现存地面建筑及石刻遗存。

339.荥阳司村宋代壁面墓发掘简报

作　者：郑州市博物馆

出　处：《中原文物》1982 年第 4 期

1981 年元月，第六冶金建设公司在荥阳王村公社司村大队所在黄河边的邙山岭上工时，发现 1 座宋代砖结构壁画墓。考古人员前往察看，并组织力量进行清理。整个清理工作从元月 13 日开始，至 16 日结束，历时四天。简报分为：一、墓室结构，二、墓室壁画十九孝子图，三、随葬铜钱与墓葬年代，四、结语，共四个部分，有照片、手绘图。

据介绍，该墓系仿木结构六角攒顶砖室墓，六面均绘有"行孝"壁画。墓室底部两具人骨架对脸放置，北面是男子，身高约 1.73 米，南面为女子，身高约 1.61 米。在男子口中含有崇宁重宝 1 枚，右手中有大观通宝与熙宁元宝各 1 枚，腹部有铜钱 34 枚。在女子左、右手处各有铜钱 6 枚，腹部有 32 枚。墓中共出土铜钱 81 枚，这是唯一的随葬品，其他连棺钉都未见。简报据铜钱推断，此墓上限应是开始铸造大观通宝的 1107 年，而下限可晚到 1111 年政和钱币发行以前，不会更晚。

简报称，此墓最重要的发现是十九行孝图。《二十四孝》约成书于元代，在"二十四孝"成书之前，发现这样多的行孝壁画，在郑州地区还是首见。此次发掘，为二十四孝形成过程和封建社会"忠、孝"思想的研究，以及宋代服饰装束和民间绘画艺术等的研究，提供了宝贵的资料。

340.郑州开元寺宋代塔基清理简报

作　者：郑州市博物馆
出　处：《中原文物》1983 年第 1 期

1977 年 4 月，考古人员在配合郑州市第一人民医院的基建工程中，清理发掘了开元寺旧址的塔基 1 座。简报配以照片、手绘图予以介绍。

据介绍，塔基位于郑州市东大街路北，市第一人民医院门前。1945 年以前，在这里还耸立砖塔 1 座，八角，十三级，高 30 余米。塔下南面有 1 佛龛，铁门 2 扇，内供石雕佛像。古时候因古塔耸立，景色清幽，曾被誉为郑州八景之一 —— "古塔青云"。附近一带也因塔名而谓之"塔湾"。但是，在抗日战争期间，日本侵略者和国民党几次轰炸和炮击这一古迹，致使古塔毁坏殆尽，仅留塔基埋于地下。1951 年，文物部门曾将塔基地宫顶部揭开，当时因地下水位高未作清理，迟至 20 多年后才进行清理。

地宫内部由门、甬道、墓室三部分组成。墓室内有 1 石棺。地宫多次被打开，所以这次清理中除得到一些铜钱和几件石雕刻外，无其他文物发现。

简报称，此次清理主要收获就是一批与佛教有关的石雕，如夜叉、武士、僧侣等。据石棺盖上题铭，该地宫纪年为北宋开宝九年（976 年）。这次发现为研究北宋国都街道、佛寺位置等提供了可靠资料。

341.河南巩县宋陵采石场调查记

作　者：中国社会科学院考古研究所洛阳汉魏故城考古队、偃师县文物管理委
　　　　员会

出　处：《考古》1984 年第 11 期

　　闻名中外的河南巩县宋陵，是宋太祖之父赵弘殷及北宋徽、钦二帝以外七代帝、
后的陵墓。这座大型帝陵，历经沧桑，至八九百年后的今天，陵台犹高数丈，陵垣依稀
可辨，陵前列石基本完备，气势颇为壮观，到宋陵参观的国内外游客，无不为陵前巨大
石刻所吸引。面对雕刻精美的望柱、石狮、瑞禽、瑞兽以及造型高大浑厚的人物造像，
人们自然会联想到这样一个问题：这成千上万吨优质石料是从哪里来的，采石工匠们的
劳动又是怎样一番情景呢？简报配以手绘图等，介绍了巩县宋陵采石场的情况。

　　据介绍，清乾隆《偃师县志》及《偃师金石遗文补录》载有宋陵采石、运石碑
记 6 块，均为宋碑。原立于距宋陵约 20 公里的缑氏永庆寺，今仅存两碑。据碑文，
宋陵石材取自偃师县粟子岭（也称粟子山）。采石场遗址在今偃师县南部山区青萝
山前之南横岭南麓，距宋陵直线距离约 25 公里。现存宋人题记 6 处，简报一一录有
全文。简报称，为修陵采石，工程浩大，工期甚急。据碑文，动用兵士、工匠 31600
人修永定陵，9744 人修永泰陵，死亡、逃者甚多，官员们也感到满山冤鬼哭泣，还
曾设道场超度。

342.荥阳翟沟瓷窑遗址调查简报

作　者：张松林

出　处：《中原文物》1984 年第 4 期

　　荥阳翟沟瓷窑遗址位于荥阳县崔庙乡翟沟村一带的山谷中，北距荥阳县城 15 公
里多，是郑州地区发现的 1 处规模较大的古代瓷窑遗址。1982 年盛夏，考古人员到
现场进行了考察，采集了近百件基本完好的文物，还收集了一些具有一定研究价值
的传说资料。简报分为"瓷窑遗址的遗迹和遗物""结语"，共两个部分，有手绘图。

　　据介绍，遗址以翟沟为中心，东起崔庙乡吉寨村、西至刘河乡小寨村、南起上灰沟、
北止后沟村，东西绵延 10 余里，南北跨度 3 华里余，仅翟沟村周围的遗址面积就达
20 余万平方米。在遗址分布区的地面上瓷器残片、窑具、瓷土原料、灰烬等遍地都
是，有时尚可拣到完整和比较完整的器物。调查发现的遗迹主要是显露于地面上和
断崖上的文化层灰坑、残瓷窑的窑底等。尤其是在翟沟村东约 700 米的家东村南侧——
崔庙至刘河公路北侧断崖上发现了 1 座残瓷窑窑址。窑室南壁和顶的南半部分已经

破坏，但其大致形状尚可看出。窑室长约 2 米，宽 1 米多，呈马蹄状、拱顶，四壁用土坯砌筑，并抹瓷土和黏土泥。因火候高及使用时间长等原因，窑壁已烧成黑褐色琉璃体，窑室里侧尚有残瓷片、支垫、匣钵和灰烬的原始堆积。窑室外的公路旁和路沟内散落有大量残破瓷器、瓷片、窑具等。简报把翟沟瓷窑址的上限定为隋代，而从隋代开始，到唐代末期此窑达到鼎盛时期，这一时期的遗物十分丰富；而五代时期有瓜棱形壶等，但已逐渐衰落；到宋代时，只发现有葫芦口瓶等器物，再晚的器物就不见了，故将此窑废弃时代暂定为宋代。

343.登封发现一批宋代窖藏瓷器

作　者：杨爱玲
出　处：《中原文物》1986 年第 2 期

1981 年 12 月，河南省登封县冯湾村农民在村边挖土时，发现一批窖藏瓷器。这批瓷器装在 1 件褐色大瓷缸内，出土时瓷缸被打破，除个别瓷器被击碎外，还有 26 件保存完好。其中有钧瓷 24 件，磁州窑系瓷器 2 件，主要器型有盘、碗、瓶、钵等。

据介绍，这些窖藏中的钧瓷，造型古朴典雅，釉质莹润细腻，具有典型的宋代钧瓷风格，与方城县出土的宋代窖藏钧瓷相似（见《文物》1983 年第 3 期）。所以，这些窖藏钧瓷应属宋代，其产地可能是禹县神屋。另外，这次出土的一对白釉黑花玉壶春瓶属于磁州窑系产品。烧制磁州窑风格的瓷窑遍布黄河南北，但根据这对瓶在胎上先施一层化妆土，使白釉如脂、黑彩如漆的特点，可能是禹县扒村窑或修武当阳峪窑所烧制。

344.密县五虎庙北宋冯京夫妇合葬墓

作　者：河南省文物研究所、密县文物保管所
出　处：《中原文物》1987 年第 4 期

1979 年 4 月，该墓在河南省密县曲梁公社五虎庙村发现。1981 年 11 月，在该墓南边施工中，发现北宋冯京续妻富氏墓志一合。考古人员前往现场处理。12 月初，对该墓进行了清理，清理工作历时 36 天结束。通过对该墓的发掘，获得了一批珍贵的瓷器和四合具有重要历史价值的墓志。此次发掘的主要收获简报分为：一、墓葬位置，二、墓葬结构，三、随葬物品，四、结语，共四个部分。

据介绍，冯京墓位于曲梁公社五虎庙村南 100 余米的台地上。这是 1 座石砌多室夫妇合葬墓，由墓道和墓室两部分组成。根据墓志判断，第一室葬冯京续妻富氏，

第二室葬冯京再续妻富氏，第三室葬冯京，第四室葬冯京原配夫人王氏，简报未录墓志全文。冯京夫妇合葬墓，建于北宋仁宗嘉祐八年（1063 年）十二月以前。

简报指出，冯京墓的发现，出土的一大批瓷器，品种多样，质量较佳，是一批难得的有纪年的陶瓷标本。四合墓志，内容极为丰富，着力记述了冯京的宦海生涯及主要事迹，涉及宋代政治、经济、军事、外交、河患及西南羌族人民起义等史实，是研究宋史不可多得的实物资料。简报称，这样规模的北宋石砌多室墓，在河南地区还是首次发现。

345.巩县宋陵包拯墓调查报告

作　者：傅永魁

出　处：《中原文物》1987 年第 4 期

包拯墓位于巩县城南 5 公里的芝田乡后泉沟村南岗上。整个地形呈北高南低之势，是块通风向阳、山水佳秀的风水宝地。这里就是著名巩县宋陵之中心的宋真宗永定陵辖区。永定陵辖区内陪葬的有真宗李后、刘后、杨后、亲王和大臣高怀德、蔡齐、寇准、包拯墓。包拯墓坐北面南，墓区南北长 65 米，宽 20 米。墓前石刻尚存 4 件，墓东侧有望柱一、石虎一、石羊一，西侧仅存石虎一件。从宋陵陪葬大臣墓前石刻制度看，墓前应设望柱二、石虎二、石羊二、石人二，共计 8 件。简报分为：一、巩县包拯墓现存情况的调查，二、关于巩县包拯墓的真伪问题，三、对合肥包拯墓的几点意见，共三个部分，有手绘图、照片。

据介绍，该墓为"甲"字形墓，以往传说包拯墓在合肥，或说巩县包拯墓为假墓的说法，简报认为都是不对的。包拯于北宋嘉祐七年（1062 年）死后的六十多年间，宋仁宗、英宗、神宗、哲宗、徽宗、钦宗诸帝均在世，他们绝不会在自己先皇祖茔内陪葬一座假包拯墓，这是众所周知的一般道理。封建社会的官员死后如能陪葬在皇陵，也是对终生盖世功劳的表彰，对后世子孙也是光宗耀祖、至高无上的光荣。故而真正的包拯墓还应是陪葬在巩县宋陵。

346.巩县西村宋代石棺墓清理简报

作　者：巩县文物管理所、郑州市文物工作队　赵玉安、王保仁

出　处：《中原文物》1988 年第 1 期

巩县西村宋墓，位于县城以南 16 公里西村乡西作村南约 0.5 公里，北距永安永昌陵约 3 公里许。1986 年 12 月初，河南省陆浑灌区郑州市工程指挥部在巩县境内南

金牛山与锦屏山两山阙之间施工，于圣水河东岸的高鼓台下发现此墓。12月24日至12月28日考古人员进行了清理。简报分为：一、墓葬形制，二、石棺，三、骨架与随葬品，四、结语，共四个部分，有拓片、手绘图。

据介绍，墓室顶部距地表4.5米，系长方形单室土洞墓，墓室东西向，南侧有墓道。拱形墓顶，墓室长2.8米、宽1.95米、高1.85米。内有石棺1具，上有题记，楷书78字，简报录有全文。上有北宋宣和七年（1125年）纪年。石棺两侧刻有二十四孝图，与近世流传二十四孝略有出入。另外，墓内有一幼儿尸骨，疑为殉人。

347.宋太宗元德李后陵发掘报告

作　者：河南省文物研究所、巩县文物保管所　孙新民、傅永魁
出　处：《华夏考古》1988年第3期

北宋皇陵分布在巩县城（即孝义镇）西南伊洛河南岸的丘陵上。陵区南北长约12公里、东西宽约7.5公里。北宋诸陵中除徽、钦二宗被金人所虏，因死漠北外，其余七帝和赵匡胤之父赵弘殷（追尊为宣祖）皆埋葬于此。另外，还祔葬有皇后陵和许多宗室子孙的墓葬。因此，在少室山阴大面积的丘陵上，形成一个庞大的北宋皇室陵墓群。宋太宗元德李后陵就是其中的1座。它位于巩县西村乡滹沱村东北，是宋太宗赵光义永熙陵的祔葬后陵之一。1981年秋，当地连降暴雨，李后陵墓室暴露，考古人员于1983～1985年进行了发掘。简报分为：一、陵园地面布局，二、地宫形制，三、墓内装饰，四、出土遗物，五、结语，共五个部分，有手绘图、照片。

据介绍，北宋诸陵中，除永安陵外，其余皆实行帝、后分葬制，即将皇后祔葬于帝陵兆域之内的西北隅。宋太宗永熙陵西北祔葬有后陵3座，元德李后陵位于东南首，西、北部另有明德李后陵和章穆郭后陵。李后陵地面建筑早已坍塌。现存遗迹有陵台、石刻和部分阙台。地下由墓室、墓道、甬道三部分组成，有砖雕和壁画。出土遗物计181件，其中越窑龙纹盘、"官"字款定窑瓷等十分珍贵。据出土的谥册册文确定，此墓墓主人为元德皇太后，葬于咸平三年（1000年）四月初八。

简报介绍说，元德皇太后李氏，是宋太宗赵光义的妃子，宋真宗赵恒的生母。此人生平，《宋史·后妃传》《东都事略》卷十三、《续资治通鉴长编》卷四十一至四十七等书均有记载。她是真定（今河北正定）人，乾州防御使赠安国军节度使、常山郡王李英之女。太宗在藩时，太祖为聘之。开宝初为陇西县君，开宝中封陇西郡君，太平兴国元年太宗即位进夫人。生有5男2女，除楚王元佐和真宗皇帝外，其余皆早死。太平兴国二年（977年）三月十二日故去，时年34岁。初葬于普安院。至道三年（997

年）真宗即位后，因"母以子贵"，五月追封贤妃，十二月追尊为皇太后。咸平元年正月谥曰"元德"，三年四月八日祔葬宋太宗永熙陵西北。

348.郑州宋代水磨遗迹发掘简报

作　者：郑州市文物工作队　陈立信、秦文波
出　处：《中原文物》1989 年第 2 期

1988 年 10 月 5 日至 20 日，考古人员在郑州市金水路东段、紫荆山偏西北 100 余米的河南影剧院西侧，省民主党派办公楼工地发掘了一处宋代水力机械设施。遗存分为水槽、水道和水池三部分，作东西向排列，连为一体，还出土一部分遗物。简报分为：一、水道，二、水槽，三、水池，四、小结，共四个部分，有手绘图。

据介绍，水槽系木质结构，作长方形凹槽状，长 16.9 米，内宽 5.60 米，两侧有双层夹墙挡水厢板。厢板中间树有木桩，木桩两侧又钉木板。应是一处古代水力磨坊遗址，在水槽东端装有水闸，以控制水量。水槽东端铺设的扬水底板，可抬高水位 0.3 米，增大水的落差。根据水道底部平放的带竖穴的大石块判断，水磨的立轴就装在该石中央的圆穴内。立轴上部连接石磨，下部安装卧式涡轮，依靠水力冲击卧轮直接推动立轴及石磨转动。这种水磨在《农书》《天工开物》中均有记载。经考古钻探，该遗址西部有大面积的青灰色污泥，最深达 7 米以上。由此看来，古代这里曾是一个大水潭，人们在其东部修建了木质水槽和水闸，以便积蓄水量，成为小水库。水道上又建了水磨作坊。其水源应为遗址南百余米的金水河，该河故道原在这一带。

简报称，遗址内出土了北宋时期的铜钱和瓷碗，还有五代至北宋常见的龙头瓦当。除此之外，未见晚于北宋的遗物出土。这处水利设施的时代当为北宋。

349.巩义市芝田宋三彩窑址调查

作　者：巩义市文管所　孙宪国、孙角云
出　处：《中原文物》1992 年第 4 期

1989 年夏与 1991 年秋，考古人员对罗水（又名"坞罗河"）流域进行考古调查，发现宋三彩窑址一处。简报分为：一、窑址概况，二、遗物，三、结语，共三个部分，有照片、手绘图。

据介绍，宋三彩器窑址，位于巩义市西南 11 公里的芝田乡芝田村西。东距大、小黄冶唐三彩器窑址约 20 公里。遗址南部紧靠罗水，由芝田村沿郑洛公路南沟两侧向西，一直到罗水谷地。南沟的走向是由西北向东南，长约 2 公里，一直延伸到芝田

村西门外。但东段平整土地时被填平，遗址多被掩埋。沟底是阶梯形斜坡，宽 5 ～ 30 米，深 3 ～ 10 米。沟南侧向西延伸，当地人称"西嘴"。山下堆积许多三彩器残片、窑具和模具等遗存。崖壁上发现残窑，除保存部分窑壁外，尚存被烧成琉璃头的砖块和红烧土等。南沟两侧断崖上，残存的窑壁也清晰可见。有的窑腔内仍残留灰烬、陶瓷残片及砖瓦等。沿罗水北岸山根一带，也发现了宋三彩器陶瓷片堆积。可见当年烧造宋三彩器的作坊遗址，应该是遍布东自芝田村、西至罗水岸边的南沟一带。大约长 500 米，宽约 150 米，面积约 75000 平方米。采集到的文物标本，大致有生活用具、工艺品、模具、窑具及其他遗物。据当时已发表的有关资料看，在河南省范围内，这样大范围的宋三彩器作坊遗址尚属首次发现。其他各窑则是以其他陶瓷生产为主。

350.登封王上壁画墓发掘简报

作　者：郑州市文物工作队　王彦民、姜　楠等
出　处：《文物》1994 年第 10 期

王上村在登封县大金店乡西部，位于县城西南约 18 公里，地处颖水上游。1993 年 3 月，村南砖场挖土中发现砖室墓 1 座。墓葬北距王上村约 400 米，其南 200 米为顿水干流。墓已被盗扰，室内有散乱的人骨，但墓室壁画保存较完整。内容包括山水、花鸟及人物等。同年 4 月，考古人员对该墓进行抢救性发掘。简报分为：一、墓葬形制，二、遗物，三、壁画及装饰图案，四、结语，共四个部分，有彩照、手绘图。

据介绍，墓葬为八角形单室砖墓，由墓道、甬道和墓室组成，全长 8.4 米。出土有当地民窑所出的白瓷碗等。墓中发现的壁画，采用工笔与写意结合的手法，线条细腻流畅，色彩浓淡分明，具有较高的艺术价值。其内容有表现墓主人的日常生活的，如侍女图、男侍图；有反映墓主人信仰及对死后升仙境界的向往的，如论道图、升仙图、云鹤图；更有描绘自然界动植物情景的，如三鹤图、梅竹双禽图等。此墓的年代简报推断应为宋、金时期。

351.介绍几件宋代瓷枕

作　者：毛杰英
出　处：《中原文物》1997 年第 2 期

宋代是我国瓷业发展繁荣时期，出土了大量的精美瓷器，瓷枕就是其中的一朵奇葩。河南省文物考古研究所多年来收藏有具有较高文物价值的瓷枕，简报配以照

片予以介绍。

据介绍，计有三彩莲花枕1件、白瓷缠绕牡丹枕1件、虎形枕1件、三彩双狮枕1件、搅釉长方枕1件、绿釉折枝花卉枕1件、三彩荷苞枕1件，均有明确出土地点。简报称，这些不同瓷枕的制作，都是河南古代制瓷匠师们充分运用当时传统的工艺技术，融美观、实用于一体，利用了不同的造型和不同的装饰技法。特别采取不同色调加以衬托，更显得设计精巧，构思多变，图案丰富。这些传世品能完整地保留下来，给我们提供了研究古代陶瓷工艺技术极其珍贵的实物资料。

352.河南新密市平陌宋代壁画墓

作　者：郑州市文物考古研究所、新密市博物馆　张建华、郝红星、李卫东、魏新民等

出　处：《文物》1998年第12期

新密市平陌村位于城区西南15公里处，属低山丘陵地区，西邻登封市。1998年2月，该村村民挖房基时发现一座壁画墓，并将墓顶局部破坏。考古人员对该墓进行了清理发掘。简报分为：一、墓葬形制，二、墓室壁画，三、遗物，四、结语，共四个部分，有照片、手绘图。

据介绍，该墓为仿木结构砖室墓，由墓道、甬道、墓室三部分组成。墓道位于墓室南侧，因绝大部分位于已建成的民宅下，无法进行发掘。墓室平面为八角形，有彩绘图案和壁画。因墓室经过扰乱，骨架保存不完整，但据村民讲，他们曾从墓中取出过两个人的部分遗骨，因而推测此墓应为夫妇合葬墓。墓室内发现白瓷碗残片，已修复。另外，在墓室中出朱书地券砖一块，砖近方形，边长30.5～30.7厘米，券文竖书，共8行，但脱落较甚，尚能辨认出"大观二年"（1108年）字样。知此墓为北宋末年修建，墓主人应为当地富裕平民。

简报称，该墓壁画内容为宋金时常见家居图、行孝图等，技法不是很高超，应出自民间画师之手。

353.河南荥阳孤伯嘴壁画墓发掘简报

作　者：郑州市文物考古研究所、荥阳市文物保护管理所　刘彦锋、王彦民、汪　旭

出　处：《中原文物》1998年第4期

1990年5月，荥阳市王村乡孤伯嘴有1座壁画墓被挖开，考古人员前往清理，

由于条件限制，未清理墓道。简报分为：一、墓葬概况，二、壁画内容，三、结语，共三个部分，有照片、手绘图。

据介绍，此墓位于荥阳王村乡孤伯嘴村的一处冲沟旁，三面临沟，墓壁已在北部的断崖上暴露出来，被挖开的洞口在墓室的北壁，墓室破坏严重，下部砖雕大部被挖毁，只有西南、西北两壁保存较好，上部的斗拱结构及壁画基本完好。铺地砖均被翻动，清理后未发现任何遗物。壁画内容为二十四孝图，均匀地分布在六壁上方，壁画系用墨线勾勒出轮廓，并根据人物及其他不同对象填以红、黄、蓝、黑等颜料。由于墓室被破坏严重，壁画已有不同程度的剥落。该墓的时代，简报推断为北宋末或金初。

354.新密下庄河宋代壁画墓

作　者：郑州市文物考古研究所、新密市文物保管所　郝红星、于宏伟　黄　俊
出　处：《中原文物》1999 年第 4 期

1999 年 5 月，砖厂工人在新密下庄河村取土时发现了 1 座壁画墓，此墓为八角形，八角攒顶，中部装饰斗拱，所绘壁画较一般北宋中晚期壁画墓草率，但内容较为独特，除家居、庖厨内容外，尚有与僧人、伶人有关的活动场面，应为宋金之际的墓葬。简报分为：一、地理位置，二、墓葬形制，三、壁画，四、出土遗物，五、结语，共五个部分，有手绘图。

据介绍，此次仅清理了墓葬的室内部分。从取土断崖上观察，此墓为单室砖券墓，由墓道、墓门、甬道、封门砖、墓室组成。墓室除两具尸骨外，另见皇宋通宝、绍圣通宝各 1 枚，黑釉斗笠碗残片 1 块。壁画绘画色彩种类少，线条粗糙，没有局部细节，这些情况或许表明此墓是在战乱年代建造的。但所绘人物出现了堕马髻、披帛、二色袍、三色袍，这对宋代发式、服式研究有一定价值。

简报称，下庄河壁画墓采用了白描、双勾、晕染、没骨等技法，西壁上部所绘格扇门，上部为直棂，既保留了北宋直棂窗的特点，又具备了金代格扇门的基本形式，因此，此墓的建筑年代当在宋金之际，上限不会超过北宋大观二年（1108 年）。

355.河南登封黑山沟宋代壁画墓

作　者：郑州市文物考古研究所、登封市文物局　于宏伟、汪　旭、朱超峰、
　　　　杨　远等
出　处：《文物》2001 年第 10 期

1999 年 8 月，在登封市城关镇以南 3 公里的黑山沟村，一位村民在其院内挖地

窑时，发现 1 座壁画墓。考古人员对该墓进行了发掘。简报分为：一、墓葬形制，二、壁画，三、遗物，四、结语，共四个部分，有彩照、拓片、手绘图。

据介绍，该墓南北向，为仿木结构砖砌单室墓，由墓道、墓门、甬道、墓室组成。墓室各壁均在地仗上绘出壁画，墓顶、建筑构件则直接在白灰层上绘出图案。墓室内壁画计 22 幅，大部分保存尚好，为研究当时民间绘画和市井风俗提供了宝贵资料。据出土买地券及朱书字砖，墓葬时间是北宋末年的哲宗绍圣四年（1097 年）。至于墓主人，在买地券中记名为"李守贵"，是西京河南府登封县天中乡人。买地券中并没有记明李守贵的身份，但从墓室的构造和墓内的壁画分析，简报认为李守贵可能是当地的一位乡绅。

今有易晴先生《登封黑山沟宋墓图像研究》（文物出版社 2012 年版）一书，可参阅。

356.荥阳槐西壁画墓发掘简报

作　者：郑州市文物考古研究院、荥阳市文物保护管理所　于宏伟、刘良超、李　扬

出　处：《中原文物》2008 年第 5 期

2008 年 3 ~ 4 月，郑州市文物考古研究院为配合荥阳槐西希恪玛欧洲产业基地一期工程建设，在其基建工地清理魏晋、宋、金、明各个时期墓葬共 36 座，其中宋代壁画墓 1 座，墓内壁画保存基本完整，并且壁画内容有一定的独特性。清理情况简报分为：一、墓葬概况，二、壁画内容，三、出土器物，四、结语，共四个部分，有手绘图、拓片、照片。

据介绍，墓葬区位于荥阳市豫龙镇槐西村西北部台地上，该地处檀山东段南麓，地势北高南低，东临关公路，西距唐王路约 300 米，南临中原西路，北临郑州市商业学校。为长方形竖穴墓道土洞墓，方向 183°，由墓道、甬道、墓室三部分组成。墓门上部及墓室内四壁绘有壁画，出土器物有铜钱 5 枚，陶瓮 1 件。M13 形制与宋金时期小型墓类同，根据出土货币简报推断该墓年代的上限当为绍圣元年（1094 年），下限为宋末或金初。

简报称，值得一提的是，西壁绘制的僧侣作法事图是以前从未发现过的壁画题材，M13 的发掘为郑州地区宋金壁画墓的研究增添了新的资料。

357.郑州市北二七路两座砖雕宋墓发掘简报

作　者：郑州市文物考古研究院
出　处：《中原文物》2012 年第 4 期

2007 年 8 月，考古人员在郑州市北二七路与太康路交叉口的西北角，发掘了两座仿木结构的砖雕墓。这两座墓葬形制结构基本相同，均为南北方向的砖砌仿木建筑结构单室墓，墓室为四边形，墓壁有精美的砖雕，年代为北宋早、中期。简报分为：一、M66，二、M88，三、结语，共三个部分，有照片、拓片、手绘图。

据介绍，两座墓葬形制结构基本相同，均为南北方向的砖砌仿木建筑结构单室墓，由墓道、仿木结构砖砌门楼、砖券甬道、墓室四部分组成，墓道均位于墓室南部。两墓相距 48 米。出土有陶器、瓷器、铜钱等遗物。M66 出土有墓志砖一合，但已无字迹。两墓均未见壁画痕迹。

358.巩义发现北宋石刻

作　者：河南省文物考古研究所　蔡全法
出　处：《中原文物》2003 年第 5 期

2001 年 11 月，巩义市清中村南地发现一尊北宋时期的圆雕石虎，石虎附近同时发现大量的砖、瓦、瓷器残片等。考古人员在清中村调查时发现了两尊武士造像和两尊石虎石刻，这些石刻出土地点均属北宋皇陵的清易镇墓区范围，这些发现对进一步研究北宋皇陵分布提供了新的资料。简报配以照片予以介绍。

简报认为这里应是北宋皇室又一陵区。发现的石虎造像，坐西朝东，有可能是位于神道西侧的石造像之一。在地层中发现的青石片，当是就地雕凿造像的遗留物。沿石虎前方的神道向北，在发现大量砖、瓦均积的地带，当与被破坏的陵寝建筑等有关。简报怀疑可能是钦宗陵。陵区中石刻做工简略，不甚精细，简报认为可能是因钦宗灵枢南返，其埋葬是在金国派有 10 万大军的监视下，草率应付，雕凿后置于墓前。

359.登封高村壁画墓清理简报

作　者：郑州市文物考古研究所、登封市文物局　于宏伟、黄　俊、李　扬
出　处：《中原文物》2004 年第 5 期

2003 年 7 月，登封市铁路有限公司在修建告成——白坪铁路时，铁路穿过靠成

镇高村村南一台地，将一古墓破坏。考古人员赶赴现场，发现古墓位于铁路路基内，铲车在挑挖铁路边沟时将古墓墓顶揭去，室内淤土过半，露出部分壁画。简报分为：一、地理位置，二、墓葬形制，三、壁画，四、遗物，五、结语，共五个部分，有照片、手绘图。

据介绍，高村位于靠成镇西 4 公里的颍河南岸漫坡地上，西北距登封市区 10 公里，村南亘一东西长 6.5 公里的土岭。墓为斜坡墓道单室砖券墓，深 5 米，由墓道、墓门、甬道、封门砖、墓室五部分组成。墓室由于水浸，骨架腐朽严重，人数、头向、性别均不能辨。左右耳室各见小孩骨头。甬道底出有残陶盆 1 件、研磨石 1 块，墓室棺床上放置买地券 1 块，可惜字迹已无从辨认。此墓最大收获之一就在壁画。壁画分为人物壁画、木作彩画及墓顶彩画三种。人物壁画均绘在白灰面上，白灰下为草拌泥地仗，而木作彩画及墓顶彩画白灰层下均无地仗。该墓的时代，简报推断为北宋末年。

360.郑州黄岗寺北宋纪年壁画墓

作　　者：郑州市文物考古研究院、河南省南水北调文物保护管理办公室　信应君等

出　　处：《中原文物》2013 年第 1 期

2010 年 3 月 7 日，郑州市二七区黄岗寺村南水北调工程施工区挖出古墓一座，3 月 8 ～ 12 日，考古人员对墓葬进行了考古发掘。墓葬为一圆形宋代砖室壁画墓，由墓道、封门、甬道和墓室组成。简报分为：一、地理位置，二、墓葬形制，三、出土遗物，四、结语，共四部分，有拓片、照片和手绘图。

据介绍，由于墓葬盗扰严重，出土遗物极少，有陶器 1 件、钱币 19 枚、墓志 2 方。

墓主人贾正之，葬于北宋宋徽宗崇宁四年（1105 年），2 方墓志的出土，对研究宋代的地望、职官、荫补、葬俗及书法艺术等提供了不可多得的实物依据。贾正之墓志由范纯粹题撰。范纯粹，《宋史》有传，字德孺，吴县（今江苏苏州）人，范仲淹第四子。其妻蔡氏墓志，书体以大篆为主，是用传抄古文写的墓志铭。像这样完全用传抄古文写的墓志铭是目前国内所发现的唯一所见的资料。志文字体娟美，是极为难得的艺术珍品，对中国古文字书法艺术的研究具有重要价值。简报附有贾正之和蔡氏的墓志铭文。

361.河南登封唐庄宋代壁画墓发掘简报

作　者：郑州市文物考古研究院、登封市文物局　高赞岭、刘彦锋、汪松枝
出　处：《文物》2012 年第 9 期

2010 年 11 月，考古人员在河南省登封市唐庄乡进行文物调查时，发现两周时期遗址 1 处、唐宋时期窑址 1 处及汉代、宋代墓葬 7 座，其中 2 座宋代壁画墓（简称 M2、M3）。这 2 座宋代壁画墓的发掘情况简报分为：一、2 号墓，二、3 号墓，三、结语，共三个部分，有彩照、手绘图。

据介绍，M2 墓室平面呈六边形，棺床为"凹"字形，倚柱为抹角半方柱，与登封刘碑宋代壁画墓相同。M3 的形制和仿木建筑与登封城南庄宋代壁画墓、白沙三号宋墓大致相同。简报推断，M2 的年代为北宋晚期早中段，M3 年代为北宋晚期早段。

362.河南郑州南阳路宋墓发掘简报

作　者：郑州市文物考古研究院　魏青利、丁兰坡
出　处：《文物》2014 年第 8 期

2010 年 3 月，为配合郑州市金水区南阳路以西的住宅楼建设，考古人员在其工地范围内清理墓葬 9 座。其中 102Y2M8（简称 M8）出土器物较为丰富。该墓发掘情况简报分为：一、墓葬形制，二、出土器物，三、结语，共三个部分，有彩照、手绘图。

据介绍，清理的墓葬 9 座，其中 1 座宋墓（编号 102Y2M8）为带台阶墓道的圆形单室砖墓，出土器物丰富，有陶俑、陶器、瓷器及骨器等，以陶俑最为精美，在中原地区较为罕见，为研究宋代的服饰、埋葬习俗等提供了新资料。

363.郑州卷烟厂两座宋代砖雕墓简报

作　者：郑州市文物考古研究院　姜　楠、张文霞、张　倩
出　处：《中原文物》2014 年第 3 期

郑州卷烟厂厂区位于郑州市陇海东路和紫荆山路交叉口的西北角。该地处于全国重点文物保护单位郑州商城的一般保护区范围，经文物钻探后，发现丰富的古文化遗存，经报上级文物主管部门批准，考古人员进行了文物考古发掘。发掘由 2003 年 5 月 6 日开始，至 7 月 21 日结束。卷烟厂厂区发掘了 112 座墓葬，简报先行介绍了其中两座宋代砖雕墓，分为：一、M46，二、M54，三、结语，共三个部分，有照

片、手绘图。

据介绍，这两座墓葬形制结构基本相同，均为南北方向的砖砌仿木建筑结构单室墓，墓室为四边形，墓壁有精美的砖雕，简报推断年代为北宋早中期。

简报称，这种宋代砖雕墓在郑州市旧城区的城墙外周围至今发现有近十座，发现的砖雕仿木结构墓葬一般为宋代早期和中期，有着相同的时代特征，与郑州市区周围县市发现的砖雕墓相比较，不仅具有相同的明显特征，也可能在某种程度上具有地域性的因素。

364.河南荥阳市晏曲宋代遗址发掘简报

作　者：西安市文物保护考古研究院、辽宁师范大学历史文化旅游学院、河南
　　　　省文物局南水北调文物保护办公室　霍霖林、田　野、徐昭峰等
出　处：《四川文物》2014 年第 5 期

2010 年 10 月至 2011 年 1 月，为配合南水北调工程的建设，考古工作者对河南荥阳晏曲遗址进行了发掘，发现了大量灰坑、窑穴、灶址等遗迹，出土陶器、瓷器、铁器等。此次工作简报分为：一、地层堆积，二、主要遗迹，三、遗物，四、结语，共四个部分，有手绘图。

据介绍，简报认为该遗址可能是一处小型的驻军遗址。从遗址的发现情况看，本次发掘区域应是仓窑区或饮食区，而驻军驻扎地应在此次发掘区的西部。

开封市

365.河南开封陈留发现北宋二体石经一件

作　者：张子英
出　处：《文物》1985 年第 1 期

1982 年 10 月下旬，开封县陈留公社农机修造厂在基建施工中发现碑石数件。其中 1 件为篆、楷两种书体的古碑，出土于陈留专署大礼堂地下墙基部分。这件古碑为北宋嘉祐石经中《周礼》的第 1 块经石。碑版比较完整，碑面虽有剥蚀、脱落，但大部文字完好。由这块经石可以推断《周礼》经石的规模和碑面写刻的形制。简报配以照片予以介绍。

据介绍，北宋嘉祐二体石经始刻于仁宗庆历初年，竣工于仁宗嘉祐六年（1061 年），

历时 20 多年。所刻石经有《易》《诗》《书》《周礼》《礼记》《春秋左氏传》和《孝经》。石经采用篆、楷两种书体写刻，故后人名之曰"二体石经"。书写石经者多为当时著名的书法家，可考知的有杨南仲、章友直、张次立、胡恢等人。其中篆书部分可能出自杨南仲、章友直和张次立的手笔。

简报指出：嘉祐石经刻成后几近千年，经石已经散佚。清代朱彝尊《经籍考》认为已经全佚，后陆续发现一些残石，均残损严重，由此即可知此次发现的重要意义了。

366.北宋东京外城的初步勘探与试掘

作　　者：开封宋城考古队　丘　刚、孙新民等
出　　处：《文物》1992 年第 12 期

1978 年秋，考古人员对北宋东京外城进行了初步调查。1981 年冬，对北宋东京外城进行了勘探。到 1983 年冬，基本了解了外城的位置、形制和范围，并在外城西墙南段进行了重点试掘，从而为搞清城墙的年代和地层关系，为开展下一步工作奠定了基础。简报分为：一、外城概况，二、瓮门和缺口，三、重点试掘，共三个部分，有照片。

简报称，北宋东京外城宋时称新城或罗城。文献记载，外城始建于后周显德年间。北宋定都开封后，曾多次在后周外城的基础上重修和扩筑，到宋神宗熙宁八年（1075年），外城已扩至"周回五十里一百六十五步"。金兵攻打开封时，外城遭到很大破坏。至明代，外城"久已倾圮，仅存故址""有门不修，以土填塞，备防河患"。后经几次较大的水患，清代时外城几乎全部淤没于地下。此次勘探得知，整个外城呈东西略短、南北稍长的长方形，周长 29120 米左右，折合宋里约 52 里（一般认为宋 1 里约合 559.872 米），与文献记载的"五十里一百六十五步"基本吻合。四面城墙距今开封市现存的明清城墙 1.3～2 公里。简报分别介绍了东、南、西、北各墙基以及北宋东京外城瓮门、水门等情况。

简报特别指出，从南墙 W1 即南主门的发现，结合 1984 年秋勘探出的古州桥遗址可以看出：从宋皇宫遗址（今龙亭）过宣德门（今新街口十字街一带）、州桥（今中山路中段）直至南薰门呈一南北直线，今开封市纵贯南北的中轴线中山路，同时也是宋东京城的中心大道御街，由此证明从北宋至今的千年中，城市的中轴线一直未有大的变化，为研究开封城的历史沿革提供了重要依据。

简报指出，北宋东京城的考古工作困难较大，北宋灭亡后，开封城经过多次兵燹以及黄河的淹灌，城内外的地形地貌起了很大变化。据探测，宋代文化层距现地表深 8 米左右，而开封的地下水位较高，其上的现代建筑鳞次栉比，这就使东京城

的考古勘探和发掘更加不易。虽然如此，但东京城的勘探发掘工作一直没有间断，随着北宋东京内城和皇城的部分遗迹的发现，北宋东京城的面目将会逐渐明朗。

367.北宋东京内城的初步勘探与测试

作　　者：开封宋城考古队　丘　刚等
出　　处：《文物》1996年第5期

北宋东京内城即里城、旧城，宋初也称阙城，是京师防御的第二道屏障。继20世纪80年代初，初步探明北宋东京外城、皇城和古州桥等遗址，考古人员自1986年起，将内城遗址的勘探试掘作为宋城考古的重点。经过大量工作，迄今已初步探明内城的位置、形制、范围和部分门址，并在内城北墙西段进行了重点试掘。简报分为：一、内城概况，二、地层关系和城墙结构，三、遗物，四、结构，共四个部分，配以照片，介绍了内城的勘探、试掘情况。

据介绍，内城是在唐汴州城基础上而来的。入宋以后，对内城屡有修补和增筑。靖康元年（1126年），金兵攻破开封，内城遭到较大破坏。金代末期金廷定都开封期间（1214～1233年），曾将内城扩展，形成了现存明清城墙的基础，北宋内城可能就在这时被毁。据勘探得知，整个内城略呈正方形，南墙位于今大南门北300米左右，北墙位于龙亭大殿北500米左右，东西墙与现存的明清城东西墙基本重叠。出土有瓷片、砖瓦等遗物。由于内城遗址位于今开封市区，纵横交错的街道和稠密的建筑使得探孔间距较大，加上内城遗址埋藏较深，所以取得的考古材料远不如外城详尽。据初步测量，四墙如均按直线计算，其形制略为东西稍长南北略短的正方形，四墙总长11550米左右。如按宋太府尺换算，宋里1里约合559.872米，内城周长折合宋里20.63里左右，与文献记载的20里155步，大致吻合，其周长较现存的明清城墙略小。

368.河南开封市宋东京城内汴河故道的初步勘探与试掘

作　　者：开封市文物工作队　刘春迎
出　　处：《考古》1999年第3期

公元960年，赵匡胤发动了"陈桥兵变"，建立了北宋王朝，定都东京（今河南开封）。经过北宋九帝160余年的营建，东京城曾一度成为当时驰名中外的国际性大都会。北宋定都开封后，总人口逾百万。当时穿城而过的河道有四条，其中"唯汴水横亘中国，首承大河，漕引江湖，利尽南海，半天下之财赋，并山泽之百货，悉由此路而进"。汴河把黄河和长江联系起来，全国各地，尤其是东南一带的物资通过汴河源源不断地运抵京都，因而，汴河堪称北宋王朝的交通动脉。然而，由于历史上兵火和黄河水患，汴河连同东京城一起，早已被淤没于地下数米乃至十数米之深。

早在20世纪80年代初期，考古人员就开始了对北宋东京城的考古调查和勘探试掘工作，并很快探明了皇城、内城和外城的位置；在探明了东京三城的基础上，又相继开展了宋东京城内汴河故道的考古调查和勘探试掘工作，汴河的概况以及近年来对汴河遗址考古的主要收获简报分为：一、汴河的历史沿革，二、汴河故道钻探概况，三、汴河水门的调查与试掘，四、汴河桥梁的调查和试掘，五、结语，共五个部分，有手绘图、照片。

据介绍，经过大量的考古工作，考古人员已可大致勾勒出宋东京城内汴河故道的流向：汴河由西北方向自今开封西郊土城村南的西水门入东京外城，然后向东偏南方向分别流经开封大学东北角、汽车三运公司搬运总站南侧、中药厂厂区南部、针织内衣厂西分厂东北角、开封衡器厂院内、纺织器材厂北部、消防队西环路支队院内，至二建综合加工厂，再由小西门北侧的汴河西角门子入东京内城，向东沿向阳路北侧、包公祠北侧、包公西湖中部、市供销社、电影公司、后河街、皮革大世界沿线至中山路的州桥遗址，再向东经鼓楼区文教局、胭脂河生活小区北部至宋门南部的汴河东角门子出东京内城；再折向东南流经东郊煤厂，至火葬场大门西侧的东水门出东京外城；最后沿今惠济河的北岸流向陈留、杞县等地。

简报称，除州桥遗址外，尚未对汴河遗址的其他地段进行过发掘或试掘，简报对汴河遗址的介绍只是粗线条的勾勒，还缺少足够的实物资料来说明汴河的开凿、使用和废弃年代等。所有这些都还有待于今后工作的进一步深入。

369.河南尉氏县张氏镇宋墓发掘简报

作　者：开封市文物工作队、尉氏县文物保护管理所
出　处：《华夏考古》2006年第3期

张氏镇宋墓位于河南省尉氏县张氏镇后大村南部约200米，西北距尉氏县城8公里，西距贾鲁河约2公里，北距开封市45公里。2000年7月上旬，由于天降暴雨，受雨水冲刷，这座宋墓暴露出来且被当地村民发现，考古人员进行了抢救性发掘。简报分为：一、墓葬形制，二、出土遗物，三、壁画，四、结语，共四个部分，有照片、手绘图。

据介绍，此为一小砖平砌券顶仿木雕砖单室砖室墓，墓室内有男、女骨架各1具。男性年龄应在50岁左右；女性墓主骨质疏松，腐朽程度严重，牙磨损厉害，年龄应

偏大。简报推测该墓为一座二次葬夫妇合葬墓，男性墓主先葬，女性墓主后葬。

发掘中室内没有发现棺，但从清理情况看，骨架周围发现有腐木灰迹及几枚生锈的铁钉，推测应该有棺。随葬品仅见一陶瓮及少许北宋铜钱。墓室内壁绘满了壁画，内容涉及墓主人、孝子、宗教、商业和农业活动，具有较高的研究价值。

简报称，此墓属中小型墓葬，墓主很可能是北宋中早期一位中小地主兼营工商业者。

370.北宋东京城外城城壕护坡勘探简报

作　者：开封市文物工作队　葛奇峰
出　处：《华夏考古》2007 年第 3 期

2004 年初，在配合城市基本建设中，考古人员对宋外城城墙进行全面钻探过程中，发现了一段约 120 米长的城壕遗迹及其两侧的夯土护坡遗迹。简报分为：一、地层堆积，二、遗迹，三、遗物，四、结语，共四个部分，有手绘图。

据介绍，该遗迹位于开封市西北隅的黄河水院新校区内，西连规划中的夷山大街，南望东京大道。该段城墙与以前发掘钻探到的城墙从形制到保存现状，从夯筑方法到规模大小均无大的差异，但于城墙对面的城壕的夯土护坡遗迹却是首次发现。

简报指出，考古人员对宋外城城墙做了不少工作，也有了许多重大发现，但对城垣与城壕之间的空间位置关系、城壕的修筑特点等方面了解却不甚详细。而此次钻探不仅发现了城墙、护城壕、城壕护坡、道路等遗迹现象，为我们了解宋代城墙与城壕的空间距离和位置关系、壕沟的修筑方法及其特点提供了重要的考古资料。

对北宋东京城有兴趣的话，可参阅刘春迎先生《北宋东京城研究》（科学出版社 2004 年版）一书，书中述及北宋东京城的四大河流（汴河、蔡河、金水河、五丈河），三重城垣（外城、内城、皇城）、寺院、园林等。

洛阳市

371.偃师县酒流沟水库宋墓

作　者：董　祥
出　处：《文物》1959 年第 9 期

1958 年 4 月，考古人员在偃师县酒流沟水库西岸、东距沟边约 30 米地方清理了宋墓 1 座。简报配以照片予以介绍。

简报介绍，清理时墓顶已被损毁，出土物有瓷盘、铁铲。墓室呈长方形，小砖砌，墓道位于墓室之南，呈梯形垂直而下，墓门拱顶，墓室后部东西向用小砖铺砌棺床，人骨架已腐朽，位置及葬式已不可知。墓室四壁，东西相对称，南北两端有砖柱，正中有板门，门楣镶嵌两个方钉，门两侧均有橱窗，上有彩绘斗拱。北壁下半部为 6 块画像砖，刻画人物生活状态，形状逼真，刻绘精美。

372.洛阳涧河两岸宋墓清理记

作　者：何凤桐
出　处：《考古》1959 年第 9 期

1957 年 3 月至 1958 年 12 月，考古人员在洛阳涧河两岸清理了 60 余座小型宋墓，其中 27 座保存尚好。简报配以手绘图予以介绍。

据介绍，计有靴子形墓 17 座、长方形土坑竖穴墓 9 座、正方形土洞墓 1 座。有 2 人合葬、3 人合葬墓，往往为二次葬。出土遗物很少，最多的只有 9 件。一般为小瓷碗、灰陶小罐、黑釉双耳罐及钱币等。

从出土钱币看，简报认为这批墓葬的时代为宋末金初。

373.洛宁县发现大批古钱

作　者：吕　品
出　处：《考古》1965 年第 12 期

1965 年 2 月中旬，洛宁县出土两批古铜钱，重 600 余公斤。简报配以拓片予以介绍。

据介绍，其中一批出在县南 10 公里的南赵村。该村村民在村北起土时，在深距地表 40 厘米处发现 1 圆形穴坑。坑直径 40 厘米、深 60 厘米，坑底平铺 1 块石板，内出铜钱 350 公斤。计有唐代 2 种：开元通宝、乾元重宝。北宋 24 种 43 品：宋元通宝、太平通宝、淳化元宝、至道元宝、咸平元宝、景德元宝、祥符元宝、天禧通宝、天圣元宝、景祐元宝、皇宋通宝、至和元宝、治平元宝、熙宁元宝、熙宁重宝、元丰通宝、元祐通宝、绍圣元宝、圣宋元宝、崇宁通宝、崇宁重宝、大观通宝、政和通宝、宣和通宝。南宋 3 种 4 品：建炎通宝、绍兴元宝、淳熙元宝。金代 1 种：正隆元宝。

另一批出在县西北 15 公里的田凹村，由于村民修理窑洞顶部，挖至地面下 20

厘米处，发现砖砌的圆形窑穴，内贮铜钱 275 公斤。计有唐代 1 种：开元通宝。北宋 14 种 19 品：宋元通宝、淳化元宝、至道元宝、景德元宝、祥符元宝、天禧通宝、景祐元宝、至和元宝、元丰通宝、元祐通宝、崇宁通宝、崇宁重宝、大观通宝、宣和通宝。南宋两种 3 品：建炎通宝、淳熙元宝。金代 1 种：正隆元宝。

简报称，从这两处铜钱出土的情况看，显然都是属于窖藏的。

374.北宋妇女画像砖

作　者：石志廉

出　处：《文物》1979 年第 3 期

我国古代的画像砖是一种工艺美术品，内容丰富多彩，具有悠久的历史传统。汉代的画像砖是模制的，体形巨大，古朴厚重。南北朝时期的画像砖也是模制的，体形较小，线条遒劲。宋代的画像砖则是雕刻的，小巧玲珑，有其独特的风格和特征。简报配以照片介绍中国历史博物馆藏的四块北宋画像砖，即妇女烹茶画像砖、妇女涤器画像砖、妇女结发画像砖和妇女斫鲙画像砖。

一、妇女烹茶画像砖，长 35.2 厘米、宽 16.2 厘米、厚 2.2 厘米。一高髻妇女，穿宽领短上衣，长裙，系长带花穗，正俯身注视面前的长方火炉，左手下垂，右手执火箸夹拨炉中火炭。炉上有一长柄带盖执壶。整个造型优美古雅，表现了这个妇女正在凝神专注的烹茶形象。

二、妇女涤器画像砖，长 38.8 厘米、宽 16 厘米、厚 1.9 厘米。一高髻妇女，短衣长裙，执拭巾作涤器状。面前为一长方桌案，制作精美，桌围下垂，桌上置各式器皿。

三、妇女结发画像砖，长 37.3 厘米、宽 11.3 厘米、厚 2.1 厘米。一高髻妇女，衣裙略同烹茶妇女画像，胸前露有精细的斜格纹衬衣，足穿云头鞋。她侧身站立，正在结发，似乎已经完成了全部的梳妆程序。画像比例合度，姿态俊俏，生动传神。

四、妇女斫鲙画像砖，长 34.1 厘米、宽 24.1 厘米、厚 2.2 厘米。一高髻妇女，穿右衽上衣，服饰与上述诸像大致相同，腰缠宽大斜格纹围裙，挽袖，露出了臂上的长圈套筒。她凝目注视面前后高木方桌，桌上置短柄尖刀 1 把，大圆木菜墩上有大鱼 1 条，栩栩如生。

简报称，画像砖原系定海方若旧藏，传系河南偃师出土，青白色，质地细腻，坚硬如石。简报推断这 4 块画像砖的时代为北宋。

375.洛阳涧河三座宋代仿木构砖室墓

作　者：洛阳博物馆　张　剑、王　恺

出　处：《文物》1983 年第 8 期

洛阳市涧河西岸是一处宋代墓葬密集的地方，1949 年以后陆续有成批或零星宋墓发现。简报分为：一、东方红拖拉机厂 179 号宋墓，二、洛阳耐火材料厂 13 号墓，三、洛阳轴承厂职工医院楼 15 号宋墓，四、小结，共四个部分，配以照片、拓片，先行介绍了 1973 年、1977 年涧西发掘的 3 座宋代仿木构砖室墓。

据介绍，东方红拖拉机厂 179 号墓是 1973 年 11 月配合拖拉机厂基建工程发掘清理的。由墓道、甬道、墓室三部分组成。墓道靠南，因有障碍未清理。南道和墓室均用长 29 厘米、宽 15 厘米、厚 4 厘米的青灰色砖砌造。简报推断其年代上限不超过宋哲宗元祐年间。

洛阳耐火材料厂 13 号墓是 1973 年 12 月，配合洛阳耐火材料厂基建工程发掘清理的。此墓年代应比 179 号墓稍晚。

轴承厂 15 号墓是 1977 年 1 月，配合洛阳轴承厂基建工程发掘的。墓南北向，墓道呈斜坡状，未发掘。简报推断此墓年代为宋金之际。

简报称，已发掘的仿木构砖室墓最早为北宋晚期，这 3 座墓有其代表性。简报附有"洛耐 M13 各斗拱的尺寸统计表"等统计表。

376.偃师缑氏永庆寺出土《永泰陵采石记》碑

作　者：李健永

出　处：《文物》1984 年第 4 期

1980 年 10 月，河南省偃师县缑氏镇永庆寺旧址出土宋代《永泰陵采石记》碑一通。碑质为青石，高 2.6 米、宽 1.29 米、厚 0.27 米，碑文 22 行，每行 26 字，楷书。简报录有碑文全文。

据介绍，碑文记述了修筑宋哲宗赵煦寝陵采石的经过。赵煦于 1086 年执政，共做了 15 年皇帝。碑文首句记载"大行哲宗皇帝以今年正月十二日己卯奄弃万国"，说的正是他在北宋元符三年（1100 年）死去。按照朝廷丧葬礼仪，立即开始浩繁的建筑工程，仅采石一项，据碑文记载，规模就很惊人。据碑文，民夫仅生病者就有 7000 多人。此碑出土在永庆寺，简报认为采石的指挥所当年也应设在该寺。

377.洛阳北宋张君墓画像石棺

作　者：黄明兰、宫大中
出　处：《文物》1984 年第 7 期

1964 年，考古人员在孟津县送庄公社张盘村征集文物时，见到村头放置 1 具没有棺盖的北宋石棺，经访问老乡，得知石棺是 1958 年修建洛孟公路时于村西北下坡处出土，棺盖被附近三十里铺百姓运走。寻访到棺盖后，将整具石棺运至洛阳博物馆。此石棺现陈列于关林石刻艺术馆。简报配以照片、拓片予以介绍。

据介绍，石棺棺盖及棺身均用整块青石雕成。棺盖上部正中刊刻墓志铭，志额篆书"洛阳张君墓志"6 字，2 行，行 3 字。下为志文，现在除"崇宁五年四月二十日"数字依稀可辨外，其余志文已漫漶不清。崇宁为北宋徽宗年号，崇宁五年为 1106 年。石棺上所刻内容有牡丹图案、二十四孝、佛教力士等。孝子列女二十四图与史载传说故事情况大体相同。勾勒技法都与宋代著名画家张择端的《清明上河图》相似，是典型的宋代世俗人物画。棺盖上精美的连枝大朵牡丹纹饰，说明这时的牡丹，已开始成为建筑艺术、民俗艺术的装饰图案。

378.洛阳纱厂路北宋砖瓦窑场遗址发掘简报

作　者：洛阳市文物工作队　隋裕仁、张振守、赵振华
出　处：《中原文物》1984 年第 3 期

1982 年秋至 1983 年夏，考古人员发掘了 1 处北宋砖瓦窑场遗址。遗址位于纱厂路中段隋唐洛阳城宫城正西约 2 公里处。这次发掘历时近一年，揭露面积 1600 多平方米，遗迹和出土遗物非常丰富。简报分为：一、遗迹，二、遗物，三、结论，共三个部分，有照片。

据介绍，遗迹主要有砖瓦窑两座（Y3、Y4）、作坊三个（F1、F2、F3）。遗物主要是条形砖、方形砖、板瓦、筒瓦、瓦当等各类建筑材料，也有少数生活器皿，以及唐、宋钱币等。简报推断，该窑址的始建时间不会早于北宋，废弃时间应在北宋晚期（1111 ～ 1126 年）。简报认为此窑址当是北宋时期专为宫城烧制各种建筑材料的官营窑场。

379.北宋杨承信墓志跋

作　者：赵世纲

出　处：《考古与文物》1985 年第 1 期

　　1962 年 12 月下旬,河南省新安县小寨沟公社高家湾村,出土北宋杨承信墓志 1 方。考古人员对现场进行了清理,知是 1 座墓葬。该墓曾多次被盗掘,遗物无存,墓砖亦被揭去,仅剩铺底砖一小部分。从残存情况看,墓室平面当为六角形。在扰乱土中发现铁锁 1 把,铜钱 50 余枚以及玉饰 12 片。墓道的填土中发现墓志盖,因工程关系墓道填土未作全部清理。简报配以拓片予以介绍。

　　据介绍,墓志为楷书,长达 2500 余字。简报录有志文全文。志文详细记述了他的出身、籍贯、历官、功绩、卒年、兄弟、姊妹以及婚配、子女。还记载了一些史籍所不载的史实,这不仅补正了《宋史·杨承信传》之缺误,也为研究五代史和宋史提供了资料。

　　简报称,杨承信生于后唐,历经后晋、后汉、后周、北宋共五个朝代,是一个所谓"虽叛臣之子,然累历藩镇,刻励为政而不苛,故能始终富贵"的显耀人物,在后周和北宋的统一战争中立有功劳。

380.北宋王拱辰墓及墓志

作　者：洛阳地区文物工作队

出　处：《中原文物》1985 年第 4 期

　　王拱辰(1011～1085 年),原名拱寿,字君贶,北宋开封咸平(今河南省通许县)人,19 岁举进士第一,仁宗见而喜奇,赐名"拱辰",史称"少年状元";曾居仁、英、神、哲四朝之官,职位显赫,历任吏、户、礼、兵、刑五部尚书,曾任检校太师、右谏议大夫、御史中丞、相州刺史、开封知府、大名府知府、北京留守、西京留守、北都留守、南都留守等职,又曾任永兴路、河东路、秦凤路、定州路、梓州路、高阳关路、大名府等路安抚使,还曾任秦、并、瀛、亳、郑、定、澶等州知州,曾拜翰林侍读学士、端明殿学士、龙图阁学士,也曾以特使、国信使身份,数次出使契丹(辽国),多次参与宋与辽、宋与西夏之间的外交活动,是北宋的名臣;卒于元丰八年(1085年)七月,终年 74 岁,谥号"懿恪"。其著作有《内制集》《外制集》各 5 卷,《奏议》10 卷,《文集》70 卷。其墓志由安定郡开国公安焘撰文、大散文家苏辙书丹、潞国公文彦博篆盖。《宋史》有传。王拱辰墓位于洛阳龙门南约 10 公里,今伊川县窑底村之西约 200 米处,坐西向东、背山面水。1976 年 3 月,墓被挖开。简报分为:一、王拱辰简介，二、王拱辰墓概况，三、王拱辰墓志形制，四、王拱辰墓志的主要内容，五、王拱辰墓志的学术价值，共五个部分，有拓片。

据介绍，据当时参与挖墓者及知情人讲，墓室全以青石条砌成，中间有一主室，室门朝东，室底平面呈正方形，主室南北两侧各有一侧墓。规模略小于主室。主室为王拱辰之墓，北、南两侧室分别为王之夫人"平乐郡夫人"薛氏、王之继室"和义郡夫人"之墓。随葬品甚少，仅有少量铜钱。骨架已朽，棺床上有棺木灰痕及棺钉遗存。3合墓志，保存较好，均置于主室墓门之内。志盖与志石之间，四角各支垫1枚"元丰通宝"铜钱。3合墓志，志盖均为盝顶形，周边无纹饰图案，中间为阴文篆刻。墓志现藏于伊川县文化馆，楷书，全文4184字，简报录有志文全文。

简报称，王拱辰为有宋一代名臣，其一生的政治、军事、外交、民事等活动，墓志均有较详细的记述，尤其关于王拱辰多次参与宋、辽两国的外交活动，关于宋、辽两国关系、宋与西夏、吐蕃、大越（交趾）等国关系，关于王对维持社会治安、裁减冗兵、惩治劣吏的奏议及措施，关于加强东南、两广一带边备的见识，关于救灾赈恤、处理民间诉讼的事迹，有关王与夏竦、滕宗谅、苏舜钦等人之间的政治斗争以及王本身职官的升迁、贬降情况及政治背景等方面，墓志均作了有根有据的记载。所以，王拱辰墓志为研究宋史、辽史、西夏史、研究北宋与周围邻国的关系，汉族与兄弟民族的关系，提供了珍贵的实物例证。它一方面弥补了宋史、辽史的不足，为宋史、辽史补充了资料，另一方面又纠正了宋史的某些谬误，起到与宋史、辽史互相参考、互相印证的作用。该志形制之大、字数之多、内容之丰富、涉及面之广，亦为唐、宋墓志中所少见。

381.嵩县北元村宋代壁画墓

作　者：洛阳市第二文物工作队　李献奇
出　处：《中原文物》1987年第3期

1986年10月，嵩县城关镇北元村西砖厂在备土中发现1座砖室墓。1987年3月8日，考古人员前往发掘，3月26日发掘结束，历时15天。该墓曾被盗掘，墓底紊乱不堪，葬具、葬式不明，室内随葬品也被取走。但该墓结构保存完好，从墓壁到墓顶，满室彩绘，内容丰富，十分华丽，所有构件全为水磨或雕饰青砖砌成，是一座典型的宋代仿木建筑砖雕壁画墓。清理情况简报分为：一、墓葬结构，二、墓室彩绘壁画，三、关于墓主身份和该墓的年代，共三个部分，有手绘图、照片。

据介绍，北元村在嵩县县城北3.5公里，南临洛吉公路约400米，墓葬在村西约 200 米。墓顶是砖厂在备土时发现的，该墓由墓道、甬道、墓室组成。该墓没有题记和墓志可证墓主身份，但墓室规模较大，结构复杂，特别是墓内所画男女墓主 1 人独坐 1 桌 1 椅，按照《白沙宋墓》宿白先生的考证，似乎可以说明墓主生前没有做过官，而是一个有相当财力的地方绅士。由该墓墓道填土中发现的折二大观通宝，简报推断该墓的年代约当于北宋晚期，其上限为宋徽宗大观年间（1107～1110 年）。

382.洛宁发现一件宋代瓷枕

作　者：李献奇、王兴起
出　处：《中原文物》1988 年第 2 期

宋代瓷枕 1 件，1985 年出土于洛宁县马店乡上圩村。简报配以照片予以介绍。

据介绍，瓷枕为白釉色，长 28 厘米，宽 18 厘米，后高 12 厘米、前高 8.5 厘米，上有词一首，计 75 字，简报录有全文。词牌为"粉蝶儿"，《全宋词》一书此词牌下收词仅 5 首，较少见。

383.洛阳博物馆收藏的几件宋代瓷器

作　者：周　航、李　红
出　处：《中原文物》1990 年第 4 期

洛阳博物馆近几年征集到一批宋代文物，部分精品简报配以照片予以介绍。

据介绍，精品有天蓝红彩釉碗（采集），可视为北宋汝窑产品；斗笠碗（出土不详），汝窑产品；斗笠形碗（采集）；青釉钵（采集），汝窑产品；三角花形碟（有出土地点），定窑产品；粉白釉刻花罐（送交），磁州窑产品；青釉盏托（出土不详），南方越窑佳品；珍珠地刻花枕（有出土地点），登封曲河窑烧造；古钱纹瓷枕（出处不详），磁州窑系珍品；绿釉执壶（送交），可能是北宋时期南方瓷窑产品。

简报称，上述瓷器是洛阳博物馆征集到的宋瓷中的精品，其中不仅有河南汝窑系的产品，且还有南方越窑、北方定窑等名窑的产品，这些南北名窑的瓷器在洛阳发现，反映了北宋时期洛阳经济上的繁荣，和它与南北方的联系及贸易往来的密切。根据洛阳一带发现的大量汝窑系瓷器来看，宋朝时期洛阳一带的民用瓷器是以洛阳周围汝窑系统的新安窑、登封曲河窑等处的产品为主的。汝窑系瓷器到宋代已经达到了很高的工艺水平。

384.洛阳发现宋代门址

作　者：洛阳市文物工作队　叶万松、李德方
出　处：《文物》1992 年第 3 期

1984 年 3～6 月，考古人员在配合洛阳市中州医院西大街门诊所的基建工程中，发掘了 1 座保存较完整的门基址。因发掘区四周被现代建筑所阻，发掘面积仅 82 平方米。简报分为：一、地层堆积与包含物，二、门基址，三、结语，共三个部分，有照片、拓片、手绘图。

门址位于今洛阳老城老集旧府洞。旧府洞是今人对明代藩王府正门的称谓，该门已于 20 世纪 60 年代拆除，此次发掘便在藩王府门基址下进行。该门址位于隋唐东都城之东城内。现存门址为单门洞砖石结构，由地栿石、门扉结构、车道、踏道组成。应建于北宋初，北宋末当在金人南侵、二陷西京时遭火焚。

北宋时，洛阳称为"西京"。相关研究可参见王书林先生《北宋西京城市考古研究》（文物出版社 2020 年版）一书。

385.洛阳邙山宋代壁画墓

作　者：洛阳市第二文物工作队　宋云涛、慕建中等
出　处：《文物》1992 年第 12 期

1990 年 4～8 月，考古人员配合洛阳铁路分局基建工程，发掘了一批唐宋时期墓葬。该墓区位于龙泉沟以西、龙泉新村铁路医院正北的邙山岭地上，南距隋唐东都城北墙约 600 米。在发掘区东部发现 1 座宋代壁画墓（编为 IM235 号）。墓门上部建筑和墓室顶部均遭破坏，墓室内进水，北壁被冲垮，南壁东段已坍塌。发掘时墓室内积满淤土和砖块。简报分为：一、墓葬结构，二、砖雕与壁画，三、随葬遗物，四、结语，共四个部分，有手绘图等。

据介绍，此墓为仿木结构砖室墓。由墓道、墓道耳室、墓门、甬道、墓室和东西耳室构成。墓主为一女性，从随葬品看，墓主人生前家资雄厚但似又为无官品之人。从出土银盘上铭文"行宫公用"看，似与皇室有某种关系。此墓年代简报推断为下限不晚于靖康年间的北宋末年。

简报指出，此墓在以下几点上都颇有特色：

其一，建筑结构上。此墓墓门的月梁结构及两耳室门的形式、墓中仿小木作之山华帐头等形式，在洛阳已发掘的宋墓中尚属首次发现，在结构及装饰上所采用的对称格局，也是洛阳宋墓中前所未见的。这些都为洛阳地区北宋墓的研究增添了新

内容。

其二，壁画内容上。壁画所绘16位人物均为女性，其衣着、佩饰齐全，可与墓主所佩实物相互参照，对研究北宋妇女服饰有参考价值。墓室东西壁对称绘有4幅挂轴画，这种情况并不多见，为研究中国古代绘画提供了难得的辅助性资料。

其三，金银器制作。以墓中出土4件金器（两件豆金锡质地待考，暂不计入）、7件银器，制作工艺也较精湛，其中银葵花盘为北宋官造宫廷用器。无论数量还是质量均超出以往洛阳宋墓。墓主双手腕部戴有镯子，但未见手骨，不知何故。

386.河南新安县古村北宋壁画墓

作　者：洛阳市文物工作队
出　处：《华夏考古》1992年第2期

1989年冬，考古人员在新安县正村乡古村发掘清理了1座宋代壁画墓。该墓位于新安县北约30公里的古村东北角的台地上。墓葬清理完毕后又进行了搬迁工作。

简报分为：一、墓葬形制与结构，二、墓的装饰，三、葬式及随葬品，四、结语，共四个部分，有拓片、照片。

据介绍，此墓为斜坡道砖券壁画墓，具有典型的宋代仿木建筑风格，墓结构完好，墓道在南，墓室在北，墓葬总长8.45米，由墓道、天井、甬道、墓室组成。墓室满是壁画。墓内共有8具人骨架。6具成人骨架，东西向并排置于砖床上，头向西。另两具小孩骨架被堆放于砖床的东南角。骨架下无木质痕迹，当无葬具。该墓人骨排列整齐，但大多朽坏，性别无法辨识，从两小孩骨架的堆放情况看可能为二次或多次葬。随葬品有瓷枕、铜钗、铜钱、瓷碟。简报推断该墓应为北宋中期神宗、哲宗时的墓。

简报称，在陆游的《老学庵笔记》卷四中记载，北宋时士大夫家妇女不坐椅子，此墓开芳宴图则绘有男女墓主对坐椅中，可知应不为官宦之家。该墓主身份可能是一个地方绅士。

387.河南洛宁北宋乐重进画像石棺

作　者：李献奇、王丽玲
出　处：《文物》1993年第5期

1992年2月，河南洛宁县东宋乡大宋村北坡出土1具北宋政和七年（1117年）

乐重进画像石棺，石棺刻画有 22 幅孝子图，墓主乐重进夫妇观赏散乐图，妇人启门图，还有天女散花图，鹿、麒麟、凤凰衔灵芝献寿图，以及繁密的花草图案。乐重进画像石棺较以前洛阳出土同时期画像石棺内容丰富，画面清晰，画技较高，对研究北宋绘画艺术、服饰、发型、散乐、杂技及生活习俗等提供了可靠的资料。简报分为：一、石棺形制结构，二、石棺画像内容，三、结语，共三个部分，有拓片、手绘图。

据介绍，乐重进画像石棺为青色石灰岩质，石质较粗糙，表面斑点较多。棺前部高而宽，后部矮而窄，形体厚重。石棺由盖（断为两块）、两帮、前挡、后挡、底 7 块石板用榫卯构成。石棺上共刻有 22 幅孝子图，人物故事形象逼真。特别是棺盖上的动物献寿图、妇人启门图和前挡的散乐表演图，属洛阳首次发现。乐重进画像石棺的花草图案、动物和人物的线条都十分流畅，是很典型的宋代风俗人物画。简报推断该墓年代为在北宋崇宁五年（1106 年）至宣和五年（1123 年）之间。

388.宋代王尚恭墓志浅说

作　者：赵秋莉
出　处：《中原文物》1993 年第 3 期

该墓志在 1936 年出土于洛阳孟津县北陈庄。墓志为正方形。志文为隶书，分上下两列，各 41 行，行 20 字。首行题曰："宋故朝议大夫致仕王公墓志铭。"碑文由宋代名臣范仲淹之子范纯仁撰，著名的史学家司马光书，李稹刻石。志石除少数文字残毁不清之外，其余皆清晰可见，现存开封市博物馆碑廊中。简报配以照片予以介绍。

据介绍，这篇墓志铭可在《范忠宣公集》14 卷中查到，除个别字句有差异外，内容基本相同。王尚恭在《宋史》中无传，记载其事迹的《宋史翼》和《宋元学案补遗》两本书中，有关其内容皆来源于碑文。所以这块墓志可补史之缺，是了解和研究王尚恭最珍贵的第一手资料。据墓志记载，王尚恭卒于北宋神宗元丰七年（1084 年）八月九日，终年 78 岁，同年十月九日归葬于河南府河清县上店里。王尚恭的父亲为京兆万年人，家曾在果州，后又迁河南。王尚恭少时学习刻苦，景祐元年和弟尚叶同登进士，他被任为庆成军判官，历知芮城、阳武、缑氏诸县，官至朝议大夫。后被仁宗派往环庆访民疾苦时，为百姓办了许多实事。他在当时是一位品德高尚的官员，曾受到范仲淹、包拯等人的赞许。

简报称，王尚恭墓志的另一重要价值是后人能直接欣赏到历史名人司马光的书法，为研究司马光的书法提供了重要的实物。《书史会要》记载，司马光"善隶书，极端劲，似其为人"。黄庭坚跋公书云："司马温公天下士也，所谓左准绳，右规矩，声为律，身为度者。观其书犹可想见其风采。"此墓志文字端庄文雅，结构严谨，带魏晋之韵，存隋唐楷意，又尽脱唐隶之臼，显示了独有的风格。

简报指出，王尚恭墓志无论从其书法，还是从其内容来讲，都具有非常重要的价值，是宋志中不可多得的精品。

389.洛阳南郊皂角树村宋墓

作　者：洛阳市文物工作队　霍宏伟等
出　处：《文物》1995 年第 8 期

1993 年元月，考古人员在洛阳市南郊皂角树村配合洛阳经贸开发区零号公路工程，清理了唐、宋墓葬 100 余座。简报分为三个部分，配以照片、手绘图，先行介绍了 C7M609 号宋墓的相关资料。

据介绍，墓葬为小型横室土洞墓，由墓道、墓室构成。墓室中部有少量黑色骨灰，知此墓为火葬墓。随葬器物集中出土于墓室东部。墓内随葬品共计 22 件，有瓷器、陶器和俑及动物模型三类。其中白瓷佛塔的出土，反映出宋代佛教对世俗的影响。墓中发现的 3 个坩埚，形制较小，其中 2 个有使用的痕迹，很可能是用于打制首饰制品的。墓中还出土了一枚瓷骰子，这在已发表的中原地区的宋墓资料中，尚未见过。

390.宋中书令李昭亮神道碑调查

作　者：苏　健
出　处：《中原文物》1995 年第 2 期

1984 年秋，考古人员文物普查途中遥见 1 巨碑，即临瞻视，发现为宋李昭亮神道碑。此碑坐落于洛阳东南 25 公里的偃师李村乡之南约 4 公里的袁沟村西、马庄村南；在马庄村东、南去碑约 300 米处，传为墓地。现墓已塌陷，无坟冢。墓前石马、石羊及石牌坊等大型石雕已散失，唯存 1 石羊，现已运至洛阳古代艺术馆收藏。

据介绍，该碑通高 6.25 米。碑首刻六龙，雄浑劲健，窈曲蟠绕，戏一珠。碑身高 4.07 米、宽 1.56 米、厚 0.50 米。龟趺座高 0.70 米，深埋土中。正文作楷书，结体险劲，古拙丰润，法度森严，融汇颜柳。凡 39 行，满行 108 字。简报录有全文，中多缺字。

据介绍，此碑石质疏松，字迹剥蚀较甚，诸书均未见著录。但碑文字数颇多，涉及内容丰富，对李昭亮家世与事迹记述详备，具有重要的补史证史价值。李昭亮系北宋外戚功臣名将，官高胄显，《宋史》卷 257 其祖李处耘传附其父李继隆传中仅寥寥提及，志文中涉及的李氏身世、生平、官称、平定李元昊叛乱、下葬年（嘉祐四年即 1059 年）、妻妾子女等，均可补史书之阙。另外，还需要提及的是，李昭亮为什么要葬在洛阳？按《宋史》卷 257 其祖李处耘传：李处耘死后，"赐地葬于洛阳偏桥村"。该村就位于李昭亮墓正北约 200 米，村名至今依旧，可见此地乃李氏祖茔。若按图索骥，则不难找到李氏祖孙三代之墓。

391.河南宜阳北宋画像石棺

作 者：洛阳市第二文物工作队、宜阳县文物管理委员会　李献奇、张应桥等
出 处：《文物》1996 年第 8 期

1995 年 12 月，宜阳县莲庄乡坡窑村西发现一古墓被盗。经勘察为 1 土洞墓，墓道向南，直井竖穴。墓内仅存 1 画像石棺，棺两帮各刻画 5 幅孝子图，前挡刻画墓主夫妇饮茶图，后挡刻画收获图，盖上刻画繁密的卷枝牡丹图案，底四周刻画云朵。简报分为：一、石棺画像形制结构，二、石棺画像内容，三、结语，共三个部分，有照片、拓片。

据介绍，石棺为青色石灰岩质，表面磨光，棺前部高而宽，后部矮而窄，形体厚重。棺由盖、两帮、前挡、后挡、底组成。石棺所绘纹饰，人物均为单线阴刻。所绘墓主夫妇饮茶图，收获图，卷枝、缠枝牡丹图，是以往洛阳地区出土的北宋画像石棺所没有的。此棺的发现丰富了北宋画像石棺的内容。孝子烈女故事画像为阴线刻，刚劲流畅，人物造型准确生动。此墓的年代，简报推断为北宋徽宗时期。

392.洛阳宋代衙署庭园遗址发掘简报

作 者：中国社会科学院考古研究所洛阳唐城队　王　岩、李春林
出 处：《考古》1996 年第 6 期

洛阳宋代衙署庭园遗址，位于隋唐洛阳东城之东南隅，即今洛阳市老城区中州路南侧，东面集市街，西临乡范街，南接西大街。1991 年 10 月至 1992 年 5 月，考古人员为配合洛阳市老城区开发进行发掘，简报分为四个部分，有手绘图等。

据介绍，洛阳宋代衙署庭园遗址地处隋唐洛阳东城的东南隅，北宋时洛阳改称西京，在隋唐所遗衙署、官邸基础上改建、扩建，文献称"颇盛于隋唐"。遗址的毁弃时间，大约是在北宋末年。这与金人的数次大举入侵有关。《宋史》等文献中

都有金人入侵洛阳时大肆烧掠官民宅舍的记载。遗址中大量红烧土块和木炭的出土，说明衙署宅院可能就是在金人入侵的大火中被焚毁的。

393.河南新安县梁庄北宋壁画墓

作　者：洛阳市文物工作队
出　处：《考古与文物》1996 年第 4 期

1988 年秋，考古人员为配合农田建设在新安县北冶乡梁村西北清理了 1 座北宋墓葬。该墓的墓室为八角形单室仿木结构建筑。该墓虽遭盗掘，但墓室及壁画保存基本完好。简报分为：一、墓葬形制与结构，二、葬式、葬具，三、壁画，四、建筑彩画，五、结语，共五个部分，有手绘图。

据介绍，该墓由墓道、甬道、墓室三部分组成。该墓为 3 人合葬，因被盗扰乱，3 具朽骨架已凌乱不全。棺木已腐朽无存，但还有棺灰痕迹。壁画分布于墓室的 6 个壁面之上。其绘制方法是先在砖壁上均匀平抹一层很薄的白灰，然后落墨敷彩。该壁画墓仿木建筑大部分装饰以彩画。简报推定此墓的时代大致与禹县白沙宋墓一号墓时代相同，应为北宋哲宗时期。

简报称，此墓的发掘对研究宋代的建筑、绘画、花木园艺技术以及社会习俗提供了有益的实物资料。

394.河南新安县宋村北宋雕砖壁画墓

作　者：洛阳市文物工作队
出　处：《考古与文物》1998 年第 3 期

1994 年 12 月，新安县城关镇宋村组陈家洼村村民在进行冬季农田建设中，于村北边丘岭的背阴坡腰部台地上发现该墓，考古人员进行了发掘清理（编号为 C12M28）。简报分为：一、墓葬形制与结构，二、雕砖壁画与彩绘装饰，三、葬具、葬式及随葬品，四、结语，共四个部分，有照片、拓片、手绘图。

据介绍，此墓为阶梯式斜坡墓道砖券洞室墓，墓室修造砖雕仿木建筑，结构保存完好。此墓中除有大量雕砖壁画外，墓室内几乎满布彩绘。砖雕以浮雕、透雕为基本工艺，大幅壁画用多块方砖先雕后拼而成，拼合严整、平齐；小幅画则用单块方砖雕成后，嵌入墙面。彩绘以白色打底，黄色为基调，辅以红、绿、船等色彩。在侧室与棺床上共发现人骨架 5 具，不见葬具。随葬品仅有铜钱及墓志砖块。文字已无法辨认。简报认为这是北宋中晚期的 1 座二次葬墓，墓主应为乡村富绅。

简报称，此墓发掘的一大收获为砖雕。在砖雕题材上，牡丹的集中运用，更是此墓的特点，有盆花、折枝、朵花等。而最令人惊讶的是，全部近 30 幅牡丹作品，竟无一雷同。因此，此墓的发掘对研究宋代的建筑、雕刻及牡丹为题材的装饰艺术提供了弥足珍贵的资料。

395.河南洛阳市唐宫中路宋代大型殿址的发掘

作　者：中国社会科学院考古研究所洛阳唐城队　陈良伟
出　处：《考古》1999 年第 3 期

1995 年底至 1996 年初，为配合洛玻集团基建工程，考古人员发掘了 1 座宋代大型建筑基址。基址地面设施破坏殆尽，磉墩遗址多数尚存。有关资料简报分为：一、发掘经过和地层堆积，二、建筑遗迹，三、出土遗物，四、结语，共四个部分，有手绘图、拓片。

据介绍，经过 1984 年和 1996 年两次发掘，基本上搞清楚了唐宫中路南侧的宋代大型建筑基址的平面布局及沿革。宋代大型建筑基址东西长约 76 米、南北残宽 58 米（北面未到边），可分早、晚两期且两期遗址布局不相同。早期建筑由步廊、天井、东西回廊和大殿组成。晚期建筑由步廊和大殿组成，中间由道路相连。另外，大殿进深至少 7 间；面阔分为两种情况，南部面阔 19 间，北部面阔 11 间。唐代建筑遗迹遭到严重破坏，很难窥测建筑原貌和规模。通过发掘，简报可知宋代大型建筑基址虽然利用了唐代建筑旧址，但并非依原址重修或改建，而是重建。

简报称，此次发掘出的宋代大型建筑群，为研究宋代西京的大型建筑的平面布局、建筑风格、建筑式样、采光和排水设施等，有较为重要的意义。此次发现对我们寻找宋文明殿建筑群和唐武安殿建筑群提供了线索。

396.洛阳发现佛顶尊胜陀罗尼北宋墓幢

作　者：黄吉君
出　处：《中原文物》2000 年第 3 期

考古人员在配合洛阳至三门峡高速公路机场段工程中，发现北宋石墓幢 1 件。据介绍，墓幢呈八棱状，周长 1.12 米，高 1.49 米。经幢通常由座、身、顶（刹）三部分构成，形似宝塔。该墓幢之基座和刹未发现，仅存中间一段幢身。幢身上端边缘镌刻蔓草一周，缘下八面刻大日如来佛像和篆书"佛顶尊胜陀罗尼"7 字。大日如来是佛教密宗供奉的本尊，梵名谓之摩诃毗卢遮那。"摩诃"即"大"的意思，"毗卢遮那"是日的别名，所以汉译为大日如来。据幢上铭文，系范伯鱼为其亡母赵氏所立，时间是北宋靖康元年（1126 年）。简报称，立于庙内者叫经幢，立于墓前者叫墓幢。墓幢并不常见，十分珍贵。另外，值得一提的是书法。刊者霍琳，史书无载。察其书法时有连笔，楷书中略带草意，笔法自由奔放，风神秀逸，具有较高的书法艺术造诣。

397.洛阳市西工区 5692 号北宋墓

作　者：洛阳市文物工作队　黄吉博
出　处：《中原文物》2002 年第 3 期

1997 年 7 月，考古人员在洛阳市西工区唐宫路发掘并清理了 1 座北宋末年的墓葬，墓中出土了一套目前考古发现的最完整、年代和出土地点最明显的瓷质中国象棋。简报分为：一、墓葬形制，二、随葬器物，三、结语，共三个部分，有照片、手绘图。

据介绍，该墓东距隋唐东都城西墙 120 米，为一长方形竖穴土洞墓。由墓道、墓门、墓室三部分组成，棺木一具已朽，人骨已朽。出土器物有瓷罐、铜镜、金耳环、铜钱等 7 件，其中最引人注目的是象棋子 32 枚。出土于棺内死者头部右侧。均为瓷土烧制，圆饼形，表面不施釉，直径 2.5 厘米，厚 0.3～0.5 厘米，黑色、白色棋子各半，双面阴刻"将""士""象""马""车""砲""卒"等字，字内填朱砂，是中国目前考古发现的最完整、年代和出土地点最明确的象棋，对研究中国象棋的发展史有着极为重要的意义。该墓的年代，简报推断为北宋末年。

398.洛阳王城花园出土宋代器物

作　者：洛阳市文物工作队　霍宏伟
出　处：《文物》2003 年第 12 期

2003 年 2～6 月，考古队在洛阳市西工区西小屯村北王城花园住宅小区工地发掘了一批战国墓葬。发掘过程中，在距地表约 2 米处清理出三彩陶枕、铜镜各 1 件。简报配以照片、拓片予以介绍。

据介绍，三彩陶枕为粉红色细泥质陶胎，如意头形枕面，略向前倾。铜镜出土时表面有一层织物痕迹，推测铜镜被织物所包裹。

简报指出，陶枕与铜镜同出的现象亦不多见，牡丹图案出现在北宋时期的陶瓷器、铜镜等日用品上，反映出这一时期人们喜爱牡丹的审美风尚，王城花园工地出土的三彩枕与铜镜具有较为重要的学术价值。

399.北宋西京洛阳监护城壕的发掘

作　者：中国社会科学院考古研究所洛阳唐城队　陈良伟、石自社、韩建华等
出　处：《考古》2004 年第 1 期

1999 年 5 ～ 6 月间，在配合基本建设过程中，中国社会科学院考古研究所洛阳唐城队发现 1 段北宋时期的护城壕遗迹，以及与壕沟相关的城垣和护坡遗迹。遗址位于洛阳市老城区西北隅办事处北大街住宅小区院内，东距北大街 32 米，南距中州路 200 米，北距丁家街 25 米。简报分为：一、地层堆积，二、遗迹，三、遗物，四、结语，共四个部分，有拓片、手绘图。

简报称，据文献记载，唐王朝灭亡后，五代和北宋王朝以其故都为西京。北宋时期，为了加强对西京的管理，则因隋唐东都东城故址建洛阳监。由于文献记载语焉不详，仅知洛阳监是北宋时期洛阳地区的最高行政和执法机关。就现有资料可知，洛阳监北依高阜、南据洛河、西托宫城、东凭城壕，城防更加严密，显然地位极其重要。这为我们重新认识洛阳监的政治地位提供了重要的实物资料。简报认为，宋代时，将隋唐时干涸的泄城渠改为护城壕。

简报指出，数十年来，虽然中原已经发现数十座与都城相关的城址，并发现一些与城垣、城壕相关的遗迹，但因破坏较为严重，故而城垣与城壕之间的空间位置关系、城壕的修筑特点等都不甚清楚。此次发掘不但揭露出城垣遗迹、护城壕遗迹和城壕护坡遗迹，而且将其展现在同一个剖面图中，从而为我们了解中国古代城垣与壕沟的空间距离和位置、壕沟的修筑方法及其特点提供了相当重要的实物资料。

400.洛阳人民路北宋砖瓦窑址

作　者：洛阳市文物工作队　程召辉、贺　辉等
出　处：《文物》2007 年第 4 期

2005 年 12 月至 2006 年 1 月，考古人员在配合洛阳市土杂公司住宅楼基建工程中，清理了 1 处宋代砖瓦窑遗址。该遗址位于洛阳市人民路与环城北路交叉口西南角、业余体校以北，东距瀍河 600 米。简报分为：一、砖瓦窑结构，二、出土遗物，三、结论，共三个部分，有照片、手绘图。

据介绍，共发现 5 座窑，这 5 座窑南北向一字排开，间距 1.8 ～ 2.4 米，均坐西朝东。形制、大小基本相同，均由操作坑、火门、窑室、烟室等组成，出土遗物主要有板瓦、筒瓦、瓦当、残砖等。年代据简报推断，始建于北宋早期，废弃时间应在北宋晚期。

窑址出土的板瓦及简瓦中，部分戳印带有"官"字。推测此窑址应为北宋时期以烧瓦为主的官营作坊。它的发现，为我们研究洛阳城的建造、修缮历史及建筑材料的来源提供了新的资料。

401.富弼家族墓地发掘简报

作　者：洛阳市第二文物工作队　吴业恒、史家珍、郑　卫
出　处：《中原文物》2008 年第 6 期

2008 年，考古人员为配合基本建设，抢救性地发掘了北宋中期宰相富弼夫妇及其家族墓地，墓地规划整齐，排列有序，层次分明。随葬器物除墓志外，仅出土有少量遗物和壁画。其中富弼墓志方 1.41 米，碑文近 7000 字，内容丰富，涉及北宋中期许多重大历史事件，文辞优美，书法兼备楷、行、篆、隶，是探讨北宋中后期的政治、经济、文化、艺术等方面的重要实物资料。简报分为：一、地理位置，二、墓葬形制，三、出土遗物，四、结语，共四个部分，有照片、拓片、手绘图。

据介绍，富弼家族墓位于无卧牛之地的邙山陵墓群内，行政区划属洛阳市西工区史家屯村，共 11 座。富弼夫妇墓编号 IM2761，为长斜坡圆形单室砖室石椁室墓，由墓道、封门、甬道、墓室、椁室五部分组成，坐北朝南，总长 24.6 米。该处墓地盗扰严重，出土遗物极少。除了墓志和壁画外，未见其他遗物。壁画保存不好。墓志 2 方，富弼墓志，楷书，计 6595 字。富弼之妻晏氏墓志楷书，计 1895 字。简报均录有志文全文。

富弼，字彦国，河南人，《宋史》有传。生于北宋真宗景德元年（1004 年），天圣八年（1030 年）中茂才异等科，因反对王安石变法，乞还政事，归洛养疾，拜司空复武宁节钺，封韩国公致仕。富弼曾任相于仁宗、英宗、神宗三朝，卒于宋神宗元丰六年（1083 年）。富弼妻晏氏之父为北宋宰相晏殊。晏殊，《宋史》有传。据《晏氏墓志》，晏氏死于元祐元年（1086 年），享年 73 岁。以此推之，晏氏生于大中祥符六年（1013 年）。富弼起家平素，然而其一生仕途顺畅，官运亨通，除了其卓越的才识和修养外，也与前辈如范仲淹、韩琦等的举荐，同僚如文彦博、司马光、韩维等人的帮助以及岳父晏殊的提携有关。

简报称，富弼墓志，鸿篇巨制，以字数论居洛阳地区出土碑志之冠，在河南乃至全国都是十分罕见的。志文近 7000 字，把富弼在每个阶段、每个历史事件中的作用都记录得细致入微。史志对照，有助于我们全面认识富弼的政治、经济思想和北宋中期复杂的社会状况。虽然宋代史学典籍汗牛充栋，但对于治宋史学者而言，富弼墓及其家族成员墓志的发掘出土无疑是十分重要的实物资料。

402.洛阳洛龙区关林庙宋代砖雕墓发掘简报

作　者：洛阳市文物工作队　张　瑾、周　立等

出　处：《文物》2011 年第 8 期

2009 年 10 ~ 11 月，考古人员在洛龙区关林庙东南发掘了 1 座宋代墓葬。简报分为：一、墓葬形制与结构，二、随葬器物，三、墓室砖雕，共三个部分，有彩照、拓片、手绘图。

据介绍，该墓为 1 座仿木结构单室砖墓，由墓道、甬道和墓室三部分组成，已被盗扰。墓室呈八边形，墓壁有砖雕装饰，小型砖雕内容为孝子故事，共 10 件 23 幅，除 1 幅外，均有榜题；大型砖雕内容为散乐、备宴、杂剧等。这些砖雕质地坚硬，制作规整，表面无刀刻痕迹，人物线条圆润流畅，可能是将砖坯放入刻好的模子内成形。根据墓葬形制和砖雕内容，简报推断此墓的时代应为北宋晚期。

平顶山市

403.河南省临汝县宋代汝窑遗址调查

作　者：冯先铭

出　处：《文物》1964 年第 8 期

河南省临汝县是宋代名窑之一汝窑的所在地。汝窑向以出产青瓷著名于世。南宋时就有"近尤难得"的记载。明初江西景德镇窑曾一度仿烧，清代雍正乾隆年间更模仿成风。20 世纪 30 年代，日本人原田玄讷曾去临汝实地进行了调查。1950 年，陈万里先生在严和店、陶墓沟、刘庄、岗窑、大峪店东沟、叶沟及黄窑 7 个遗址上作过短暂的调查，采集了 30 片标本，发表了《汝窑的我见》（《文物参考资料》1951 年 2 期）。1956 年 10 月，考古人员调查了严和店、枣园两处遗址，发表了《汝窑址调查简报》（《文物参考资料》1956 年 12 期）。1958 年 3 月，考古人员又在严和店、轧花沟、大堰头、枣园、陶墓沟、陈沟、东沟、黄窑、龙王庙沟 9 处遗址作了调查，并在大堰头进行了窑基的发掘，发表了《汝窑址的调查与严和店的发掘》（《文物参考资料》1958 年 10 期）。三次调查，共发现了 12 处遗址。1964 年 3 月，故宫博物院再派工作组到河南临汝、禹县复查汝窑、钧窑遗址，工作组有冯先铭、叶喆民、方国锦与杜廼松等先生。简报分为几个部分，配以照片、手绘图，介绍了

1964 年调查的情况。

简报称，调查汝窑以后，明确了印花青瓷在汝窑生产中居于主流地位，而刻花青瓷只是昙花一现，没有得到发展。由此可知，国外陶瓷图录中把为数不少的刻花青瓷定名为汝窑的作品，今天看来，绝大多数是耀州窑的作品。所以产生以上的错觉，主要原因是受《坦齐笔衡》《景德镇陶录》两书的影响。由此感到文献有助于对历史问题的研究，但文献不一定都完全符合客观实际，这就需要进行详细周密的实地调查。简报还指出，此次复查的 11 处遗址，烧钧瓷的遗址有 8 处，颇有喧宾夺主之势。为什么在汝窑产地会兴起了钧瓷？简报认为，宋代北方瓷器已形成了几个体系，其中主要为定窑系、耀州窑系、钧窑系和磁州窑系，四个窑系之所以能够形成不是偶然的，而是与它们的各自优越条件有密切关系。定窑、耀州窑更被指定为北宋宫廷烧制瓷器。简报认为钧窑也不例外，问题不过是文献没有留下记载而已。汝窑靠近钧窑，受其影响并不奇怪。

简报指出，四个窑系所产生的影响是很大的，定窑不仅影响北地，而且波及到了江南。耀州窑也西传至甘肃天水（秦窑），东传至汝窑、宝丰，并且远达了广州。钧窑以禹县神后为中心，邻近的郏县、临汝，西面的新安和北面的汤阴与磁县都受其影响。从以上情况看，这几个体系的影响是不受地域限制的。

404.宋苏适墓志及其他

作　者：李绍连
出　处：《文物》1973 年第 7 期

北宋苏洵和苏轼、苏辙，是著名的文学家，世称"三苏"。三人中，苏轼的文章和书法，更为人们所推崇。死后有人还为他们修祠立碑，甚至修建衣冠冢，年代久远，对于他们究竟葬于何处，也就真伪莫辨了。苏适墓的发现和墓志的出土，帮助我们澄清了这个问题。简报分为：一、墓的形制及残存器物，二、墓志铭，共两个部分配以照片、拓片等。

据介绍，苏适字仲南，是苏辙的次子、苏轼的侄儿。苏适夫妇合葬墓位于今河南省郏县茨芭公社"三苏坟"院南门外东南 115 米处。苏适《宋史》无传，葬地不明。周亮工《书影》曾载苏适葬于此地，但未见其冢。1972 年 6 月，当地农民因引水浇地发现此墓后，随即清理。由于此墓早年被盗，殉葬品多散失，仅存墓志 2 合、铜印 1 枚和白瓷小碗 1 件。墓为双门双室砖结构，无彩画，为苏适与其妻黄氏合葬墓。骨骸已朽，棺木已朽。两人各有墓志 1 合，简报录有苏适墓志铭全文。据墓志，此墓附近还有"三苏坟"、苏适兄苏迟妻梁氏墓，此地当为苏氏家族墓地。

405.宋代人物瓷枕

作　者：邓城宝

出　处：《中原文物》1982年第2期

宝丰县出土了1件造型奇异的宋代四彩人物瓷枕。这件瓷枕除主要人物外，其身前、身后尚各有1组动物浮雕和1组人物故事浮雕，这在现已出土的古瓷人物枕中，还是比较少见的。简报配以照片予以介绍。

据介绍，瓷枕出土于宝丰县小店公社石灰窑村，是村民挖土时发现于1座宋墓中，后献给文化馆收藏。瓷枕全长39厘米，枕面宽12.5厘米，长18.5厘米。瓷枕人物为男性青年，面孔丰满，高鼻通额，发式高螺髻，发冠圆箍横簪，衣着交领长袍，胸部束绦盘结，双足登高底圆头靴，袍角直遮足面，衣随体势起皱，衣纹雕刻逼真。人物作熟睡状，睡姿舒适，神情意态栩栩如生。人物身前有一组动物浮雕——1蛙1鹤1鹿。瓷枕背后，有一组可称为"梦游仙境"或"梦中求子"的画面。简报称，该瓷枕应属宋代清凉寺窑出品。

406.宝丰县发现北宋对子钱窖藏

作　者：邓城宝

出　处：《中原文物》1983年第3期

宝丰县最近在大营公社古垛村南之古庙遗址中，发现1处古钱窖藏。这批古钱共90多公斤，其中除少量东汉五铢、部分唐代"开元通宝""乾元重宝"及个别五代时期的"万国通宝"外，绝大部分是北宋时期的对子钱（未见南宋钱）。北宋钱达182种。简报配以拓片予以介绍。

据介绍，宋钱的种类繁多，除了币名有"通宝""元宝""重宝"之分外，币型又有大、中、小、厚、薄之别。内、外郭除了宽、窄之外，穿孔尚分方、菱、花、圆及八角等异形。个别宋钱背纹还有指甲印及四圆孔等。宋钱之另外一个突出特点就是"对制"即对子钱。同样钱文、同样大小，而钱文的书法真、草、隶、篆各异，可以互相配成许多对。同体书法而笔画书写却不相同，这是其他朝代货币所没有的独特现象。宋钱另一特点，是年号钱多。这也是造成宋钱种类繁多的一个主要原因。北宋的年号更换频繁，前后共有35次，一个皇帝最多用过9种年号，有些年号只用一年就换。随着年号的改易，多有新的货币出现。这批宋钱的发现，为研究宋代商品经济及北宋时期的社会状况，提供了非常珍贵的实物资料。

407.郏县出土宋代卧童瓷枕

作　者：王书源等
出　处：《中原文物》1984 年第 3 期

1983 年 10 月 5 日，郏县城东关青年农民马凯、马太显在窑场挖土时，发现了 1 件空心卧童瓷枕并及时把它送交县文化馆收藏。简报配以照片予以介绍。

据介绍，瓷枕通长 27 厘米，通高、宽 12 厘米。枕面为 1 株碧绿的莲叶下，躺 1 幼童，怀抱 1 只小水鸭，腹前绽开 1 朵艳红荷花。幼童静卧荷叶下，短发齐额，白胖的脸庞，淡红的唇，眉清目秀，面带笑容，天真活泼，栩栩如生。上身着淡黄色罗衫和花肚兜儿，下身穿浅绿色裤，手、脚均带黄色镯子。此枕胎质细腻施釉均匀，色调艳丽，是 1 件珍贵的艺术珍品。据当事人谈，瓷枕出土处为 1 处古墓葬群，与瓷枕同时出土的还有大观年号铜钱数枚，证明此枕应属北宋晚期遗物。

408.河南宝丰发现窖藏汝瓷珍品

作　者：赵青云、王黎明
出　处：《华夏考古》1990 年第 1 期

1989 年 3 月 29 日，宝丰县大营镇蛮子营村农民在村东取土时发现 1 窖藏瓷器。在距地表 1 米深处，一摞瓷器叠放在一起，最上用一大板沿洗覆盖。当地百姓将出土的 47 件窖藏汝瓷全部献交国家。但由于出土不慎，部分瓷器已破损，现已全部修复。简报分为：一、窖藏瓷器的种类与特点，二、这批窖藏与清凉寺窑之关系，三、综述，共三个部分，有照片、手绘图。

据介绍，这批窖藏瓷器均属生活日用器皿，器型有笔洗、板沿洗、盘、碗、钵、盂、瓶等。釉色有天青、粉青、卵青等。这批瓷器的特点：造型讲究，工艺精湛，釉色蕴润，开片密布，大部为外裹足，满釉，支烧。其中的线刻龙纹和莲花、牡丹纹，刻纹较浅，装饰单调，具有五代或北宋早期的时代特征。

简报称，据统计，宋代御用汝瓷传世下来的共 65 件，分别珍藏在英国、美国、日本和我国北京故宫博物院、台北故宫博物院、上海博物馆等。1987 年，宝丰清凉寺汝官窑址一次就发掘出土 20 余件，而这次窖藏又发现 47 件，仅此两项之和，便在数量上已超过了各博物馆收藏汝瓷传世品的总和。所以，这次窖藏汝瓷珍品的再现，是我国陶瓷考古史上又一新的重大发现，对于古陶瓷研究和对其他传世汝瓷窑口的鉴定，提供了确凿的实物证据。

409.河南临汝严和店汝窑遗址的发掘

作　　者：河南省文物考古研究所　毛宝亮、赵志文、赵文军
出　　处：《华夏考古》1995 年第 3 期

严和店汝窑遗址，位于河南省临汝县（今汝州市）县城南 10 公里蟒川乡严和店村北。该遗址发现于 20 世纪 50 年代。1956 ~ 1960 年，我国著名的瓷器专家陈万里、冯先铭、叶喆民等先生曾先后在此进行科学调查。1985 年进行了发掘。简报分为：一、前言，二、文化层堆积，三、遗迹，四、出土遗物，五、结语，共五个部分，有照片、手绘图。

据介绍，发现有瓷窑遗迹，出土遗物 247 件。简报认为临汝严和店瓷窑遗址是一处范围广、规模大、文化内涵丰富的重要遗址，其中出土的遗物以青瓷印花纹饰比较全，包含了北方青瓷印花技术的概貌，也为丰富北方青瓷印花工艺史增加了新的篇章。特别是两窑炉的发掘，在中国汝瓷史上是一重大发现，使我们对汝窑的构造、工艺特点以及发展线索也有了初步认识。从时代看，可分为北宋中期、北宋晚期两个时期。

410.河南宝丰县李坪村古墓

作　　者：河南省文物考古研究所　赵志文、杨玉华
出　　处：《华夏考古》1995 年第 4 期

1987 年 10 月下旬，宝丰县大营乡李坪村一村民在盖房挖澄灰池时发现 1 座砖室墓，并将墓顶破坏。考古人员前往调查，并于 11 月 2 日至 18 日进行了发掘。简报分为：一、墓葬形制与结构，二、葬具葬式，三、出土遗物，四、结语，共四个部分，有拓片、手绘图。

据介绍，该墓位于宝丰县西北约 25 公里李坪村西南农田里，为一坐北向南的仿木结构砖砌单室墓，墓顶距地表约 0.3 米，墓顶砖外面覆盖一层 0.05 ~ 0.10 米的石灰。墓葬全长 6 米，高 4.20 米，由墓道、墓门、甬道、墓室四部分组成。木棺已朽，发现有三个头骨。随葬品仅有白釉瓷碗 8 件、铜钱 37 枚、上无文字的墓石一块。简报推断此墓时代为北宋末年或至金代，墓主人应为当地富户。

411.河南郏县仝楼村三座宋墓发掘简报

作　者：河南省文物考古研究所　赵志文、李书谦、朱汝生
出　处：《华夏考古》1999 年第 4 期

1997 年 9 月中旬，郏县渣园乡仝楼村一砖厂在取土时发现 3 座古墓，考古人员调查后，确认这三座古墓为北宋仿木建筑砖室墓，并于同年 9 月 30 日至 10 月 6 日对该处遗迹进行了清理。简报分为：一、前言，二、墓葬形制，三、相关问题，共三个部分，有手绘图。

据介绍，仝楼村位于郏县县城西北约 5 公里，村南约 500 米有一个体砖厂，这 3 座墓即位于砖厂南部取土区内。墓室顶部和墓门封门砖及部分墓壁已暴露在外，墓道被取土时破坏殆尽，墓地地表情况不明，但墓门封门砖及墓壁整体保存较好，没有发现坍塌和盗掘迹象。经调查，原地表没有发现封土，砖砌墓室顶部距地表约 1 米。墓葬形制结构基本相同，均为南北方向的砖砌六边形攒尖顶仿木建筑结构单室墓，由墓道、墓门、甬道、墓室四部分组成，墓道均位于墓室南边。3 座墓葬均用长 31 厘米、宽 15 厘米、厚 5 厘米的条砖砌筑而成。3 墓均未见任何随葬品。简报推断其年代为北宋中晚期，M1 应略早于 M2、M3。3 墓均应为二次合葬墓，当为同一家族墓。其中一号墓为祖坟，二、三号墓为父、叔之墓。墓主人绝非一般平民，其后裔至少为富人之家。

412.宝丰清凉寺汝窑址 2000 年发掘简报

作　者：河南省文物考古研究所　杨木森、赵文军等
出　处：《文物》2001 年第 11 期

清凉寺汝窑址位于河南省宝丰县大营镇西南 2.5 公里的清凉寺、韩庄两村之间台地上。遗址总面积 1 万余平方米，按照地形地貌大致划分四个区。1987 年，考古人员首次对该窑址进行试掘，出土北宋天青釉汝瓷 20 余件，引起国内外陶瓷界的关注。其后，分别于 1988 年、1989 年、1998 年和 1999 年对该窑址进行了第 2 ～ 5 次考古发掘。其中前 4 次发掘集中在该窑址的第一、二、三区，1999 年在第四区钻探与试掘，找到并确定了天青釉汝瓷中心烧造区。2000 年 6 ～ 12 月，对清凉寺窑址第四烧造区的西北部进行了第 6 次发掘。发现窑炉 15 座（大型窑炉 7 座、小型窑炉 8 座），配釉、上釉作坊 2 座，过滤池、澄泥池各 1 处，排水渠 2 条，排列有序的陶瓮、缸 20 余个，灰坑 22 个和水井 1 眼，一大批典型的天青釉汝瓷、窑具等。简报分为：一、地层堆积，二、主要遗迹，三、出土遗物，四、结语，共四

个部分，有手绘图，介绍了第六次发掘的部分材料。

据介绍，2000 年 6 ～ 12 月的第 6 次发掘，发掘面积 500 余平方米。此次发掘出土的遗物丰富，窑炉、作坊、澄泥池等遗迹布局清晰有序，从地层上揭示了天青釉汝瓷的烧造晚于民用青瓷。结合出土的钱币，简报推断天青釉汝瓷创烧于宋神宗元丰年间（1078 ～ 1085 年），大约停烧于宋徽宗前期。简报认为清凉寺天青釉汝瓷烧造区的性质是官窑。

413.宝丰清凉寺汝窑遗址的新发现

作　者：河南省文物考古研究所、平顶山市文物管理委员会办公室、宝丰县文物保护管理所

出　处：《华夏考古》2001 年第 3 期

汝窑御用瓷自 1987 年在河南省宝丰县清凉寺窑址发现以来，曾引起国内外陶瓷界的关注。考古人员从 1987 年至 1998 年，先后在第 I、II、E 区进行了四次较大规模的发掘，每次都有较大的收获，但始终未能找到天青釉汝瓷烧造区和完整的地层堆积。1999 年根据清凉寺村民提供的线索，工作重点由第 I、II、E 区转入第 N 区，在居民住宅外便道上进行试掘。清理出厚达 0.1 米的天青釉汝瓷堆积层，收获天青釉汝瓷 1000 余片，同出的还有不同于汝民窑的匣钵、垫饼、试烧插片（火照）等窑具和大型建筑构件，初步判定这里即是天青釉汝瓷烧造区，并探明烧造区及作坊面积约 4800 平方米。

简报分为：一、主要遗迹的分布及特点，二、遗物的种类与工艺，三、综述，共三个部分，有照片、手绘图。

据介绍，天青釉汝瓷烧造区位于清凉寺窑址的最北端，东、西两河之间半坡台地上。2000 年 6 月至 12 月正式发掘，清理出窑炉 15 座，作坊 2 座，过滤池、澄泥池各 1 处，排列有序的陶瓮、大口缸 20 余个，釉料坑 4 个，灰坑 22 个和水井 1 眼，并出土一批形制比较完整且品种丰富的天青釉汝瓷和匣钵、垫饼、垫圈等窑具。对揭示天青釉汝瓷的特征、性质以及烧造工艺等相关问题都具有重大学术价值，取得了汝瓷考古的重大收获。

简报称，大量天青釉汝瓷的出土，丰富了人们对汝窑产品的认识。汝窑由于为宫廷烧制御用瓷的时间较短，工艺要求高，成品率低，故传世汝瓷不多。据统计，全世界目前现存汝窑传世品仅 70 余件，主要藏在中国的北京故宫博物院、台北故宫博物院和上海博物馆以及英国、美国、日本等地，其中器型与这次发掘所获得器物完全一致。至于天青釉汝瓷的烧造年代，文献未明确记载。陈万里先生根据

南宋人徐兢《奉使高丽图经》中"汝州新窑器"一语和该书成书于宣和五年（1123年）这两个线索，推断汝窑烧制宫廷用瓷的时间在北宋哲宗元祐元年（1086年）至宋徽宗崇宁五年（1106年）这20年间。

简报最终认为，清凉寺窑址天青釉汝瓷烧造区的创烧年代，始于宋神宗后期，盛于宋哲宗时期，大约停烧于宋徽宗初期，其性质是官窑。

414.汝州张公巷窑的发现与认识

作　者：河南省文物考古研究所　孙新民
出　处：《文物》2006年第7期

汝州张公巷窑是新发现的一处古代瓷窑遗址。由于它出土了一种全新的青釉瓷器，釉色莹润，质量上乘，既与汝窑产品相似又有所不同的特点，所以引起了中国古陶瓷研究者的高度重视。2000～2004年，考古人员先后三次配合民房改建工程进行小范围的考古发掘，发现水井和澄泥池等与制瓷相关的遗迹，出土了一批类似汝窑的青釉瓷器、素烧器和窑具。在2004年5月召开的汝州张公巷窑考古新发现专家研讨会上，不少中外陶瓷研究者认为该窑址就是寻觅已久的北宋官窑。鉴于该窑址的发掘简报正在整理中，今后还将进行较大规模的发掘。

简报分为：一、汝州张公巷窑的发现，二、张公巷窑与汝窑瓷器的区别，三、张公巷窑青釉瓷器的流传，四、汝州张公巷窑的性质，共四个部分，配以彩照，先行介绍现有资料。

据介绍，张公巷窑位于河南汝州市东南部，中心区面积约3600平方米，皆为民居和道路所压。2000年、2001年、2004年进行了三次发掘。以2004年发掘收获最大。这主要表现在以下三点：

一是发现多个青釉瓷器埋藏坑。本次发掘揭露不同时期的灰坑79个，计有20个灰坑内出土张公巷窑生产的青釉瓷或素烧器。

二是揭露与制瓷相关过滤池一处。

三是出土了一批全新的青釉瓷器。

简报指出，张公窑与汝窑相距仅30公里，产品风格相近，但也有一些明显不同。这主要表现在以下四点：

第一，汝窑瓷器的釉色呈纯正的天青色，所谓"雨过天晴云破处"的色泽；汝窑器物表面的开片分为两种，一种为冰裂纹，另一种呈鱼鳞状。张公巷窑瓷器的釉色浅淡，釉面玻璃质感较强，手触有光滑感；器物表面的开片较汝窑瓷器细碎、显著。

第二，汝窑瓷器的胎体呈香灰色，似香点燃后的颜色。张公巷窑瓷器的胎体较薄，胎色泛白，一般呈灰白色。

第三，汝窑中支烧的器物以外裹足为主，支钉细长如芝麻状；支钉数量除水仙盆为 6 枚外，其余均为 3 枚或 5 枚，支钉一般为单数。张公巷窑瓷器多为平直圈足，外裹足者较少，支钉呈圆形的小米粒状；支钉数量有三、四、五、六枚，既有单数也有双数。

第四，两者的器型也有所不同。张公巷窑的盘口细颈瓶、鹅颈鼓腹瓶、堆塑莲纹熏炉、套盒、盏托等不少器型，与汝窑同类瓷器均有一定的差异；而花口折腹圈足盘、葵口折沿平底盘、椭圆形圈足盘、四方平底盘和敞口小壶等器型，则为汝窑所不见。

简报认为张公巷窑为官窑，并指出南宋人关于北宋官窑的记述具有一定的真实性，应该引起足够的重视。汝州张公巷窑的发现，已经为我们寻找北宋官窑提供了重要的信息。虽然还不能断定它就是北宋官窑，但随着今后汝州张公巷窑的进一步发掘，想必会获得更多的实物资料，以最终解决扑朔迷离的北宋官窑悬案。

焦作市

415.温县宋墓发掘简报

作　者：张思青、武永政

出　处：《中原文物》1983 年第 1 期

1982 年 4 月 27 日，温县城北 1 公里许的前东南王村北街村民在建房挖掘地基时，发现 1 座古墓，考古人员对该墓进行发掘清理，结果没有发现任何随葬器物，墓室正中偏后土台上置一迁葬骨架。简报配以手绘图、照片予以介绍。

据介绍，此墓为一典型宋墓，建造得十分华丽、精巧，具有较高的研究价值。墓室为穹窿式砖券仿木八角亭式地下建筑，空间高为 3.40 米，直径 2.95 米。自上而下共有八面，墓室顶部绘以八瓣双层红色莲花藻井图案，周围檐部施八朵五铺作单拱出双抄计心造斗拱，斗拱之间夹以八朵补间铺作，安翼形拱。这些构件全为水磨青砖砌成，灰缝细小，表面似涂一层石灰，然后再在上面绘以简单图案，因被烟熏得黢黑，只能隐约地看出图案的线条。檐部至墓底，八面均有雕饰。画像砖内容有散乐图、侍女应厨图等，对研究我国古代墓葬及古代杂剧等，均提供了宝贵的实物资料。

416.河南省焦作市牛庄瓷窑遗址二号灰坑

作　　者：焦作市文物工作队　杨贵金、邢心田
出　　处：《北方文物》1995 年第 2 期

牛庄瓷窑遗址位于焦作市区东北部，牛庄村南侧，北距修武当阳峪窑址约 3 公里。此遗址是焦作市第三房屋开发公司在这里建设住宅小区时发现的。考古人员从 1993 年 2 月 3 日至 27 日进行了发掘清理，出土了大量宋、金、元时期的遗迹和遗物。其中二号灰坑内涵最为丰富，故单独报道，其他待整理后再作报道。简报分为：一、灰坑特征，二、出土遗物，三、结语，有手绘图。

据介绍，二号灰坑位于 11 号楼房基础东部，西偏南距一号窑炉 12 米，可能为炉前工作面的设施之一，推测为储存水源或坯料及其他什物之用。坑内堆满松散的灰黄色土，内出各种瓷片 2217 片，三彩器（包括黄、绿釉器）19 片，素胎无釉器 2 片，各种窑具 23 片，铜镜 1 面，灰陶器 2080 片，瓦 2517 片，砂锅片 416 片。简报推断，二号灰坑年代应在金代前期，金海陵王迁都燕京之前。

简报称，目前能确定金大定年以前的瓷器很少，大定以后的产品却屡见不鲜，说明中原地区的陶瓷业在大定年间才得以恢复。但根据《河内县志》，在北宋灭亡的第二年，即金太宗天会六年（1128 年），"金以怀州为南怀州，置沁南军节度使"。说明焦作地区在金前期已在金人统治之下，各业生产应该恢复较早，这也为二号灰坑定在金代前期提供了历史背景。

417.河南温县西关宋墓

作　　者：罗火金、王再建
出　　处：《华夏考古》1996 年第 1 期

1991 年 4 月，河南省温县西关三街砖厂在取土中发现 1 座仿木结构建筑砖室墓，考古人员对其进行了发掘。在墓壁上发现了 10 块杂剧散乐人物雕砖，弥足珍贵。雕砖现藏县文管所，墓室回填。简报分为：一、地理位置，二、墓葬形制，三、遗物，四、杂剧散乐雕砖，五、结语，共五个部分，有照片、手绘图。

据介绍，该墓位于温县县城西南隅，西距西环路 150 米左右。由墓道、墓门、墓室三部分组成。尸骨已朽，埋葬人数不清，葬式不明。随葬品仅有 1 件瓷碗及一件白瓷碗底。该墓的年代，简报推断不早于北宋晚期。该墓是典型的宋代仿木结构单室墓，为研究《营造法式》提供了实物依据。杂剧散乐人物雕砖，是研究杂剧的珍贵史料。

418.宋代梁全本墓

作　者：罗火金、张丽芳
出　处：《中原文物》2007 年第 5 期

1996 年 5 月，考古人员在河南轮胎厂发掘 30 余座古墓，其中 1 座为北宋晚期仿木结构砖室墓，出土有墓志和黑釉弦纹梅瓶。简报分为：一、墓葬结构，二、随葬遗物，三、结语，共三个部分，有拓片、照片、手绘图。

据介绍，发掘地点处于焦作市东南隅马作墓群所在地，距焦东路不远。梁全本墓坐北面南，墓顶距地表约 1.8 米。墓葬由墓道、甬道和墓室组成。仅出土黑釉梅瓶 1 件和墓志 1 方。墓志楷书，计 355 字。简报录有志文全文。由志文知，墓主人叫梁全本，葬于北宋崇宁四年（1105 年）。据墓志记载，梁全本与其长子恭"同力营运资产，不数年，积累钜万"，说明当时梁全本家是一个殷实之家。又从其孙女们所嫁之人的身份看，三个进士，二个"市户"，说明梁全本家族当时在当地是有一定社会地位和身份的，有很大的社会影响力。

419.河南焦作白庄宋代壁画墓发掘简报

作　者：焦作市文物工作队　邢心田、韩长松、居丽萍
出　处：《文博》2009 年第 1 期

焦作白庄宋代壁画墓位于焦作市马村区白庄村北 200 米处，焦作建设东路北侧。为配合白庄翠园小区的建设施工，2008 年 5 月 13 日～ 22 日，考古人员对 32 号楼基础内发现的 1 座宋代壁画墓，进行了清理发掘。简报分为：一、墓葬形制，二、壁画内容，三、随葬器物，四、结语，共四个部分，有手绘图。

据介绍，焦作白庄宋代壁画墓坐北朝南，由墓道、甬道、墓主室、后室和西侧室组成，编号 2008JBM1。有砖雕和壁画，壁画主要为孝子图。随葬品仅有一只白釉瓷碗，为宋代当阳峪窑烧造。简报推断该墓年代为北宋晚期。

简报指出，孝子故事是封建伦理道德观念的反映，早在汉魏时期就已流传，历代有所添加或取舍，宋金时期更为广泛流行，而且趋于定型。以此为题材做壁画内容的墓屡有发现。焦作白庄宋代壁画墓的壁画仅选取二十四孝故事的 12 幅孝子图，在焦作地区发现的宋金壁画墓中为首次发现。白庄宋代壁画墓的壁画绘制线条流畅，人物形象生动，表现出了较高的绘画技巧。值得注意的是，孝子图中用"刘明达卖儿图"代替了"郭巨埋儿图"更趋近人性化，刘明达卖儿是因为家贫不能供母，将儿子卖与他人，保全了孩子的性命；郭巨埋儿是因为家贫不能供母，要把儿子活埋，

以节省口粮，供奉母亲，其尽孝的方法，充满了血腥，与我国古代"尊老爱幼"的道德标准相差甚远。二者相比较，刘明达的行为显得较为合理。

420.焦作沁阳南外环路宋墓 M1 发掘简报

作　者：焦作市文物工作队、沁阳市文物工作队
出　处：《中原文物》2012 年第 4 期

2011 年 4 ～ 5 月，考古人员对沁阳市城区南外环路 1 座宋代墓葬进行了抢救性发掘清理，出土了酱釉瓷罐、骨刷、铜镜、银耳勺、钱币等随葬器物。简报分为：一、墓葬形制，二、随葬器物，三、结语，共三个部分，有照片、拓片、手绘图。

据介绍，该墓为平面近似方形的单室砖券墓，由墓道、墓门、墓室三部分组成。墓室平面近似方形，四角攒尖顶，顶部坍塌，南北长 2.45 米，东西宽 2.2 米，残高 2 米。墓壁为横平砖错缝砌筑，凹字形棺床，棺床铺砖为平行齐缝。棺床上有人骨架 3 具，均腐朽。简报推断为北宋墓葬。

421.河南焦作宋代刘智亮墓发掘简报

作　者：焦作市文物勘探队　赵德才
出　处：《中原文物》2012 年第 6 期

2010 年，考古人员在焦作市解放区西王褚村西，发现一座宋代墓葬，墓内发现墓志一合，从墓志上得知该墓的营造时间为北宋太平兴国五年（980 年）。此墓的发现为研究我国宋代早期墓葬营造结构，提供了不可多得的实物资料。简报分为：一、墓葬形制，二、随葬器物，三、结语，共三个部分，有照片、手绘图。

据介绍，该墓系在南水北调工程中发现。为砖室结构圆形穹隆顶单室墓，坐北朝南，由墓道、甬道、墓室三部分组成。墓室棺床上正中保存有两具人骨架，头西脚东，由于进水，骨骼略显散乱。墓内无随葬品，仅有石墓志一合，志文为魏碑体，318 字，简报录有志文全文。由志文知，该墓营造于北宋太平兴国五年（980 年）。从墓志记载可知，墓主人刘智亮，来自彭城（徐州），在王褚村置田地，一生务农，性情豪放，因疾而终，葬于此地。墓志中记载的地名王褚村，现今仍然存在，只是村中人口增多，民国时期以村中南北道路为界分为西王褚、东王褚村。

鹤壁市

422.河南淇县出土白釉加彩童子骑牛

作　者：耿清岩

出　处：《考古与文物》1984 年第 1 期

1981 年 4 月，河南淇县桥盟公社七里堡大队一农民在村西北一公里的岗地上距地表 3.5 米处发现一件白黑釉、精彩瓷卧牛，长 13 厘米、宽 5.5 厘米、高 7 厘米。牛尾卷于身底，犄角长而内弯。牛眉、眼、鼻、嘴、蹄、尾及犄角处着黑彩，两耳着精彩。牛背之上侧坐一牧童。童身上穿束袖白衫，下着精色窄裤，肩着精色披风；右手抚按牛背，持细绳钩一金鱼；左手自然下垂置放腿上，手持一绳，绳端系一渔具置放牛背上。牧童右腿稍曲，左腿下垂。简报配图予以介绍。

简报称，这件文物，牛身肌肉凸出，前胸、后臀丰满，显得健壮有力。牧童浓眉大眼，炯炯有神，牧童骑牛钓鱼，富于生活情趣。据文物部门鉴定，这件牧童骑牛瓷器属宋代磁州窑产品，较为罕见。

423.河南淇县发现一面宋镜

作　者：淇县文管所　介新安

出　处：《考古》1989 年第 3 期

1986 年春，一农民在淇县城北三里桥西 500 米处的第二道古城墙南挖出一面铜镜，重 450 克。镜背正中饰一朵盛开的大菊花，花应中间铸一桥形镜钮，大菊花外饰六朵缠枝菊花，其外饰三周细弦纹夹一周连珠纹，宽素缘。简报配以照片予以介绍。

据介绍，镜面虽锈蚀严重，但部分镀光水银仍明察可鉴。根据该镜纤细、平薄的特点和图案装饰的风格，简报推断这是一面宋代缠枝菊花铜镜。

424.鹤壁发现宋代石窟造像

作　者：郭太松

出　处：《中原文物》1989 年第 2 期

鹤壁市宋代石窟造像，位于鹤壁市大河涧乡张公堰村西 10 里许佛爷沟的半山崖壁上。1984 年文物普查时首次发现，并作了简单记录。1988 年 10 月，考古人员专程对该石窟进行调查。简报配以照片介绍了调查结果。

张公堰石窟坐北向南，共开 6 个窟龛，其中空龛 1 个，集中凿于 1 处。主龛位于空龛上部，其余 4 个小龛，两个分布于主龛左右龛柱中部外侧，两个位于主龛尖帽两边。主龛左侧有"浮化元年岁当庚寅（990 年）三月十二日"邑子捐资造窟题记一方，高 45 厘米、宽 72 厘米。题记正文因风化剥蚀严重，字迹多难辨认。

简报称，张公堰石窟规模不大，但宋代石窟在河南颇属少见，而且其窟龛形制与巩县石窟二号窟左壁"大宋兴国八年（976 年）"补凿的造像龛形制完全一样。其主佛、弟子、菩萨、力士造型又和延安地区子长中山石窟北宋治平四年（1067 年）中央佛坛三世佛之二、立菩萨、力士雕像相近。其雕造手法倾向于写实，造像比例肩腰合宜，身躯匀称，衣裙上衣纹流畅，线条突出，佛像祥和，造型生动，刀法洗练、意态优美，不愧为一典型的宋代石窟艺术。张公堰石窟的发现为研究宋代佛教史和石窟艺术提供了难得的实物资料。

新乡市

425.介绍一件"张家造"宋代瓷枕

作　者：王春玲

出　处：《中原文物》1983 年第 2 期

1981 年 3 月，在汲县城关公社沿店大队出土了 1 件瓷枕。瓷枕作长方形，枕面长 32 厘米、高 13.5 厘米。简报配以照片予以介绍。

据介绍，瓷胎细腻坚硬，白地黑彩。枕底部有一"张家造"阴文楷书印记。整个瓷枕画面主题突出，繁简得宜，线条流畅生动。尤其白地衬以黑花更增强了艺术效果，使瓷枕的纹饰、色调，显得非常协调、美观，富有浓厚的民间生活气息。

根据这件瓷枕的胎质、彩绘和"张家造"印记来看，简报推断应属我国宋代磁州窑系产品。

426.新乡出土宋代澄泥砚

作　者：傅山泉、王春玲
出　处：《文物》1986 年第 2 期

1984 年 4 月，河南省新乡市平原路小学在校内挖地基时，发现 1 座宋代墓葬。
此墓早年被盗，自然破坏严重，仅存 4 件随葬澄泥砚和数枚唐宋铜钱。简报配以照
片予以介绍。

据介绍，计出土澄泥砚 1 件、箕形砚 1 件、风字形砚 2 件、带盖箕形砚 1 件。简报称，
以上诸砚砚池内均有明显墨迹，当为实用品。

427.河南省新乡县丁固城古墓地发掘报告

作　者：河南省文物研究所、新乡市博物馆、新乡地区文管会　孙新民、张新斌、
　　　　杜彤华
出　处：《中原文物》1985 年第 2 期

河南省新乡县大召营乡丁固城村位于新乡市西南约 5 公里，古墓地即在村西北
的高地上，北接新焦铁路，南临排涝水渠。在此墓地周围广泛分布有古遗址、城址
及墓葬。1984 年 3 月，铁路部门在此建设新荷线轨节厂，考古人员对该墓地进行了
抢救性发掘，发掘工作从 1984 年 4 月 20 日至 5 月 14 日，共发掘新石器时代灰坑 3
个、战国墓葬 7 座、汉墓 36 座、宋墓 19 座，另有春秋时期灰坑 2 个，以及因无出
土物而不明时代的墓葬 13 座。出土了一批文物。简报分为：一、墓地概况和地层堆
积，二、新石器时代遗存，三、战国墓葬，四、汉代墓葬，五、宋代墓葬，六、结语，
共六个部分，有照片、拓片、手绘图。

据介绍，新石器时代遗存属仰韶文化晚期至龙山文化早期遗存。战国时代墓葬
为战国中期魏国墓葬。丁固城的汉墓被扰或被盗严重，保存较好者仅 16 座。墓葬形
制较少，除一座竖穴土扩墓外，余皆为单室的土洞墓或砖券墓；多数墓有掏洞耳室，
耳室内放置随葬品，随葬品一般不逾 10 件。18 座砖券墓的券顶皆为直缝顺砌，时代
为西汉晚期（仅 M54 为新莽时期）。宋墓随葬品不多，下限不会晚于宋哲宗时期，
上限可能早到北宋早期。鸭身形墓在砖室墓中属最小型，形制特殊，为以往考古发
掘中所不见，应为家族或某一宗教徒墓。

428.河南卫辉大司马墓地宋墓发掘简报

作　者：河南省文物局南水北调文物保护办公室、四川大学考古学系
　　　　于孟洲、付兵兵、王占魁、党志豪、白　彬

出　处：《华夏考古》2011 年第 4 期

大司马墓地位于河南省卫辉市唐庄镇大司马村村北，墓地东西长约 1700 米，南北宽 300～500 米，总面积约 70 万平方米，为市级文物保护单位。南水北调中线干渠从西南至东北穿过墓地，2006 年 6～10 月，为配合水利工程进行了发掘，共清理汉、晋、唐、宋、明、清墓葬 28 座，出土珍贵文物近 400 件。简报先行介绍了其中的三座宋墓（编号为 06WDM7、06WDM8、06WDM12，简称 M7、M8、M12）的发掘情况简报，分为：一、M7，二、M8，三、M12，四、结语，共四个部分，有照片、手绘图。

据介绍，这 3 座北宋晚期土洞墓均为竖穴墓墓道，用石块垒砌（或堆放）封门，墓道在南而墓室在北，并且均随葬钱币。另外，M7、M8 两墓各随葬两件瓷器，都放置在人骨头部和上肢的左侧。上述相似性及 3 座墓葬埋葬位置前后顺序等都说明它们之间可能存在密切的联系。新乡地区发表的宋墓资料较少，大司马墓地发现的 3 座宋墓均未被盗，为研究宋代墓葬等提供了实物资料。

安阳市

429.河南林县的两件北宋瓷枕

作　者：张增午等

出　处：《文物》1981 年第 1 期

林县文化馆收藏 2 件北宋时代的瓷枕。简报配以照片予以介绍。

据介绍，"春"字瓷枕 1979 年 6 月出土于林县河顺公社郎垒村的 1 个宋墓中。枕面椭圆形，枕面与内侧面略凹，上有墨书九个字，即："春微风媚日，和扇景迟。"此枕除底部外，满施乳白釉，釉色莹润，隐现冰裂纹，胎淡灰色，底部无釉。

另 1 件为"张家造"绘画瓷枕，1976 年 11 月，林县物资局在县城东南部盖房挖地基时出土。上有压印楷书"张家造"3 字。

简报称，两枕年代为北宋，应为鹤壁集窑出品。

430.河南内黄县出土"张家造"宋代瓷枕

作　者：张毅力

出　处：《考古与文物》1985 年第 5 期

1982 年 5 月，内黄县东庄乡渡店村南地一农民在挖土时，发现了 1 件白地黑字瓷枕。简报配以照片予以介绍。

据介绍，枕面及周围均施白釉，釉色光润，瓷胎细腻。瓷枕作长方八角形，枕高 10 厘米、长 27 厘米、宽 17.5 厘米、枕面厚 1 厘米，状如一凹板盖在器身上，面上由一粗一细两墨线绘边，中间行书 10 字："细雨鱼儿跳，微风燕子斜。"枕四周为素面。枕底面未施釉，微内凹，底面中央有一横条模印"张家造"3 字，字体为楷书。印章两头皆有一模印叶状花瓣。

简报指出，"张家造"瓷枕是属于北宋时期磁州窑系的产品。这件"张家造"瓷枕既保存了磁州窑系的装饰特征，又运用了中国书法的传统技法，用诗句形象地描述了鱼在细雨中和燕子在微风中的神态。

431.汤阴宋墓发掘简报

作　者：安阳地区文管会、汤阴文物保管所　杨松山

出　处：《中原文物》1985 年第 1 期

1983 年 3 月，在汤阴县城北关新建县委大院的施工中，发现 1 座宋代砖室墓。考古人员进行了清理。简报分为：一、形制，二、骨架与葬具，三、随葬品，四、结语，共四个部分，有照片、手绘图。

据介绍，该墓是坐北朝南的仿木结构砖砌单室墓。墓顶距地表 1.27 米，由墓道、墓门、门堂、墓室四部分组成。内有 2 具骨架，1 为 60 岁左右男性，1 为 50 岁左右女性。女性尸骨应为迁葬。墓中出土器物不多，计有铜带扣 3 件、拐杖 1 件、白瓷小碗 4 件、小口白瓷瓶和小口黑釉弦纹瓶各 1 件。该墓的年代，简报推断为北宋。

简报称，宋代墓室多为方形、六角或八角建筑，而此墓是圆形墓室，在豫北地区尚不多见。

432.介绍五件宋代瓷枕

作　者：河南省内黄县文化局　张毅力

出　处：《考古》1986 年第 3 期

河南省内黄县文化局征集到 5 件宋代瓷枕。简报配以照片予以介绍。

据介绍，内黄县东庄乡和西马上村出土的铭文瓷枕和水墨花卉画瓷枕，简报推断为北宋时期磁州窑系的产品；张龙村和旧县村出土的荷叶形刻花瓷枕、长方形素三彩刻花瓷枕，简报认为系登封窑产品。水波纹瓷枕 1984 年 10 月在后训乡南丈保村出土。

简报称，以上 5 件宋代瓷枕，造型美观大方，形式多样，为研究宋代瓷器提供了资料。

433.林县一中宋墓清理简报

作　者：林县文物管理所　张增午

出　处：《中原文物》1990 年第 4 期

1979 年 7 月，林县一中在基建中，发现 1 座北宋晚期壁画墓葬。墓室已被盗掘。室内积有一层厚约 1.3 米的淤泥。考古人员于 7 月 9 日开始对该墓发掘清理，至 8 月 5 日结束。简报分为：一、墓室结构，二、葬式和随葬品，三、壁画，四、结语，共四个部分，有手绘图。

据简报介绍，该墓室距地表 1.4 米以下，地面未见封土。墓室内部全长 7.48 米、宽 4.42 米、高 2.39 米。由墓道、墓门、前室、后室及东西侧室组成。

据介绍，该墓因浸水淤泥严重，没有发现任何文字依据。且因盗掘，所遗器物极少，其特征也只能表明其大致年代。从出土的 2 枚"元祐通宝"，可知其上限为北宋哲宗元祐年间（1086 ～ 1094 年）。从建筑风格、壁画内容、技法去观察，简报推断下限应在北宋政和元年（1111 年）左右。

简报称，该墓的整个绘画风格反映了这个地区民间绘画的艺术特色，也为研究北宋晚期的一些社会生活、服饰发型、壁画艺术等提供了一批重要的实物资料。

434.河南汤阴发现三件宋代瓷枕

作　者：司玉叶、王波清

出　处：《考古》1992 年第 8 期

1980 年，汤阴县文物保管所在整理仓库时发现 3 件宋代瓷枕，因出土地点、时间不详，器物形状及特征简报分为：一、双狮瓷枕，二、三彩透雕瓷枕，三、白地黑花瓷枕，共三个部分，有照片。

简报推断，从上述瓷枕的形制、纹饰、釉色特点看，时代当为宋代。

435.安阳小南海宋代壁画墓

作　者：李明德、郭艺田

出　处：《中原文物》1993 年第 2 期

1991 年 7 月 4 日，考古人员在配合小南海水库除险加固工程中，于水库大坝西南 0.5 公里水库底部发现宋代壁画墓一座，进行了抢救性发掘。墓室保存完好，发现壁画鲜艳，出土有瓷碗、金簪、银耳坠、铜币等一批文物。发掘于 8 月中旬结束。因该墓位于水库底部，为了不使墓被淹没，于 1991 年 11 月搬迁于县东北韩陵山定国寺旧址上。简报分为：一、墓形，二、遗物，三、壁画，四、结语，共四个部分，有照片、手绘图。

据介绍，此墓为方形单室盖顶式砖室墓。墓室营建在现地面下 1.8 米处，由墓道、封门墙、墓门，甬道和墓室组成。小南海宋墓重要收获是壁画，共 8 幅，以人物为主，又有动物、山水、书法等，题材丰富。

简报称，此墓为一座重要宋代晚期壁画墓，为我国宋墓研究提供了一份宝贵的实物资料。该墓壁画全采取现实题材，反映了墓主的衣、食、住、行等，为研究宋代社会生活的某些方面提供了依据。根据墓室规模及壁画形制，墓主应是拥有较多土地的地主，家中富有，生活奢侈。在发掘时未见墓志，这大概是墓主虽然经济富裕，但因未曾做官没有政绩，故免用墓志。该墓的年代从铜币年号、建筑、彩绘风格来看，应建于北宋末徽宗时。

436.河南安阳新安庄西地宋墓发掘简报

作　者：中国社会科学院考古研究所安阳工作队　唐际根、郭　鹏

出　处：《考古》1994 年第 10 期

新安庄位于安阳市西郊薛家庄西南安钢大道南侧，西与河南省建筑工程公司第七分公司工程二处驻地相邻，属殷墟一般保护区。1992 年，安阳市东郊乡任家庄新兴实业公司计划在新安庄西地兴建一批商品房，同年秋由考古队配合作基建发掘。历时月余，发掘了一批殷墓和唐、宋墓葬。简报分为：一、M44，二、36，三、结语，共三个部分，有手绘图、照片、拓片。

据介绍，这次发掘的宋墓共 6 座，分南北两组。北组 4 座，编号为 M36、

M40、M43、M44。南组只有 M103 和 M104 两座。6 座墓中，M40、43、M103 三座墓圹清晰，但墓室已被拆除，仅剩少量残砖块，为迁出的空墓；M104 为小型竖穴土坑墓。简报主要介绍 M44 和 M36 两墓的情况。M44 为平面八边形单室墓，随葬品中墓志一方，楷书，369 字，简报录有全文，另有铜器、铜钱等。M36，单墓道圆形单室仿木结构砖墓，出土墓志一方，毛笔书写，仅首行"安阳市妇"四字可辨，另有金饰、铜钱 26 枚。安阳新安庄西地的宋墓中 M44 有墓志，年代定在北宋大观三年（1109 年）是明确的。M36 虽有墓志，但纪年文字已失，其年代只能据所出铜钱的最晚者，并参照 M44 的墓葬形制，简报推定在北宋晚期。M104 出土黑瓷罐 1 件，并同出"开元通宝"钱和"元丰通宝"钱各 2 枚，简报推断其年代属元丰年以后。另 3 座宋墓系迁出的空葬，具体年代已无法确考，但推测与 M44 和 M36 的年代不会有太多的出入。

简报称，安阳地区的宋代砖雕仿木结构墓，过去有过发掘和报道，但保存如 M44 完好者不多。M36 虽遭盗扰，其仿木结构的主体部分仍未损毁。此二墓对于研究宋代建筑及宋人的起居饮食有一定参考价值。

437.河南林州市北宋雕砖壁画墓清理简报

作　者：林州市文物保护管理所　张增午、张振海
出　处：《华夏考古》2010 年第 1 期

1999 年 5 月，考古人员在河南省林州市区清理了 1 座砖室墓葬。该墓为仿木结构，室内用雕砖、壁画做出孝子图和花卉，以及斗拱等建筑构件，还有残余的瓷枕和瓷碗、铜钱。依据墓葬形制、随葬器物判断，该墓为北宋中期遗存。简报分为：一、墓室结构，二、墓室装饰，三、随葬器物，四、结语，共四个部分，有照片、手绘图。

据介绍，此墓为仿木结构砖室墓（LM3），位于林州市小西环路城西幼儿园西。整个墓室用黑、黄、红等色彩遍刷。宋《营造法式》卷十四彩画制度规定，有五彩遍装、解绿装、土朱粉刷等三大类。此墓装饰以土朱粉刷类为主，倚柱、阑额上用土朱与黄色饰束莲纹，这种做法是豫北和晋东南一带宋金墓葬非常流行的装饰形式，壁画内容有二十四孝等。似已被盗过，仅存瓷器 4 件、铜钱 1 件。2 件白釉瓷枕应为磁州窑观台窑口出品。该墓的年代简报推断为北宋元丰年间。墓主应为当地富豪之人。

438.河南林州市李家池宋代壁画墓清理简报

作　者：林州市文物管理所　张增午、张振海
出　处：《华夏考古》2010 年第 4 期

1982 年 3 月 23 日，林州市城郊乡李家池村（当时称林县城关公社槐树池大队李家池）村民在平整土地时，发现仿木结构的砖砌古墓一座，墓内四壁中部壁画保存完好。雨水曾从墓顶和南面墓门进入，墓内积有一层厚约 8 厘米的淤泥。考古人员赶到现场时，墓顶已被打开，室内已被盗掘。工作人员当即用土封闭墓穴进行保护。后又因人为的破坏，大量泥土涌入墓室。1982 年 3～4 月，考古人员进行了抢救性发掘。简报分为：一、墓室结构，二、壁画，三、葬式和随葬品，四、结语，共四个部分，有照片、手绘图。

据介绍，M1 位于李家池村东北地 90 余米处。墓地表面无封土标志，由于多年人工取土，墓顶距地表仅 0.40 米。该墓由墓道、墓门、甬道、墓室组成。墓画内容有饮宴图、庖厨图、二十四孝等。葬具已朽，有一具 50 余岁男性尸骨和一具 60～70 岁女性尸骨。随葬品仅有两件已残的白瓷碗。简报推断李家池壁画墓上限当在北宋元丰年间，下限当在大观年间。墓主人应为地主富豪。

439.河南安阳市宋代韩琦家族墓地

作　者：安阳市文物考古研究所、河南省文物局南水北调文物保护办公室
　　　　孙德铭、焦　鹏、申明清
出　处：《考古》2012 年第 6 期

2009 年，考古人员在南水北调中线干渠安阳段占地范围内，清理 5 座宋砖（石）墓和 1 处建筑基址。第一期发掘的建筑基址和 M1～M54 简报分为：一、遗迹，二、遗物，三、结语，共三个部分，有彩照、拓片、手绘图。

据介绍，M1 为砖石结构墓，M2 为石室墓，其他均为砖室墓。建筑基址应属 M1 的墓前建筑。出土遗物包括石盒及石文官俑和石狮头部，3 合墓志。其中，韩琦墓志，志文共 6000 余字；安国夫人崔氏墓志志文计 1060 字；安郡太君崔氏墓志共计 852 字，简报均未录志文全文。据出土墓志等可知，该墓地为宋代韩琦家族墓地。地点在安阳市殷都区皇甫村。简报称，这次发掘为研究宋代高级贵族的墓葬形制、陵园制度及丧葬习俗等提供了重要的实物资料。

440.河南滑县宋代古船的发掘

作　者：安阳市文物考古研究所、滑县文物保护管理所　焦　鹏、孔德铭、
　　　　申明清、周　伟等

出　处：《考古》2013 年第 3 期

2011 年 2 月 1 日，河南滑县新区一建筑工地在施工过程中发现 1 艘古船，考古人员到现场进行调查，经过钻探，在该古船西侧又发现 1 艘古船。2011 年 2 月 19 日至 4 月底，对古船遗址进行抢救性发掘。

古船位于河南省安阳市滑县新区寺庄村东北（原隶属于滑县城关镇管辖），距县城约 10 公里。古船位于一东西长 57 米、南北宽 20 米、深 3.32 米的建筑基槽内。西侧古船编号为船 1（GC1），东侧古船编号为船 2（GC2）。分为：一、地层堆积，二、船体结构，三、出土遗物，四、结语。共四个部分，有彩照和手绘图。

据介绍，两艘古船皆为南北向。形制相同，方首，方尾，平底，两端上翘。船底板与舷板皆为单层木结构，船底为纵向单板平铺。船舷均有不同程度的损毁，从残留的舷板看，布满排钉，船舷为单板上下拼接，板与板之间用铁钉从外向内斜向钉入加以固定，缝隙间填桐油灰。船板表面并不光滑，可看到纵向的凹槽（加工的痕迹）和船板上突出的结节。船长约 25 米，最宽处 5～6 米。共有 10 个左右船舱。两船共出土铁器、瓷器、陶器和钱币等 31 件。简报称，两艘船的建造年代下限应为北宋时期。这两艘古船为防沙平底船，形制与《清明上河图》中正在虹桥下通行的船形制非常相似。因此，此两艘古船的时代大体应与张择端绘画《清明上河图》的时间相接近，即在北宋时期。

文献记载，古黄河一直流经浚县、滑县之间，在历史上虽多次改道，但在金代以前，从未离开过浚、滑境内。金太宗完颜晟六年，即南宋建炎二年（1128 年），为阻止金兵南下，宋东京留守杜充竟然在今河南滑县西南人为决河，使黄河东流经豫东北、鲁西南地区汇入泗水，夺泗入淮。从此黄河离开了春秋战国以来流经今浚、滑一带的故道。根据对两艘古船废立的地点分析，简报认为这两艘古船或许是因黄河改道的黄河货运弃船。

简报介绍说，中国古船种类繁多，但船体形制大致可分为方首平底型和尖首尖底型两类。沙船属于前一种，其主要特征为平底，方首，方尾，尾部出方艄，身长体宽且扁，为唐宋元明清各代内河、近海、远洋船舶中的主要船型之一。沙船在唐代定型，宋朝称"防沙平底船"，元代称"平底船"，明嘉靖初年已通称"沙船"，元明时期是其发展的鼎盛时期。

简报称，此次发掘的两艘古船皆方首方尾，船体宽且扁，大体符合沙船的特征。

濮阳市

许昌市

441.河南禹县钧台窑址的发掘

作　者：河南省博物馆　赵青云
出　处：《文物》1975 年第 6 期

禹县位于河南省的中部，是钧瓷的故乡。考古人员曾在这个瓷乡进行过多次调查，发现了 96 处窑址，采集了大量标本。尤其是在禹县城北门内的钧台与八卦洞附近（以下简称钧台窑址）发现的钧瓷窑址，其烧造规模和产品质量皆为禹县诸窑之冠。简报配以照片等，介绍了近期的发掘。

据介绍，此次发掘清理出窑基、作坊、灰坑等遗迹，发现大批窑具、瓷器、瓷土、釉药、彩料和砖、瓦、瓦当等建筑材料。就这处窑址所见烧造瓷品种看，既有钧瓷、汝瓷、影青瓷，又有天目瓷和禹县扒村类型的白地黑花民用瓷。各类瓷器品种，从窑址的分布区域情况看，在烧造时有着明显的分工。

简报称，钧窑北宋初期制作较精，但产量有限。北宋晚期官府已派人监造，生产有较大发展。

今日，当地已成立禹州市钧瓷研究所，进行专业研究。

442.长葛县石固发现窖藏钧瓷

作　者：河南省文物研究所
出　处：《中原文物》1983 年第 4 期

1978 年冬，考古人员在长葛石固遗址发掘，农民王世忠等在平整土地时，发现 1 个古代窖藏坑，考古人员当即到现场作了清理，出土 6 件瓷器，还有储藏瓷器的铁釜及盖釜的铁錾子等，其他遗物 3 件。简报配以照片予以介绍。

据介绍，出土瓷器计有钵、碗、盘等。简报推断为北宋禹县钧瓷出品。

443.河南禹县发现北宋阳翟县公据刻石

作　者：李国政
出　处：《文物》1988 年第 3 期

1975 年，禹县元梁乡周垌村农民在挖土时发现北宋刻石 1 件。刻石内容为大中祥符二年（1009 年）阳翟县为保护白马寺（现在周垌村）的寺产颁发的公据。刻石高 32 厘米、宽 35 厘米、厚 13 厘米，青石质，左上方刻有"官"字，在"祥符二年二月□日"处刻有篆体阳翟县印。现收藏于县文管会。简报配以拓片予以介绍，并附有公据全文。

简报称，阳翟县，秦置，明洪武元年（1368 年）并入钧州，万历三年（1575 年）改钧州为禹州，民国元年（1912 年）改州为县，迄今仍之。公据明确规定了寺院四至和土地、树木等归属权，对研究宋代官方文书有一定价值。

444.河南禹县神垕镇北宋煤矿遗址的发现

作　者：安廷瑞
出　处：《考古》1989 年第 8 期

禹县位于河南省中部，是个半山区。县西部与北部为伏牛山余脉，山峦起伏，矿藏丰富。闻名于世的钧瓷故乡神垕镇，位于禹县境内西南隅，群山环抱，距县城 30 公里。1973 年，霍村村民在村西开挖大口水井时，因破土动工修筑引水渠，使古煤矿有瓷片的文化层露出。1975 年起，考古人员经过 10 年的调查研究，终于在 1985 年夏证实为北宋煤矿遗址。简报分为：一、古煤矿遗址的位置及布局，二、古煤矿井下情况，三、井下出土文物及采集文物，四、小结，共四个部分，有照片。

据介绍，在这处遗址上，到目前为止已经发现古煤矿井口 11 座，采集的文物可复原的 11 件，残片数量有 20 多片，井下出土物有铁锹头、灰绿釉长颈灯、白地黑花瓷水碗、黑釉小瓶各 1 件。简报推断应为宋煤矿遗址。

简报称，现在在神杨垕镇附近，发现了 1 处大型的宋代煤矿遗址，为研究我国古代开采煤炭资源的科学技术又一次提供了实例。

445.许昌市南关宋代商业遗址的发现

作　者：安廷瑞、赵青云
出　处：《华夏考古》1990 年第 1 期

许昌地处中原腹地，历史久远，而其西邻诸县有丰富的矿产资源和众多的古瓷窑址，加上便利的交通，使许昌发展成为一个地方性的商品集散中心。遗址位于许昌市南关桥以东的护城河北岸，距桥头百米余。自西端向东延伸 80 米至土桥，都有宋代文化层暴露。考古人员在 1977 年 5 月至 8 月间共采集瓷片 200 余块，其中一片有"大观元年"的墨书题铭。另有 62 枚古钱币。简报分为：一、遗址概况，二、采集的文物，三、结语，共三个部分，有照片、手绘图。

据介绍，遗物主要为瓷片，其中宋三彩是这次的主要收获之一，其造型种类有盘、灯和枕，属于民用系统。胎呈灰褐或粉红色，釉色光润，色彩鲜艳，图案富丽清新。

简报称，此遗址应为北宋晚期 1 处商业区遗址。大批河南各地方窑瓷器及铜钱的集中出现，以及远道运来的湖田窑产品的存在，再参照该处便利的交通，可以说明这曾是一处与《清明上河图》中的"虹桥"极为相似的、形成年代不晚于北宋中晚期的商业中心。无论是在《清明上河图》中，还是后人对唐宋时期城市商业的研究成果中，都可以看到一个共同的特点：以桥头为中心，其附近商业集中，店铺鳞次栉比，坊市林立，容易形成独特的"桥市"商业市场。

446.禹州市坡街宋壁画墓清理简报

作　者：河南省文物研究所、禹州市文管会　孙新民等
出　处：《中原文物》1990 年第 4 期

1986 年 10 月初，禹州市文殊乡坡街村农民冯常有在责任田耕地时，发现 1 座砖室壁画墓。考古人员对该墓进行了清理。清理工作自 10 月 26 日开始，至 11 月 2 日结束。清理情况简报分为：一、墓葬形制和结构，二、墓室砖雕和壁画，三、结语，共三个部分，有手绘图、照片。

据介绍，该墓位于禹州城西部 20 公里的文殊乡坡街村西，北距白沙宋墓约 12 公里。该墓为仿木建筑结构的砖室墓，由墓道、墓门、甬道和墓室四部分组成。坡街壁画墓被扰，买地券字迹不清。墓道内所出的白瓷碗，碗内满釉，有支钉痕，外施半截釉，釉下挂有化妆土，应属扒村窑的产品。根据墓葬形制和雕砖壁画，简报推断该墓约属于金代；墓主人应为当地富豪。该墓一次埋葬 7 人之多，年龄上又属

于一家三代，似非正常死亡，应与当时的中原战乱有关。

简报称，该墓壁画保存比较完整，色彩鲜艳，线条流畅，人物比例准确，对于研究古代服饰史和绘画艺术有一定的参考价值。

漯河市

447.郾城县彼岸寺石幢

作　者：曹桂岑
出　处：《中原文物》1983 年第 4 期

彼岸寺位于河南省郾城县城内，石幢在该寺院内。石幢雕工精湛，上部八棱千佛造像，伎乐仙人，中部四面小篆"许州郾城县彼岸寺碑铭"，下部四面造像，底部雕以海池，池壁上为佛教故事浮雕。明代僧人宗岩称其为"香水海石幢"，俗称"龙塔古篆"。它是河南省重点文物保护单位，1978 年进行拆修加固。彼岸寺石幢是北宋景德年间（1004 ~ 1007 年）典型的石刻艺术珍品，幢高 12.18 米。简报配以照片从上至下逐级介绍。

据介绍，石刻有八棱千像造像、伎乐仙人、海池与海壁造像等。简报认为，郾城彼岸寺石幢建于 1004 ~ 1007 年，是宋代前期的佛教艺术石雕珍品，是研究宋《营造法式》的典型石作例证。

448.河南临颍小商桥调查报告

作　者：河南省古代建筑保护研究所　牛　宁、王国奇等
出　处：《文物》1997 年第 1 期

小商桥位于河南省临颍县皇帝庙乡商桥村，南北跨小商河之上。小商河原名小澈河，宋代初年为避宋太祖之父赵弘殷之讳而改名，桥亦随之更名。商河原为颍河一段河道，后因颍河改道，致使老河道淤塞干涸，雨季时积水为塘，唯小商桥仍雄跨于古老河道上。该桥北去县城 13 公里，南距漯河 12 公里，东临 107 国道，西靠京广铁路，正当临颍、郾城两县交界处，历史上为南北交通要冲。南宋绍兴年间，名将岳飞率部在此地曾大战金兵，著名抗金将领杨再兴即战死于小商桥。桥东北 300 米处有杨再兴墓，村内有杨再兴祠堂。考古人员曾于 1990 年至 1992 年对该桥进行了调查，并于 1993 年对古河道及桥下进行了发掘。

简报分为：一、小商桥所在地区的自然条件及地质概况，二、小商桥现存概况，三、关于该桥年代问题的讨论，共三个部分，有照片、手绘图。

据介绍，小商桥为敞肩石拱桥，全长21.3米、宽6.45米（自桥面至桥底海漫石），通体用红色石英砂岩砌造。出土有瓷片、箭镞、铜钱等。简报推断年代为宋金之际，距今已近千年。

三门峡市

449.三门峡市北宋墓发掘简报

作　者：三门峡市文物工作队　宁景通
出　处：《华夏考古》1993年第2期

1987年春，为配合三门峡市化工厂的基建工程，考古人员在化工厂院内发掘了一批古墓葬。其中有3座宋代墓（编号分别为M49、M47、M55）。这3座宋墓的情况简报分为：一、M49，二、M47，三、M55，四、结语，共四个部分，有手绘图、照片。

据介绍，这3座墓葬东西并列，方向一致，间隔距离最远不超过8米。虽墓形结构不同，但都发现有土雕，且M496和M47的主要雕刻图案都有房屋建筑，风格相同。据此简报推知这3座墓应为同一时代或有家族关系的墓葬。3座墓内均未发现有关纪年的文字资料，且土壁浮雕过去很少见到，据墓葬中的土雕内容、仿木结构等装饰和随葬器物的特征，简报推断这3座墓的时代应为北宋早、中期。

简报称，在土壁上雕刻图案花纹的墓葬，在豫北地区属首次发现，其他地方较为罕见；从残存的部分花卉和仿木建筑图案看，都带有浓厚的时代特征和地方色彩，对研究当地宋代的民间雕塑工艺和丧葬习俗都提供了重要的实物资料。

450.河南省陕县化纤厂宋墓发掘简报

作　者：三门峡市文物工作队、陕县文物管理委员会
出　处：《华夏考古》1993年第4期

1987年4月，考古人员为配合河南省陕县化纤厂基建时，清理了3座古墓葬。3座墓葬形制相似，均由墓道、墓门、甬道和墓室四部分构成。简报分为：一、一号墓，二、二号墓，三、三号墓，四、结语，共四个部分，有照片、手绘图。

据介绍，3 墓已部分受损，仅出土瓷碗、双系罐等少数随葬品。简报推断这批墓葬的年代为北宋。另外，这 3 座墓相邻，在墓葬形制、结构及出土器物诸方面又有相似或相同之处，因此简报推断这 3 座墓应为同一家族墓。

451.河南三门峡市发现一方宋诗碑记

作　者：三门峡市文物工作队　史智敏　胡小龙、宋怀义
出　处：《考古》2002 年第 10 期

1996 年 3 月，河南省三门峡市湖滨区崖底乡三里桥村五组农民宋立峡在翻建房屋时，发现 1 方长方形石碑，当即进行了冲洗，发现是 1 方宋诗碑记，此碑情况简报配以拓片予以介绍。

据介绍，该碑为青灰色石质，其内为竖式阴刻楷书碑文，总计 334 字，简报未录碑文全文。碑记由进士曹恪撰文，书写于北宋仁宗宝元二年（1039 年），立于康定元年（1040 年），内容记载的是北宋户部侍郎参知政事兵部尚书薛奎怀念陕州草堂居士魏野的两首诗及这两首诗的得主刊刻于石的原因与过程。

简报指出，碑文中的人物事件发生在宋初真宗至仁宗时期，与《宋史》记载吻合，这块碑记的发现不仅在豫西宋代文物考古史上尚属首次，就是在河南省也都十分少见，为宋史研究增添了新的材料，同时也为三门峡地区宋代历史人物的研究提供了新的资料。

简报称，从碑文中可以看出进士曹恪与薛奎、魏野均有交往，并较熟识。其他问题，有待于作进一步的研究。

南阳市

452.河南南召鸭河口水库清理宋墓一座

作　者：杨有申、李保胜
出　处：《文物》1959 年第 6 期

1958 年 12 月，为配合在南召县鸭河口水库工程，当地文训班的学员，在省文物工作队指导帮助下，清理了 1 座古墓。

简报介绍，墓完全埋在地面下，平面为六角形，用砖筑成。墓的后半部砌有高 34 厘米的束腰形棺床，上有两架人骨。墓壁上镶有用砖雕成的各种器物，第一壁上

有用砖雕的熨斗、尺子、剪子和衣柜,第二壁和第四壁砌有窗户,第三壁雕有半开的门,第五壁上雕有桌、椅。结构都很精致。

这座古墓的形状和附近发现的墓葬完全相同,简报推断都是宋代的。

453.方城县朱庄宋墓发掘

作　　者:方城县文物工作队
出　　处:《文物》1959年第6期

1958年秋季,在方城县城南约5里的朱庄深翻土地时发现了砖墓1座。简报配以摹写予以介绍。

简报介绍,1958年11月,县文物训练班学员在省文物工作队的协助下清理了这座墓。墓室全用小砖砌成,墓底平面近正方形,墓室东西两侧有耳室。人骨共4架,斜放于墓室正中2架,头向西南;西边耳室内放人骨2架,头东足西,仰身直肢,未发现棺椁痕迹。墓室内随葬品有文字砖1块,砖上竖写朱字8行,字迹大部分脱落,从文字看为1买地券,豆青色瓷壶1个,红陶立俑1个。

从墓室的结构及出土物来看,简报推断这座墓应为宋代的。

454.河南南阳发现宋墓

作　　者:南阳市博物馆　魏仁华
出　　处:《考古》1966年第1期

1965年5月中旬,南阳市东郊园艺场发现了两座罐葬墓。考古人员前往察看,见罐内各有1人骨,骨架皆为立放,两罐东西相距6米。简报配以拓片、手绘图予以介绍。

据介绍,1罐为灰色泥质,上盖1正方形灰色薄砖。砖向下的一面刻有"大观三年十一月十一日,第二都保正胡玉送到一副,本地分泌(沿)古城下见,丙寅德字号葬"。另1罐已破碎,从残片看和上述罐的形制一样,罐上亦盖1正方形砖。砖下面刻有"政和二年七月十七日,第二都保正李善送到遗骸一副,本地分泌(沿)城东古堤下见,丙寅□字号葬讫"。根据砖上文字记载,一为大观三年(1109年),一为政和二年(1112年)迁葬于此。

455.河南方城县出土南宋银铤

作　者：河南方城县文管会　刘玉生

出　处：《文物》1977 年第 3 期

1975 年 4 月，河南省方城县杨集公社王营大队农民在平整土地时，掘出南宋银铤 6 件（3 件完整，3 件已残）。银铤原放在距地面约 20 厘米的 1 个陶盆中。简报配以照片予以介绍。

据介绍，银铤上均有铭文。第 1 件银铤铭文有"绍兴二十六年"（1156 年）的明确纪年。第四件银铤铭文残存"二十四年"字样。按宋代只有高宗赵构的"绍兴"年号在二十四年以上。因此，可以断定第四件银铤也为南宋高宗绍兴二十四年（1154 年）所铸造。其他几件银铤既同出于 1 个窖藏，铸造年代当亦不远。

456.淅川发现一批古代铜钱

作　者：淅川县文管会　李　松

出　处：《河南文博通讯》1979 年第 3 期

1977 年 3 月，淅川县毛堂公社张营大队在灌河桥西农田基本建设工程中发现 1 缸铜钱，重 240 多公斤，县文管会闻讯后赶到现场将这批铜钱收集回县。

据介绍，这些铜钱多达二十几种，有唐玄宗时的"开元通宝"，北宋太宗时的"太平通宝""淳化元宝""至道元宝"，真宗时的"咸平元宝""祥符通宝""天禧通宝""景德元宝"，仁宗时的"天圣元宝""景祐元宝""明道元宝"，神宗时的"元丰通宝"，哲宗时的"绍圣元宝""元祐通宝"，徽宗时的"宣和通宝""政和通宝""崇宁通宝""大观通宝"，南宋高宗时的"绍兴元宝"等。简报推断这批铜钱可能属于南宋高宗时期（1127 ~ 1162 年）的窖藏。简报称，这批铜钱的发现，对研究这个地区当时的政治经济情况提供了一份新的资料。

457.新野出土宋代梅瓶

作　者：魏忠策

出　处：《文物》1982 年第 10 期

河南省新野县樊集公社于湾村、五星公社汪庄村两农民先后于劳动中各掘得宋代梅瓶 1 件，都及时主动上交县文化馆收藏。简报配以照片予以介绍。

据介绍，于湾村出土的梅瓶口沿剖面呈三角形，外部通体施乳白釉，釉上花如黑墨。汪庄村出土的梅瓶，口沿剖面亦为三角形，通体白釉，釉上黑花略带褐色。两瓶简报推断均属河南地区瓷窑制品。

梅瓶之美，除亭亭玉立的造型外，就是它那潇洒流畅的黑色花纹。新野出土的这两件，各绘六道粗细持带纹，将器身自颈至底分为五段，分别绘以草叶纹、花卉纹，一气呵成，十分明快。于湾梅瓶的底部配以大蕉叶纹，使瘦小的梅瓶增加了安然稳固之感。瓷作工匠之妙手，让人赏心悦目。

458.新野县出土宋代瓷瓶

作　者：魏忠策

出　处：《中原文物》1982 年第 1 期

新野县奕集公社于湾村，五星公社汪庄村两村民，在劳动中先后各掘得宋代瓷瓶 1 件，及时主动上交给新野县文化馆收藏。简报配以照片予以介绍。

据介绍，于湾村出土的瓷瓶，通高 48.5 厘米，腹径 20.5 厘米，口径 5 厘米，外部通体施白釉，釉色纯白。釉上花黑如墨，当为磁州窑所烧。汪庄村出土的瓷瓶，通高 41 厘米，腹径 18 厘米，通体白釉，唯釉上花黑如漆，略带褐色，应属河南修武当阳峪窑制品。

简报称，磁州窑系产品中，向称"白地黑花，尤属特品"。这种新的装饰方法，为宋代官窑所不及。官窑瓷器一味追求瓷质如玉，缺乏生动朴实气息，磁州窑系瓷器，则在继承先代工艺的基础上，独树一帜，为后世元明青花、五彩瓷绘的发展开辟了道路。

459.南召云阳宋代雕砖墓

作　者：南阳地区文物队　黄运甫

出　处：《中原文物》1982 年第 2 期

1981 年春，河南省南召县云阳镇五红大队第一生产队农民，在平整菜园地时，发现 1 座宋代雕砖墓。1981 年 2 月至 3 月，考古人员对该墓进行了清理。云阳为南召大镇之一，在县东 30 余公里，原为南召县故城。该镇处于丘陵地带，四面环山，中有鸡河和鸭河环绕。墓地坐落在云阳镇的西北角，正处在鸡河与鸭河交会的三角地带。

简报分为：一、墓葬形制，二、壁面雕砖和砖砌装饰，三、随葬器物，四、结语，共四个部分，有手绘图。

据介绍，墓葬为纯砖砌筑仿木结构，平面呈六角形。内有 2 具骨架，东男西女。该墓被盗严重，残存器物很少，皆成碎片，多散存在墓室的淤土中。整理后，残存遗物共计 175 件，其中有陶器、瓷器、铜币 110 枚，铁棺钉 56 个。墓室均由雕砖砌筑，图案装饰共 39 幅，其中仿木结构建筑或仿家具的图案 6 幅，人物图案 2 幅，花卉图案 17 幅，动物图案 6 幅，花鸟及其他图案 8 幅。其中有两幅童子戏图是颇为重要的，童子手中所操纵的假人玩具，属于杖头傀儡，它反映了宋代傀儡戏的流行。这与《东京梦华录》上的记载可以相互印证。简报推断此墓的时代为北宋晚期。

460.河南省方城县出土一批宋代瓷器

作　者：刘玉生、马俨鹏
出　处：《文物》1983 年第 3 期

1976 年 4 月，河南省方城县拐河公社顺店大队菜园生产队的农民在村旁耕土中约 50 厘米深处发现窖藏瓷缸 1 口，缸内一批宋代瓷器保存完好，叠放整齐，显然是有意埋藏下来的。但因无缸盖，发现出于偶然，出土时被刨毁了一部分。简报配以照片予以介绍。

据介绍，这批瓷器包括盘、碗、杯、碟、钵等共计 42 件。简报推断年代为宋代。简报称，这批瓷器中，玫瑰紫葵花盘最为瑰丽，天青釉大碗、葱绿釉瓷盘也堪称精品。玫瑰紫葵花盘还原铜烧制成功的窑变效果，是宋代钧瓷的独特成就，虽然各地窑场竞相仿造这类瓷器，但都不如钧窑产品精美。

简报说，一次出土这么多的宋代钧瓷，实属难得。

461.河南省方城县出土宋代石俑

作　者：方城县文化馆　刘玉生
出　处：《文物》1983 年第 8 期

1971 年 2 月，方城县古庄店公社金汤寨大队社员在距县城东 10 公里的金汤寨内的西南高地上发现 1 座宋墓。简报配以照片、拓片予以介绍。

据介绍，墓为砖砌单室墓，南有墓道，墓室长 5.5 米、宽 4 米。后壁有径约 1 米的盗洞。由于墓顶早被损毁，墓室全貌不明。墓砖中有三种铭文砖，字体分别为隶书、篆书、楷书。该墓曾被盗，仅出土劫余石俑、石屏风、石椅及铜钱等。此墓位于盐店庄宋墓东北 0.5 公里的金汤寨街内。据两墓出土的铭文砖可知：盐店庄宋墓系北宋尚书左丞范致虚母亲的墓葬，金汤寨街宋墓是其父亲的墓葬。《宋史》记载，范致虚是建州建阳人（铭文砖作建安郡高平人），在范致虚知邓州时，其父母随寓于方城而殁。

孔德馨先生有《河南方城县金汤寨村北宋范氏家族墓石俑群研究》（《文物鉴定与鉴赏》2020 年第 13 期），可参阅。

462.河南方城金汤寨北宋范致祥墓

作　者：南阳地区文物队、南阳市博物馆、方城县博物馆　刘玉生、魏仁华等
出　处：《文物》1988 年第 1 期

1986 年 3 月，方城县古庄店乡金汤寨村民桑朝君在其家门前挖土时发现 1 座古墓，考古人员前往清理。简报分为"墓室结构""出土遗物""结语"，共三个部分，有照片、拓片、手绘图。

据介绍，金汤寨西南距方城县城 10 公里，墓葬在村南泥河、沙河交汇处。此处三面环水，北面临冈。此墓封土已不存。墓室为长方形，竖穴，砖石结构。该墓两次被盗，室内充满泥土，棺木腐朽，葬式不明。仅清理出 4 枚牙齿、1 件铜镜、1 件残瓷碗和 3 枚锈蚀严重的残棺钉。但 3 方墓志石及 160 余块有铭文墓砖尚完好。简报录有志文和铭文全文。

根据墓志及《天一阁藏本明代方志选刊·建阳县志·历代选举年表》记载，此墓墓主范致祥，字仲和，北宋元丰八年（1085 年）中甲科进士，死前为北宋南安军（治所在今江西大余）判官，崇宁二年（1103 年）亡故，崇宁三年（1104 年）四月下葬。

从墓志可知，墓主及其兄范致君、范致明、范致虚，其弟范致厚共 5 人当时均在朝中为官。其中范致虚《宋史》有传。范氏家族墓葬后又有发现，未葬在一处。

简报称，此墓的墓志铭刻 3 块石板上，既是墓室的盖顶石，又是墓志石，这种做法很少见。墓志铭由墓主人的兄、弟、子分别刻石，长兄范致君以诗为哀挽词，都属罕见。3 方墓志石均由范致君书写。范致君在方城期间，曾于大观元年（1107 年）十月、崇宁五年（1106 年）冬至日为《唐州方城县黄石山仙公观重建大殿记》《大乘山普严禅院记》碑文书丹，泰山圣母殿、少林寺也有范致君的笔迹。他的书法有颜体风貌，端庄严谨而气势开张，堪称佳作。

463.河南邓州市福胜寺塔地宫

作　　者：河南省古代建筑保护研究所、河南省文物研究所　郭建邦、陈　觉、郭木森等

出　　处：《文物》1991年第6期

福胜寺塔，又称梵塔，位于河南省邓州市城内十字街西南。1988年5月，河南省古代建筑保护研究所修葺该塔时发现塔基地宫。考古人员于1988年7～8月进行了发掘，出土了金棺、银椁、舍利瓶及玻璃葫芦等一批文物。简报分为：一、福胜寺塔的建筑艺术，二、地宫的建筑结构，三、出土遗物，四、结语，共四个部分，有照片、拓片。

据介绍，福胜寺塔为七级仿楼阁式砖塔，平面呈八角形，塔门向南，高38.28米。塔身全部用青砖垒砌，内外壁面用白灰浆勾缝，内部用红黏土黏合。地宫位于塔心室之下，距地表深4.6米，由宫道、大门、甬道、宫室四部分组成。宫道位于大门北端，由于上部施工未及发掘，后经钻探得知为长方形下坡道，甬道内有2件刻铭砖。由铭文知此塔建于北宋天圣十年（1032年）。

简报指出，福胜寺塔地宫的发现，是我国佛教文物的又一重要发现。出土的金棺、银椁、盛金双龙银壶、紫红色玻璃葫芦、铁塔等文物，表明宋代手工业已达到相当高的水平，对于古代科技史、艺术史、宗教史等方面的研究都提供了珍贵的实物资料。

464.河南省邓州市北宋赵荣壁画墓

作　　者：南阳市文物研究所、邓州市文化馆　赫玉建、王春玲

出　　处：《中原文物》1997年第4期

1993年10月，邓州张白砖场制砖取土时，推土机推出1座北宋时期的墓葬。考古人员前往清理。简报分为：一、墓葬形制，二、墓葬壁画及砖浮雕，三、出土遗物，四、结语，共四个部分，有照片、手绘图。

据介绍，该墓由墓道、甬道、主室三部分构成，墓道为阶梯形。出土遗物有铜镜（残）、梅瓶、瓷器、契石等。该墓壁画大部分已被损坏，从残存的情况来看，墓门上额、内框均以黑线勾勒出连续绣球纹图案。甬道内绘制仕女图、牵马图。契石上有楷书（间有草书）199字，简报未发全文。由契文知墓为北宋元佑元年（1086年）下葬，墓主为天水籍的赵荣。该墓是南阳地区发现的唯一一座有明确纪年的宋代壁画墓，其发掘和研究为研究该区域同时期的宋代墓葬提供了参考。

465.唐河县发现两座北宋墓葬

作　者：张恒泽、吕建玉

出　处：《中原文物》2000 年第 3 期

1992 年 4 月，唐河县在修筑东环路起土工程中，发现 2 座古墓，考古人员进行了清理。

据介绍，这 2 座墓葬位于县城东部。此处为一南北向高岗的东半坡，地势西高东低。两座墓南北排列，相距 4 米。南面 1 座编号为 92TM1，北面 1 座编号为 92TM2。92TM1 为单室砖券墓，坐北向南，由墓门和墓室两部分组成。随葬品仅见黑瓷罐 1 件、铜钱 4 枚。92TM2 为一仿木结构砖砌单室墓，坐北向南。由墓门、甬道和墓室三部分组成。仅见白瓷碗 1 件、白瓷罐 1 件。两墓的时代，简报推断均属北宋墓。

商丘市

466.宋代张方平铜印

作　者：刘　乾

出　处：《文物》1962 年第 12 期

铜印 1941 年发现于河南省商丘城内，简报配图予以介绍。

据介绍，该印文曰"张氏安道"，《宋史》卷三八〇有张方平传。张方平（1007～1091 年），字安道，号乐全，北宋南京（今河南商丘）人。初知昆山县，中贤良方正，迁著作佐郎，通判睦州。时元昊叛，上《平戎十策》，元昊困弊，又谏仁宗赦之，元昊遂降。旋以侍讲学士出知益州（今四川），迁尚书左丞。英宗立，迁礼部尚书，学士承旨。神宗时拜参知政事，后以太子少师致仕。哲宗立，加太子太保，元祐六年卒，赠司空，谥文定。著有《乐全集》40 卷。方平慷慨有气节。少受学于范仲淹。守蜀时得苏洵、苏轼、苏辙，深器之，荐苏轼为谏官。后苏轼下狱，又抗疏救之。故苏轼终身敬之，叙其文，以比孔融、诸葛亮。此印正可与史书互证。

信阳市

467.固始县发现一方"云巢"铜印

作　者：詹汉清
出　处：《中原文物》1981 年第 4 期

1956 年夏天，固始县陈集公社大黄大队仓坊小队杨景春在麦地生产时拾得 1 颗铜质方印。简报配以照片予以介绍。

据介绍，印边长 2.6 厘米，正方形，厚 0.8 厘米。背面有弧形印钮。正面印文篆字阳刻"云巢"二字。简报称，"云巢"即曾三异，南宋临江人，字无疑，淳熙中乡贡，少有诗名，尤尊经学，屡从朱熹问辨。端平中授承事郎，主管华州云台观，能作小楷，号云巢先生，著有《新旧官制通考》《通释》等书。"云巢"铜印的出土，对于研究南宋这一时期的历史和曾三异的事迹提供了实物资料。

468.固始县发现南宋《重修固始县望京门》碑

作　者：詹汉清
出　处：《中原文物》1981 年第 4 期

在固始县城东门楼的内圈拱门额上，镶嵌着 1 通青石碑，因长年累月，潮湿风化，碑呈现铁青色，当地人习惯称之为铁碑。1975 年冬，有关部门拆除了这座门楼平台。在施工中，民工们拆出这通方碑，送交县文化馆收藏。经洗刷整理，发现是南宋宝庆元年（1225 年）《重修固始县望京门》碑。简报配以照片予以介绍。

据介绍，碑文楷书，计 177 字，个别字辨认不清。简报录有全文。碑文详细记载了当时参与重修固始县望京门的所有大小官员的姓名、职务和年代。这些官员大部分是军事人员，反映出当时固始驻有重兵把守。对于研究这一时期的固始历史提供了重要的资料。

469.息县发现宋代窖藏钱币

作　者：息县文化馆　石建国、张泽松
出　处：《考古》1987 年第 8 期

1983 年 1 月中旬，河南省息县原临河公社郑寨大队熊庄生产队一农民在挖本大队学校的围沟中，发现了1个宋代钱窖，清理出铜钱1300余斤。考古人员赶到出土现场，将铜钱收回保存。简报配以拓片予以介绍。

据介绍，钱窖底部和周围都用砖头砌成，窖顶未封。窖顶至地面距离约1.2米。钱窖上面0.3米处放置着1个四系小陶罐，无纹饰。陶罐和砖都为宋代之物。铜钱出土时大部分成串地黏在一起，大小混杂，每串的穿孔中还残留着腐朽的麻绳。这批钱年代最早的是西汉早期的半两钱，最晚的是南宋孝宗的"淳熙元宝"，前后1400年，西汉、新莽、东汉、南北朝、隋、唐、五代十国、宋以及辽、金各朝的钱币都有。其中安南黎朝的钱币有"天福镇宝"（背面带有"黎字"），似不多见。

周口市

470.鹿邑县出土一件宋代瓷枕

作　者：张金云
出　处：《中原文物》1983年第2期

1980年春，鹿邑县城关镇文化街群众在马家后院挖坑泥中，发现1件白地黑花瓷枕。枕面及周围均施白釉，绘褐黄色和黑色图案。釉色光润显亮，笔法布局新颖，在着墨不到之处，透出鲜艳的褐黄色。枕高7厘米，长25厘米，宽18厘米，呈椭圆形，有铭文。简报配以照片予以介绍。

据介绍，"张家造"瓷枕是属于北宋时期磁州窑系的名牌产品。1929年后曾先后在观台（河北）窑和鹤壁集窑发现有此类标本。"张家造"瓷枕既保持了磁州窑系白地黑花的装饰特征，又运用了中国水墨花卉画的传统技法，使之造型美观大方而又实用，充分显示了古代制瓷工匠们的高度智慧和创作才能。

471.周口市博物馆收藏一件宋代虎形瓷枕

作　者：周口市博物馆　孙本书
出　处：《中原文物》1985年第2期

1978年7月，商水县练集乡朱集村农民杨德义在翻土时，发现了1件宋代虎形瓷枕。这件瓷枕埋藏在用24块青砖砌成的方窑里面。简报配以照片予以介绍。

据介绍，瓷枕胎质呈青灰色，坚实细密。枕作虎形，虎作伏卧状，虎尾回收于虎身左侧，两眼环睁，獠牙鼓腮。平板式枕面，中腰下凹3厘米，枕中空，平板式枕底无孔。枕表面施白、黑釉色，并施一层薄而透明的玻璃釉。枕面用细黑料在白釉色上绘画花草，并用尖状器刻划花草叶脉，划掉黑色，露出白釉色。虎身斑纹、獠牙、虎须均用细黑料勾画。唯眉、眼球、耳里微用淡红色描绘，表现了虎的凶猛。整个枕身纹饰线条流畅，纹样不拘泥于呆板的统一规格，反映了匠人的技法娴熟、洗练。这件瓷枕，从它的造型上看，与河南省博物馆所藏北宋时期磁州窑系烧制的虎形瓷枕相仿，唯一不同的是，省馆所藏的瓷枕是白褐釉色。此枕可能是北宋时期磁州窑系禹县扒村窑的产品。

472.河南郸城发现一件汝窑瓷器

作　者：河南省周口地区文物工作队　李金立
出　处：《考古与文物》1992年第3期

1990年6月，河南省文物鉴定小组在郸城县文物管理所鉴定文物中，在库房中发现1件汝窑碗。据回忆，该碗是1974年11月，郸城县宁平镇陈桥农民陈世望在村东路沟边取土时发现的。同时出土的还有其他12件宋代器物，估计为1座宋代墓葬。后被县文化馆文物干部王好义征集入库。简报配以照片予以介绍。

汝窑为我国宋代五大名窑之首。它以玛瑙为釉，形成了特殊的色泽。由于烧制时间短，南宋人已有"近尤难得"之叹，至今传世甚少。该件器物保存完好、造型规整，简报推断从造型和釉色上看为宋汝窑宫廷制品无疑。郸城与宝丰清凉寺相距不远，流传到此极为可能。这是在豫东地区首次发现汝窑宫廷用品，为研究宋汝窑瓷器提供了珍贵的资料。

驻马店市

473.河南沁阳出土的石狮子

作　者：周　到
出　处：《考古》1964年第7期

1960年2月间，河南省沁阳县葛村公社农民疏浚济水，在县西18.5公里西宜作村附近掘出1对石狮子。据当事人谈，是在耕土下深3米处发现的，两件相距约2米；和狮子共存的有许多碎砖瓦砾，没有发现墓葬，可能是早年被济水淹没的建筑遗址。因为这对狮子是在掘土时无意中发现的，故损坏了1只的左前肢，另1件完好无缺，犹如新作，现陈列在省博物馆。简报配以照片予以介绍。

据介绍，这对石狮子是用蓝灰色带白云斑的大理石雕成，方座和狮子是一块石头，通高 34 厘米。雕刻精美，造型生动，经过水磨，周身光滑有光泽，是不多见的艺术品。简报推断其时代为北宋。

474.上蔡宋墓

作　者：杨育彬

出　处：《河南文博通讯》1978 年第 4 期

简报配以手绘图，介绍了河南省上蔡县宋墓的情况。宋墓位于上蔡县城西南约 1 公里处。墓室坐东南朝西北，是砖砌仿木构建筑。墓内砖饰，大部分是模制的，有少量是雕刻的，砖雕壁画提供了一些北宋晚期社会生活和服饰的资料。尤其后壁有浮雕镜台，系用 1 对可以活动的十字腿支撑，在考古中较为少见，墓内出土一批形制稍大、制作精美的"大观通宝"及 1 方刻有"李伴叔"3 字的澄泥砚。

475.上蔡县出土一件宋三彩瓷枕

作　者：上蔡县文化馆　尚景熙

出　处：《河南文博通讯》1980 年第 3 期

1977 年冬，上蔡县城关公社南关大队在二郎台平整土地时，挖出 1 件宋代三彩瓷枕。瓷枕长 33 厘米、宽 16.5 厘米、高 15 厘米。枕的底部是粉白色的长方形托板，托板上卧着 1 个婴儿，婴儿上面是 1 个荷叶，荷叶呈弧形从两端向中间倾斜状，形成枕面。简报配以照片予以介绍。

瓷枕为黄、绿、白三彩，彩色鲜艳，有流釉的痕迹。荷叶上的弧形叶脉和黄色长衫上的花枝，为刀刻后着色，刀法流利有力。这个三彩瓷枕造型新颖，卧婴形象极其生动。

476.遂平出土宋代卧童瓷枕及铜镜

作　者：李芳芝、黄耀丽

出　处：《中原文物》1985 年第 1 期

1982 年底，遂平县城关镇北关大队农民在城南修河取土时，于老城外 150 米处发现 1 座宋代古墓。出土瓷枕 1 个、铜镜 1 面、铜钱 15 枚。简报配以照片、拓片予以介绍。

据介绍，瓷枕为白底黑彩和粉橙色底黑彩。长 36 厘米、宽 18 厘米、高 15.5 厘米。底座长 34.2 厘米、宽 17.5 厘米、高 2.5 厘米，上绘两圈黑彩，笔道粗细不匀，系随手挥笔而成。底座上侧卧一瓷童，卧童背负一平面八角形的枕面。铜镜为铭文镜，钱币为北宋时钱币，最晚的为北宋末徽宗时钱。

477.介绍一件宋代墨书行草瓷枕

作　者：康晓华

出　处：《中原考古》1988 年第 1 期

1972 年，西平县谭店乡一农民在烧窑取土时，挖出墨书行草瓷枕 1 件，现藏县文化馆。简报配以照片予以介绍。

据介绍，此枕呈椭圆形，面长 26.7 厘米、中宽 18 厘米、高 8.7～9.1 厘米。枕面与内侧面微凹，枕面隐现开片纹，枕面中央为外向连弧开光，开光内有墨书行草十字："麦天晨气润，槐下午阴清。"开光内及枕身分别饰以椭圆形和卷叶纹图案。除底部无釉外，满施乳白釉，黑彩绘画，白釉闪黄色，黑彩呈褐色，胎质呈灰色。简报推断为宋代磁州窑出品。

简报指出，瓷枕始于隋，盛于宋。宋又以磁州窑系瓷枕为大宗，以白地黑花、白地褐花和人们喜闻乐见的人物、花卉、禽兽等作主要装饰内容。此枕则以墨书诗词作主要画面，这在磁州窑系烧制的瓷枕中并不多见。该枕造型淳朴，书法清媚劲健，既是 1 件生活实用品，也是 1 件难得的艺术珍品，对于研究宋代磁州窑系制瓷工艺、书画艺术等具有一定的参考价值。

478.西平县发现一件宋代瓷枕

作　者：康晓华

出　处：《考古》1989 年第 2 期

1972 年，西平县谭店乡朱红村农民朱建然在烧窑取土时，挖出墨书行草瓷枕 1 件，西平县文化馆征集收藏。简报配以照片予以介绍。

据介绍，此枕呈椭圆形。该枕以墨书诗词作主要装饰内容，以枕周身饰卷叶纺图案烘托主体。同御制官窑瓷器绘画相比，在用笔和构图上，显然不如官窑工整、细腻，构图严谨而守法度，从而体现了民窑瓷器绘画，不受御制瓷器绘画的束缚。图案通过"白"与"黑"色调的彼此映衬，形成强烈的对比色调，艺术感染力强，有着浓郁的民间特色。制作上，则采用在透明瓷釉上，以黑褐色彩料用毛笔直接书写，然后烧制而成。达到了如同纸上绘画的效果，给人们以书法艺术美的享受。

此枕从胎质、釉色和造型三方面看，简报推断应属于宋代磁州窑。

479.河南沁阳县金塚村发现窖藏铜钱

作　者：李建兴

出　处：《华夏考古》1990 年第 2 期

1983 年 6 月，沁阳县崇义乡金探村电工，在挖电线杆拉线坑时发现 1 窖藏铜钱。考古人员前往调查，并将这批铜钱运回沁阳县博物馆内收藏。据调查，该窖位于金探村东北约百米处。窖口距地表约 0.6 米。窖内铜钱已锈结成块，总重量 300 余公斤。该窖内的铜钱上迄西汉，晚至金代，包括两汉、新莽、隋唐、五代、两宋、辽金等 10 多个朝代的 170 多种钱币。简报分为：一、两汉钱币，二、隋唐钱币，三、五代十国钱币，四、北宋钱币，五、南宋钱币，六、辽、金钱币，共六个部分，有拓片等。

据介绍，金代钱币发现有"正隆元宝""大定通宝"，皆仿宋钱形制，做工精美。该窖藏中还发现 1 枚铁质"开元通宝"，1 枚五代的铅质"开元通宝"，1 枚铁质"大定通宝"，这些钱币都比较少见。宋钱中"通正元宝""乾统元宝"，小型"绍兴元宝"、铁质"开元通宝"与"大定通宝"与"大定通宝"以及铅质"开元通宝"也是一般窖藏中所少见的。这些窖藏铜钱的发现，对研究宋、金时期的政治、经济、文化及货币史等都提供了大量的实物资料。简报断定该窖藏铜钱的埋入地下时间应为南宋淳熙十三年（1186 年）之后，下限不超过 1190 年。

480.河南驻马店市出土一块宋代买地券

作　者：谢　辰

出　处：《中原文物》1991 年第 2 期

1987 年 11 月，驻马店地区文化局在驻马店市西郊建设综合办公楼时发现 1 块宋代买地石券。简报配以照片予以介绍。

据介绍，石券略呈长方形，长 57 厘米、宽 39 厘米、厚 3.5 厘米。一面打磨平整镌刻文字，其他几面经过粗略修整。最多的满行 14 字，最少的 1 行 4 字。有 4 字在挖基过程中由铁镐碰撞略为模糊外，其他字迹清晰，简报录有券文全文。由券文，知此墓下葬年为北宋宣和七年（1125 年）。所记确山县，据《宋史地理志》载，属京西北路，蔡州，系汝南郡，淮康军节度。今驻马店市原为确山县地域，明代在此设驿站，始称驻马店。1949 年为确山县一镇，后几次与确山县分合。1965 年 7 月为驻马店地区行政公署所在地。1980 年升为县级市。该券所书内容及形式，与其他地区地券基本一致，可为研究土地制度及地方地理沿革提供参考。

481.河南上蔡县出土一块宋代买地石券

作　者：谢　辰、徐国强
出　处：《中原文物》1992 年第 2 期

1987 年秋天，上蔡县第三中学在县城西关外校院内建厕所挖地基时发现 1 座残宋墓，出土钧瓷碗 2 件，宋代买地石券 1 块，现存县文管所。简报配以照片予以介绍。

据介绍，该买地券为石制，计 140 字，简报录有全文，知墓主人叫王典，下葬之年为北宋庆历四年（1044 年）。

482.河南泌阳县宋墓发掘简报

作　者：驻马店市文物考古管理所　彭爱杰、余新红、杨新得
出　处：《华夏考古》2005 年第 2 期

2002 年 1 月，河南省泌阳县对外贸易总公司在住宅楼基建施工时发现宋代墓葬 3 座，考古人员进行了抢救性清理发掘。简报分为：一、地理位置，二、墓葬结构，三、随葬器物，四、结语，共四个部分，有照片、手绘图。

据介绍，宋墓位于泌阳县城中西部，两前一后排列，编号简称 M1、M2、M3。均为南北方向的仿木建筑结构单室墓，由墓道、墓门、甬道、墓室四部分组成。墓道均位于墓室南部。墓室平面分两种：M1、M2 为六角形，M3 为弧四边形，均受到不同程度的破坏。出土遗物有瓷器、铜镜等。应为一家族墓。M1、M2 大致为北宋晚期墓，M3 应略早。

简报指出，3 墓营造结构较为简单，但有砖雕。M1 有砖雕的箭、箭囊，墓主人可能是一位习武之人。墓中所砌桌椅简陋，砖雕内容有注子、壶、盏、盏托等茶具及晾衣架、矮足柜、剪刀、尺子、熨斗、箱子、灯台等日用家具装饰。北宋晚期北方动荡、民不聊生，虽然这组墓葬规模不大，贫民也无力建造，墓主人身份应属宋代"五等版籍"中的上三等户，在自耕农以上，极有可能是农村中的中小地主。

简报认为，泌阳宋墓，从墓室的结构、室内的布局以及砖雕的内容等，为我们研究宋代的木构建筑、室内陈设家具的变化、社会生活习俗以及经济发展等，提供了十分形象的资料。

济源市

483.济源连地宋代墓葬的发掘

作　者：河南省文物考古研究所、焦作市文物工作队　魏兴涛

出　处：《华夏考古》2001 年第 3 期

连地宋代墓葬位于河南省济源市坡头乡连地村东南，南临黄河，北为小浪底水利枢纽留庄至蓼坞的北岸公路，西距小浪底大坝址约 5 公里。为配合小浪底水利枢纽前期工程的建设，1992 年 4 月，考古人员对位于连地村东南黄河滩地水利部十一局职工生活区进行了钻探，在一探孔内发现有 14 枚铜钱，下挖后发现是一座宋代墓葬（编号 92JLDM2，以下简称 M1）。简报分为：一、层位与形制，二、文化遗物，三、结语，共三个部分，有手绘图。

据介绍，以陶瓷上盖石板块为葬具，以铜钱作为随葬品，其中"治平通宝"与"治平元宝"为最晚的两种钱，这两种钱均铸造于北宋英宗治平年间（1064 ～ 1067年），因此该墓葬的埋葬年代上限当不早于英宗治平年间，下限应不晚于神宗熙宁年间（1068 ～ 1077 年），属北宋中期的文化遗存。该墓葬中有 1 枚"唐国通宝"出土，可谓珍品。

484.济源市东石露头村宋代壁画墓

作　者：赵　宏、高　明

出　处：《中原文物》2008 年第 2 期

2004 年在济源市东石露头村发现 1 座保存完好的宋代壁画墓，清理出人骨 3 具、西汉至宋代铜钱 50 余枚以及棺钉等物。墓葬形制为近方形四角攒顶砖室墓，简报初步断定为北宋中晚期墓葬。墓室壁画非常精美，为研究宋代葬俗、民间生活、绘画艺术及佛教文化提供了珍贵资料。简报分为：一、形制结构，二、壁画内容，三、主要遗物，四、墓葬年代，共四个部分，有照片。

据介绍，2004 年 12 月，济源市进行市政道路施工时，在距市西 1.5 公里的天坛西路东石露头村发现 1 座古墓，考古人员进行了抢救性发掘。共清理出 3 具人骨（1男 2 女）、50 余枚铜钱及棺钉等。该墓室的四壁及穹隆顶部均有壁画。

简报称，简报所述壁画正处于宋代绘画势头良好的时期。加之济源山秀水美，

画风兴盛，很多画师汇聚于此，因此出现如此精美的壁画实属正常。由于种种原因，宋代名人字画存留不多，民间绘画更是很难看到，此壁画的发现为研究宋代民俗生活、佛教、绘画艺术提供了珍贵资料。

485.河南济源市承留宋代砖雕墓发掘简报

作　者：济源市文物工作队

出　处：《中原文物》2012 年第 4 期

2011 年，济源市承留镇承留村发现了 1 座仿木结构砖雕墓，墓壁砌筑有门窗、铺作、檐枋等古代建筑构件以及桌椅家具类砖雕，出土了宋代铜钱，初步判断为北宋中晚期墓葬。简报分为：一、墓葬概况，二、墓葬结构，三、出土遗物，四、结语，共四个部分，有照片、手绘图。

据介绍，此墓系道路施工时发现，自南向北由墓道、甬道、墓室三部分组成，墓室坐北朝南，平面略呈"甲"字形。曾被盗，仅存钱币 2 枚。墓室平面呈八角形，墓壁雕砖为参照地上建筑的仿木构件形式，为研究北宋时期古代建筑等，有一定参考价值。

湖北省

武汉市

486.武昌拆迁宋兴福寺塔

作　者：武汉市文化局　蓝　蔚
出　处：《文物》1964 年第 4 期

宋兴福寺塔位于武昌洪山中央民族学院分院图书馆大楼的正前方，是湖北省第一批文物保护单位。因塔基下沉，塔身涨裂，危及塔身安全，有关部门决定以拆迁复原的办法进行处理。拆迁工程于 1960 年 11 月开始，至 1963 年 1 月结束。在拆迁过程中发现有 1 个砖砌竖洞。简报配以照片予以介绍。

据塔上刻字，建塔年代为南宋咸淳六年（1270 年），是武汉市区最早的古代建筑。塔的建筑形式，是石砌仿木结构的楼阁式塔，八角七层，高 11.25 米。塔身内部自第九层开始于塔心处，发现了 1 个长宽 16 厘米的砖砌竖洞，洞口是用一块没有经过钻凿的巨石封口，直通塔下，到一层的中段开始扩大成为一南北长 65 厘米、东西宽 60 厘米的方形小室，中有宋代钱币 203 枚及金代钱币 1 枚。

487.武昌卓刀泉两座南宋墓葬的清理

作　者：湖北省文物管理委员会　程欣人、王善才
出　处：《考古》1964 年第 5 期

1963 年 6 月中旬，华中师范学院附属第二中学在扩建操场时，发现 2 座古墓，其中有 1 座露出题额为"宋故将领武节任公墓铭"的墓志铭，因而知道此为宋墓。墓葬是在武昌东南 5 公里余、北距卓刀泉约 1 公里的徐家山头上。2 墓一前一后，左右相距 3 米。其中有墓志铭的 1 座，墓室稍大。据学校师生谈，在取土中均未见到墓顶，只有零乱的砖块，可见墓顶早已塌陷。简报分为"1 号墓""2 号墓""结语"三个部分，有手绘图。

这两座单室砖墓虽属小型墓葬，但有它特殊之处。如1号墓墓志的位置与一般墓葬不同，嵌立于墓室北壁中间，墓中夹墙亦为罕见；2号墓中有"腰坑"，也是宋墓中比较少见的。2号墓虽然没有出土墓志，但是从墓中出土的铜钱来看，最晚的有"绍熙元宝"。绍熙是南宋光宗唯一的年号，因此，这个墓葬的时代上限，不得早于南宋光宗在位的时期（1190～1194年）。

488.武汉市东西湖区柏泉北宋墓发掘简报

作　者：武汉市文物管理处
出　处：《江汉考古》1983年第1期

1982年2月，武汉市东西湖柏泉农场红星大队祝冲生产队发现古砖室墓1座。接报告后，考古人员前往进行清理。简报分为：一、墓葬形制，二、随葬器物，三、结语，共三个部分，有照片、手绘图。

据介绍，古墓位于柏泉农场祝冲生产队西北1000米的山岗东南漫坡上，距武汉市区约26公里。从现存情况看，墓顶距地面高约1.10米，墓底距地面高约2.75米。此墓是一座分室合葬的砖室墓。两室平面呈狭长椭圆形。两室紧靠，互不相通，各有墓门，平砖封门。墓室用灰色素砖砌筑，葬具已朽。出土遗物有瓷器、铜器、银钗、铁剪、钱币等。据墓中出土的随葬品来看，可能是1座夫妇合葬墓，西室应是女性。墓葬的年代，简报推断为北宋徽宗前元祐年间的墓葬。

489.武汉市青山宋墓清理简报

作　者：武汉市文物处　兰　蔚
出　处：《江汉考古》1986年第4期

1983年7～8月，根据武汉钢铁公司公安处治安科的通报，考古人员在青山区工人村十五舍附近，清理了1座南宋夫妇合葬墓。此墓坐落在今青山区凤凰山西麓，西北距长江约2里，因雨后山崖坍塌而暴露。清理前，墓葬的东壁已因当地居民挖砖而受一定损坏。简报分为：一、墓葬结构，二、出土文物，三、结语，共三个部分，有手绘图等。

据介绍，墓属砖石结构，平顶，通高约1.38米。南、北壁各长3.44米，东、西壁各长3.74米。在东、西壁中部，纵砌一道隔墙，将墓分成南北并列的双室，整体平面呈"日"字形。其中，南室长2.67米，宽1.30米；北室长2.67米，宽1.27米。隔墙上砌有门窗，使双室相通。葬具、尸骨已朽。共出土文物40余件，有铁器、瓷器、铜钱等，买地券砖质 2 方，简报录有券文全文。由券文知，工人村宋墓属夫妇合葬墓，墓主是任忠训及其妻蒋氏。任忠训卒于宝祐四年（1256 年）七月十九日，蒋氏大约先卒于同年六月。而此墓下葬的年代，据地券记载，应为南宋宝祐四年（1256年）八月二十四日。宋代制度规定，皇帝崩后，必须在 7 个月之内入葬。受此影响，官民人等卒后大多很快入葬，与明代停尸动辄数年的风俗不同。至于墓主身份，地券称任忠训为"总管"，称蒋氏为"孺人"。在宋代，"总管"多为"兵马总管"的省称，执掌府州兵马，官阶不低于六品，但到南宋后多为闲官；孺人，按宋制乃授予通直郎（从六品）以上官员之母或妻子的封号，与任忠训总管之衔相合。从墓葬规模及随葬品观察，任氏夫妻至少应属当地富户。

490.武昌傅家坡宋墓发掘简报

作　者：湖北省博物馆　全锦云、唐刚卯
出　处：《江汉考古》1988 年第 3 期

1986 年 5 月，考古人员在武汉市武昌傅家坡清理了 1 座宋代墓葬。该墓是省公安厅在施工过程中发现并上报的。简报分为：一、墓葬形制，二、随葬品，三、墓葬的年代与墓主人，四、结语，共四个部分，有照片、手绘图。

据介绍，墓室呈长方形，单室，为砖石结构。全长 4.6 米，宽 1.84 米。在考古人员见到此墓时，墓顶已被揭掉。四壁残高 1.30 米，墓室内三壁砌有小龛。出土遗物有瓷瓶、瓷碗、瓷盆、石饰、铜钱及石墓志等共 13 件。墓志因地下水浸泡，字迹已多不清，能辨认的尚存 261 字。由残存志文可以断定此墓应为南宋墓，其下葬的绝对年代不会早于淳祐三年（1243 年）。墓主人应为曾担任过都统制的官职，是参加过南宋末年重大抗金、抗元战斗的南宋武将。

491.武昌县发现两座北宋瓷窑址

作　者：田海峰
出　处：《江汉考古》1990 年第 1 期

1989 年 3 月，考古人员在武昌县土地堂乡青山村梁子湖西岸的一个台地上，发掘了 2 座烧造影青瓷的窑炉。

据介绍，整个窑炉建筑宏大，气势壮观，巍巍耸立于梁子湖畔，一窑可装烧上万件产品。此种窑炉建筑，在国内实为罕见。其产品以青白瓷（即影青瓷）和白瓷为主，质地细腻，工艺精良，品种繁多，美观实用。造型有壶、碟、盘、碗等。壶，体形瘦长，肩丰胫瘦、圈足外张，有呈橄榄形腹，有爪愣腹，有腹部刻花的，多为长颈喇叭口、肩腹安曲柄，肩有曲形长流，有的则于肩部两侧相对安一双环形小系。整个造形修长而丰满，挺拔而富于曲线。此地无疑和景德镇一样负有内销和外销的双重任务，足见湖北瓷窑生产在 1000 多年前的宋代，起着举足轻重的历史作用，具有不容低估的历史地位。

492.湖北黄陂县铁门坎遗址宋墓

作　者：武汉大学历史系考古专业、武汉市文物工作队、黄陂县文化馆　陈冰白、
　　　　徐承泰、方　勤、黄　锂
出　处：《考古》1995 年第 11 期

铁门坎遗址位于湖北省黄陂县罗汉寺镇坦皮大队，东南距县城约 15 公里。1993 年 9 月至 1994 年元月，考古人员对该遗址进行了科学发掘，清理出一批新石器时代、商周时期的遗迹、遗物以及 2 座东周墓、5 座宋墓。简报分为：一、墓葬形制，二、出土遗物，三、结语，共三个部分，配以手绘图，先行介绍 5 座宋墓的有关资料。

据介绍，5 座宋墓的编号依次为 M1、M2、M3、M5、M10，均为长方形竖穴土坑墓。葬具、尸骨多已不存。5 座宋墓出土的随葬品主要有瓷器以及铜器、银器、钱币等。瓷器中以青白瓷尤为精美，有可能是武昌湖泗窑出品。5 墓的年代，简报推断为北宋晚期，墓主人应为一般平民。

493.武昌县安山宋墓清理简报

作　者：武昌县博物馆
出　处：《江汉考古》1996 年第 3 期

1993 年春，武昌安山镇新窑村一位农民清挖田沟时发现 1 座古代砖室墓，考古人员进行了抢救性的清理发掘。清理情况简报分为：一、墓葬的地理位置与墓葬形制，二、随葬品，三、结语，共三个部分，有手绘图。

据介绍，此墓位于武昌县南部的安山镇新窑村窑嘴东南部的一块坡地上，西距斧头湖约 200 米，北距安山镇 6.4 公里。该墓系长方形券顶单室砖墓，随葬品 6 件。该墓出土的陪葬品虽然不多，但出土瓷器体现了地方文化特色。特别是青白瓷壶的造型与釉色很具有地方的特点，为本地窑址产品青瓷系向青白瓷系过渡阶段烧造的产品。根据出土的瓷器及年号铜钱，简报推断该墓的上限

年代不会早于北宋仁宗宝元年间（1038～1040年），下限应为仁宗康定年间（1040年）或者稍晚，或许就是仁宗宝元年间（1038～1040年）的墓葬。

494.黄陂县祁家湾镇宋王山北宋时期墓葬群

作　者： 武汉市博物馆、黄陂县文物管理所　黄　锂、陈　艳
出　处：《江汉考古》1998年第3期

祁家湾镇位于黄陂县西部偏南，西隔界河与孝感市相望。宋王山则坐落在该镇南部地区的张店管理区境内的张店村与李桥村之间。1994年冬，因当地一农民在山之南缘偶然发现古墓葬而导致附近村民大规模盗掘，至次年3月，共盗挖古墓葬11座。4月，盗掘风潮平息，考古人员对已暴露的11座古墓进行了清理，并追回了部分文物。简报分为：一、墓葬地理环境及墓葬形制，二、随葬器物，三、结语，共三个部分，有手绘图。

据介绍，11座墓有长方形竖穴单人墓、长方形竖穴双人墓、弧形连体竖穴双人墓。11座墓随葬品共计近百件。主要有影青瓷等日用瓷器，还有银耳坠、银钗等。因盗墓破坏已难分期，只得笼统定为北宋墓。

495.湖北省武汉市江夏区浮山窑址发掘简报

作　者： 武汉市博物馆、武汉市江夏区博物馆、武汉大学考古学系　贺世伟、
　　　　许志斌
出　处：《江汉考古》1998年第3期

浮山窑址位于湖北省武汉市江夏区湖润镇浮山村西北的一座低矮山丘上。北依梁子湖汉冲积而成的滩地，南临浮山小学，其四周分布着不少含有文化遗物的窑堆。该山丘海拔40.4米，未发掘前，其上生长着低矮茂密的灌木丛和杂草，地面上到处可见废弃的窑砖、匣钵片、垫饼和影青瓷片。1982年进行文物普查时首次发现该窑址，并将其确定为湖北省文物保护单位。1995年秋至1996年初进行了发掘，发现龙窑遗址两座，瓷器、窑具等数万件，极大地丰富了湖北省陶瓷史的内容。简报分为：一、地层堆积，二、遗迹，三、遗物，四、结语，共四个部分，有手绘图。

据介绍，此处应为北宋一处民窑遗址，Y2要早于Y1。Y2的废弃年代应在北宋中晚期，而Y1的废弃年代应在北宋晚期。两窑产品以日用瓷为主，造型简单实用，装饰花纹不多，应是供应普通民众所用。

496.黄陂县滠口开发区俊华药厂工地宋代墓葬清理简报

作　者：武汉市博物馆、盘龙城工作站、黄陂县文管所
出　处：《江汉考古》1998 年第 4 期

滠口开发区位于武汉市北郊的黄陂县境南端，著名的商代盘龙城遗址即坐落于此。1994 年 11 月中旬，海南实业公司在东西走向的刘宋公路北侧、距离市区 5 华里的刘店村范围内平土兴建俊华药厂时，推出一片墓地。考古人员对该墓地进行了抢救性清理。简报分为：一、墓葬地理位置及形制，二、随葬物品，三、结语，共三个部分，有拓片、手绘图。

据介绍，除 M1、M2 两墓外，其他墓均被推土机推坏。2 墓均为砖室墓，另 M3 虽被破坏，但出土有较好的青瓷器。简报推断 M1 为北宋中期英宗时墓。M2 墓主人应属非正常死亡，随葬品仅铁剑、铁刀各 1 把。M3 的青瓷器出自不同窑口，应为南宋时墓。

497.钟家村宋代水井清理简报

作　者：武汉市博物馆　罗宏斌、黄传馨
出　处：《江汉考古》1998 年第 4 期

1997 年 8 月，距汉阳龟山南麓数百米的钟家村祁万顺酒楼侧后，万顺置业有限公司在基础施工中发现 1 口古代水井，井中掘出陶瓷罐。经现场勘查，井的上半部已被施工单位掘掉约 6 米深，故井口及上半部分结构已无法弄清，就现残存部分井国型制、井砖和出土物等情况分析，确定为宋代时期的水井。井为圆形，竖井，井口直径 0.7 米，上半部已毁，现存部分为烂泥淤积，深度不详。此井编号为97H2J1。井内出土陶瓷、铜钱、铁权及木桶残片等文物。简报分为：一、井的结构，二、出土器物，三、年代，共三个部分，有手绘图。

据介绍，此井应开凿于北宋时期，南宋时该井的使用达到了顶峰，直至元代初年才被废弃，前后使用时间达 200 余年。井底铺设木板作为卫生措施，能有效限制井底泥沙上泛。

简报指出，汉阳自古以来就是重要的军事重镇，由于其地理位置的独特，历来为兵家必争之地。唐代以前，经济力量还十分有限，至唐代将汉阳县治移至今龟山脚下后，经济发展日益迅速起来。到了宋代，它不仅作为一个重要的军事重镇，同时也逐渐成为汉水下游的一个重要商埠和商品流通集散地，众多商贾云集到此，商业空前地繁荣起来。掉落在井中如此众多的汲水用的罐和壶，足以说明当时此地居民人口的稠密程度。铁权、铜币的出土，则从一个侧面反映出当时商业活动的繁盛。

498.湖北武汉江夏王麻窑址 1988 ～ 1996 年的发掘

作　者：武汉市博物馆、武汉市江夏区博物馆、武汉大学考古学系　贺世伟、
　　　　许志斌、罗宏斌、刘志云等
出　处：《考古学报》2000 年第 1 期

王麻窑址位于湖北省武汉市江夏区（原武昌县）舒安乡西约 5 公里的官山村王麻湾南边的小山丘上，西北临梁子湖汊，东北至纸坊镇约 35 公里。四周平原、丘陵和湖汊交错分布。丘陵上生长着茂密的树木，也堆积着厚厚的瓷片和窑具。1982 年，曾对该窑址进行过专题调查，发现堆有瓷片和窑具的窑堆 63 座，王麻窑堆就是其中之一。1988 年，该窑堆遭到严重破坏，农民修路取土时暴露龙窑 1 座（Y1），并破坏了窑炉尾部遗迹。同年秋至 1989 年夏，对该窑堆进行了抢救性发掘，揭露出较完整的龙窑 1 座，出土大量青白瓷器和窑具。1995 年春夏，考古人员对窑炉两侧的废弃堆积进行发掘，并在窑炉前部清理出窑前作坊遗迹。同年秋至 1996 年春，对位于王麻南仅 1 公里的湖泗镇浮山窑址进行发掘，同时继续在王麻窑前发掘，揭露出布局整齐的作坊遗址。简报分为：一、地层堆积，二、踪迹，三、遗物，四、结语，共四个部分，有照片、手绘图。

据简报推测，王麻窑大约创窑于北宋中期，衰于北宋晚期或更晚。王麻窑发现的烧瓷窑炉是宋代南方流行的龙窑，先后进行过两次大规模的扩建。该窑产品类型丰富，式样变化多样，釉色以青白釉为主（58.6%），其次为青釉（13.1%）、白釉（12.3%），酱黑釉最少（1.1%）。胎色以灰白胎最多（45%），灰胎（34.5%）其次，铁青胎最少（6.7%）。装饰技法多样，题材丰富，窑工综合运用刻、划、粘贴、雕、印、镂、剔等方法在器物上装饰菊、莲、水草等花纹，风格简练飘逸，带有浓厚的江南水乡气息。瓷枕是王麻窑的代表作。装饰方法以单匣单件正烧法流行，其中漏斗形匣钵装烧碗、盏、碟、钵、盆等器，直筒形匣钵装烧壶、炉、瓶等器物。

499.武汉市江夏区段岭庙宋墓发掘简报

作　者：武汉市博物馆、江夏文物管理所　祁金刚
出　处：《江汉考古》2000 年第 4 期

段岭庙乡位于武汉市江夏区中部，为配合京珠公路建设，1999 年 6 ～ 7 月，考古人员进行了勘探与发掘。清理发掘宋代砖室墓 1 座（编号 JDM1）。简报分为：一、地理环境及墓葬形制，二、出土器物，三、结语，共三个部分，有拓片、手绘图。

据介绍，该墓位于江夏区段岭庙洞山村小屋茅湾东南约 100 米处。为长方形单室砖墓，出土遗物有铜钱、青铜镜、青瓷器等。该墓的时代，简报推断为北宋中期或稍晚。

500.武汉市江夏区陈家垅窑址发掘简报

作　　者：武汉市文物考古研究所、武汉市江夏区博物馆　雷兴军、刘志云、
　　　　　陈　燕
出　　处：《江汉考古》2001 年第 2 期

陈家垅窑址位于江夏区安山镇马鞍村西边蔡湾西北约 300 米的小丘陵上，东北距安山镇约两公里，临上涉湖。四周还分布着杨家懈、王家坟山、天心垴、彭家窑等 7 处古代窑址，属于江夏区斧头湖古代窑址群的一部分。为配合京珠公路建设，考古人员于 1999 年 7～9 月进行了发掘。简报分为：一、地层堆积，二、遗迹，三、遗物，四、小结，共四个部分，有手绘图。

据介绍，遗迹主要为龙窑 1 座，遗物主要为窑床及周围废弃瓷器、瓷片 700 多件。产品以实用器物为主，销售对象应为中下层平民。该窑部分产品虽含有晚唐五代风格，但绝大部分产品在本地区北宋墓葬、水井等遗迹中常见，简报推测陈家垅窑址产品的烧造年代为北宋时期。

501.江夏乌龙泉宋墓发掘简报

作　　者：武汉市文物考古研究所、江夏区文物管理所　祁金刚、刘志云
出　　处：《江汉考古》2007 年第 1 期

乌龙泉宋墓位于武汉市江夏区乌龙泉镇。2 座墓皆为长方形，为武汉地区北宋时期比较流行的墓葬形制。出土的影青瓷器有执壶、碗、钵、罐等，皆为本地湖泗窑烧造的产品，为研究江夏湖泗窑产品的烧造、流布、分期等问题提供了新的资料。简报分为：一、墓葬形制，二、出土遗物，三、结语，共三个部分，有手绘图。

据介绍，乌龙泉宋墓位于武汉市江夏区乌龙泉镇菜农二组的一块坡地上。1996 年 12 月，乌龙泉镇政府在此修建集贸市场抽挖基槽时，发现两座古墓，考古人员进行了抢救性发掘。

据介绍，两座墓编号分别为 JWCM1、JWCM2。M1 为长方形单室砖墓，M2 为楔形单室砖墓。两墓朝向基本一致，坐北朝南，之间相距约 4 米。顶部已坍塌，葬具、

人骨已朽。出土遗物以瓷器为主，计19件，M2还出土了1把铜剪及10余枚铜钱。M2出土有两块纪年砖，可识别为北宋仁宗宝元元年（1038年）。据此，两墓的时代，简报推断为北宋时期。

黄石市

襄樊市

502.湖北襄樊羊祜山出土宋代银铤

作　　者：襄樊市文物管理处　崔新社
出　　处：《文物》1984年第4期

1976年，工人在襄樊羊祜山半山腰施工中发现银铤2笏。简报配图予以介绍。

据介绍，1号银铤重2000克，上刻铭文39字。2号银铤重2030克，上刻铭文44字，中有缺字。简报录有2银铤铭文全文。据铭文，2银铤均为宋代遗物。

503.襄阳磨基山宋墓发掘简报

作　　者：襄樊市博物馆　李祖才
出　　处：《江汉考古》1985年第3期

1979年4月，襄阳地区公安局审查站砖瓦厂，在襄阳磨基山东坡的庙台子西岗平整房基时，发现1座宋代砖室墓。这座墓在汉水西边，东北距襄阳城约7.5公里，考古人员前往清理。简报分为：一、墓葬结构，二、随葬器物，三、结语，共三个部分，有照片、手绘图。

据介绍，此墓为仿木结构砖室墓，无封土堆。早年已遭破坏，由甬道、墓门、墓室组成，未见壁画。该墓的棺木已朽，仅余棺钉。从出土时棺钉的位置，木棺置于墓室的北部，由于积水的浮动，骨架散乱。但葬式尚明，为仰身直葬，头西脚东。随葬器物不多，放置的位置除1面铜镜方镜和铜管（为漆奁盒所装）置于头部之外，其余均放在墓室的东南部。有墓志砖铭、买地券。据这座墓出土的墓志砖铭记载，墓主张氏二娘，是刘密昨之妻，卒于北宋徽宗崇宁二年（1103）二月十七日，葬于崇宁三年（1104年）正月二十二日。在墓志中，刘密昨并无官职，因而其身份只能是一般的地主。

504.湖北襄樊市郊发现南宋摩崖石刻

作　　者：襄樊市文物管理处　崔新社

出　　处：《文物》1987年第3期

襄樊市文物管理处近年在文物普查工作中，发现3处摩崖石刻，均为宋刻，除少数字迹不清外，大部清晰可辨。简报配以拓片予以介绍。

据介绍，这三处石刻为：一、庆元己未（庆元五年，1199年）石刻。位于襄樊市郊郑家山岩石壁上，保存较为完整；二、嘉泰二年（1202年）石刻。位于庞公乡观音阁村凤凰山岩山洞室石壁上，距襄阳城南3.5公里；三、岘山寺石刻。在岘山半山腰岩石壁上发现，距襄阳城4公里。这三处石刻简报均录有铭文原文。

简报称，这三处摩岩石刻，均为南宋宁宗时所镌，是襄樊市目前发现的最早石刻。

505.浠水县城关镇北宋石室墓发掘简报

作　　者：浠水宋墓考古发掘队　王善才、叶向荣

出　　处：《江汉考古》1989年第3期

浠水县城关镇，现名清泉镇，1985年8月18日在该镇南头云路口村的第七组与浠水电力变压器厂宿舍南边的围墙脚坡交界处，因村民建房修厕所挖地基，于深约1米的地下发现几块大石板。在一断裂的石板下有一空洞，洞中横向侧立1块刻有文字的石碑。县博物馆获悉后，派考古人员到现场调查，从碑文得知，系北宋古墓。

发掘工作自1986年6月3日开始，7日结束，历时5天。情况简报分为：一、墓地环境与墓葬封土，二、墓室结构与葬具，三、出土遗物，四、小结，共四个部分，有手绘图、照片。

据介绍，该墓双室，全为石板构筑，根据墓中所出遗物表明，系夫妻分室合葬。出土遗物共110件，墓志铭2块，墓主侯君志铭楷书，共943字，简报全文抄录；施夫人志铭，行楷，共575字，简报录有全文。

根据出土墓志记载，墓主人姓侯，名严，字仲修，湖北兰溪（即今浠水）人，北宋元祐三年（1088年）冬得疾，元祐四年（1089年）二月十日病丧，终年54岁，死后10个月归葬于龙潭山之阳（即南坡），属北宋后期。侯君好学，接管家业后又"广谋阔计。不数年间，资产极钜万"，即侯君虽未做官，但和他父亲一样，善于经营，故发家很快。这里特别值得一提的是，两志文中所提到的"资产极钜万"和"资产

甲兰溪"的"资产"2字，这是以前未曾在宋墓出土实物中见到的。

简报称，这座北宋石室夫妇合葬墓的发现，无疑为我国北宋历史以及地方史志的研究，增添了重要的实物资料。

506.襄樊市区发现一座宋墓

作　者：襄樊市博物馆　黄尚明

出　处：《江汉考古》1989 年第 3 期

1988 年 5 月，化工部第六化建公司砖厂在襄阳城郑家山取土时发现 2 座砖墓，博物馆组织人力进行了清理，M1 仅存一壁和残角，其余崩塌。据民工说，一合北宋末年墓志出自该墓。M2 已完全毁坏，出有莲花、插花画像砖。M1 资料简报分为：一、残墓结构，二、墓志考释，三、结论，共三个部分，有手绘图、照片。

据介绍，墓志一合，盖顶刘石篆书"宋故朝请郎致仕赵公墓志铭"12 字。志文由董平撰写，崔陟楷书，周宣阴刻，共 36 行，满行 38 字。简报附有志文全文。

志文开头 5 字已被破坏，无从辨识，第 6 字为"度"，根据一般常识，序文行文格式为"公讳 × 字 ××"，倘此推测不误，暂称墓主人为赵□度。《宋史》无传，有关其生平全赖墓志资料，赵□度中熙宁元年（1068 年）进士，历职颇多，先后担任过东明簿、临颍县令、京西南路提典邢狱司检法官、澧州安乡县令、宣德郎、成都府新繁县知县、承议郎、京东西路提点刑狱司检法官，通判凤翔府军、朝散郎、朝请郎、朝奉大夫、通判郑州，监环州酒。簿为从九品，判官、县令从八品，承议郎从七品，朝散郎、朝请郎正七品，从赵□度终职于朝请郎看，该墓规格为正七品级。赵□度死于大观四年（1110 年），葬于政和三年（1113 年），改葬于宣和四年（1122年），考古人员所发掘的墓属二次葬，时代有明确的纪年，即改葬时间为北宋徽宗宣和四年（1122 年）。

507.湖北襄樊油坊岗七座宋墓

作　者：襄樊市博物馆　陈千万

出　处：《考古》1995 年第 5 期

1992 年元月至 2 月，考古人员在中法合资的神龙汽车有限公司襄樊机械加工厂场地平整工程范围内进行了文物钻探。钻探发现宋代墓 1 处，墓葬 7 座。同年 2 月19 日至 4 月 10 日进行了发掘，编号为 M1 至 M7。简报分为五个部分，有拓片、手绘图。

据介绍，墓地位于襄樊市郊区米庄乡下刘村谢沟组的岗地上（俗称油坊岗，现已改名为湖北省汽车产业经济技术开发区），南去樊城约 10 公里。7 座墓均为长方形墓圹带梯形墓道的砖室墓，一律使用素面青砖，以黄泥掺细砂为黏合剂。M1、M2、M3 形制大小基本相同，M5、M6、M7 不仅形制大小相同，且同一墓圹；M4 形制与前 3 座墓相近，大小则与后 3 座墓相近。曾被盗，从墓中遗物及人骨情况看，简报认为这批墓葬应是同一时期迁葬的同一家族墓葬。其中 M1、M2、M3 应为夫妇合葬墓。其入葬的年代应在北宋后期，即 1068 ~ 1125 年。

508.湖北老河口王冲宋墓清理简报

作　者：老河口市博物馆　符德明
出　处：《江汉考古》1995 年第 3 期

1993 年 11 月，老河口市张集镇王冲村农民在坡地进行农田改造时发现古墓葬。考古人员赶到现场调查，发现已暴露古墓葬 20 余座，进行了抢救性发掘。1994 年 1 月 14 日结束田野工作，共清理宋代墓葬 12 座。简报分为“墓葬形制”“随葬物品”“结语”，共三个部分，有手绘图。

据介绍，12 座墓均为砖室墓，4 座保存完好，8 座已被盗。共计出土随葬品 46 件。墓室平面形状为“凸”字形、圆形、船形三种，部分墓砌有简单的仿木结构门楼，墓室内壁用砖砌成假门、桌椅等。砖上浮雕剪刀、镜等图案。从发掘情况看，尚有曲肢葬并盛行夫妻同穴、并穴合葬。此次发掘，对了解汉水中游北宋时期墓葬提供了实物资料。

509.谷城出土宋代定窑印花瓷器

作　者：谷城县博物馆　李广安
出　处：《江汉考古》1997 年第 2 期

1995 年 5 月，谷城县博物馆在县国税局基建工地发掘清理 1 座宋代砖室墓，出土 3 件纹饰精美的白釉印花瓷器。简报分为，一、墓葬形制，二、出土遗物，三、结语，共三个部分，有手绘图。

墓葬位于谷城县西郊县国税局办公楼基建工地的平地上。墓葬紧靠新修的汉十公路（老河口至谷城段），方向 350°，为竖穴式砖券单室墓。墓室券顶及部分墓壁早年已遭破坏，残存墓壁最高处仅 62 厘米。墓葬平地呈长方形，长 210 厘米、宽 90 厘米，墓底距地表深 93 厘米，墓壁为侧立错缝砌成。墓室南面未砌墓壁，无墓道，墓底用长 28 厘米、宽 15 厘米、厚 4 厘米的素面砖平铺。器物叠放在墓室北边，出土时已破损。未见棺木和尸骨。

据介绍，这座砖室墓未有明确纪年，且出土器物较少。墓葬年代通过墓葬形制和出土器物特征进行分析，简报推断该墓的年代为北宋后期。

简报称，此墓出土的北宋定窑瓷器，在汉水流域考古发掘报道中较少见，应具有较高的价值。

510.湖北谷城县宋墓出土定窑印花瓷器

作　　者：谷城县博物馆　李广安
出　　处：《考古》2003 年第 1 期

1995 年 5 月，湖北谷城县博物馆在县国税局基建工地清理了 1 座宋代砖室墓葬，出土 3 件纹饰精美的白釉印花瓷器和 1 件陶器。现简介如下：一、墓葬形制，二、出土遗物，三、年代，共三个部分，有手绘图。

据介绍，该墓竖穴式砖券单室墓，出土遗物共 4 件，种类有白釉印花瓷碗、瓷盘、泥质褐灰陶罐。这座砖室墓未有明确纪年，且出土器物较少。墓葬年代通过墓葬形制和出土器物特征进行分析，简报推断该墓的年代应为北宋后期。

简报称，此墓出土的北宋定窑瓷器，在汉水流域考古发掘报道中较少见，应具有较高的价值。

十堰市

511.湖北郧西校场坡一号宋墓

作　　者：王假真
出　　处：《考古》1989 年第 9 期

郧西县城关镇校场坡村农民建房取土，掘出 1 座古墓葬。于 1981 年 12 月 1 日至 1982 年 1 月 16 日进行清理，编定为"郧西校场坡一号宋墓"。简报分为：一、地理位置及墓葬形制，二、随葬品，共两部分，有照片、拓片。

据介绍，校场坡是汉水支流天河中游北岸的一堆积阶地，与天河枯水面相对高度约为 20 ～ 50 米。墓葬位于校场坡阶地南边，东北距郧西县城老城中心约 1200 米，南距天河河床约 200 米，处地今属湖北省郧西县城关镇校场坡村。此墓是一"甲"

字形单室砖室墓。清理前，不见封土堆，地上系人造水平梯地。全墓可分为墓道、墓门、墓室三部分。人骨架保存很差，似是两架，系仰身直肢葬，葬式难辨。清理出土的随葬品有陶器、瓷器、银环、铜钱、画像砖和铭文砖，共计120件。简报称，此墓根据墓砖所记，应为熙宁元年（1068年）以后所建。

512.十堰首次发现宋代钱币窖藏

作　者：十堰市博物馆　龚德亮、刘文春
出　处：《江汉考古》1999年第2期

二汽车箱厂隶属十堰市二堰街办车箱新村。1986年8月，二汽车箱厂在修造厂区公路和花园时挖出1口钱窖。简报配以拓片予以介绍。

据介绍，该钱窖长1.10米、宽0.45米、深约1.50米，为一竖穴土窖，在距地表约0.9米深处便显露大量散存钱币。经清理收集，共有钱币约30公斤，共清洗出较完整的钱币约7000枚。从整理结果来看，这批铜钱均为方孔圆钱，已知年代最早为西汉前期，最晚为北宋末年。宋以前主要有货泉、半两、五铢、"开元通宝""乾元重宝""天汉元宝""周元通宝""唐国通宝""大唐通宝"等，其他均为宋代铜钱。从整理结果来看，这批窖藏古钱年代最晚的为北宋徽宗宣和年间所铸的"宣和通宝"，而未见时代更晚之钱币。由此推断古钱窖藏时间当属北宋末年。

513.鄂西北地区三座古墓

作　者：中国社会科学院考古研究所长江工作队
出　处：《考古》1990年第8期

3座古墓葬是1959～1960年在丹江口水库鄂西北均县（今丹江口市）和郧县发掘的。简报配以手绘图予以介绍。

据介绍，晋墓1座（M3），在均县城东7.5公里，汉江北岸的乱石滩。1959年4月，考古人员发掘乱石滩遗址时，在探沟T10内清理了此墓。墓的营造方式是在竖穴土坑内以青砖筑成一刀把形券顶墓，随葬器物有瓷器、陶器、铜器、铜钱。有铅质买地券1件，字迹包括年号已模糊不清，简报抄录但大多为空字。根据遗物简报推断该墓为西晋墓，也许为夫妇合葬墓。

宋墓2座，郧县城关镇徐家坪1座（M213），1960年6月考古人员进行发掘。墓的构造分为土圹和墓道及墓室两部分，随葬器物有瓷器、陶器、银器、铜器等。

另 1 座在青龙泉遗址 TE 区（M1102），1960 年元月发掘，墓的构造与 M213 相同，墓内没有任何随葬器物。简报推断 2 座宋墓的年代约在两宋之间。

514.湖北郧县前房遗址发掘简报

作　者：山东大学东方考古研究中心、湖北省文物局、郧县文物局　王　芬、
　　　　奕丰实等

出　处：《考古》2010 年第 5 期

郧县地处鄂西北地区，前房遗址位于郧县青曲镇王家山村，汉江在这里蜿蜒前行，至前房一带形成了一个南北狭长的半岛状小区域，前房遗址坐落在这一地带的最南端，处在汉江北岸的二级台地上，地势相对平缓。近年来，由于遗址东部开矿淘金，遗址大部分已被挖去。前房遗址系1958 年长江流域规划办公室考古队调查时发现。1982 年和1990 年，原郧阳地区博物馆和那县博物馆先后两次复查。1994 年，湖北省文物考古研究所、那县博物馆进行了专项调查。2004 年，南水北调中线工程丹江口水库淹没区湖北省文物保护规划组又一次复查该遗址。2006 年，国家南水北调中线工程启动。2006 年12 月至2007 年2 月，发掘了前房遗址及附近墓地。

简报分为：一、遗址的地层、遗存概况，二、墓葬，三、结语，共三个部分，配有照片。

据介绍，早期遗址已被破坏，发现有前房 A、B 两处墓地，清理了三处墓葬，发掘出少量随葬品。时代当属北宋时期。

515.湖北十堰市焦家院宋墓发掘简报

作　者：中山大学人类学系　郭立新、胡政梅

出　处：《四川文物》2014 年第 1 期

为配合基建，2009 年 7 ~ 9 月，考古工作者在湖北十堰市张湾区黄龙镇焦家院墓地发掘宋墓20 座，其中石室墓9 座、砖室墓11 座。发掘情况简报分为：一、前方，二、发掘情况，三、结语，共三个部分，有彩照、手绘图。

据介绍，简报根据墓室结构和出土物推断，焦家院墓地为宋墓。焦家院宋墓，主要由 6 座仿木构砖室墓组成。

简报认为，此次发掘为丹江地区乃至整个鄂西北地区宋墓的分期研究，提供了宝贵的实物材料。

荆州市

516.湖北江陵宋墓清理

作　　者：湖北省文物管理委员会　王善才
出　　处：《考古》1966 年第 1 期

1965 年春，江陵县将台区发现墓葬 1 座，考古人员前往清理。简报配以照片、手绘图予以介绍。

据介绍，墓葬为券顶砖室墓，距地表约 0.7 米，墓室平面呈长方形，分东西两室。葬具、人骨已朽，仅存少量人骨，出土有瓷器、陶器、铜器等少许随葬品。年代应属宋代，但部分器物可能早至晚唐。

517.沙市西郊荆沙村一座宋墓的清理

作　　者：沙市博物馆　锦　华、志　彪
出　　处：《江汉考古》1992 年第 3 期

1986 年 10 月 12 日，沙市无线一厂在西郊荆沙村进行总装车间基础工程的施工中发现 2 座古墓葬，考古人员前往调查，并于 10 月 15 日至 17 日在现场进行了清理工作，并将它们分别编为 M1、M2。清理情况简报分为：一、墓葬形制，二、随葬器物，三、结语，共三个部分，有手绘图、照片。

据介绍，该墓位于沙市西郊立新乡荆沙村一组，南隔太岳路 60 米，东距菩堤寺约 300 米，北离明朝内阁首辅张居正墓约 800 米。从墓葬结构来看，船形墓墓室的抗压性能是最好的。因墓中未出有确切纪年的文物，简报就墓中所出的器物来推断，该 3 墓下葬年代应在唐末与北宋期间。

518.湖北洪湖市蒋岭北宋墓

作　　者：洪湖市文物管理委员会、洪湖市博物馆　余向东
出　　处：《考古》1993 年第 7 期

1991 年 5 月 21 日，洪湖市沙口镇蒋岭村农民肖玉刚在自家屋里挖建养鱼池时，挖开 1 座古墓。考古人员对已挖开的墓葬进行了清理，并迅速追缴收回了该墓所出

的一批文物。简报分为：一、墓葬概况，二、随葬器物，三、结语，共三个部分，有照片、手绘图。

据介绍，墓葬位于洪湖市府新堤镇西北 56.4 公里，沙（口）下（新河）公路东约 200 米，下新河西岸 5 米，蒋岭村中部。墓葬为 1 长方形竖穴土坑墓，内有 1 楠木棺材。据调查，漆器、发具出自棺内，瓷器、釉陶器出自棺外，铜钱散见于棺盖上和棺内。共计出土漆托盘 1 件、棺材 1 副、木梳 1 件、青白瓷碗 2 件、釉陶罐 1 件、鎏金铜发簪 1 件、铜发钗 2 件、铜钱 23 枚。由于墓葬挖掘后，当地农民为此发生纠纷，致使部分文物受到损毁。该墓的年代简报推断为北宋。

519.宋供奉官刘府君墓志铭

作　者：彭锦华
出　处：《文物》1995 年第 7 期

宋供奉官刘府君墓志铭系 20 世纪 50 年代末因工程施工在沙市蛇人山附近出土。该墓是 1 座多室砖墓，出土时墓室及随葬器物均被挖毁，仅留下墓志铭 1 方，现藏沙市博物馆。简报配以照片予以介绍。

据介绍，墓志铭为青石质，石板长 92.8 厘米、宽 58 厘米、厚 2.6 厘米。志边界以框线，框线内分上、下两部，上部为志额，下部为志文。志额正中竖书阴刻篆体"宋供奉官刘君之墓"，两旁有阳刻的菊花图案为装饰，志文竖书，行书，阴刻 23 行，满行 28 字，计 589 字。简报未录全文。

由志文知，墓主刘汝能，字处约，河南开封人，最初曾担任许州临颖县尉职，后调任临江军司理参军、宣州法曹掾、理狱掾、黄州录事参军、江陵府监利县令、江陵府排岸司等职，其官职累至西头供奉官。从志文推算可知，刘汝能生于北宋端拱元年（988 年），卒于庆历三年（1043 年）四月十日，时隔 32 年后，于熙宁八年（1075 年）十一月二日葬于江陵县章台乡蛇人山。志文陈述了墓主刘汝能一生在北宋下层官场中所走过的历程。志文证实，在庆历三年（1043 年）以前，我国北宋时期的著名政治家、文字家范仲淹曾出任陕西安抚使，这与《宋史》中关于范仲淹生平的记载是相符合的。志文提供了墓主人刘汝能以"西头供奉官"的衔职，随范仲淹一同前往就任的史实。此外，志文中提到刘府君"屡为钜公之荐"，据志文内容获知"钜公"非仲淹一人。另一人为王子融。

据查：王子融本名圆，字熙仲，祥符年间进士。为太常丞期间，曾主编《礼阁新编》，精研五代史，曾撰《唐余录》60 卷。官至兵部侍郎，亦为北宋名臣。

宜昌市

520.西陵峡口发现宋代摩崖石刻

作　者：宜昌市文物管理处　屈定富
出　处：《江汉考古》1982 年第 1 期

考古人员在万里长江第一坝葛州坝工程库区、西陵峡口北岸发现了 4 件摩崖石刻。其中 2 件保存较好，均为宋刻。另外两件因风雨剥蚀，字迹不清。新发现的两件宋代摩崖石刻距湖北著名古迹三游洞仅 500 米。简报配图予以介绍。

据介绍，简报录有 2 处宋代摩崖石刻全文。一为南宋淳祐七年（1247 年）所刻，凡 49 字，为南宋峡州（今宜昌）知府杨修之所写。另一为北宋仁宗康定元年（1040 年）峡州知州查庆之修建通运桥的一篇记事散文，近 300 字。这 2 件新发现的宋代摩崖石刻，《宋史》、各种志书均无记载，是两件珍贵的历史文物，价值颇高。

521.湖北枝江县发现宋朝时期陶塑坛

作　者：枝江县文化馆　刘佳珍
出　处：《考古》1989 年第 8 期

1975 年 3 月，枝江县马店镇熊家窑陶器厂工人在取土时挖出 1 件陶塑魂坛，当即送交县文化馆。简报配以照片予以介绍。

简报称，经调查，熊家窑有宋代的陶窑，还有不少古代的墓葬，以前出土过一些釉陶的明器，然而，魂坛却是首次发现。这件魂坛可能是墓葬中出土的。从陶质、陶色和形制特征来看，简报推断应属于宋代以后器物。魂坛上的人物和动物都是捏塑后附加的，具有强烈的立体感，人物的表情、动物的姿态都栩栩如生，是一件不可多得的陶塑艺术珍品。魂坛的出土，为研究江汉地区宋代时期的制陶工艺和丧葬习俗提供了重要的资料。

522.湖北阳新县出土宋代银铤

作　者：费世华
出　处：《江汉考古》1990 年第 3 期

1989 年 4 月 21 日，湖北省阳新县大德乡水源村村民，在屋前挖电缆沟时，下挖地表深约 1 米处，挖出了 1 陶罐（罐已砸破），罐内装有 2 块银铤，1 块丢失，1 块交给县政府，简报配以拓片予以介绍。

据介绍，银铤铤两端呈圆弧形，束腰，表面微凹，周围略有波纹，底部有蜂窝状孔眼。正面四角砸印有"京销银" 3 字，说明经过京城检验销铸，同时也表示银铤的成色。腰部左方砸印 5 字，因磨损等原因已模糊不清，但经仔细辨认仍可看出其中"□税讫□□" 2 字，说明已经纳税，可以流通使用。铤长 11.7 厘米，首宽 7 厘米，腰宽 4.5 厘米，厚 1.8 厘米，重量 953 克，合当时市秤 25 两。根据宋胡三省著《通鉴释文辨谈》卷十一："今人冶银，大铤五十，中铤半之，小铤又半之。"这块银铤应属中铤一类，简报推断为宋代银铤。

523.湖北当阳玉泉铁塔塔基及地宫清理发掘简报

作　者：湖北省玉泉铁塔考古队
出　处：《文物》1996 年第 10 期

玉泉铁塔位于湖北省当阳市城西 15 公里的覆船山玉泉寺东一座土丘上。铁塔本名佛牙舍利宝塔，北宋嘉祐六年（1061 年）铸建，仿木构楼阁式，八角十三级。塔身为生铁铸造，塔刹为铜质。通高 16.94 米，重 26 吨。据历史记载和调查可知，玉泉铁塔曾于清道光乙未年（1835 年）更换塔刹；1962 年，为阻止游人攀塔，在塔身内增砌第六、七层砖体，并对七层以上各构件之间加施垫铁调平；1976 年，修筑三级护坡石墙。由于铁塔历经近千年的风雨侵蚀和人为破坏，塔身多处断裂，层间扭曲且向东北方向倾斜，通体锈蚀严重。自 1972 年起，国家文物局屡派专家会同当阳县文化局对铁塔进行监测。1993 年 2 月开始对铁塔解体拆卸抢修。考古人员对塔基及地宫进行了清理发掘。清理发掘工作从 1994 年 10 月 23 日开始至 11 月 20 日结束。简报分为：一、遗迹，二、出土遗物，三、结语，三个部分，有彩照、手绘图。

据介绍，遗迹主要为宋代塔基、地宫、宋代回廊及供亭。地宫早年曾被盗，地宫内有大、小石函，大石函等处上有铭文。简报录有"大石函盝顶铭文"全文。出土有鎏金菩萨像等一批珍贵文物。此铁塔是北宋嘉祐六年（1061 年）所建。简报称，自佛教在塔下瘗藏舍利制度传入我国后，其发展大致可分为三个阶段：初期为北魏太和年间，典型代表如河北定县北魏太和五年（481 年）塔基中，尚未构筑地宫，其石匣直接埋入基础夯土中。中期为隋文帝仁寿年间（601～604 年），开始构筑地宫，最具代表性的当属陕西耀县神德寺塔基中已砌有护石和砖墙。盛期为唐高宗显庆年以后，皇家主持建造的地宫发展到仿帝陵制度。如陕西法门寺塔基下构筑的类似帝陵三室的大型地宫。玉泉砖塔原筑于武周长寿三年（694 年），后宋代重立铁塔，再构地宫，采用六角形竖井式造型和须弥座上置石函的做法。地宫盖板之上的构筑法式，也与江苏省甘露寺北宋铁塔塔基极为相似。这为研究唐宋舍利瘗藏制度提供了新资料。

524.秭归杨家沱遗址发现壁画砖室墓

作　者：湖北省三峡工作队杨家沱工作组
出　处：《江汉考古》1997 年第 3 期

1997 年 6、7 月间，考古人员发掘了秭归县沙镇溪镇杨家沱遗址，此次是为配合三峡工程建设而进行的抢救性发掘。简报配以手绘图予以介绍。

据介绍，遗址分成 A、B 两个发掘区，在 B 区发现了 1 座三室相连的拱顶砖室墓。中室、东室均发现人骨架，西室只发现一块盆骨碎片，此外还发现猪的趾骨，陶塑浮雕及 1 枚"元祐通宝"铜钱。壁龛上部有壁画，画面内容有人物、房屋等，保存不好。简报推断此墓为北宋时期墓，北宋壁画墓在三峡区属首次发现。

荆门市

525.钟祥发现南宋县尉印章

作　者：刘昌银
出　处：《江汉考古》1990 年第 3 期

湖北省钟祥县考古人员在县城郢中镇收集到 1 方绍兴五年（1135 年）的印章。印章是居民建房时挖基脚出土的。印章为"绍兴长寿县尉朱记"。简报配以照片、拓片予以介绍。

据介绍，该印为铜质，应为 1 方小官用印。长寿县，据《中国历史地图集·宋代卷》位置是在江陵府东北，襄州东南，即今钟祥县。其县地处汉江中游。

史书记载，1141 年宋金讲和，南宋对金称臣，把东自淮水、西至大散关以北的土地，划归金统治。这方印的出土，说明南宋绍兴五年（1135 年）以后相当一段时间内，此地还在南宋政权的有效统治下。

526.荆门市南台窖藏铜钱

作　者：荆门市博物馆　刘祖信、周光杰
出　处：《江汉考古》1990 年第 4 期

1987 年 11 月，荆门市南台的印刷厂建筑工地，挖掘职工宿舍楼墙基时，在距地面 1.2 米深处发现一层铜钱。考古人员对这批铜钱进行了抢救性清理，获得了一批珍贵的古钱币资料。简报配以拓片、手绘图予以介绍。

荆门市南台在古荆门城南部。此地有面积约 5 平方公里的高岗。岗面较平，是荆门古城除群山以外的最高一处岗地，俗称"南台"，钱窖即位于南台西北部。从出土情况看，下窖前的铜钱系先用丝麻绳索串联，一般在 10 枚以上。除已被损毁的口部外，窖内置满铜钱。据统计有 81000 余枚，重 1140 余斤，均为方孔圆钱。这批铜钱中年代最早的是西汉"半两"，年代最晚的是北宋"宣和通宝"，钱文有楷、草、行、隶、篆书体。共有 46 个品种，142 个样式，81000 余枚铜钱。其中北宋钱占到五分之三略强。

简报称，这次发现的窖藏铜钱，年代最早的为西汉高后二年（前 186 年）的"半两"钱，年代最晚的是北宋徽宗"宣和通宝"钱。其间跨越 1300 余年，钱币的内容比较丰富。但同时保存在 1 个窖内，可见都是当时流通的货币。这说明北宋时期使用铜钱是不分朝代、新旧通用。这批铜钱多达 81000 余枚，重有 1140 余斤，当是一笔很大的钱财。钱窖位于古城南台，根据人们"财不外流"的习惯，推断制作钱窖和埋藏这批铜钱的主人应是荆门城内的绅士和商人，不可能是一般平民。从窖藏铜钱中年代最晚的是"宣和通宝"推断，掩埋这批铜钱的时间当在北宋徽宗之后不久。北宋末年，金兵不断南侵，战火连年。长江以北的宋民纷纷南逃，以避战火之灾。荆门地处长江以北，是金、宋战争的重灾区。这批铜币很可能是在战乱的紧急情况下被迫掩埋的。尔后，金、宋以长江分线南北对峙，长达百余年。荆门便长期成为两军战争的前沿阵地，这批铜钱便被长期埋于地下。

527.湖北省京山县新市镇发现一北宋时期钱窖

作　者：张伏英、熊学斌
出　处：《江汉考古》2011 年第 3 期

2005 年 11 月 3 日，湖北省京山县新市镇城山村四组农田改造中挖出大量铜钱，考古人员进行了抢救性的清理发掘。简报配以拓片予以介绍。

据介绍，该铜钱出土地点，位于京山县城东南约 4 公里城山村。据当地农民介

绍，这里原为1处寺庙遗址，俗称"庙洼子"，现基本上改为农田，其地表暴露有大量汉、宋时间的砖块，可以断定此地原有建筑遗迹。钱窖土质干燥松散，颗粒较细，呈浅灰黄色。因改田时被破坏，钱窖的北部已被挖去大半，钱窖的形制和开口不明。部分铜钱被挖走，很难辨别出铜钱原有的保存状况，仅剩南部所保留的部分距地表深约1米。铜钱呈东西向摆放，一串一串存放较整齐并锈结在一起，整体约呈长方形，残长68厘米、宽40厘米、最厚处15厘米，总重约136公斤。时代包括汉、唐、五代十国和宋四个时期。

简报推断窖藏时间为北宋晚期。个别钱币钱面涂有红漆，估计是为计数所做标记。

鄂州市

528.湖北鄂州汀祖南宋吕文显墓发掘简报

作　者：鄂州市博物馆　冯务建
出　处：《江汉考古》2008年第1期

汀祖位于鄂州市南约18公里。1987年元月，汀祖镇丁家拗村农民平整地基建房时，发现南宋纪年墓1座，考古人员对该墓进行了发掘清理（编号EDLM），出土的地券和梅瓶，为研究该地区宋代的葬俗及相关问题，提供了重要的实物资料。

简报分为：一、墓葬位置及形制，二、随葬器物，三、墓葬年代与墓主人，四、结语，共四个部分，有拓片、手绘图。

据介绍，该墓位于鄂州市汀祖镇丁家拗村马家塆西北山坡，距鄂州市区约18公里。墓葬为1座长方形砖室墓，因推土机施工和人为破坏，造成墓室上部毁坏严重，但下部结构保存完好。墓室长396厘米，宽221厘米，残高80厘米。墓砖为大小长方形条砖两种，均为素面。该墓出土随葬品2件，1件为白釉褐彩梅花纹梅瓶，另1件为砖质地券，地券楷书，331字，简报录有券文全文。由券文知墓主为江南西路兴国军大冶县永丰乡人，姓吕，名文显。生于丁亥年（1227年）十月十八日，卒于甲戌咸淳十年正月初五，葬于六月十六日。咸淳十年为南宋度宗年号（1274年），即该墓葬的绝对年代。由此推断得知，墓主出生于丁亥年，应为南宋理宗宝庆三年（1227年），终年仅47岁。

地券中称吕文显为"总管"，宋代"总管"多为"兵马总管"的省称，执掌府、州兵马，官阶不低于六品，但南宋后多为闲官。

孝感市

529.安陆毛家山一号宋墓清理简报

作　者： 安陆县文化馆　余从新

出　处：《江汉考古》1983 年第 1 期

1982 年 6 月中旬，湖北省安陆县第一中学扩建操场时发现墓砖，经清理属 1 座宋墓。简报配以拓片、照片、手绘图予以介绍。

据介绍，此墓位于安陆县城关镇南郊安一中校园西毛家山东麓的斜坡上，东距汉丹铁路 1 公里，西距涢水 700 米。残存封土高 80 ～ 140 厘米，因该处地质全是细麻石，故为凿成的石墓坑。揭去封土，可见 11 根长 110 ～ 144 厘米、厚 32 ～ 24 厘米、长短厚薄均不相同的红砂石条铺盖，总长 286 厘米。石条取去后，即是素面青砖错缝平铺的墓室。东西墓壁下中有长 18 厘米、高 11 厘米的壁垒，分别置 1 铁牛。木棺无存，从棺钉看，棺长 220 厘米、宽 66 厘米，人骨架长 162 厘米，尸体已经腐烂，头骨破碎。头西脚东，仰身直肢，随葬铜钱放置在死者腰部、头部和足部。共出土铁牛、铜镜、铜钱、陶罐、石墓志等计 13 件，另有少量漆片。墓志楷书，计 154 字，简报录有全文。由志文知墓主人时语，字知默，为安陆当地官宦人家子孙，北宋崇宁二年（1103 年）卒，终年 43 岁，崇宁四年（1105 年）下葬。用石灰和砂拌合后再铺墓底砖的作法，原很少见，对石灰的使用历史提供了确切的年代。

530.汉川垌塚出土宋代银锭

作　者： 汉川县文化馆　张远栋

出　处：《江汉考古》1983 年第 3 期

1974 年冬，汉川县垌塚公社七星观大队农民在平整土地时，挖出银锭 3 块，总重 2675 克，3 块银锭出土时互相叠压，均已残断（残断原因系使用时砍断），离地面深约 50 厘米，出土地点是在距汉川县城西 60 公里的倪家集附近。简报配以照片予以介绍。

据介绍，银锭第 1 块重 990 克，有铭文；第 2 块重 965 克，有铭文；第 3 块重 720 克，有铭文。3 块银锭与河南方城县 1975 年 4 月出土的银锭形制基本相同。简报推断：银锭的年代应是南宋，可能为一宋代商人不慎将银锭失落至此。简报称，3 块银锭对研究南宋时期汉水流域的经济、货币及税收制度很有参考价值。

531.安陆蒋家山发现宋代墓群

作　者：熊卜发、余从新、王　林

出　处：《江汉考古》1984 年第 2 期

1983 年 10 月下旬，安陆县粮食局在城东蒋家山兴建东观粮库动土时，发现了宋代墓葬，考古人员对 3 万平方米的范围进行了勘探调查。勘探调查工作自 11 月 10 日开始至 12 月 2 日止，完成了第一段勘探工作，共发现古墓 170 余座。为了紧密配合工程，对已查出的墓葬进行了清理发掘。到目前为止，已清理发掘了 123 座，其中属于宋代 113 座，元、明 10 座。这批墓葬有砖室木椁墓、土坑竖穴墓，多数为长方形。有单室墓、双室墓、刀形墓、弧形墓。部分墓有墓道、壁龛等。一般长为 2.5～1.2 米。同时也出土了一批较为珍贵的文物，其中有金器、银器、铜器、铁器、玉器、玻璃器、陶器、瓷器等器类，铜器有镜、钱、头饰等；玉器有环；陶器有釉陶罐、碗、盆、四系罐；瓷器有注子、敞口斜壁小圈足碗、盘、碟、盒等。简报认为，蒋家山墓葬是一以宋代墓葬为主的墓群。

532.孝感市郊发现宋墓

作　者：孝感市文化馆　李瑞阳

出　处：《江汉考古》1985 年第 4 期

1984 年 3 月，孝感市西北郊外，距市中心约 3 公里处的张黎家湾的农民在造田时发现宋墓 1 座。墓葬位于塘坡边，由于多年受水浸蚀，墓的前半部分已遭破坏，考古人员进行了清理。简报配以拓片、手绘图予以介绍。

据介绍，此墓为一砖室墓，单室，有木棺一具。墓室平面呈船形，墓向正面。随葬品只有铜镜 1 件，铜钱 50 余枚。简报推断其年代为南宋理宗时期或稍后。

533.云梦罩子墩宋墓发掘简报

作　者：云梦县博物馆　张泽栋

出　处：《江汉考古》1987 年第 1 期

罩子墩位于云梦城关东郊约 500 米的一条西高东低的岗地上。1983 年，考古人员配合城关砖瓦厂取土工程，在罩子墩编号为 M1 的东汉墓的西侧又发掘了 2 座宋墓，编号为 M2、M3。简报分为：一、墓葬形制，二、随葬器物，三、结语，共三个部分，有照片、手绘图。

据介绍，罩子墩 M2、M3 均为石椁墓，但有一定差别。M2 是平铺椁盖形石椁；而 M3 却以金字塔式砌顶，椁内还有影作木结构。在随葬器物方面也存在明显的差异，M2 只出瓷器，而 M3 仅出银器。据简报推断，两墓均为北宋哲宗时墓，下葬年代前后相差不到 10 年。

534.湖北孝感大湾吉北宋墓

作　者：孝感市文化馆　李端阳、陈明芳
出　处：《文物》1989 年第 5 期

1976 年 3 月，孝感市白沙区花西乡大湾村农民在平整土地时，发现 1 座北宋砖室墓。考古人员前往调查清理，并收回了失散的遗物。简报分为：一、墓葬情况，二、随葬器物，三、结语，共三个部分，并配以照片予以介绍。

据介绍，此墓为长形双室墓，四壁用青砖错缝平砌，至高处垒砌红石条一周，双室间以隔墙，墙上开通道，墓底铺一层青砖，尺寸与墓壁用砖同。随葬遗物除铁猪、铁牛、地券和铜钱外，还有瓷器和瓷碟。

简报称，由地券知，北室所葬者为杜氏，卒于北宋徽宗宣和二年（1120 年），葬于北宋钦宗靖康元年（1126 年），当属二次迁葬。这种双室并列、中间设通道的墓葬形制在宋墓中较为流行，且多见于夫妇合葬墓。此墓各室棺的形制、大小相同，随葬品数量、位置也有共同之处。因此简报推测，南棺所葬应为杜氏的丈夫。此墓出土的地券，正文之前冠以"合同"2 字，颇为少见。

535.湖北汉川出土宋犀牛望月铜镜

作　者：张远栋
出　处：《考古》1994 年第 4 期

1986 年 7 月，湖北汉川县天鹅村一农民在地里挖出 1 件宋犀牛望月镜，交给县文物管理所。简报配以照片予以介绍。

据介绍，铜镜呈绿色，为八角菱形，背面浮雕纹饰。内区径 13 厘米，中间饰小扁钮，钮孔横方形。内区上端一轮明月从一片流云中升起，下端 1 头犀牛昂首远眺；左侧边沿 4 条鲤鱼逐浪嬉戏，其中 1 条鱼头，2 条鱼尾，1 条鱼腹；右侧似有 1 条鱼腹显露。地纹波涛汹涌。外区八瓣内均饰一片流云。镜面光滑，中部微凸。

简报称，这种铜镜一般见于金代的北方地区，这面铜镜的出土则是女真族南征的影响所致，也是汉族与女真族在经济、文化方面相互交流的结果。

536.湖北孝感市徐家坟宋墓的清理

作　　者：孝感市博物馆　熊卜发、陈明芳
出　　处：《考古》2001 年第 3 期

徐家坟墓地位于孝感市徐家坟遗址西部。1993 年 7 月，因配合基建，考古人员抢救清理了其中的 7 座，编号为 M1 ～ M7。这 7 座墓均为宋代砖室墓。

简报分为：一、墓葬形制，二、随葬器物，三、结语，共三个部分，有手绘图、拓片。

据介绍，这几座墓都属中小型墓葬，除个别墓出土有纪年铜钱外，其他墓未有确切的纪年文物。以墓中出土器物的器形特点推断，徐家坟 7 座墓葬的下葬年代为宋代。

简报称，这几座宋墓的发现与发掘，对研究这一地区的宋代墓葬，无疑是一批较为重要的资料。

537.云梦王家山宋墓发掘简报

作　　者：孝感市博物馆、云梦县博物馆　蒋俊春
出　　处：《江汉考古》2001 年第 4 期

王家山古墓地位于云梦县城关南约 2 公里处的小王家湾一岗地上，隶属城关镇和平村六组，东北部为曲阳湖，西距 316 国道 150 米，墓地四周为低洼的农田。2000 年 3 月，修电站时，发现古墓。考古人员于 2000 年 3 ～ 4 月进行了清理发掘，计有东周墓 18 座、宋墓 6 座。

简报分为：一、墓葬形制，二、随葬器物，三、结语，共三个部分，先行介绍 6 座宋墓，有手绘图。

据介绍，6 座宋墓均为砖室墓，其中双室墓 3 座、单室墓 3 座。双室墓中 M12 属于二次迁葬。M18 为双室带长方形斜坡墓道墓。6 墓共计出土陶器、瓷器等 25 件、铜钱数枚。

简报指出，M10 和 M18 两座墓葬，其墓主人身份并非一般，应属于社会地位或经济地位较高的贵族，其余几座墓的墓主人身份均为平民。此处应为北宋时期一公共墓地。

黄冈市

538.湖北麻城北宋石室墓清理简报

作　者：王善才、陈恒树
出　处：《考古》1965 年第 1 期

1964 年 4 月 20 日，在湖北麻城县阎河公社，刘李塆发现 1 座北宋石室墓。该墓位于刘李塆西北，东距阎河街（镇）、南距阎河均为 1 公里，西距麻城 10 公里。简报分为：一、墓室结构，二、出土遗物，三、结语，共三个部分，有照片、手绘图。

据介绍，这座墓除左室棺床上铺有一层灰砖外，其余皆用麻石砌成。墓为双室，圆券顶，平面近方形。左右两室又各分为棺室和享堂两个部分，享堂在前，棺室在后，中间有门相通。墓的石料比较坚硬，制作规整，多为长条形。两堂严密分隔，互不相连。右室曾被盗，左室未被盗过。出土遗物有陶器、瓷器、金器、银器、石砚等，还有 1000 余枚铜钱及墓志铭 1 合。简报未录志文全文。

简报称，根据墓的结构和墓志铭的记载看，这座石墓当是 1 座夫妇分室合葬墓。由于墓志铭的正面向着左室，同时左室中出土了精美的石砚，左室的墓主人当即是阎良佐。关于墓主人的社会身份，从墓志上看，阎良佐虽然没有做官，但他却是个占有较多土地的地主。他的 6 个儿子中，有 5 个中了进士，他的女婿也是进士。志文中又说"士大夫亦多与之游焉"，可以说明他与封建统治阶级是有着比较密切的联系的。至于该墓的埋葬时代，志文中清楚地记载死者是卒于北宋大观四年（1110 年）五月十九日，葬于政和三年（1113 年）十二月二十六日。

539.黄石市发现的宋代窖藏铜钱

作　者：湖北省博物馆
出　处：《考古》1973 年第 4 期

1967 年冬，黄石市兴建水利，展开了西塞山（又名道士洑）长江干堤的维修工程。民工们于 11 月 15 日在山脚取土时，发现了 1 个宋代钱窖。考古人员进行了发掘工作。简报配以照片予以介绍。

据介绍，这个钱窖，位于西塞山东麓，北距长江岸边约 200 米，附近可以找到六朝的花纹砖和宋代的瓷片。藏铜钱 22 万余斤。窖内铜钱上面，中间放置两个黄釉双系执壶。从壶的形制看，应为宋代晚期之物。

简报称，西塞山自明代以来，曾先后 6 次发现窖藏。其共同特点是窖藏时间均在南宋淳熙年间以后。简报怀疑此地是长江中游一个军事要塞。在西塞山这样的重要关塞，设立军库是很有可能的，而且由鄂州（今武昌）大军库拨运军费到西塞山，顺流而下，也是很方便的。因此这里发现的大批铜钱，很可能为宋淳祐以后在军事紧急情况下窖藏的库钱。

540.浠水发现北宋"舍利宝塔"

作　者：浠水县博物馆　叶向荣
出　处：《江汉考古》1982 年第 2 期

1982 年春，文物普查时，在浠水县蔡河公社斗方山北麓，发现了 1 座北宋元丰年间舍利宝塔。简报配以照片予以介绍。

据介绍，塔原为 9 层，残存 4 层多，塔面呈六角形，现残高 4.8 米。上有托塔力士刻像，并刻有铭文 25 字，记载了建塔人、建塔时间。简报录有全文。由铭文知此塔为北宋元丰五年（1082 年）所建。此次发现，为研究北宋民间佛教，提供了实物资料。

541.罗田县汪家桥宋墓发掘记

作　者：罗田县文管所
出　处：《江汉考古》1985 年第 2 期

1983 年 4 月，罗田县古庙河公社汪家桥大队农民在自家房后取土时，发现 1 座古墓，考古人员进行了清理发掘。汪家桥位于县城关东南 48 公里，西北接观音山，南临白莲河水库。墓葬位于观音山伸下的一条山岗的东南尽头，南有山丘相对，中间横流一小河。

简报分为：一、墓葬形制，二、随葬器物，三、结语，共三个部分，有手绘图。

据介绍，此墓为长方形土坑竖穴墓，应为单棺。随葬遗物 57 件，其中陶器、陶俑 30 件。墓中出土 1 套完整的十二生肖俑，加上朱雀、玄武、青龙、白虎，还有人头鳖身、鱼身、蚕身以及塔氏罐等，正好是 1 套伴随着道教盛行而出现的器物组合。墓主人应为南宋时一个小地主。

542.湖北蕲春县罗州城村发现宋代金首饰

作　者：蕲春县李时珍墓文物保管所　李从喜
出　处：《考古》1987 年第 11 期

1985 年 10 月 19 日，湖北蕲春县罗州城村在县精米厂工地出土一批宋代金首饰。这批金首饰出土于该工地西侧，距地表 1.6 米的地层内，装在 1 个四系陶罐之中。计有簪钗、金花、金带、耳坠、金箔和金牌 6 种共 50 件，重 384.1 克。简报配以拓片、照片予以介绍。

据介绍，计钗 5 件，其中 1 件上有"□二记"款识。簪钗 7 件，其中 1 件有"王七郎铺记"款识。金花 25 件、带状饰 2 件、耳坠 7 件、金箔 1 件、金牌 3 枚，上有"十分赤金""十分金"戳记及"周五郎记""邓七铺记"款识。简报推断为南宋嘉定辛巳（1221 年）蕲州城破时埋藏的。

543.广济县发现北宋时期地契

作　者：程达理
出　处：《江汉考古》1987 年第 2 期

1986 年 10 月，湖北省广济县两路乡永西村二队徐祥仪先生建房子挖基时，无意中挖出了 1 件陶罐，进一步挖掘时，又出土了青石碑 1 块及其他文物数件。考古人员前往调查，确认此为 1 座北宋小型土坑竖穴墓。简报配以照片予以介绍。

据介绍，墓葬破坏严重，已无法确知。青石碑已破裂为 11 块，复原后基本可窥见碑文全文。简报录有碑文全文。内容是墓主人邓七郎在北宋元丰七年（1084 年）买此墓地的地契。同出的还有陶罐、铜镜、铜钱。简报称，这几件文物，特别是地契的出土，对于了解北宋时的行政区域和研究买卖土地的情况是有一定的资料价值的。

544.英山县茅竹湾宋墓发掘

作　者：黄冈地区博物馆、英山县博物馆、英山县文化馆　吴晓松等
出　处：《江汉考古》1988 年第 1 期

1986 年 8 月下旬，根据英山县杨柳区西庄畈乡茅竹湾村民通报，茅竹湾民房间断处的竹林旁，因雨后冲洗，暴露出 1 座古墓。考古人员赶赴现场，鉴于墓葬已被当地村民毁坏，对该墓进行了发掘。简报分为：一、墓葬形制和结构，二、出土器物，

三、结语，共三个部分，有照片、手绘图。

据介绍，该墓位于英山县城北 26 公里，西距东河 400 米。为岩坑竖穴石椁宋墓，结构为双棺共一前堂，墓向为 320°。墓坑凿岩而成，为红沙岩石，南北长 6.2 米，东西宽 3.7 米，深度 2.6 米。石椁仿木结构，由青麻石条、石板嵌砌，整体呈长方形，椁长 5 米，宽 3.4 米，双棺已朽。出土有瓷器、铁器、铜镜、铜钱、银器等共计 134 件。瓷器绝大多数为青白瓷，风格独特。有石墓志铭 1 件，楷书，简报未录全文。志文中有政和四年（1114 年）年号。应为夫妇合葬，女性据志文为胡氏。

545.湖北英山三座宋墓的发掘

作　者：黄冈地区博物馆、英山县博物馆　洪　刚、刘　瑜、王　君

出　处：《考古》1993 年第 1 期

1987 年 10 月和 1988 年 10 月，英山县分别在孔家坊乡的大屋基、张家咀乡的土台塆和三门河乡的郭家塆发现了宋墓，考古人员对这 3 座宋墓进行了清理。

简报分为：一、大屋基宋墓，二、土台塆宋墓，三、郭家塆宋墓，四、结语，共四个部分，有拓片、手绘图。

简报称，英山 3 座宋墓尽管保存不甚完好，但各有其特点，显示了一定的地方风格。大屋基双室墓的两墓室紧靠，形制相同，大小稍有区别，东室较之西室稍宽，其出土棺钉的数量比西室也多。由此推之，东室的棺木规格也要比西室略大。东室铜钱的出土量也多于西室。陶砚和田三郎地券出土于东室，孔氏地券出土于西室。

据此简报认为，这是 1 座男女合葬墓，东室墓主为男性，西室墓主为女性。该墓出土地券 2 方，据此可知，男女死者的下葬时间虽同为熙宁十年（1077 年）十二月二十日，但两人的死亡时间却不同。男女墓主从死亡至下葬这一段时间分别是 9 个月和 8 个月，这与明代人死后停尸数年而不葬的风俗不同。土台塆宋墓以石砌室，内置木棺，墓室北端设龛，被盗严重，劫余的影青瓷碗、花口出边瓷碗、黑釉瓷碗、釉陶双耳罐均为北宋遗物，简报把土台塆石室墓的时代定在北宋末至南宋初年。郭家塆墓葬以石板砌筑，墓内出土的青釉瓷盏，釉面光洁晶莹，器内模印缠枝纹，制作精工玲珑。

简报指出，英山县曾几次发掘清理了宋代中小型墓葬，这些墓葬及随葬品从一个侧面反映了这一地区社会中下层人民的生产和生活的若干方面，为研究宋代的社会制度、丧葬风俗及其陶瓷工艺的发展，提供了一批有价值的实物资料。

546.湖北麻线胡家畈发现一座北宋砖室墓

作　者：麻城市博物馆　徐志乐

出　处：《考古》1995 年第 5 期

1987 年 4 月 25 日，湖北麻城市阎河镇胡家畈村农民胡继聪在家门口平整住宅基址取土中挖出 1 座墓。考古人员赴现场调查，发现是 1 座北宋小型砖室墓。当时墓室已挖开，填土全部取完，部分文物已经取出，有的文物散失。简报分为：一、墓葬形制，二、出土遗物，三、几点认识，共三个部分，有照片、手绘图。

据介绍，该墓为长方形单室砖墓，无封土，墓顶早年被毁，葬具已朽。随葬品皆置于墓室南端。有瓷执壶、瓷碗、瓷盘、釉陶罐、铜镜、铜币等 10 余件。另外，还可以看到铁器（罐）的腐烂痕迹。该墓下葬的年代应在北宋真宗天禧（1017～1021 年）年间，或者稍晚。随葬瓷器等不精致，铜镜也十分简陋，墓主人应为一般平民。

547.湖北麻城市发现北宋麒麟瓷枕

作　者：麻城市博物馆　徐志乐

出　处：《考古》1996 年第 7 期

1986 年 3 月，湖北麻城市长岭岗乡闵家畈村村民严宏友在村前修筑池塘施工取土时，发现 1 座北宋时代的砖室墓葬，出土了大量陶瓷器和 1 方"风"字形石砚，但均被打碎散失，仅 1 件麒麟瓷枕被保存下来，并于 1989 年 10 月由麻城市博物馆征购收藏。简报配以照片予以介绍。

据介绍，麒麟瓷枕由枕座、枕身和枕面三部分组成，通高 11.3～14.8 厘米。枕座呈椭圆形，中部有一椭圆形孔与枕身内空相通。枕身为 1 对麒麟组成。2 麟盘踞在枕座上，体形肥胖，均显得强壮有力；麟首一前一后，麟角短粗，身上雕刻有鳞甲和鱼鳞状纹饰，2 麟身躯相互盘绕，组成一体。该瓷枕底座露胎，胎质坚硬，呈灰白色。外表施釉不均，釉色泛黄，其中含有杂质和黑色斑点，枕面和底座周围釉层隐见开片裂纹。从胎质、釉层、纹饰等方面看，应为北宋时期民间瓷窑产品。

548.1993 年蕲春罗州城宋代城垣发掘简报

作　者：黄冈市博物馆　洪　刚

出　处：《江汉考古》1997 年第 1 期

罗州城遗址位于湖北省蕲春县城（清河镇）西北 1.5 公里处，1958 年发现，此后多次复查。1993年，为配合京九铁路建设而进行了发掘。简报分为：一、地层关系，二、遗迹，三、遗物及分期，四、城垣建筑、使用及废弃年代，五、小结，共五个部分，有手绘图。

据介绍，罗州城为一不规则圆角长方形，由三重城垣相套组成。第一重城位于罗州城中部偏西北，面积约0.15平方公里；第二重城平面呈不规则长方形，面积约1平方公里。简报重点介绍了第三重城垣。据发掘，第三重城垣为一次夯筑而成，建筑年代为南宋，经嘉定、景定年间战乱而弃用。第二重城垣的建筑年代也为宋代。第一重城垣的建筑年代不详。

549.黄梅县清理一座宋代石椁双室墓

作　者：湖北省文物考古研究所　付守平、韩用祥
出　处：《江汉考古》1998年第1期

1992年3月下旬，黄梅县苦竹乡苦竹口村村民，在修建采石场的公路时发现了数块长条形石板及一些残铁钉、朱色漆片等遗物，确认为一处石椁双室墓。同年四月十四日，考古人员进行了发掘。简报分为：一、墓葬形制与结构，二、出土遗物，三、结语，共三个部分，有拓片、手绘图。

据介绍，此墓位于黄梅县苦竹乡苦竹口村辖区内，距乡政府所在地之西约100米处，其东约50米为苦竹口村小学，其南距县城7.5公里。该墓早期被破坏，人骨架、棺木被毁，仅残留零星随葬遗物。石椁墓平面呈南宽北窄的梯形状，椁室长3.8米、宽2.7～2.9米。由墓圹、椁、棺、祭台组成，应为同椁异穴夫妻合葬石椁双室墓。从出土铜钱看，该墓的时代，不应晚于北宋晚期。

550.湖北武穴市从政村发现一座北宋墓

作　者：武穴市博物馆　刘　凯
出　处：《考古》2001年第12期

1993年12月8日，武穴市梅川镇从政村夏老爷湾农民在建房动土时，发现1座古墓。考古人员赶往现场进行调查处理，发现墓葬已被破坏，便当即进行了清理，清理的情况简报配以手绘图、照片予以介绍。

据介绍，墓葬位于湖北省武穴市梅川镇从政村夏老爷湾西侧，东距梅川镇1公里。该墓为石板结构，清理出的遗物有陶器、瓷器、铜器。根据墓葬形制及出土遗物分析，简报推断此墓应为北宋时期墓葬，该墓出土遗物应为吉州窑产品。

551.湖北英山"毕卅八"宋墓

作　者：黄冈市博物馆、英山县博物馆　吴晓松、洪　刚
出　处：《江汉考古》2005 年第 2 期

英山县草盘镇发掘"毕卅八"宋墓，离"毕昇墓碑"出土地仅 500 米，该墓的发掘反映出毕氏在英山草盘地区一带门庭兴旺，与毕昇应视为同一家族墓地。其发现丰富了"毕昇墓碑"深入研究的实物资料。简报配以手绘图予以介绍。

据介绍，"毕卅八"宋墓在英山县草盘镇东北约 5 公里的五桂墩村睡狮山西南约 500 米的乌鸦坪，其北约 500 米是"毕昇墓碑"发现处。1995 年，村民在做砖取土时发现出自"毕卅八"宋墓瓷碗，考古人员前往调查并清理了该墓。该墓为长方形单室竖穴墓，单棺，棺木、人骨已朽。随葬品有瓷碗 4 件、陶罐 2 件及铁头镢斗等。其中 1 只六出葵口碗上有毛笔所书"毕卅八"字样。简报认为"毕卅八"墓时代大体可定在北宋晚期或南宋初年。"毕卅八"应为墓主人姓名或排行。

552.麻城上马石村宋墓清理简报

作　者：麻城市博物馆　江益林
出　处：《江汉考古》2007 年第 2 期

麻城上马石村宋墓位于麻城市木子店镇上马石村，于 2000 年 12 月清理发掘。该墓为 1 座石室夫妻合葬墓，墓葬被盗扰，但出土的瓷片有磁州窑、耀州窑、湖州窑的产品，反映其时瓷器制造业的繁荣。墓葬年代约在南宋中晚期，墓主当为地方小吏或富绅。简报分为：一、墓葬形制与结构，二、出土器物，三、小结，共三个部分，有拓片、手绘图。

据介绍，该墓为土坑竖穴石椁墓，平面呈"品"字形，双棺室并列共一横置前堂。除瓷片外还有金饰、石砚、铜钱等随葬品。根据出土器物中左室出石砚，右室出金饰以及左室宽于右室的结构推测，左（东）室为夫棺室，右（西）室为妻棺室。

553.湖北红安舒家坳北宋石室墓的清理

作　者：湖北省文物考古研究所、黄冈市博物馆、红安县文物局　黄文新、刘松山、董　斌、李文奇
出　处：《江汉考古》2009 年第 1 期

舒家坳墓地是鄂东北北宋时期 1 处重要的家族墓地。墓葬分布在二、三级平台上。

从墓地的布局来看，墓葬有长幼辈分之分，M1在前（1094~1124年），"宣和六年"墓在后，也就是说，第二级平台上葬的是长辈，第三平台则为晚辈，其年代相差约27年，这充分说明舒家坳墓地是一处经过规划设计的家族墓地。墓地以长幼辈分布和夫妻同穴并室合葬为特点。简报分为：一、地理位置，二、墓葬形制，三、出土遗物，四、小结，共四个部分，有手绘图。

据介绍，红安县地处鄂东北，东南西三面分别与麻城、新洲、黄陂、大悟毗邻，北部与河南新县接壤。舒家坳墓地隶属于黄冈市红安县永佳河镇徐门寨村六组，西北距城关约15公里。从出土随葬器物来看，瓷器主要为青瓷，施釉普遍不到底，窑口为武昌、鄂州或本地窑口的产品。简报称，红安舒家坳墓地的发掘，对研究该地区北宋时期家族墓地布局与丧葬习俗具有着重要意义，为研究地方史提供了宝贵的实物资料。

554.湖北黄州宋城遗址考古调查报告

作　者：湖北省文物考古研究所、黄冈市博物馆、黄州区博物馆　朱俊英、陈国祥、吕建国、吴　琳

出　处：《江汉考古》2012年第4期

湖北黄州宋城与苏东坡的名字紧密相连。苏东坡因"乌台诗案"于1080年被贬谪黄州，在黄州生活了近5年，写下了《赤壁赋》《后赤壁赋》《念奴娇·赤壁怀古》等千古名篇。近几十年来，研究东坡文化的学者对黄州宋城遗址的具体位置众说不一，难以达成共识。2011年6~7月，考古人员专程进行了调查。简报分为五个部分，有手绘图。

据介绍，考察的主要内容如下：

1.今黄州城区的整体地貌特征与人文环境；

2.城周微地貌特征与人文环境；

3.城垣的形状四至及范围；

4.城垣缺口的形状、宽度与城门的关系；

5.护城壕沟遗迹的地面形状、流向及现存地面的宽度；

6.城内文化堆积与当时建筑遗迹的分布状况；

7.城外墓葬与遗迹的分布状况；

8.城址的始建、使用、废弃年代；

9.明清黄州城以汉川门城墙、胜利南村城墙、市幼儿园城墙地段为代表的砖砌城墙的建筑年代、分布范围。

通过调查，黄冈市城区内发现了三座古代城址，禹王城为东周、汉代城址，宋黄州城在今黄冈市城区青砖湖社区辖地内，宋时期的城垣用土夯筑，南宋城垣用陶砖维修加固。

明清黄州城在宋代黄州城外西北部，城垣用陶砖砌成，两城的地理位置与《明史·地理志》，弘治《黄州府志》等文献记载相符。

咸宁市

随州市

555.随州均川镇出土钱币窖藏

作　者：左德田、余四清
出　处：《江汉考古》1997 年第 4 期

1997 年 6 月，均川镇小学利用旧房改建教学楼挖基础时，挖掘出一古代钱币窖藏。这批钱币藏于缸内，出土时缸被建筑施工者打破，部分钱币被民工拿走。镇派出所接到报案后，立即赶赴现场，对这批钱币进行了妥善处理与保护，并追回了被哄抢的部分古钱币。经考古人员的初步清理与鉴定，均川镇出土的这批钱币共有 62 斤，7300 余枚，40 多个品种，时代最早的钱币是唐代的"开元通宝"，时代最晚的是北宋的"宣和通宝"。按其时代的早晚，简报配以图片予以介绍。

据介绍，简报按其时代介绍有唐代、宋代、后周各时期钱币。尤其值得注意的是，这批钱币中出土有五代后周的钱币"周元通宝"。后周铸钱始于世宗柴荣显德二年（955年）。这一年，后周政府废天下寺院 3300 余所。僧尼还俗达六万余人。后周政府只允许民间保留铜镜，其余铜器及废寺铜材全部交公。后来有人以为"周元通宝"取佛寺铜像而铸成，附会此钱可以治病，仿造的也多。

简报称，"周元通宝"主要流传于民间，出土的不多。均川古钱币的出土，简报认为对于研究随州市在唐、宋时期商品经济的发展有着重要的学术价值。

恩施州

556.建始县首次发现湖州镜

作　者：建始县文化馆　邹待清

出　处：《江汉考古》1983年第4期

建始县苗坪公社马栏溪大队第一生产队农民李英美于1983年元月18日打屋场，在斯家坟右侧约10米远的地方掘土取石，在距表土层深约1.2米处，发现1面葵花形铜镜。

据介绍，铜镜有铭文，据考证这种镜子以出于南宋湖州（今浙江吴兴县）而得名。镜多作葵花形，也有圆形和方形的素背，背上铸有商标性铭记。除有"湖州真实家念二叔子"外，还有铸"湖州薛晋候造"等字样。这种镜当时远销广东、四川、内蒙古等地，朝鲜、日本等国也有流传。

仙桃市

潜江市

天门市

神农架林区

湖南省

长沙市

557.长沙东郊杨家山发现南宋墓

作　者：高至喜

出　处：《考古》1961 年第 3 期

1960 年 5 月，湖南省博物馆考古部在长沙东郊杨家山清理了 1 座夫妇合葬葬室墓。简报配以照片予以介绍。

据介绍，墓为砖室，随葬品共计 121 件，石墓志楷书，共 320 余字，简报未录全文。从墓志可知墓主人名趯，字彦恭，因志文残缺，不知其姓。墓主人曾任过朝议大夫、直秘阁、祥符县开国男、广州兼广南东路经略安抚等官，经略安抚掌一路兵民之事。此墓所出木棺椁、碑形墓志、木印等，以及棺椁间填塞松香，墓室中填有石灰、沙子等情况，是湖南难得的发现。

根据随葬物及墓志放置位置，可以断定北室墓主人为男性，南室则为其妻吴氏，是后来迁葬于此的。墓的年代，根据墓志所记乾道庚寅年，为 1170 年。南室女主人吴氏死于绍兴戊辰年（1148 年），是死后 22 年后才迁来合葬于此。

558.湖南长沙市一中北宋水井发掘简报

作　者：长沙市文物工作队

出　处：《江汉考古》1995 年第 2 期

1991 年 12 月，考古人员为配合长沙市一中基建，抢救性发掘了 3 口水井。其中第 3 号井编号 J3，平面呈正六边形，边长 70 厘米，口径 140 厘米，残深约 460 厘米，其距地表约 280 厘米处，井壁外弧，井径达 190 厘米。井内出土遗物丰富，包括陶瓷器、铁器、木器共 40 余件，以及经文石碑 1 方、羊头骨 1 个。简报为分：一、陶瓷器，二、经文石碑，三、结语，共三个部分，有手绘图。

据介绍，陶瓷器共计 40 余件，器型完整，主要有碗（碟）、壶、坛、罐、瓮、钵、碾轮、碾槽等，胎色浅灰或柏灰，胎质坚硬，瓷器一般上腹部施青黄色透明薄釉，而下腹部与器底往往露胎，其装饰手法包括刻划纹，少量印花纹，还有一些器型在素胎上施底粉，然后上罩青釉。此外，井中还出土有板瓦、砖、铁斧、铁刀、铁钩、羊头骨及 1 块刻有经文的石碑，碑上有"乾德六年"（968 年）纪年。此井的发掘，对研究北宋初年佛教史及风俗民情，均提供了实物资料。

559.湖南长沙坡子街南宋木构涵渠遗址发掘简报

作　者：湖南省长沙市文物考古研究所　何　佳、黄朴华等
出　处：《文物》2013 年第 6 期

2004 年 8 ～ 12 月，为配合基本建设，考古人员在长沙市坡子街广东省端路北发掘了 1 处南宋木构涵渠遗址。此遗址西距湘江约 450 米，位于长沙古城区的范围内。发掘面积为 2400 平方米。简报共分五个部分：一、地层堆积，二、木构涵渠建筑形制、结构与布局，三、出土器物，四、年代推断，五、结语。简报中附有高铁先生所绘"三角形木构涵渠建筑结构搭建示意图"，对了解我国古代木建筑有很大帮助。

出土器物的时代均为南宋时期，大多残碎。瓷器主要有：青瓷、酱（黄）釉瓷、黑釉瓷、白瓷，其中以酱（黄）釉瓷器为主。另有罐、筒瓦、板瓦、瓦当、铺地砖。铁钱为"乾封泉宝"，背面有一"策"字，锈蚀严重。

简报推断此建筑的始建年代应为南宋初期，废弃年代应为南宋晚期至元代。此涵渠遗址应为南宋时期长沙区的城市涵渠管道供水系统设施，应为自湘江引入水源，经过三角形木构建筑导流至沟槽，再通过相关渠道输送至官府区及居民区。其规模较大，推测分布范围也较广。对此遗址出土木料的材质进行了鉴定，其中三角形沟槽式木构涵渠建筑所用木料为水杉，沟槽式木构建筑的侧板为杉木，两侧木桩为麻栎。此遗址出土的木构涵渠建筑构造严谨，排列整齐，规模较大，应是南宋时期一处官府修建的公共用水设施。简报认为，此遗址是长沙城市发展史的历史物证，对于研究中国古代城市史也不乏意义。简报附有多幅彩照及手绘图。

株洲市

湘潭市

560.湘潭发现北宋标准权衡器——铜则

作　者：周世荣

出　处：《文物》1977 年第 7 期

1975 年 2 月，湖南省湘潭县易俗镇烟塘大队皂壳坪生产队农民整理秧田，发现铜则 1 件。简报配以拓片予以介绍。

据介绍，铜则圆顶，扁体，平底，上部有一圆形穿孔，通体刻缠枝牡丹纹。前后面各有铭文 1 行，文为"铜则重壹百斤黄字号""嘉祐元年丙申岁造"。经实测，重 128 斤。铜则之"则"，是准则之意。

简报称，这种铜则，现存金石著录和考古发掘资料中均未见。此次发现，为研究我国度量衡史提供了重要的新资料。铭文中的嘉祐为宋仁宗赵祯年号，元年丙申即 1056 年。

衡阳市

561.湖南常宁县发现宋代窖藏铜钱

作　者：衡阳市博物馆　冯玉辉

出　处：《考古》1983 年第 1 期

1976 年，常宁县招待所修房子挖墙基时，发现一大批铜钱。考古人员前往调查，得知铜钱埋在地表以下 1 米处，成堆叠放。经初步整理，铜钱重四千余斤，有百余品，大部分钱文较清晰。简报配以拓片予以介绍。

据介绍，有唐代、五代十国、北宋、南宋钱币。此批古钱四周未见其他遗物，钱币出土量也大，应为窖藏。

简报推测，据古钱中最晚的"咸淳元宝"出土极少来看，窖藏时间约在咸淳年间（1265 ～ 1274 年）。

562.衡阳县何家皂北宋墓

作　者：湖南省博物馆、衡阳市博物馆　陈国安、冯玉辉
出　处：《文物》1984 年第 12 期

1973 年 10 月，在湖南省衡阳县金星公社福兴大队何家皂山发现 1 座北宋墓。此墓已受到严重破坏，考古人员进行了清理。简报配以照片、手绘图予以介绍。

据介绍，何家皂山由已风化的赭红色砂岩构成。墓葬位于山腰，距山顶和山脚各约 30 米，为土坑竖穴墓，墓内有 1 椁 1 棺。椁由 20 块红褐色长条形石板构成：两侧各 3 块，内为 1 木棺，椁棺之间填满石膏。棺内男尸为仰身直肢，经检测为 50 岁左右，保存尚好。随葬品除了银饰、铜镜、木梳、木砚、木、石砚、笔篓、纸画、铜钱等外，主要为墓主穿裹的衣、被，清理出较大的残片 200 余件、块。其中可辨认的有丝绵袍 1 件、丝绵袄 6 件、夹衣 3 件、单衣 1 件、裙 5 条、丝绵被 1 条、纱帽 1 顶、麻布鞋 4 双。

据墓中所出铜钱等，简报推测此墓年代为北宋后期宋哲宗元祐年间（1086～1094 年）或稍晚。

简报又称，棺底放有 48 枚铜钱，或表示墓主年龄为 48 岁。

563.湖南祁东出土窖藏钱币

作　者：唐先华
出　处：《考古》1985 年第 8 期

1981 年，祁东县太和堂区文桥一队社员在平整房基时，发现 2 坑钱币，共 150 余斤。考古人员对其中 10 斤进行了初步整理，共 935 枚，简报配以拓片予以介绍。

据介绍，计有唐代开元通宝 57 枚，五代十国时期货币 3 枚，宋代货币 873 枚，南宋货币 50 枚，金海陵王时期的"正隆元宝"2 枚。出土的钱币，分别埋藏在相隔 15 厘米的两个直径约 30 厘米的坑内，坑底出土有粗陶片。钱币原是用绳子串好的，出土时，绳子已腐烂，可以看出一些痕迹。由于锈蚀，成叠出土的较多，而且胶结在一起，中间夹有泥土。

简报称，这些钱币铸造年代，上起唐代前期，中经五代十国，迄于南宋末年，历经六百余年。其中宋钱最多，占九成以上，北宋尤甚。钱文有真、隶、草、篆等体，字迹精美；钱型有大小相同而字体各异的对钱，有表明铸造时间、地点的自名钱，有新月形、花形内廓钱，造型美观。特别是 11 枚"皇宋通宝"花形内廓钱，别具一格。书分真篆两体，真书 8 枚，篆书 3 枚。字迹精美，实为珍品。

邵阳市

564.湖南邵阳县出土宋代窖藏铜钱

作　者：邵阳县文化馆　杨平怀

出　处：《考古》1985 年第 11 期

1982 年 4 月，邵阳县白仓公社石脚大队一名农民在翻红薯地时，于约 70 厘米深处挖出 1 窖铜钱，共重 7 公斤，钱文多清晰可辨。简报配以拓片予以介绍。

据介绍，东汉五铢，径 2.5 厘米，朱字头圆折，金字的四点较长，五字交笔弯曲，外廓窄。唐"开元通宝"和"乾元重宝"，前者背有月纹。北宋钱 30 种，计有太祖"宋通元宝"，背面左侧有月纹；太宗"太平通宝""淳化元宝"。另外，还有一种金海陵王正隆年间（1156 ~ 1161 年）的"正隆元宝"。

这批铜钱中数量最多的是"元丰通宝""宣和通宝"和"政和通宝"，次为"建炎通宝""开元通宝"等，最少的是东汉"五铢"，仅见一枚。直径最大的是"崇宁重宝"，达 3.6 厘米。

简报称，《宋史·食货志》云："盖自五代以来，相承用唐旧钱，其别铸殊鲜。太祖初铸钱，文曰'宋通元宝'。"可见"开元通宝"是宋代流通货币。北宋钱币在南宋时当是流通货币，金国"正隆元宝"在南宋也是流通货币。汉"五铢"或许是混在宋钱中充当货币用的。

简报推断，窖藏年代当在南宋宝祐年间，即 1258 年后。

岳阳市

565.湖南省汨罗市发现窖藏铜钱

作　者：汨罗市文物管理所　郑兆林

出　处：《考古》1989 年第 7 期

1986 年 4 月 18 日，湖南省汨罗市范家园乡吕仙村八组一位农民在其屋后一高坳处取土时，挖出 1 个完整的陶坛，内装古代铜币 55 斤。这批窖藏铜钱出土后已全部由汨罗文物管理所收藏。简报配有照片予以介绍。

据介绍，这批古钱窖藏保存较好，绝大部分可以辨认，经初步整理，包括汉代、新莽、唐代、五代、北宋等各个时期的铜币 40 种，共计 4532 枚。这批出土窖藏古钱中，汉代、新莽钱币数量极微，唐代、五代钱币也为数不多，其中北宋钱币占绝大部分，数量丰富，种类较全，并且整个古钱窖藏中未发现宋钦宗赵桓以后铸造的钱币。据此，简报推断这批古钱窖藏的入土年代为北宋末期的宣和年间。

简报称，这批窖藏古钱的发现，为研究北宋货币及其流通提供了很有价值的实物资料。

常德市

566.湖南常德北宋张颙墓

作　者：湖南省博物馆　熊传新
出　处：《考古》1981 年第 3 期

1976 年 2 月上旬，考古人员在洞庭湖畔的常德县河洑镇常德地区林业科学研究所内，清理了 1 座北宋中期的合葬石室墓。该墓过去被盗掘，出土器物不多，但墓门扉上发现的彩绘甲胄武士像和墓中出土的两合完整的墓志，尤其是张颙的墓志铭，其中有些内容对研究北宋中期的政治、经济提供了非常重要的资料。简报分为：一、墓室结构和出土器物，二、门扉上的彩绘像和浮雕，三、墓志及志铭中的有关问题，有照片、手绘图。

据介绍，此墓发掘时墓门、墓志已暴露在外，整个墓室平面呈长方形，全长 4.04 米，宽 4.52 米，高 2.16 米，分东、西两室，东室为张颙，西室为张颙之妻周氏。两人各有墓志一合。简报未录志文全文。

张颙墓志，楷书，全文计 2428 字。其妻周氏墓志，楷书，全文计 900 余字。由墓志志文知，张颙生于北宋景德四年（1007 年），卒于元祐元年（1086 年），《宋史》中无传，其弟张颉在《宋史》中有传。张颙墓志铭，比较详细地记载了他的家世、经历以及担任的官职和所做的重大事项。张颙从他登上政治舞台到他死的五十余年中，历任澧州军事推官、监澧州酒税、大理寺丞，知潭州、通海县事兼监都盐仓加承奉郎，屯田员外郎，知雅州，知成都府，都官员外郎，知袁州，三司判官，祠部郎中，上骑都尉，开封府判官，江东转运使，刑部郎中，兵部郎中，上轻车都尉，知峡州，知江宁府，太常少卿，知鄂州，湖南转运使等官职，是北宋中期朝廷要人，与宋朝廷上层要人关系密切。对于研究宋史，有一定参考价值。

567.湖南常德市郊出土宋代大型铜镜

作　者：常德地区文物工作队　潘能艳
出　处：《文物》1987 年第 10 期

1985 年冬，考古人员在常德市郊高泗油库工地清理了 1 座宋代小型砖室墓。简报配以拓片予以介绍。

据介绍，墓中出土 1 面大型铜镜。圆形，直径 35.5 厘米、边缘厚 0.6 厘米，重 2.25 公斤。圆纽，连珠纹纽座，座外阳铸缠枝葡萄和四兽图案，宽平缘。镜的铅锌化程度很高，保存较为完好。墓中尸骨已腐朽无存。与铜镜伴出的遗物有 2 件黄釉陶罐和 20 余枚宋代铜钱，包括景德元宝、至和通宝、天禧通宝、熙宁元宝等，以熙宁元宝时代最晚。简报称，此镜形体较大，纹饰独特，较为罕见。简报推断此墓年代为北宋中晚期。

568.湖南常德市戴家山发现宋墓

作　者：常德市博物馆　龙朝彬
出　处：《考古》1996 年第 12 期

1994 年 5 月，考古人员在常德鼎城区南坪乡戴家山清理了 1 座宋代土坑墓（编号 94 鼎南戴 M14）。墓中出土铜镜 1 面、铜钱、铁棺钉各数枚及青灰砖一块。简报配以拓片予以介绍。

据介绍，铜镜，呈青灰色，表面有光泽。一侧有楷书铭文"震湖"2 字，相对一侧有倒置的楷书铭文"假充李镜，真乃猪狗"8 字。以往出土资料表明，规矩镜流行并鼎盛于汉代。而该铜镜出于宋墓，半球形纽顶部削平亦为宋代特征。铭文的楷书字体也是宋代风格。且"震湖"2 字是后来锤敲而成，致使原有纹饰被毁。"假充李镜，真乃猪狗"也是镜制成后加铸的。由上推断，此镜应系仿汉代规矩镜风格的宋镜。其纹饰细腻，做工精巧，极似汉镜。制镜者为防止被人仿冒而坏了名声，不惜于铭文中诅咒"假充者"为"猪狗"。宋镜现出土的多标明产地及作坊主名，但在铭文中直接诅咒假冒者的却少见，实是反映宋代铸镜商品化生产者之间激烈竞争的 1 件重要文物。

569.湖南澧县宋墓出土与农业有关的文物

作　者：华南农业大学农史研究室　安　蓄
出　处：《农业考古》2001 年第 3 期

1989 年夏，湖南省澧县盐井乡清园村村民修路时破坏了 1 座古墓，考古人员赶往清理。简报分为：一、墓葬形制与年代，二、两件与农业相关的文物，三、一点肤浅的认识，共三个部分，有照片。

据介绍，出土有宋代铜钱7枚和"魂瓶"、谷仓瓶、碗、罐各1件，简报推断为宋代遗物。其中两件与农业有关的文物，虽然是为亡灵设置的明器，但都是宋人从当时社会中直接或间接模拟过来的。它们是考察和研究宋代社会经济的直观形象。

简报称，该墓出土的谷仓罐为我们展示了宋代楼亭和庄园建筑的形象概貌，是当时粮储设施的缩影。高筑豪华的亭楼式谷仓、把守仓门的武士、旺盛的禾苗，以及鸡、狗、游鱼等，形象地反映了当时五谷丰登、六畜兴旺的农业经济情状。特别是陶瓶上贴塑的持锄人物，为我们了解和研究宋代农业工具，提供了形象的直观资料。

张家界市

益阳市

570.湖南桃江发现窖藏铜币

作　者：龚　瑛
出　处：《考古》1983年第7期

1978年2月，湖南省桃江县甘泉山公社八三大队新屋里生产队农民在山麓坡地发现1窖藏铜币。

据简报介绍，窖藏距地表约0.7米深。窖藏铜币总重约300斤，全部堆置在1个长方形竖穴土坑内。出土时，铜币大小混杂，表面均已长满铜绿斑痕，铜币多数成串，尚可看到部分绳索痕迹。经清理，铜币类型共有106种，其大小、重量各有不一，有西汉"四铢半两"钱和"五铢"钱、新莽钱；南朝梁武帝天监元年（502年）的"公式女钱"、陈文帝天嘉二年（561年）的"五铢"、北朝的"常平五铢"；隋代"五铢"；唐代的"开元通宝""乾元重宝"；五代的"唐国通宝""开元通宝"（篆体）和"周元通宝"；金代的"正隆元宝"及两宋时期的货币等多种。

简报未提及窖藏时代，从钱币看，或为南宋晚期所藏。

571.湖南益阳县泞湖出土北宋"熙宁五年"青瓷梅瓶

作　者：益阳县博物馆　陈　峻等

出　处：《考古》2005 年第 12 期

1979 年 10 月，湖南益阳县泞湖乡农民发现一些瓷片。考古人员赶到现场后发现这里是 1 座被破坏的宋墓，墓已被破坏，现场只清理出 1 件有"熙宁五年□□"款识的青瓷梅瓶。

据介绍，梅瓶为卷沿，束颈，溜肩，腹部微鼓，矮圈足。肩部四周阴刻弦纹。胎呈青灰色，胎体较薄。通体施青釉，釉色黄中泛青，釉薄且光亮，有细密的网状开片和气泡，胎釉结合不甚紧密，有流釉现象。颈肩结合处有"熙宁五年□□"等 6 字，行楷字体，阴刻。口径 12 厘米、底径 10 厘米、高 42 厘米。

此器物的出土地点距离古岳州窑很近，此梅瓶的器形、釉色、胎质、釉面开片和装饰特征和湖南其他地方出土的岳州窑瓷器较为相似，简报推断这件梅瓶应为岳州窑的产品。"熙宁五年"是北宋神宗的年号，为 1072 年。这种器型的青瓷梅瓶在湖南省很少见到，而有确切纪年的青瓷梅瓶在湖南省更是少见。简报附有照片。

郴州市

572.郴县旧市发现宋代经卷

作　者：张中一

出　处：《文物》1959 年第 10 期

1959 年 5 月间，湖南省博物馆在郴县旧市发现了 1 卷北宋刻本的《佛顶心观世音菩萨大陀罗尼经》。简报配以照片予以介绍。

简报介绍，佛经是在凤凰山上的 1 座北宋古砖塔里发现的，该塔是 1 座攒尖六柱、重檐、台座的空心七层砖塔，青砖砌成，每层上檐有斗拱。在第一层上檐发现了 1 块带"元祐六年（1091 年）"文字的字砖，在塔内还发现了"开元通宝""皇宋通宝"等铜钱 20 余枚。

经卷分上、中、下三部分，是用五张 42.8 ～ 50.4 厘米长的纸接贴而成。"卷上"部分残缺较严重，无法通读。"卷中"为"佛顶心观世音菩萨疗病催产方"，"卷下"为"佛顶心观世音菩萨救难神验"。在"卷下"之后有"虔州赣县孝仁坊清信弟子任世衡及妻干三娘同发丹心印造佛顶心观世音菩萨大陀罗尼经五百卷"及"大宋嘉祐八年岁次癸卯正月一日谨题"等字，简报认为可知经卷是北宋嘉祐八年（1063年）江西赣县印造。这部经卷的发现，是研究宋代佛教、印刷事业的重要资料。

573.湖南郴州宋代窑址发掘

作　者：郴州地区文物工作队　龙福廷

出　处：《考古》1992年第9期

湖南省郴州地区的文物普查，在资兴等县（市）发现一批古代窑址，其中宋代窑址占三分之二。为配合水电建设工程，考古人员对郴县瓦窑坪窑址和资兴市送塘窑址进行了抢救性的发掘清理。清理结果简报分为：一、瓦窑坪窑址，二、送塘窑，三、结语，共三个部分，有手绘图、拓片、照片。

据介绍，瓦窑坪窑址位于郴州市东北约21公里的郴县五里牌乡瓦窑坪村，坐落在东江东岸的一处缓坡上。东江发源于桂东县罗霄山脉，经耒水注入湘江，水运极为便利，在古代应为该窑的一条主要运输线。两窑以烧制青瓷器为主，烧制方法和制作工艺基本相似。瓦窑坪窑址瓷器釉色光润细腻，色泽纯正，刻划、模印纹饰丰富，装饰讲究。产品种类较多，形制独特。松球鳞纹缸、葵口盂、带流鋬式擂钵，造型精致，为鲜见之器。送塘窑产品类型较瓦窑坪窑少，胎质较粗糙，厚重古朴，工艺水平比瓦窑坪窑稍低。窑具均为带乳钉支圈垫圈。瓦窑坪窑址匣钵较多，送塘窑址中矮支托具较为常见。两窑均以烧碗、杯、碟、盏等日常生活用具为主，但送塘窑中有一定比例的盆、缸、壶、坛等大型器物。

两窑为北宋窑址，送塘窑发现"太平""政和"纪年瓷器。为该窑提供了较准确的烧造年代。此外，敞口斜直圈足碗及用带乳钉足支圈的叠烧方法，均具有宋代窑址的特征。

永州市

574.湖南祁阳县黄泥圹镇发现宋墓

作　者：杨仁衡

出　处：《考古》1994年第10期

1988年12月4日，祁阳县日新煤矿职工在黄泥圹镇泥湾新井工地施工时，无意中挖出 1 方石砚和 1 个陶瓶, 陶瓶内装有 6 枚铜钱。考古人员进行了清理, 虽无墓志和其他纪年依据, 但从出土物考证, 可定为南宋绍兴年间的小型竖穴土坑木棺墓。简报配以拓片、照片予以介绍。

据介绍, 原封土堆无存, 又无墓砖, 只见到长 3 米、宽 1.5 米、深 1 米的土坑, 内含黑色松土, 底部两侧残存严重锈蚀的铁环和大头铁钉。

出土罐形陶瓶, 器盖为塔顶香亭形, 施酱色釉, 敛口, 器身塑人物两圈共 13 个, 形似祭祀乐队活动, 为宋代中期墓常见出土的罐形瓶, 通称"粮仓"或"钱库"。再从内装铜钱 6 枚看, 其中 5 枚为"崇宁重宝", 1 枚为"绍兴通宝"。再无"绍兴"以后的任何铜钱, 故简报定此墓年代应为南宋绍兴时期 (1131 ~ 1162 年), 最晚下限为元代初期。

同出石砚 1 方, 用祁阳文家冲特有的青花纹石料精制而成。文家冲石料在清代曾为贡品, 而此墓发现表明, 文家冲石料, 早在宋代中期已被人们作为精致工艺原料了。

怀化市

575.靖州县城区宋代遗址、墓葬发掘简报

作　者：湖南省怀化地区文物管理处、湖南省靖州县文物管理所　向开旺、
　　　　田云园、胡　瑜

出　处：《文博》1998 年第 3 期

1991 年 5 月至 10 月, 靖州苗族侗族自治县粮食局和印刷厂修建职工宿舍挖基础时, 出土了大量的陶、瓷器残片, 经调查发现是 1 处宋代遗址。考古人员进行了抢救性的清理发掘。共发现宋代房址 1 座、水塘 1 口、墓葬一座, 出土陶、瓷器 1000余件。这批材料简报分为：一、遗址, 二、遗迹, 三、文化遗物, 四、结语, 共四个部分予以介绍, 有手绘图。

据介绍, 湖南靖州县城区宋代遗址、墓葬出土的陶瓷器数量大, 品种多。根据器物形制、施釉及出土的铜钱, 简报推断其年代为北宋时期。据记载, 北宋元丰五年 (1082 年), 靖州始置渠阳县。

简报称, 从遗址的位置、建筑规模、文化堆积情况分析, 简报认为, 此地为县治之所的可能性较大。发现的一座墓葬为火葬墓。

576.湖南洪江市宋代烟口窑址的发掘

作　者：湖南省文物考古研究所　向开旺、拂　晓等

出　处：《考古》2006 年第 11 期

烟口窑址位于洪江市黔城镇倒水湾村，因出土的陶砚铭文记载此地在北宋时称为烟口村，故名。1999 年 2 月，在对洪江电站淹区进行文物调查时在此地发现了 4 座古代窑炉（Y1 ～ Y4）。由于农田基本建设和村民建房等活动，这些窑炉受到了不同程度的破坏，瓷器等废弃品俯首可拾。2002 年 4 ～ 5 月，考古人员对 Y1 的窑炉残址和 Y2 的废弃品堆积进行了抢救性发掘。

简报分为：一、Y1 概况及出土遗物，二、Y2 的废弃品堆积及遗物，三、结语，共三个部分，有手绘图等。

据介绍，出土碗、盘、盏、碟、罐、杯等各类青瓷器 500 余件，以及少量窑具、制瓷工具、模具和陶器。炉窑属南方地区常见的龙窑，这在沅水流域是首次发现。根据器物形制及纪年文字，简报推测窑址的使用年代大致为宋代。

简报称，瓷器种类以碗盘、盏居多，说明烟口窑主要是烧制日用瓷器的窑场。一些碗的内、外底模印有当时工匠的姓氏，也有个别为产品标识。甚至还出现"□□造大不在家使用"等随意性很强的宣传语，充分说明该窑址的性质为民窑。

娄底市

湘西州

577.湘西吉首发现窖藏铜钱

作　者：湘西土家族苗族自治州博物馆　林时九

出　处：《考古》1986 年第 1 期

1980 年 8 月 13 日，湘西土家族苗族自治州工程公司第二队，在吉首市郊的岩壳山施工时，发现窖藏铜钱，重 135 斤，出土后全部由州博物馆收藏。简报配以拓片予以介绍。

据介绍，这批铜钱包括汉代、新莽、五代、北宋、南宋各个时期的铜币 40 种，共 13223 枚。出土的铜币中没有发现宋孝宗以后铸造的铜币，简报推断这个窖藏的时间应在宋代隆兴元年（1163 年）以前。

广东省

广州市

深圳市

578.广东深圳宋墓清理简报

作　者：深圳博物馆　杨耀林
出　处：《考古》1990年第2期

1985年5～6月间，深圳博物馆考古人员在市区东面50余公里的大鹏镇，发掘咸头岭新石器时代遗址过程中，清理了5座混杂在新石器时代文化层的宋墓。此后，又分别于市区西部的南头牛埔排、新安镇铁子山清理了3座宋墓。此外，还采集到几件从宋墓中出土的遗物。简报分为：一、墓葬结构，二、出土器物，三、小结，共三个部分，有手绘图。

据介绍，咸头岭5座宋墓的编号分别为：咸M2、咸M3、咸M4、咸M6、咸M7。7座墓葬中，大部分出土北宋时期的年号钱，最晚的为北宋徽宗政和元年（1111年）所铸的"政和通宝"。简报推断这座墓的年代为北宋晚期。

珠海市

汕头市

韶关市

579.广东南雄宋代陶坛墓

作　　者：南雄县博物馆　雷时仲
出　　处：《考古》1984 年第 7 期

1980 年 2 月，南雄县苍石公社苍石大队农民在开凿水圳时，于距地表 1 米多深处，发现 1 个陶坛墓，内有 2 个魂坛。简报配以照片予以介绍。

据介绍，坛盖呈塔状，器身饰附加堆纹。1 件坛通高 39（连盖）厘米、腹径 17 厘米、口径 9 厘米、足高 6.5 厘米、盖高 14 厘米。另 1 件陶坛通高 38（连盖）厘米、腹径 16 厘米、口径 9 厘米、底径 11 厘米、盖高 14 厘米，器盖上刻有"绍圣四年四月十六日钟博士谨记"等字。简报推断应是合葬墓。说明在粤北地区宋代已有火葬，对研究合葬陶坛墓提供了实物资料。

580.广东曲江白土下乡宋窑发掘简报

作　　者：广东曲江县博物馆　吴孝斌
出　　处：《江汉考古》2003 年第 4 期

曲江县白土下乡宋窑经过发掘清理，出土了一批宋时期风格的陶瓷器物和窑具，丰富了对当时粤北地区陶瓷制作业的认识，为研究当地宋窑的形制特点提供了重要的实物资料，尤其是窑内出土的各式精美的浮雕莲瓣炉极具特色，为研究北宋时期粤北佛教的兴盛提供了一个难得的辅证。简报分为：一、窑的结构，二、出土遗物，三、结语，共三个部分，有手绘图。

据介绍，该遗址系 1989 年 10 月当地修公路大桥时发现的，考古人员进行了抢救性发掘，遗迹主要为 1 座宋窑。这是 1 座平面呈马蹄形的倒焰式馒头窑。窑室在清理前已倒塌，窑内的各种堆积厚达 1.38 米。窑门向东，窑长 3.1 米，宽 2.7 米，残高 1.52 米。结构由窑门、火膛、窑床、烟道等几个部分组成。从遗物看，主要有制作粗糙的日用瓷和制作精美的佛教用品。

佛山市

江门市

湛江市

茂名市

肇庆市

581.广东封开县都苗宋代窑址调查

作　者：何纪生、赵金顺
出　处：《文物》1975 年第 7 期

1973 年 4 月底，封开县文化馆在长岗公社都苗大队发现了 1 处宋代瓷窑遗址。5 月，省博物馆派人会同复查，并采集了一批窑具和瓷器标本。简报配以照片予以介绍。

据介绍，都苗村在封开县城东南约 20 公里，位于西江东岸。窑址在村南的猪墩、十份窑、天后宫和张山冲四地，紧靠江岸，各窑相距只有数百米。窑址的范围都甚大，窑具和瓷片散布在沿江的低矮山岗斜坡上，堆积有的厚达 2 米以上。器形以碗为主，还有盘、碟、盏、杯、炉、钵和壶等。此次采集了 100 余件瓷器标本，有 30 件可以复原。窑址中，各种匣钵、垫环和渣饼甚多。

简报称，封开县都苗窑址是广东省"文化大革命"以来第一次发现的古代窑址。这处窑址县志和文献中不见记载。都苗窑址瓷器的釉色较深，工艺较为粗糙。简报推断都苗窑址的时代可以定为北宋。

582.广东广宁县太公山出土宋代魂坛

作　者：广宁县博物馆
出　处：《考古》2000 年第 3 期

广东省广宁县古水镇东北有一山岗，高约 30 米，名太公山，曾在 20 世纪 60 至 70 年代开山造田中改作梯田。1991 年 10 月 4 日，当地农民挖土基建时发现 2 座宋代二次葬土坑砖室墓，考古人员前往清理。该墓因遭到严重扰乱，仅从残存墓中判断，平面呈长方形，墓顶结构不详。两墓并列相距约4米，据民工叙述，出土时有一些灰色陶罐内盛装着稻谷的碳化物，陶罐已被丢弃。同时，还出土有陶魂坛。收集到的陶坛，简报配以手绘图予以介绍。

据介绍，魂坛4件，可分四式。太公山出土的宋代陶坛与广东省肇庆市出土的陶坛属同一类型，只是坛盖与肇庆出土的稍有不同。早在1988年，在广宁县石涧头岗山曾出土2个陶坛，与古水太公山出土的是同一类型。

惠州市

583.广东惠州北宋窑址清理简报

作　者：惠阳地区文化局、惠州市文化局、广东省博物馆　曾广亿、吴定贤
出　处：《文物》1977年第8期

1976年9月29日，惠州市郊区公社东平大队窑头山地区外贸基建工地，在劈山平土时，挖掘出210公斤古代铜钱。考古人员发现埋藏铜钱的地点是1处规模很大的古窑址。

简报分为"窑址的位置和范围""窑室结构和地层堆积""出土遗物""结语"，共四个部分，有照片、手绘图。

据介绍，窑头山西距惠州市约3公里。其北面是东江，东南是新开的运河，南面是西支江，江水西北与东江汇合，可通广州，广汕公路也经此地，交通便利。西北面越过公路约300米即为升高岭（该地也是一处宋代窑址）。窑头山由3处废窑址堆积而成，平面成"品"字形，破烂窑具和各种釉色的残窑片遍布在山脚四周。从窑址东北面取土地点观察，窑具和碎瓷片堆积层厚度达5.4米，剖面露出1座已被切断的残窑。西南面取土地点遗物堆积层，厚度亦达5.6米左右。窑址东南一带村落有些民房建筑在废窑址堆积层之上；有不少旧房的墙基也是采用匣钵砌叠而成。在靠近窑址三四公里长的公路两旁，也能断续见到窑具和破瓷碎片，当年的窑业盛况可以想见。

简报推断，该窑从北宋初一直使用到神宗元丰年间，约在北宋元祐年间（1086～1094年）停烧毁灭。简报指出，北宋惠州窑生产规模大，烧窑时间长，窑具设备完善，制瓷技术熟练，产品种类多，工艺水平高，这一发现，为我国陶瓷发展史增添了新的一页。

梅州市

584.广东五华县华城屋背岭遗址与龙颈坑窑址

作　者：广东省文物考古研究所、五华县博物馆　邱立诚
出　处：《考古》1996 年第 7 期

1992 年，为配合广梅汕铁路工程建设，考古人员在广东省东北部五华县华城镇
维西的屋背岭发现一批周代遗物，在河子口龙颈坑发现有瓷窑的堆积，1993 年进行
发掘。简报分为：一、屋背岭遗址，二、龙颈坑窑址，三、结语，共三个部分，有
手绘图等。

据介绍，屋背岭遗址位于华城镇西北 3 公里处的维西柯树枥村后，共清理墓葬
1 座。年代大约在春秋晚期至战国早期。龙颈坑未发掘窑炉，但从调查知属龙窑。主
要烧制时代为南宋，元时已废弃，以生产碗、盘等日用瓷器为主。

汕尾市

河源市

585.广东紫金县宋墓出土石雕

作　者：广东省博物馆　杨少祥
出　处：《考古》1984 年第 6 期

1976 年 6 月，紫金县城郊公社林田大队嘴头生产队农民，在高墩顶山上发现了
1 座宋墓。考古人员前往进行了清理，出土了一批广东省少见的石雕，简报配以手绘
图、照片予以介绍。

据介绍，高墩顶是一座低矮的小山岗，位于嘴头生产队村边，墓坐落在岗的西
北面中部，前面是一条排水沟，由于雨水冲刷，墓顶与封门已倒塌。墓室呈长方形。
随葬品有石雕、陶瓷器、铁棺钉等共 26 件。墓的年代，墓中没见铭记，出土的两串
铜钱亦已散失无考，从出土的器物看，简报推断其年代应属北宋时期。

简报称，墓葬中的生肖俑，以往发现以陶俑为多，石雕俑极少见，表现方式亦以人身兽头或人物抱一象生动物为主。这次发现的石俑，头戴圆冠，身穿长袍，持笏而立，仅在冠顶上稍露出所属生肖的动物头像。这种做法，显然是雕刻工匠在塑造文吏俑的基础上丰富起来的，为研究宋代广东民间石雕艺术提供了新的资料。

阳江市

清远市

东莞市

586.广东东莞市发现窖藏铜钱

作　者：东莞市博物馆　王　健
出　处：《考古》1986 年第 7 期

1985 年 7 月，东莞市大岭山林场职工翻土种植柑橘苗时，在土层深处发现 1 处窖藏的唐宋铜钱，重 50 余公斤，当即由文化站征集送交县博物馆保存。简报配以拓片予以介绍。

据介绍，这批铜钱除少量是唐朝的"开元通宝"和"乾元重宝"外，其余绝大部分是宋代铜钱。窖藏时间或在南宋末年。

587.广东东莞北宋墓清理简报

作　者：广东省博物馆、东莞市博物馆　邱立诚、王　健
出　处：《考古》1991 年第 7 期

1972 年 6 月，东莞市篁村镇胜和元岭村农民在白泥坑山坡上平整土地时，发现 1 座宋代砖室墓，考古人员进行了清理。简报配以手绘图予以介绍。

据介绍，白泥坑山位于莞城镇西南约 3 公里，墓葬位于山的东坡。墓室结构为方形双室券顶砖墓，墓室的前面置有 1 块清代咸丰十年（1860 年）重修该墓的石碑。随葬品被扰乱，放置位置无法复原。东室出土的随葬品有陶坛 2 件、瓷碗 1 件、银

手镯 2 件、银钗 1 件、铜镜 1 件、铜钱若干枚。西室出土的随葬品有陶坛 2 件、陶炉 1 件、铜钱若干枚。随葬器物中，兔毫盏是宋代建窑黑釉瓷器中的典型产品；亚字形铜镜为宋代所流行；铜钱中最晚者为"政和通宝"。据此简报推断，该墓的年代当为北宋，入葬时间不会早于政和年间（1111～1118 年），与清代咸丰十年（1860 年）所立的重修碑中铭刻的墓主人死亡时间是相合的。墓中出土的陶坛，造型复杂，多模贴有人物、鸟兽等造像，过去认为多属唐代。这次在北宋墓中发现，为判断这类陶坛的年代下限提供了依据。陶坛中盛放谷物的情况，以往也有发现，说明这种器皿不仅用于盛放骨殖，也有用于盛放谷物来随葬的。至于墓主人的身份，该墓为双室结构，显然为合葬墓。东室随葬有铜镜、银锡、银钗，墓主人当为女性，西室墓主人应为男性。据重修碑所铭刻内容，知其男性为宋代朝奉大夫封德清，女性为其妻罗氏。有关封德清的生平史籍无载，故无可考。

中山市

潮州市

588.广东潮州北宋刘景墓

作　者：广东省博物馆　彭如策
出　处：《考古》1963 年第 9 期

1958 年 9 月，考古人员对宋刘景墓进行了清理。该墓位于潮州市东郊，笔架山东麓的小山丘龟山上。其坟面砌筑相当完好，上为黄色土堆成的大封土，正面有一个长 1.35 米、宽 1 米、高 0.6 米的石砌的和三合土砌筑成的方形祭台，其后端树立墓碑一通，宽 1.35 米、高 1.25 米、厚 0.25 米，上刻楷书，右侧行为"乾道八年二月二十六日银青光禄大夫开国男刘公"，左侧行为"夫人许氏吴氏潜氏詹氏"，末行为"正德六年三月二日修"等字样。并在墓碑左右侧用三合土结砌成一个享堂，享堂的地面亦用三合土垫铺。它与近代墓的坟面砌筑具有相同的特点，看来应是明正德六年（1511 年）重立石碑时加修的。简报分为：一、墓的结构和随葬品，二、小结，两个部分，有手绘图。

据介绍，刘景为广东海阳人，为北宋绍圣四年（1097 年）三甲进士刘允次子，曾任台州、南雄两州知事。简报未录碑文全文。从墓碑上看，这是一座刘景五夫妇的合葬墓，但墓内却仅有刘景一人，看来其夫人许、吴、潜、詹四氏之名乃是其子孙于明代立石时特意加上去的。

589.广东潮州笔架山宋代瓷窑

作　者：黄玉质、杨少祥
出　处：《考古》1983 年第 6 期

笔架山位于潮州市东，又名双旌山，由于唐代大文学家韩愈被贬为潮州刺使时常游此山，故又称为韩山。在面临韩江的西南面山坡和山脚上，暴露出许多古代瓷窑。瓷片、窑具俯拾皆是，范围长达 4 公里，向有百窑村之称。考古人员曾在此进行过多次调查和发掘。1980 年 8 月间，考古人员在笔架山中部的虎山山坡上，又清理了 3 座宋代瓷窑。这次清理的 3 座瓷窑，按过去顺序编为 7、8、9 号。简报分为三个部分予以介绍，有照片。

据介绍，8 号窑出土有带纪年的佛像座，简报推断 8 号窑废弃的时间，应在北宋神宗熙宁二年（1069 年）。7 号窑是在 8 号窑废弃后建立的。上限不会早于熙宁二年（1069 年）。7 号窑使用时间较长，下限应到北宋晚期。9 号窑的年代应与 7 号窑相差不远。

简报称，这三座瓷窑的产品，从出土的瓷器看，都有它们各自的特点。7 号窑主要是生产生活用品，尤以壶类为多，釉色主要是影青釉。8 号窑的产品比较丰富，既有碗盘等生活用品，也有人像、狗等工艺品，除影青釉外，兼有酱釉和少量白釉。9 号窑则主要是生产酱釉和黑釉碗、碟类。这些产品形式多样，富于变化，在同一类产品中，往往通过对器物的高矮、口沿的变化和腹部压凹槽等不同的艺术处理，丰富了产品的类型。

揭阳市

云浮市

590.广东罗定县发现窖藏铜镜

作　者：陈大远

出　处：《考古》1992年第3期

1984年3月15日，广东罗定县车田乡农民朱汉泉一家挖地时，在距地表1.5米深处发现窖藏铜钱160斤。铜钱全部用绳索穿贯，整齐排列在1个直径1米的圆形土坑中，绳子大部分已腐烂，部分锈成饼状的钱贯孔中还保留有小段麻绳，搓之即碎，土坑内未见其他包装物。县文物普查队把铜钱收回后，经整理，面文可以辨认的共12764枚，上自西汉文帝"四铢半两"，下迄南宋理宗"开庆通宝"，含西汉、新莽、东汉、隋、唐、五代十国、宋和金的货币67种。简报配以拓片予以介绍。

据介绍，这批窖藏钱币的出土地点位于两广交界的偏僻山区，离罗定县城38公里。按地方史志记载，宋代为瑶汉杂居地，人迹稀少，有一沟通两广的山间古道，直到清乾隆二十一年（1756年）才在该地建立夜护巡检司署。

从出土钱币看，简报推断下限为南宋理宗开庆元年（1259年），因此，埋入年代应在开庆元年之后一二年间（1260～1262年）。

简报称，这批铜钱发现有8.3%是带花瓣形内廓或不规矩穿孔的，其中"皇宋通宝"的花形内廓钱就有112枚（占13%）。这个奇特的现象，在过去各地出土的窖藏铜钱中，尚属首例。

广西壮族自治区

南宁市

591.广西南宁市郊出土窖藏钱币

作　者：南宁市文物管理委员会

出　处：《考古》1987 年第 6 期

1982 年 11 月 20 日，市家具厂职工在市郊那洪公社良凤江畔的南蛇岭施工时，挖出铜钱 1 罐，共计 813 枚，皆楷书体。

1983 年 7 月 29 日，广西送变电建设公司在那洪公社的李村坟头岭施工时又挖出唐代铜钱 1 罐，均为"开元通宝"，共计 1620 枚，出土时是用小麻绳穿结成串的，绳子保存较好，铜钱外廓锈蚀严重，胶结叠压在一起。从散落的部分铜钱来看，字迹清晰，均无磨损痕迹，似是铸成后尚未流通使用过。

1980 年 5 月 6 日，市郊安吉公社大塘大队农民在白坟岭推土建房时，掘出北宋和南宋时期的铜钱 1 罐，计 49.3 斤，共 27 种年号，42 个式样。

592.广西南宁市出土一枚宋代官印

作　者：南宁市文物管理委员会　雷时忠

出　处：《文物》2000 年第 9 期

1991 年 3 月 4 日，在南宁市发现 1 枚宋代官印，现收藏于南宁市文物管理委员会。简报配以照片予以介绍。

据介绍，印为铜质，直柄纽，体呈青黄色。印面铸有篆体朱文，为"广南西路驻泊兵马都监铜记"12 字，其中"兵"字已撞损。印纽两边分别刻有"庆历七年""少府监铸"字样。简报推断年代为宋代的庆历七年（1047 年）。

简报指出，宋代官印在广西的发现尚属首次，今天"广西"之名就是由宋代的"广南西路"而来。此印的发现，为研究宋代邕州（今南宁）的政治、军事等提供了实物资料。

柳州市

桂林市

593.兴安发现古窑址

作　者：李鸿庆

出　处：《文物》1962年第9期

广西兴安县严关左近二三里许，靠近马头山前铁路两旁，曾经发现有很多瓷片露出地面。在普查文物保护情况时，考古人员在这一带地区捡拾了一部分瓷片，并发现了烧制瓷器的工具。后来由于开渠、伐树，古窑痕迹已显露出来，证明此地为古代烧瓷窑址无疑了。

简报介绍，从获得的瓷片来看，盘碗之类居多，大半为青色釉，间有黑釉并带有玳瑁色斑点。根据烧造瓷器工具的制作风格，以及瓷胎的坚致，用手敲击还有清脆的声音来看，颇似广州西村晚唐至五代古窑址出土的瓷器，也类似陕西铜川县北宋时代的耀州窑青色釉瓷器。若以玳瑁斑黑釉来看，又和四川工窑和江西吉州窑相似。

简报称，按兴安旧城为唐代所筑，县西南的严关为楚粤咽喉要道，再往南就是著名的秦城。因此，兴安这个地方早在公元前2世纪就成了当时社会政治、经济和文化的中心。简报初步推断，这个古窑址的年代至晚为北宋，或在晚唐、五代。

594.广西兴安县严关宋代窑址调查

作　者：李铧

出　处：《考古》1991年第8期

严关窑位于广西北部的兴安县以南约10公里，因有由湘入桂的必经古关口严关而得名。秦代开凿沟通湘、漓二江的灵渠经此而过，2000多年来一直处在中原通往岭南的要道上。简报配以照片，介绍了考古人员4次调查的情况。

据调查，窑址主要集中分布在灵渠东岸，湘桂铁路两旁的严关中学、湾里五甲村、严关小学、水泥厂、鹞子圹一带，面积约3平方公里，均为龙窑。以碗、盏、碟为大宗产品，兼有壶、瓶、罐、炉、砚及青釉筒瓦等。胎灰色泛紫或泛姜黄，质细腻坚致，发声清脆，釉光亮润泽，不施化妆土，不用匣钵，用垫柱及托珠 4～6 颗叠烧。盛烧时代应为南宋，未见元代遗物。可能是宋末元初之战乱，窑工或死或逃，不敢再回家园。严关诸窑也从此弃烧了。

简报称，严关窑的器型、印纹及泥团支烧法与南宋广西永福窑和湖南湘江上游的一些窑近似。而严关窑的兴起及模印、玳瑁斑、鹧鸪斑、钧釉等装饰技术则可能与两宋交替之际，北方战乱造成工匠南迁和外销瓷生产的重心南移有关。

595.广西永福县窑田岭 III 区宋代窑址 2010 年发掘简报

作　者：广西文物保护与考古研究所、桂林市文物工作队、永福县博物馆　何
　　　　安益、彭长林、韦　军、袁俊杰

出　处：《考古》2014 年第 2 期

为配合湘桂铁路扩能改造项目永福段工程建设需要，2010 年 1～11 月，考古人员对窑田岭和塔脚窑场进行了抢救性考古发掘。该发掘区除宋代文化遗存外，还出土了一批明清时期遗存。III 区宋代文化遗存简报分为：一、E 区概况，二、遗迹，三、出土遗物，四、结语，共四个部分，有彩照、手绘图。

据介绍，产品的瓷胎胎土属当地高硅低铝瓷土，胎内常见细砂。制作工艺主要采用整体拉胚旋削技术，造型较为规整统一，明显仿耀州窑印花青瓷器，也有极少量仿青白瓷造型的器物。

Y8、Y9 属于典型的南方斜坡式龙窑，结构简单，较短，平面为直长条形。简报推断 Y8、Y9 的年代上限为北宋中晚期，下限为北宋晚期。

简报称，通过此次发掘，以作坊遗迹、明确纪年器物以及单色铜红釉为代表的一类文化遗存与以往的发现存在较大差异，具有重要研究价值。

梧州市

北海市

崇左市

来宾市

贺州市

596.广西贺县发现一批古代铜钱

作　者：罩光荣

出　处：《考古与文物》1985 年第 1 期

1980 年冬，广西贺县甫门公社兴全大队农民建房时，在距地表 1 米处发现铜钱窖藏 1 处。这批铜钱出土时散置于 1 只黑釉四耳罐内，共 6557 枚，重 32.5 公斤。

据介绍，铜钱共 40 种，73 式，其中唐代铜钱 1 种，北宋钱币 28 种。

玉林市

597.容县博物馆藏宋代瓷碗印模

作　者：肖清薇

出　处：《文物》1994 年第 1 期

1989 年 10 月，广西容县博物馆在容厢乡文物普查时，征集到 1 件宋代缠枝花纹瓷碗印模，这是当地农民于 1988 年在城关古窑址旁搞基建时发现的。简报配以照片予以介绍。

据介绍，印模为瓷质，质地细密坚硬，呈灰白色。侧面有菊花各三朵及"莫八郎"3 字。横柄阴刻"花头"2 字及两组内容相同的"元祐七年三月□日莫"款。元祐是北宋的年号，元祐七年为 1092 年。据目前资料所知，广西各地宋代窑址出土有纪年的印模均为南宋的，而容县城关古窑址出土的这个印模，年代要比其他的都早。该印模有绝对的年代，模身阴刻的花纹与同一地点出土的器物上的纹饰完全一致，为研究容县地区古窑址的烧造年代提供了可靠依据。该印模现藏于容县博物馆。

百色市

河池市

钦州市

防城港市

贵港市

598.广西桂平宋瓷窑

作　者：广西壮族自治区博物馆　张世铨等
出　处：《考古学报》1983 年第 4 期

桂平县位于广西壮族自治区东南部，郁江与黔江汇合于桂平县城的东部。宋瓷窑分布于桂平县城西部的西山大队一带。桂平窑址北临黔江，东靠城区，西至西山。西山脚下有一条流入黔江的小水沟，水流不大，但是较深，有的地方出现大圆坑，可能就是当年开采瓷土的遗迹。桂平古窑，当地百姓说原有 99 条，据 20 世纪 60 年代调查，早年桂平城区扩大，毁了一些窑堆，仅剩下 12 个窑堆。"文化大革命"期间，这些窑堆又遭受破坏，仅有桂平酒厂及公园附近的两个窑堆尚保存完整。1973 年，桂平酒厂扩大厂址，考古人员发掘了 1 条较清楚的窑体，编号桂平 Y1，采集了各层次的瓷器标本，发现了宋钱，因而此窑的年代明确，材料也很丰富，可作为桂平窑的代表。1980 年又在 Y1 东北 300 米清理了一座残窑，编号 Y2。

简报分为：一、窑堆情况，二、瓷窑结构与工棚遗址，三、遗物，四、两点认识，共四个部分，有照片、拓片、手绘图。

据介绍，该处宋瓷窑窑身为短直筒形，与通常所见窑身较长的龙窑不同，当属宋龙窑中的较早形态。窑址经反复利用，基本上用匣钵仰烧法，产品以素瓷为主。

两窑的年代，简报推断为北宋早期民窑，以生产民用品为主，精品很少，不排除有部分外销瓷。

海南省

海口市

三亚市

三沙市

599.我国南海发现古代陶瓷

作　者：湛江市博物馆　钟绍益
出　处：《文物》1987 年第 8 期

1984 年 8 月，湛江海洋渔业公司"远渔 206"号船在广东省台山县上、下川岛南面 40 里的海面捕鱼时，于 80 多米深的海底，一网拖起 10 余件古代陶瓷器，随即送交湛江博物馆。简报配以照片予以介绍。

据介绍，拖起的古代器物有陶器 5 件、瓷器 8 件，这些陶瓷器约属宋代，为广州西村窑产品。

简报称，这批宋代陶瓷发现的时间、地点等都有详细记录，器物上残损痕迹都是新的，是打捞时在网中撞击造成的，说明它们原在海底时器型基本完好。陶瓷出水海区正处在广州港对外贸易的航线上，这里海底很可能有 1 艘古代运载陶瓷的沉船。我国南海西沙群岛和莺歌海域也曾发现古代陶瓷沉船，这对"海上陶瓷之路"的研究和以后开展海底考古提供了资料。

重庆市

600.重庆井口宋墓清理简报

作　者：重庆市博物馆历史组
出　处：《文物》1961 年第 11 期

井口镇属重庆市郊沙坪壩区，位于嘉陵江西岸，距江约 200 米。1958 年，文物普查时发现，1959 年 3 月进行了发掘。简报分为：一、地理环境及发掘经过，二、墓的结构，三、石刻内容的介绍，四、结语，共四个部分，有照片、手绘图。

据介绍，此墓全由石材建造，虽为合葬墓，但各有单独的墓门、墓室。墓门横额和门楣石重近 1 吨，放在两块各重半吨的石材上构成墓门。建造时是经过精确地设计的，在建造过程中，基本上采用了预制配件然后进行安装施工的方法。墓内有 32 件墓壁石刻，涉及四灵、孝佛故事、祈寿等。该墓的年代，简报推断上限为北宋末年，下限可到南宋末年。墓中孔子、老子、释迦内容均有，可证宋时三教合一的思想倾向。

601.四川涪陵"石鱼"题刻文字的调查

作　者：龚廷万
出　处：《文物》1963 年第 7 期

1962 年 3 月，考古人员对涪陵县白鹤梁地区古代石刻文字作了调查。简报分为三个部分，有照片、手绘图。

据介绍，所谓"石鱼"，是指刻在白鹤梁的双鱼图案，何时所刻已无考。古人前往游玩时留下题记。考古人员拓制了"石鱼"题刻文字 81 段，加上重庆市博物馆旧藏的 27 段，共计 108 段，只有清代以来的一部分，约计 37 段尚未捶拓。简报附有"石鱼题刻简表"，列举其"题刻人姓名及题刻名称""年代""题刻内容摘要""字体"。年代最早的为北宋开宝四年（971 年），其中颇多出自历代书法名家的手笔，在研究我国古代书法艺术上，增加了不少资料。就字体上讲，有篆书、隶书、行书和楷书；就作者讲，有北宋时代的书法家黄庭坚、南宋时代朱熹等人的题记，此外尚有一段少数民族文字题刻。

602.四川荣昌县沙坝子宋墓

作　者：四川省博物馆、荣昌县文化馆　李显文、陈显双
出　处：《文物》1984 年第 7 期

1980 年 6 月，四川省荣昌县许溪公社七大队第七生产队农民在取石修涧槽时，发现宋墓 1 座。考古人员对此墓进行了清理。简报分为三个部分，有拓片、照片、手绘图。

据介绍，墓地位于许溪公社的沙坝子券子树坡，距县城约 10 公里。墓室筑在山腰一块平地上，全部用当地红砂岩砌成，封土形似小丘。为仿木结构长方形单室墓。

简报称，此墓早年被盗，随葬品无存，仅在棺台上发现少量的木棺残迹和骨骸，但墓室内精美生动的石刻浮雕与石刻仿木结构均保存完好。墓室右壁上有阴刻题记 50 字，简报录有全文。据题记，知此墓为南宋淳熙十二年（1185 年）所建。

603.四川东部乌江流域悬棺葬调查简况

作　者：陈明芳
出　处：《四川文物》1985 年第 4 期

位于四川省东部的乌江流域和酉水流域，即今四川省土家族、苗族聚居的彭水、黔江、酉阳、秀山等县，历史上称"酉阳州"，旧属"五溪蛮"地。为探索"五溪蛮"历史和川、鄂、湘、黔交界山区的民族关系史，考古人员于 1983 年秋冬时节到上述地区作了为期 3 个月的考古和民族调查。简报分为：一、悬棺葬的分布，二、川东乌江流域悬棺葬的形制，三、川东乌江流域悬棺葬的年代和族属，共三个部分，先行介绍了有关悬棺葬的调查情况，有照片。

据介绍，四川省乌江流域的悬棺葬主要分布有彭水县和黔江县。有木柜形和二次葬、木碓形葬具和一次葬两大类。彭水县境内悬棺葬的年代应为宋代。黔江县的悬棺葬约为明以前遗存。简报认为川东乌江流域的悬棺葬亦为仡佬族及其先民僚人的葬俗。

604.重庆市涂山宋代瓷窑试掘报告

作　者：重庆市博物馆　陈丽琼
出　处：《考古》1986 年第 10 期

重庆涂山窑址在方志上未见著录，20 世纪 30 年代晚期美国教士葛维汉，曾在黄

桷垭（王庄附近）作过地面调查，采集过一些瓷片，取名为"重庆的建窑遗址"。1980 年，故宫博物院冯先铭先生等亦曾前往调查，认定是宋代黑釉瓷窑。后发现涂山窑址的范围不止黄桷垭一处，在黄桷垭街上、中药研究所、锯木湾、小湾，再往西到杨家官山等地，均有遗存，东西长达 4 公里。在窑区内，因历代修建房舍，改土造田，或近现代修建公路、厂房等，窑址多被破坏或覆盖，现露头的地方共有 11 处，是一处遗存比较丰富的古窑址。1982 年，对黄桷垭（王庄）、涂山湖、航灯厂、小湾四个地方的窑场进行了清理和局部试掘，发现了两座馒头窑，采集 1000 余件标本。1983 年 3 月 2 日至 4 月 15 日，又在小湾和桃子林窑址进行了试掘。简报分为四个部分，有手绘图等。

简报称，重庆涂山天目瓷的烧造历史从北宋到南宋末，共经历了 300 年左右。产品以日常生活中的食用器为最多，工艺以圆形器为主，雕琢器仅少数。凡大小器多外壁下足不上釉，内底多涩圈。内外满釉器是少数，但唯茶盏一样全内壁满釉。外壁多露白胎，少数则有加饰铁黑色瓷衣，似仿建窑风格。此窑虽不善刻划、剔透、堆贴等装饰工艺，但它的印花、窑变是极其富丽优美的工艺成果。

605.涪陵市发现宋代古桥

作　者：黄秀陵
出　处：《四川文物》1988 年第 5 期

涪陵市在文物普查过程中，在马武区蒲江乡发现 1 座名为"碑记桥"的宋代古桥。简报配以照片予以介绍。

据介绍，该桥横跨在东流溪上，呈南北走向，为石质单孔，长 31.5 米，宽 5.32 米，高 7.7 米，跨度 9.9 米，拱高 6.6 米。桥面用石板铺成，条石砌成的素面桥栏高 0.3 米，宽 0.35 米，保存完好，迄今仍在使用。据清代补修该桥碑文，该桥始建于南宋绍熙甲寅（1194 年），又在清代道光乙未（1835 年）维修。为我们研究古代桥梁建筑，提供了可贵的实物资料。

606.永川发现宋代崖墓

作　者：王昌文
出　处：《文物》1989 年第 6 期

1987 年 9 月，永川三教区文物普查分组，在该区的高洞子村发现了 1 处南宋"开禧"年间的崖墓。简报配以照片予以介绍。

据介绍，该崖墓共 3 座，分布在长约 12 米、高 2.5 米的浅红色沙质石岩壁上，呈横向一字排列，墓口均向南。3 座崖墓早年被盗，有两座墓门仍被乱石封住。墓室及龛、柱上均有凿刻，内容有花、卧鹿、镇山兽等，还有刻工铭文。简报称：这种仿木凿造的墓室，对研究当时的建筑、习俗、宗教等，均有价值。

607.大足县大钟寺宋代圆雕石刻遗址调查

作　者：邓之金
出　处：《四川文物》1989 年第 5 期

1986 年 6 月，大足县新石乡长生村九组农民周明泉修建房屋，在大钟寺坡南侧，平整地基约 80 平方米，挖出宋代圆雕石刻 50 余身。这些圆刻石刻为红砂岩石质，石像出土缺头，但身躯保存完好，雕刻精美。造像年代据造像记考察，为北宋咸平至治平年间（998 ～ 1067 年）镌造的，历经 70 年完成。宋代是大足石刻的黄金时代，在大足石刻有纪元镌记中确无这段时间的造像。因此，这处圆雕石刻填补了历史的空白。简报分为：一、大钟寺遗址概貌，二、大钟寺遗址圆雕石刻造像题材，三、大钟寺遗址圆雕石刻文物价值，共三个部分，有照片、拓片。

据介绍，大钟寺遗址的地理位置，东面距大足至铜梁公路经过的万古镇 2 公里，离大足县城 30 公里，地面已无建筑遗迹，但瓦砾碎片到处可见。共出土圆雕石刻 51 件，上面有铭刻镌记 26 则，有纪元可考者，有北宋咸平三年（1000 年）、皇祐四年（1052 年）、嘉祐四年（1059 年）、嘉祐七年（1062 年）、嘉祐八年（1063 年）、治平三年（1066 年），当年这里应是一个大禅林。此次发现为研究大足石刻艺术提供了新资料。

608.涪陵白鹤梁"瑞鳞古迹"题刻

作　者：黄秀陵
出　处：《四川文物》1989 年第 6 期

中外闻名的四川省文物保护单位涪陵白鹤梁"水下碑林"，不仅准确地记录了自唐广德元年（763 年）以来 1200 多年间 72 个长江枯水位题刻资料，而且还留下了唐以后历代文人墨客丰富的各体诗文题刻，并有不少名人游踪的记载，这些题刻中有很多都具有重要的艺术、历史和科研价值。简报配以拓片，介绍了与南宋数学家秦九韶有关的一则题刻。

据介绍，白鹤梁上"瑞鳞古迹"题刻长 96 厘米，宽 90 厘米，共 81 字，楷书。简报录有全文。最后落款为"宝庆二年正月十二日涪州太守"。从这幅题刻叙述中，我们知道它是在南宋宝庆二年（1226年）的涪州太守李玉新所题。石刻真实地记载了秦九韶和李玉新等人游白鹤梁，观石鱼的情况。表面看来这幅题刻无足轻重，而它提到了秦九韶，这就相当有研究价值了。

609.四川重庆涂山锯木湾宋代瓷窑发掘简报

作　者：重庆市博物馆、重庆市南岸区文管所　王　豫
出　处：《考古》1991年第3期

重庆长江南岸的南山北麓和涂山南麓间的谷地内广布着宋代黑釉瓷窑址。1982年至1986年，考古人员曾先后3次对堆积较丰富的王庄、涂山湖、航灯厂、小湾和桃子林窑址进行了试掘。1988年9月至1989年元月底又对锯木湾窑址进行了发掘，清理窑炉1座，选择采集瓷器、窑具标本约200件。简报分为：一、堆积层，二、窑炉状况和结构，三、遗物，四、结语，共四个部分，有手绘图等。

据介绍，锯木湾窑址位于重庆涂山宋代黑瓷窑的分布范围内，其典型器物如茶盏、碗、杯、灯盏、罐以及各种垫烧工具应属重庆涂山宋代黑瓷窑系统。年代应为南宋晚期。

610.大足宝顶山小佛湾祖师法身经目塔勘查报告

作　者：重庆大足石刻艺术博物馆、四川省社会科学院大足石刻艺术研究所
　　　　　陈明光、邓之金等
出　处：《文物》1994年第2期

四川大足宝顶山摩崖造像，是著名的大足石窟中重要的组成部分，早在1961年即被公布为第一批全国重点文物保护单位。宝顶山摩崖造像群位于大足县东北15公里处，是由大足名僧赵智凤于南宋淳熙至淳祐年间（约1174～1252年），用了近70年时间主持营造的大型佛教密宗道场。宝顶山摩崖造像群主要包括大佛湾和小佛湾两处，其中大佛湾造像已作过较多研究和报道，而小佛湾佛教遗迹遗物的研究和报道则相对不足。为此考古人员对小佛湾进行了勘查，简报分为：一、祖师法身经目塔形制，二、塔体各级结构、雕刻内容，三、塔刹，共三个部分，配以彩照、拓片、手绘图。专事介绍的祖师法身经目塔，便是小佛湾众多佛教遗迹中较重要的一处。

据介绍，此塔的最大特征之一是塔身满刻佛经目录，按其自铭为"十二部大藏经"目录，但因各层漫漶程度不同等原因，塔上究竟有经目多少种（部），始终没有科学而准确的结论。20世纪50年代，对大足石刻调查、研究作出了筚路蓝缕之贡献的

陈习删先生《大足石刻志略》，首录塔第一级所刻经目；1985 年，澄静《宝顶石刻》
又据目识记录塔第一、二级经目。但因种种条件的局限，均有不尽准确之处。这次调查，
专门搭架至各级塔身，又参据此次拓片及 50 年代拓存的残片，经邓之金先生逐行、
逐字校对整理，终于得出现塔身较确切的刻经目录及有关数据。塔身共存刻经 3975 字，
按存字中基本完整的经目统计（一目多名只计一目），共存经目 510 种（部）。其中，
第一级塔身存字 2976 字，经目 410 种；第二级 665 字，经目 83 种；第三级 229 字，
经目 17 种。经目全文详见简报附录。另外，调查中还发现几十个罕见的异体字，为
汉字研究提供了珍贵资料。

611.大足宝顶山大佛湾"六耗图"龛调查

作　者：重庆大足石刻艺术博物馆　邓之金
出　处：《四川文物》1996 年第 1 期

大足宝顶山石窟，建造于南宋淳熙至淳祐年间（1174 ～ 1252 年），大佛湾是向
信徒说教的外道场。大佛湾"六耗图"，全称"缚心猿锁六耗"，是外道场的重要
组成部分，以往未受重视。简报分为：一、六耗图龛调查，二、关于宝顶山石窟卷
发人像等几个部分，有照片。

据介绍，六耗图龛，位于大佛湾北崖西部，分上、下层，计有造像 14 尊、动物 8 身，
铭文 30 块 687 字，楷书。内容丰富，富于佛教哲理。为南宋僧人赵智凤主持开凿，
是研究我国宗教史的重要实物资料。

大佛湾石刻图，尚有"牧牛图"，表现的是佛教物我两空、万象皆空的禅宗境界。
详见"大足宝顶大佛湾'牧牛图'调查报告"（《四川文物》1994 年第 4 期）一文。

612.忠县中坝遗址宋代瓷器窖藏发掘简报

作　者：四川省文物考古研究所、重庆市文化局三峡办、忠县文物管理所　辛中华
出　处：《四川文物》2001 年第 2 期

中坝遗址位于重庆市忠县县城以北 6 公里处，1998 年 12 月，考古人员进行了抢
救性发掘。简报分为：一、前言，二、窖藏的位置及形状，三、浙江龙泉窑的产品，四、
四川乐山西坝窑的产品，五、四川巴县清溪窑产品，六、铜器和铁器，七、几点认识，
共七个部分，有照片、手绘图。

据介绍，此次发掘的主要收获是清理了 1 处宋代瓷器窖藏，出土了一批保存完
好的瓷器，包括来自浙江龙泉窑的青釉瓷 39 件和产自四川本地的黑釉瓷两大类，前

者器型丰富，质地上乘，后者则数量众多。简报称，四川本地的产品在数量上占绝大多数，而外来的浙江龙泉窑的产品以质量胜出，这实际上反映出：虽然当时本地瓷器不甚精美，但由于价格低廉，运输便利，适合民间使用而占据了广大市场，外来瓷则以其质地良好、造型优美，极具艺术欣赏价值而受到欢迎，这也说明了当时沿长江水路运输及沿江贸易的繁荣。该窑藏的年代，简报推断为宋末元初。

613.重庆大足龙水镇明光村磨儿坡宋墓清理简报

作　者：重庆大足石刻艺术博物馆　蒋德才、夏　明、杨光宇
出　处：《四川文物》2002 年第 5 期

2001 年 7 月，考古人员在大足龙水镇明光村磨儿坡清理了施工中发现的 3 座宋代墓。简报分为：一、地理位置及墓葬概况，二、墓葬形制，三、随葬器物，四、小结，共四个部分，有照片、拓片、手绘图。

据介绍，3 墓均为石室墓，内有内容相同的题记，题记中有"绍兴三十年"纪年。因曾被盗，3 墓随葬品不多，仅见半身人像 2 件及陶片等。此次发掘最大收获就是墓中石刻。简报认为这是大足石刻另一种形式的表现。

614.重庆涂山窑——酱园窑址发掘简报

作　者：重庆市文物考古所
出　处：《江汉考古》2007 年第 1 期

酱园窑址是重庆涂山窑系的 1 处重要窑场，文化遗存丰富，窑炉密集，时代为北宋末至元初。该遗址的发掘使我们对涂山窑窑炉的分布规律、种类及其演变都有了较清楚的认识，为研究重庆涂山窑提供了一批新资料。简报分为五个部分，有手绘图。

据介绍，涂山窑位于重庆长江南岸黄桷娅镇南山与涂山之间两岭夹一槽的山谷地带，方圆 5 公里的范围内分布大小窑场 12 处。20 世纪 30 年代，美国传教士、汉学家、中国华西大学（四川大学前身）博物馆馆长葛维汉先生调查发现，称之为"重庆的建窑遗址"。1980 年中国古陶瓷研究会会长、著名古陶瓷专家冯先铭先生认定为宋代黑釉瓷窑。此后进行过多次调查、发掘。酱园窑址系涂山窑系，南与重庆邮电学院相邻。2003 年 4 ~ 5 月，考古人员对酱园窑址进行了抢救性发掘，清理出房址 1 座、窑炉 17 座及灰坑、堆煤场等。出土的各种完整器物（或可复原）数千件，瓷片标本 10 余万件。主要有瓷器、窑具、制瓷生产工具三大类。

据介绍，酱园窑址可分为三期四段。

第一期：窑炉形制、结构与涂山窑小湾窑址Y1、Y2完全相同，与河北磁县观台磁州窑北宋晚期窑炉Y3相似，出土双系瓜棱罐、平底碟、六出葵口折腹碗等器为北宋晚期器物。故该期年代为北宋晚至南宋早期。

第二期：其窑炉在形制、结构上较前期有较大发展，与河北磁县观台磁州窑南宋中、晚期窑炉Y8相似。器物形制介于一、三期之间，推断为南宋中、晚期。

第三期：盏为弇口、敛口。其带座黑釉瓷瓶属南宋末至元初之物。该期年代南宋末至元代早期。

简报认为，酱园窑址创烧于北宋晚期，盛于南宋中、晚期，衰落于宋末元初。

简报称，涂山窑为宋元时期规模较大的1处民间窑场，产品以烧黑釉瓷为主，器类丰富，形制多样，代表了四川、重庆地区的黑釉水平。酱园窑址是重庆涂山目前发掘面积最大，清理窑炉最多，窑炉形制最丰富，时代跨度最大的一处窑场。该窑址的发掘对研究重庆涂山窑具有十分重要的意义。

615.重庆市合川区观山墓群宋代石室墓发掘简报

作　者：重庆市文化遗产研究院、重庆文化遗产保护中心　代玉彪、白九江
出　处：《四川文物》2014年第2期

观山墓群位于重庆市合川区合阳街道办事处盘龙村六社。2011年4月20日～5月15日，为配合合川区环城大道建设，考古人员对该墓群进行了抢救性发掘。此次发掘面积共300平方米，发掘墓葬7座，其中宋代石室墓5座，编号为M1、M2、M5、M6、M7。宋代石室墓发掘情况简报分为：一、前言，二、发掘情况，三、结语，共三个部分，有彩照、拓片、手绘图。

据介绍，此次发掘共清理宋代石室墓5座，出土了铜镜、瓷罐、瓷碗、瓷洗、瓷盏、石墓志、石质雕刻构件等。M7出土的石墓志是合川地区首次发现，在重庆地区亦属罕见。墓志志文楷书，共357字，简报录有志文全文。据墓志，墓主人于南宋绍兴庚午年（1150年）去世，绍兴二十六年（1156年）下葬，墓葬应修筑于1150～1156年。墓主人的身份，应属于富人阶层。简报称，葬期如此之长，实属罕见，为探讨宋代葬期提供了重要资料。

除M7外，其余4座墓葬均有雕刻，主要为简单家具陈设、座椅靠背、行叉手礼仆人等。简报认为行叉手礼的仆人雕刻是研究叉手礼的重要图像资料，同时为研究宋代人物形象和服饰提供了重要参考。

四川省

成都市

616.四川温江发现南宋窖藏

作　者：温江县文化馆
出　处：《考古》1977 年第 4 期

1973 年 12 月 12 日于中共温江县委会的基建工程中，在距地表 1.2 米深的地层里发现了 1 个宋代窖藏，考古人员进行了清理工作。简报配以照片予以介绍。

据介绍，窖藏器物放在 1 个棕釉陶缸中，缸口上用宋砖作盖，内装铜器、石砚等 150 余件器物，大部分保存完好。铜器上有的有铭文。

617.四川彭县磁峰窑址调查记

作　者：四川省文物管理委员会、彭县文化馆　刘钊
出　处：《考古》1983 年第 1 期

1978 年 12 月，考古人员对磁峰公社的古代窑址进行了调查。简报分为：一、陶器，二、瓷器，三、窑具，四、小结，共四个部分，有照片、手绘图。

据介绍，磁峰古窑址位于彭县以西 30 公里的磁峰镇东面，窑址坐落在群山环抱的河谷地带。东西长 1000 ～ 1500 米，南北宽 200 ～ 300 米。据当地人回忆，此地原有 48 座窑包，可惜现在很难看出其分布情况，但地面上的瓷片、窑具碎片却遍地皆是。

从所采集的标本看，磁峰窑所烧制的器物绝大部分是白釉，但也有少量的黑釉和褐黄釉。其器形绝大部分是碗、碟、罐、盘、盏等，其中又以碗为主。窑具有匣钵、支钉等。尤为可贵的是，收集到五个陶质印花碗模，这对研究古代印花碗的生产工艺过程有很大的价值。磁峰窑所烧制的器物釉色以灰白为主，有一些精品釉色洁白。胎骨大部是灰色高岭土，质地细腻坚硬，也有少量的瓷器为白色胎骨。简报推测，

磁峰窑的制坯工艺为轮制，待坯胎到适当干度时，再模印上纹饰或刻上所需的花纹，待坯胎全干时上釉，最后装到匣钵进窑烧成。

此窑的盛烧时间，简报推断为两宋时期。

618.成都市发现的一处南宋窖藏

作　　者：成都市文物管理处　翁善良
出　　处：《文物》1984 年第 1 期

1978 年 6 月，西藏自治区交通局昌都汽车运输公司成都站，于修建厂房工程中发现 1 处南宋窖藏。简报配以照片予以介绍。

据介绍，此窖藏口径 65 厘米，距地表约 70 厘米。器物重叠侧放，中间放碗、盘、洗、碟、杯等器壁较薄的瓷器，其外放器壁较厚的瓶和质地较差的杯，最外层再围一圈铜瓶和铜觚。这种放法大概是为了保护内层的精美瓷器，使其不受损坏。出土器物共 116 件，有影青，黑、白、青四种釉色，碗、盘、洗、碟、杯、盏、瓶 7 种器型；质地优良，造型美观，有的胎薄如纸，呈半透明状。有景德镇湖田窑产影青瓷、陕西耀州窑产青瓷、龙泉窑青瓷、定窑白瓷及磁峰窑产品和广元窑黑釉瓷等。此窖藏年代应为南宋时期。

619.四川大邑县安仁镇出土宋代窖藏

作　　者：大邑县文化馆　胡　亮
出　　处：《文物》1984 年第 7 期

1973 年 4 月，四川省大邑县安仁镇小学学生在镇后一条水渠边上发现宋代窖藏 1 处，考古人员进行了清理。简报分为：一、窖藏情况，二、出土器物，三、结语，共三个部分，有照片、拓片。

据介绍，窖藏出土地点在安仁镇后约 200 米处，西距大邑县城 13 公里。窖藏器物共 72 件，全部装在 1 个灰陶瓮中。瓮已残破，瓮口原来可能盖有木板。瓮底及四周未见其他痕迹。

出土瓷器有湖田窑的仿定窑产品、吉州窑、赣州窑产品等。入藏时间简报推断为南宋初年。

620.四川双充县出土的宋代银铤

作　者：成都市文物管理处　张肖马
出　处：《文物》1984 年第 7 期

1981 年 5 月 8 日，成都市双流县黄佛公社加禾村村民在距府河约 5 米处发现宋代银铤及一些金银器，共 19 件。据说还同出有陶片，估计这是 1 处宋代窖藏。简报配以照片、拓片予以介绍。

据介绍，简报分述了 6 件银铤的重量及铭文等，录有铭文全文。4 枚银铤铭文上没有入纳银铤的官署名称及"库官""行人"等官名，说明不是官银，而属于私人所有，即属于"张家信实记"。银铤的主人自称是汉朝留侯张良后代，不论真伪，可以看出其家门的富贵。81SE 号银铤铭文提供了南宋时期"正税之外，科条繁多"的实物证据。

同时出土的文物有：银钗 5 件、金钗 1 件、金镯 1 件、金条 4 件、金片 2 件，可惜多有残损。

621.郫县出土的宋代瓷器窖藏

作　者：郫县文化馆　梁文骏
出　处：《文物》1984 年第 12 期

1978 年 9 月，四川省郫县红星公社十二大队农民在自己住宅篱落前的沟边，距地表约 50 厘米深处，发现 1 个宋代瓷器窖藏，出土 69 件宋代瓷器。这批瓷器盛放在 1 口陶缸内，另以一陶盆覆盖于上，可惜出土时缸和盆被毁，无法复原。简报配以照片等予以介绍。

据介绍，这批窖藏瓷器从胎质、釉色、形制上观察，除 8 件属外地产品外，61 件都是四川烧制的。其中的黑釉盏可能出自广元磁窑铺。数量较多的白瓷，主要是彭县磁峰窑生产的宋代白瓷。

622.大邑县出土宋代铜牛灯

作　者：胡　亮
出　处：《四川文物》1984 年第 3 期

1982 年 3 月 18 日，大邑县银屏公社二大队机砖厂取土时，发现宋代窖藏 1 处，出土铜牛灯、铜瓶、铜帐勾、铜砝码各 1 件。简报配以照片、手绘图予以介绍。

据介绍，这批出土文物中尤以铜牛灯最为珍贵。铜牛灯长 11 厘米，高 7.6 厘米。牛腹中空。用以贮油。牛作边走边叫状。牛背上伏一牧童状小铜人，铜人一手向前抚摸牛背，一手向后在自己的右股上搔痒。铜人背上有一铜管直接插入牛的腹腔，这显然是用来装灯芯的。

623.邛崃县北宋墓清理简报

作　者：邛崃县文物管理所　杨志忠
出　处：《四川文物》1985 年第 3 期

1983 年 12 月，驻邛部队在邛崃县城南 3 公里处的土地坡基建过程中，发现北宋墓葬 1 座，考古人员对墓葬进行了清理。简报分为：一、墓葬形制，二、随葬品，三、小结，共三个部分，有照片、拓片。

据介绍，土地坡北宋墓位于邛崃县五绵山之丘陵坡上。坐西向东，头高足低，顺坡而葬。墓为长方形券拱石室，长 3.9 米、宽 1.15 米、高 1.82 米。葬具应为木棺，已朽。因曾被盗，劫余随葬品仅有陶俑 2 件、陶器 2 件、铜镜 1 件等，共计 13 件，随葬品中陶鲵少见。有墓志，但字迹已脱落，简报未录全文。从能认清的字来看，墓主人姓徐，先住依政县，后迁移到邛崃县，世为著姓，并娶妻两人，共生八女，都嫁与书香门第之家。同时墓志上有确切的年号。墓主人死于元符三年（1100 年），葬于政和三年（1113 年）。

简报称，这个墓志为研究邛崃县的历史提供了可靠的证据。

624.四川蒲江县五星镇宋墓清理记

作　者：四川省文管会、蒲江县文化馆　陈显双、廖启清
出　处：《考古与文物》1986 年第 3 期

1979 年 5 月，蒲江县五星公社八大队二生产队在院侧坟坝中取土时，发现毗连的宋墓 2 座（79PWM1、79PWM2，简称 M1、M2）。简报配以拓片、手绘图予以介绍。

据介绍，五星镇位于蒲江河西岸，成（都）蒲（江）公路西侧。镇之西南距蒲江县城、西北距邛崃县城皆约 25 公里，是蒲江和邛崃两县交界处的重要集镇。墓地在镇西 1 公里处。两墓皆为平面呈凸字形的券拱砖室墓，无墓道，由棺室和甬道两部分组成。2 墓同建于 1 个竖穴土坑内，相邻两壁（M1 的东壁和 M2 的西壁）有两个形状相同、大小相等的过道相通，这说明两墓是按计划安排同时修筑的，属同穴异室合葬墓。

在甬道内发现很多砖块和破碎陶俑等遗物，显系盗墓者所遗。由于墓葬被盗，器物损坏较多，完整与可修复者 102 件，以陶俑为大宗，两墓共出土 86 件，其中完整的和修复成形的 66 件，无法复原的 20 件。另有石俑 11 件及买地券、铜币等。简报推断为宋代墓葬。

625.四川省蒲江县发现两座宋墓

作　者：四川省文物管理委员会　陈显双
出　处：《考古与文物》1986 年第 5 期

1982 年 9 月，蒲江县东北公社一大队五队农民在该队果园翻土时，发现 2 座宋墓（编号 BDM1、BDM2，简称 M1、M2）。考古人员对这 2 座墓进行了清理。简报配以手绘图予以介绍。

据介绍，2 墓的结构、形制相同，大小稍异，皆用不规则的条石砌筑墓室。2 墓皆为单室，平面呈长方形，单层券拱，墓底未铺石。2 墓均无墓道，都有腰坑。2 墓相连，系一次砌成，M2 东壁与 M1 西壁相距仅 0.16 米，应为夫妻同穴异室合葬墓。葬具均为木棺，已朽。人骨已朽。两墓共出遗物 16 件，M1 出 7 件，M2 出 9 件。其中，有瓷器 11 件、木器 1 件、银器 2 件、石买地券 2 件。其中木架 1 件简报，认为是所谓"胡床"，即折叠椅，为全国首次发现的胡床实物。买地券已难以辨认，但 M1 买地券上尚有"元祐"2 字可认。简报断定这 2 座墓的时代为北宋后期。M1 入葬时间在宋哲宗元祐年间（1086 ~ 1094 年）。

626.成都东郊北宋张确夫妇墓

作　者：成都市博物馆考古队　翁善良、罗伟先
出　处：《文物》1990 年第 3 期

1984 年 6 月，地处四川省成都市东郊圣灯乡的 208 厂进行基建施工时，发现 1 座北宋墓。此墓早年被盗，施工中又被挖去墓室券顶和左室后部的部分砖壁，部分随葬品已失却了原来位置。考古人员清理了该墓。简报分为：一、墓葬概况，二、随葬遗物，三、结语，共三个部分，有照片、拓片、手绘图。

据介绍，此墓为长方形双室券顶砖墓，无墓道，由封门墙、甬道、石门、墓室和壁垒组成。墓室两室当是同时修筑的，属同坟异葬的合葬墓。因曾被盗，仅有劫余随葬品 77 件，且多被民工取出，原位置不详。有陶俑 17 件，陶器，买地券 1 方，南方、北方镇墓券各 1 方，墓志 2 合。简报附有其中左室墓志全文。

据介绍，左室所葬为男性，由志文知其为张姓，名确，字守道，卒于北宋元丰四年（1081 年）四月九日，终年 59 岁。元丰七年（1084 年）十二月下葬于成都县金泉乡濯锦里，元祐八年（1093 年）三月迁葬于华阳县积善乡东庙里。张确娶杜氏为妻，一生未仕。右室所葬为女性，据志文，右室所葬为杜氏，卒于元祐五年（1090 年）五月七日，终年 68 岁。元祐八年（1093 年）三月葬于华阳县积善乡东南里。

627.蒲江发现后蜀李才和北宋魏训买地券

作　　者：龙　腾、李　平
出　　处：《四川文物》1990 年第 2 期

简报配以照片，介绍了出土的两方买地券。

据介绍，后蜀李才买地券，1977 年 9 月于蒲江县东北乡千柏村九组 1 座砖室墓内出土。该墓为券拱单室，长 2.5 米，宽 1 米。砖全用黄泥黏接。墓中出土有陶器、瓷器、钱币及买地券。买地券楷书，165 字，简报录有全文，知其下葬时间为五代时后蜀广政二十五年（962 年）。

北宋魏训买地券，1984 年 2 月出土于蒲江县天华乡公议村九组 1 座砖室墓中，保存完好，现收藏在蒲江县文物保护管理所。全文共 170 字，简报也录有全文。知其下葬时间为开宝四年，即 971 年，当为北宋灭后蜀后 6 年。

628.郫县崇兴乡南宋墓

作　　者：郫县博物馆　陈厉清
出　　处：《四川文物》1992 年第 6 期

1991 年 9 月 21 日，成都市自来水公司六厂在郫县崇兴乡鱼塘村三组（俗称"廖鸡叫"）境内，挖井埋设输水管道。工程进行中，从 1 座古墓纵向而过，将古墓右壁及券拱破坏。当地村民吴恩贵与其子，借此取砖他用。从土中拾得陶武士俑、镇墓兽、文吏俑共 3 件文物，便携物向县博物馆报告。考古人员前往清理。简报分为：一、墓葬形制，二、出土器物，共两个部分，有照片、手绘图。

据介绍，该墓位于县城东北 10 余里，系长方形双层券拱单室，坐西向东。无墓道，采用隔壁砖作通道，室内左右壁各砌 3 龛。未见棺木，葬式不明。出土器物有陶俑、陶器及买地券 1 方。简报录有券文，中多缺字。知墓主人叫赵客，犯法坐监死后，与妻合葬于此，花银 1000 两。下葬时间为南宋淳熙六年（1179 年）。

629.蒲江惠民监遗址发现宋代的窖藏铁钱

作　者：蒲江县文管所、人行蒲江支行　龙　腾、陈志勇
出　处：《四川文物》1994 年第 1 期

惠民监遗址在蒲江县境内西北部的五面山山区，大塘镇、大兴乡、复兴乡交界处。在 3 个镇接壤的 9 个村内，现存冶铸遗址面积共达 4.58 万平方米。铁渣、炭屑、砖瓦、陶器碎片堆积厚 1～5 米，有高炉冲、高炉山、高炉嘴、炉坪、铁沙墩等地名。发现过石坩锅等遗物，多次出土宋代铁钱。1989 年，复兴乡曾出土过大量铁钱，被当成废铁卖掉。1992 年 4 月，大兴乡水口村再次发现窖藏铁钱一处，考古人员前往调查。简报分为：一、这批窖藏铁钱有多少品种，二、窖藏铁钱分别是哪些省的铸钱监所造，三、窖藏中发现了哪些铁钱新品种，四、邛州惠民监何时设置，五、惠民监铸造的圣宋重宝该不该承认，六、嘉定七年废罢后，惠民监曾否复置，七、背泉字的大宋元宝何处铸造，八、迄今四川铁钱出土了多少，共八个部分，有拓片。

据介绍，该窖藏在惠民监遗址范围内，系一直径 50 厘米、深 1.4 米的圆形土坑。坑壁砌瓦，瓦俱已残破，宽 17 厘米，厚 1 厘米，残长 16 厘米。坑底只有宋砖 1 块。窖藏铁币 25 公斤，2800 多枚。由于窖坑挖在山坡上的黄色黏土层中，未被地下水浸泡，没有锈蚀成饼、成块，可以逐枚清点。计识别出 2318 枚，时代从北宋初年至南宋晚期等。铸造地点 90% 以上为四川所造，但也有利州、嘉定、安徽、陕西、湖北等地铸钱。这次发现 10 个新品种，是《古钱大辞典》《中国古钱谱》《中国钱币·四川出土铁钱表》所未载的。简报还指出，截至 1992 年底，四川出土铁钱已达 280 种，以往的介绍有不确之处。

630.蒲江县宋朝散大夫宋德章墓出土文物

作　者：蒲江县文管所　龙　腾
出　处：《四川文物》1995 年第 2 期

1991 年 9 月，蒲江县城东北 20 公里处犀羊村 2 组，一农民在挖地种柑橘时，在距地表深 1 米处发现古墓，考古人员前往调查并收回了出土文物。简报配以照片予以介绍。

据介绍，此墓为长方形砖石墓。两墓相连，各长 3 米，宽 2 米，高 1.8 米，用双层火砖构筑，正面皆用 5 根白砂条石封门。棺木保存完好，尸骨已腐烂无存。据墓志铭为宋朝散大夫宋德章与妻何氏墓。出土遗物有棺木 4 具（一大一小 2 套），

宋德章棺为杉木，何氏棺为楠木。另有陶俑2件、陶罐2件、陶盏1件、铜镜1件、石买地券1方、墓志铭2方等。简报录有券文全文，节录有志文。何氏墓志计351字，楷书，何氏应出自名门，父官居秘书少监（从四品上），母封宜人。宋德章志文楷书，现存2250字，多处可补史书之阙。

此文《宋代蜀人著作存佚录》等目录学著作均未收。

631.蒲江北宋宋燧墓出土文物

作　者：蒲江县文保所　龙　腾

出　处：《四川文物》1996年第5期

1964年11月，蒲江县松华乡华峰村七组上罗营发现1座宋墓。该墓在五面山台地上，系1座券拱砖室墓，从买地券刻文知为北宋徽宗崇宁元年（1102年）宋燧墓。此墓出土15件文物，其中，三彩陶俑14件、石质买地券1件。简报配以照片予以介绍。

据介绍，以往认为宋墓中随葬三彩俑是在南宋时期，此墓的发现，说明早在北宋时期，四川地区宋墓中已随葬有三彩俑。石质买地券，券文共190字，简报录有券文全文。值得一提的是，在买地券上刻字的石匠叫侯莫陈颖达。"侯莫陈"是三个字的复姓，其祖先是南北朝时鲜卑族的一支。

632.四川成都市西郊金鱼村南宋砖室火葬墓

作　者：成都市文物考古工作队　刘雨茂、黄晓枫

出　处：《考古》1997年第10期

金鱼村位于成都市西郊抚琴居民住宅小区的北部。其东邻一环路，北以成灌公路、南以抚琴西路、西以金鱼街为界，面积约150万平方米。1992年，在小区建设中发现一些墓葬。为了配合工程建设，10月至12月，考古人员进行了抢救性清理发掘，获得了大量的实物资料。其中尤以墓葬材料最为丰富，时代从战国、汉、三国、唐、五代到宋，形制有竖穴土坑墓和砖室墓两大类。南宋砖室火葬墓的材料简报分为：一、墓葬形制，二、随葬器物，三、结语，共三个部分，有手绘图、拓片。

据介绍，金鱼村所出的这类南宋砖室火葬墓，过去在成都及附近县区曾清理过不少，特别是近几年来已达数百座之多。但此前所见多数都破坏严重，发表的资料也十分有限。金鱼村发现的这批墓葬，大多有确切纪年，遗物丰富且保存较为完整。就墓葬的规模、形制、结构、文字材料及随葬器物群而言，都具有十分重要的价值，

为小型火葬墓的深入研究提供了珍贵的实物资料。

据介绍，9座墓葬共计出土随葬器物101件及红砂石质墓券10方，买地券8方。M3所出买地券简报录有全文，M9买地券简报在发掘时有抄录，M9镇墓券简报录有全文。从M9中买地券、镇墓券所记看，M9的墓主吕忠庆即是在生前墓造好后的29年（淳熙九年至嘉定四年）方火化入葬。

简报称，这批墓葬中以M9为代表的"石真"及火葬材料，反映出极为浓烈的道教色彩，解决了长期以来未能明确的川西地区这种类型墓葬的性质问题，同时，对我们了解南宋时期川西地区道教活动的历史情况也有重要参考价值。

633.蒲江北宋魏忻、魏大升墓清理简报

作　者：蒲江县文管所　龙　腾
出　处：《四川文物》1997年第6期

1997年1月，蒲江县城东北10公里处之天华镇双井村三队小五面山广槽头，农民王继洲、邓学芬夫妇开荒挖地，发现3座古墓。考古人员于13日、17日两次前往调查清理。3墓相距0.5米。皆为券拱砖室墓，其结构、形制、方向、墓室大小相同。墓室为长方形，长3.8米、宽1.45米、高1.5米。墓室砌双层券拱9个，南、北壁上各用砖砌有8个壁龛，东壁砌有龛3个，为安置陶俑之处。墓底铺砌长35.5厘米、宽35厘米的大方砖。墓顶距地表0.5米。3墓早年被盗，墓室各有盗洞1个。经清理仍然出土一批文物，经拼合、修复，计有完整或基本完整文物50件。简报分为四个部分并配以照片。

据介绍，计有石刻买地券2方，陶俑45件（多为"宋三彩"），陶盏1件，陶罐1件，"开元通宝"1枚等。简报录有买地券券文全文。据券文知墓地营造于北宋元符元年（1098年），死者一为魏忻，一为魏大升。

634.成都市石羊乡新加坡工业园区宋墓发掘简报

作　者：成都市文物考古工作队　朱章义
出　处：《四川文物》1999年第3期

成都市新加坡工业园区位于该市南郊的武侯区石羊乡，东距石羊场约400米，北距机场路约600米。1995年7月，在道路施工中发现1座古墓葬。考古人员前往清理，编号95CSM1。简报分为：一、墓葬概况，二、随葬器物，三、结语，共三个部分，有照片、拓片、手绘图。

据介绍，此墓为长方形券顶砖室合葬墓，由封门墙、墓室、壁龛组成。通长3.34米，宽2.77米，墓底距地表1.83米，墓向南偏西36°。两室大小等基本一致，应为夫妇合葬墓。该墓除左室前部略遭破坏外，随葬品均保持了原位，也较为丰富。左、右两室共出土遗物34件，放置也有一定规律。墓门的两角放武士俑，俑之间平放买地券，正面向上。墓室两边置各式陶俑、罐等器物和红砂石质的墓券，壁龛中也零星放置器物，后壁龛置真文券和器物，分陶瓷器、陶俑、墓券、铜镜等。买地券文字不清，出土有真文券7方，表明该墓可能是按道教灵宝派的丧葬习俗来进行丧葬活动和放置随葬品的。该墓的时代，简报推断为南宋。

635.成都北郊甘油村发现北宋宣和六年墓

作　者：成都市文物考古工作队　朱章义
出　处：《四川文物》1999年第3期

1996年10月14日，位于成都市北郊的金牛区天回乡甘油村村民在修建民房时发现1座古墓。该墓位于金牛区和新都县交界处，北距宝成铁路约350米。发掘工作于10月18日结束。该墓编号96CGM1（简作M1）。简报分为：一、墓葬概况，二、出土器物，三、结语，共三个部分，有拓片、照片、手绘图。

据介绍，此墓为长方形单室券顶砖墓，墓室长2.75米、宽0.98米，由于墓门压在路基下未作发掘，墓门外部情况不详。出土遗物有双耳罐2件、买地券1方、真文券4方、画像砖1方。简报录有买地券券文全文。由券文知下葬年代应是北宋徽宗宣和六年（1124年）七月。墓主人是新都县化林乡的阚氏十八娘。甘油村宋墓出土的文字材料反映了道教在宋代民间丧葬中的影响。首先，买地券中提到了不少的神灵，而这些神灵基本上都是道教和民间信仰的神灵。其次，出土的东、南、西、北四方真文券在道教丧葬思想中起驱邪厌胜的作用，字用朱砂勾勒的手法也是道教厌胜方法之一。可见，道教丧葬思想在该墓的整个丧葬思想中占有主导地位。另外，买地券、真文券应是批量生产并作为商品出售的。

636.成都市南郊北宋赵德成墓清理简报

作　者：王　方
出　处：《四川文物》2001年第3期

1998年，考古人员在成都市南郊紫荆小区进行文物勘探时，发现砖室墓2座，经考证为北宋中期墓葬。简报分为：一、墓葬概况，二、随葬器物，三、结语，共三个部分，有照片、拓片、手绘图。

据介绍，M1保存完好，为长方形单室券拱砖墓。墓室结构由墓道、封门墙、墓室、棺台、肋拱、壁龛组成。M2毁损严重，但仍可看出是双室券顶墓。M1出土有买地券1方，计156字，简报录有全文。由券文知，M1的下葬年代是北宋神宗元丰四年（1081年）九月。墓主人为广都县政路乡（今双流县境内）的赵德成。M2的时代，因毁坏严重，只能推测为北宋。

637.都江堰市金凤窑址发掘简报

作　者：成都市文物考古工作队、成都市文物考古研究所　黄晓枫、张　擎等
出　处：《文物》2002年第2期

1999年12月至2000年5月，考古人员在配合四川省都江堰市水泥厂的建设中，发现1处完整的宋代窑址。窑址位于都江堰市东北部约8公里的蒲阳镇金凤乡金凤村，建于名叫窑沙坡的小山丘上，背靠金凤山，由于史料中没有这处宋代窑场的记载，依据地名称之为"金凤窑"。通过考古调查、勘探和发掘，确认金凤窑遗址面积约20000平方米。探明金凤窑共有宋代窑炉33座、作坊区10处、废品堆积场6处。简报分为：一、地层堆积，二、遗迹，三、分期及出土遗物，四、结语，共四个部分，有照片、手绘图。

据介绍，金凤窑的窑炉数量众多，其中馒头窑32座，斜坡式龙窑1座。除龙窑外，窑炉的保存状况良好。简报将其分为三期：第一期为北宋晚期至南宋前期；第二期为南宋中期至晚期；第三期为南宋末至元代。简报认为，金凤窑的创烧时期为北宋晚期徽宗、钦宗时期，南宋中、晚期为繁荣时期，元代中晚期停烧，为一烧造民用品的地方民窑。

638.成都市二仙桥南宋墓发掘简报

作　者：成都市文物考古研究所、成都市文物考古工作队　王仲雄、王　军等
出　处：《考古》2004年第5期

1999年10月，成都市成华区工程指挥部修建成（都）南（充）高速公路，在成都东北郊二仙桥东路12号路段埋设地下水管道时，发现1座双室券拱砖墓（编号简称M1）。考古人员前往进行了抢救性发掘。简报分为：一、墓葬概况，二、随葬器物，三、结语，共三个部分，有照片、手绘图、拓片。

据介绍，成都二仙桥南宋墓为砖砌长方形双室券顶的同坟异穴夫妻合葬墓，墓

室分南、北两室，合用一道封门墙和隔墙，墙上有一壁龛过洞，贯穿两室。南室早年曾被盗。出土有陶武士俑、文官俑、人首蛇身俑、人首鸟身俑，瓷罐、碗，以及买地券、华盖宫文碑、敕告文碑、真文碑等遗物。其中买地券刻有南宋的确切纪年，敕告文、华盖宫文碑和真文碑等是反映道教思想的文字材料。此墓是近年来成都地区已发现的几百座宋代砖室墓中保存相对较好的1座。

简报称，该墓应为同坟异穴的夫妻合葬墓，北室为女墓主卫氏，其籍贯是山西省绛州翼城县（今山西省绛县），死后葬于成都华阳县积善乡永宁里。根据买地券上"维绍兴二□□□□□□十二月辛酉朔"这段文字，其下葬时间为绍兴二十二年（1152年）十二月初一。男墓主任□，籍贯不详，其下葬时间根据墓葬形制、随葬器物等推测应和其妻相差不远。从以上材料可知，女墓主卫氏是山西人，但死后之所以葬于成都，原因可能是在南宋初期，北方战乱，战地人民纷纷南逃，号称"天下乐土"的成都平原招来不少流民，任氏夫妻可能是山西流民逃亡成都定居。另外，该墓在构筑方式上有独到之处，如使用壁龛作过洞，南、北两室共用一道封门墙和隔墙，使用石灰浆和黄泥砌缝，特别是在墓券顶上部铺撒一层白石灰，一是用作防潮，二是与当时葬人的迷信或巫术有关。

简报指出，该墓随葬器物的摆放位置（以北室为标准）和《秘葬经·盟器神煞篇》中的大夫以至庶人坟墓明器摆放有一定关系。武士俑置于墓门，应为当圹、当野，作为镇墓神；匍匐俑应为仰观、伏听俑；人首蛇身俑应为墓龙。它们都是置于墓室前端。陶狗为玉犬，放于墓室南侧，陶鼓置于墓室东侧和陶狗相对，它们在墓中都能起到避凶除害之用。陶墓主人像放置在后龛上，在墓内代表其"真身"永远"千秋万载"；其他文官俑和男、女侍俑等都放在相应的位置上，各司其职。尤其值得重视的是，该墓出有成套的真文券、敕告文、华盖宫文。5块镇墓石真文券都放置在中、东、南、西、北各自相应的位置上。由此可知，5块镇墓石应五方五精石，为道教灵宝派的"炼度真文"石刻，具有镇墓、驱邪、压胜之用。华盖宫文和敕告文都是道教清真派的材料，在墓中起到对墓主人"炼尸成仙"，可使其子孙荣贵，逢凶化吉，世代与天地共存。由此可见，道教在宋代发展极为昌盛，在整个丧葬中道教思想占主导地位，而且充满着神秘的道教色彩。宋代封建社会还有一定的等级制度，不同之人按不同身份去埋葬，这也为我们研究宋代道教及其丧葬习俗提供了宝贵的实物资料。

639.四川成都北宋宋京夫妇墓

作　者：成都市文物考古研究所　刘雨茂、荣远大、陈云洪等

出　处：《文物》2006 年第 12 期

1998 年 4 月底，在成都市东北郊的龙潭乡保平村，砖厂在取土时发现 1 座古墓，考古人员进行了抢救性发掘。清理过程中，又在其西边 1.5 米处发现 1 座同时期的砖室墓，2 墓分别编号为 98CLBM1 和 98CLBM2（简称 M1、M2）。简报分为：一、墓葬形制，二、随葬器物，三、结语，共三个部分，有彩照、手绘图。

据介绍，墓葬所在地为一方圆约 500 米的小土丘，为平原与浅丘的交会地带。两墓同向并列，各有土坑墓圹。墓室独立，且结构不同，为异坟异葬的夫妻合葬墓。M1 顶部有 1 个直径约 0.8 米的圆形盗洞，墓室内积满黄色淤泥。机械取土时，将其券顶纵向挖掉约三分之一，并把墓室的东壁挖毁。M2 顶部也有 1 个直径约 0.7 米的盗洞，故其上墓室淤土积塞，而且扰乱严重，下墓室则保存完好。2 墓共出土遗物 112 件，其中有买地券两方，简报录有券文全文。墓志两通，简报未录志文。据墓志，知此为北宋著名诗人宋京及其妻蒲氏的墓葬。

据志文记载，墓主宋京，字宏父，成都双流人，生于北宋哲宗元丰元年（1078 年），徽宗宣和六年（1124 年）四月十一日卒于长安任所，其妻蒲氏扶柩归葬于成都府华阳县星桥乡天公山祖茔，终年 46 岁。宋京于徽宗崇宁五年（1106 年）进士及第，曾经官至太府卿、枢密院编修文字，因忤权贵，出知邠州，后任陕西转运副使，累迁至朝散大夫。另据志文中称，上墓室墓道中还应有外墓志 1 通，发掘中未见，当已遗失。

简报称，宋京不仅是宋代蜀中一位有名的地方官员，还是北宋后期著名的诗人，在诗歌艺术领域颇有成就。《宋诗记事》《全宋文》《全宋诗》亦有关于宋京的内容。其妻蒲氏，也出于蜀中名门望族。其父蒲宗闵，皇祐年进士，在北宋熙丰变法时期是有名的新派人物，曾受命与李杞在川蜀主持榷茶。伯父蒲宗孟，《宋史》中有传，进士出身，曾任著作佐郎、尚书左丞和资政殿学士。宋京夫妇墓的发掘，出土了大量的文字资料，内中涉及当时的历史人物和重要历史事件，对于研究宋史，特别是宋代四川地方史具有重要意义。

简报指出，M2（即宋京之墓）结构特殊，为四川地区宋墓所罕见。这种上、下层墓的结构以前虽偶有发现，或因保存情况较差，或未引起足够重视，至今尚无完整资料发表。简报认为，墓主使用这种特殊结构的原因有二。首先是为了防盗，即在真墓上建一座替代者，让盗者以为得手。其次是防止被毁。北宋时期，统治阶层的政治斗争异常残酷，失败者不仅遭贬职流放，死后还会被毁墓焚尸。宋京是深知这一厉害的。故而在真墓上造一假坟，且在墓道中放置墓志，以求乱真。另外，该

墓的修造技术也堪称一流，夫妇墓室均采用印有"宋仲宏父"的特制砖，这也许是为了迷惑毁墓者，这一做法也是现今所发现的宋墓中所不见的。

简报认为，宋京墓葬的下墓室保存完好，未被盗扰。其墓内出土的带有深厚道教色彩的1套券石，为研究这一时期的道教也提供了重要的实物资料。

640.四川彭州宋代青铜器窖藏

作　者：成都市文物考古研究所、彭州市博物馆　谢　涛、毛求学等

出　处：《文物》2009年第1期

1996年3月，在成都市西北部的彭州市工业大道地质队宿舍工地发现1处窖藏。考古人员对其进行了抢救性发掘。

简报分为：一、地层堆积与窖藏形制，二、出土器物，三、结语，共三个部分，有彩照、手绘图。

据介绍，该窖藏已被施工破坏，仅残存底部。出土器物共70余件，包括瓷器1件、石砚2件，其他均为铜器。该窖藏为1竖穴土坑，简报推断其年代为南宋时期，可能与"端平之乱"有关。这批青铜器为南宋时的仿古铜器。

简报指出，由于当时日常用品中青铜器使用很少，传统的铸造工艺可能多已失传，所以，这类较复杂特大型器物只能分两部分铸造。这些仿古器是宋人以自己的理解加以仿制的。

简报说，宋代由于金石学兴起，公私皆乐于收藏商周青铜器。北宋宫廷曾据内府所藏的商周青铜礼乐器大量仿造，以为郊庙之用。特别是政和年间，由于徽宗酷喜古物，常命良工仿制新得之古器，故此时所制铜器尤多。但南宋之后，铜器常被销毁铸币，宋代仿制古器流传至今者数量较少。在四川地区，宋代的青铜器窖藏多达20余处，这些窖藏多只出土几件器物，且多为实用器。这次出土的青铜器不但数量大，而且多为仿古器，对研究四川地区乃至全国的宋代青铜器具有重要意义。

641.四川彭州市北宋徐氏墓发掘简报

作　者：成都文物考古研究所、彭州市文物保护管理所　龚扬民、杨素荣

出　处：《考古》2014年第4期

2012年4月，彭州市紫光兴城建筑工地在施工时发现1座砖室墓。考古人员对墓葬进行了抢救性发掘，墓葬编号为M1。简报分为：一、墓葬形制，二、随葬器物，三、结语，共三个部分，有彩照、手绘图。

据介绍，此墓为 1 个长方形竖穴砖室墓，残存有封土。共出土随葬器物 21 件，包括三彩俑 19 件、瓷双耳罐 1 件、青砖买地券 1 件。其中，19 件三彩俑皆为红色胎，合范烧制。器表施绿、黄、褐色等釉，釉色鲜亮，造型精美。按功能大致可分为镇墓俑、仪仗俑、神怪俑三类。镇墓俑仅见武士俑 2 件。仪仗俑共 11 件，包括官吏俑 8 件、牵马俑 1 件、男侍俑 1 件、女侍俑 1 件。神怪俑共 6 件，包括鼓形雷公俑 2 件，青龙、白虎、朱雀及匍匐俑各 1 件。

据买地券，该墓下葬年代为元祐二年（1087 年），是 1 座保存完好的北宋墓。

自贡市

642.荣县出土宋代鼎形八卦铜镜

作　　者：荣县文管所　邵　彬
出　　处：《四川文物》1995 年第 5 期

1991 年 12 月 22 日，荣县旭阳镇建设银行工地，在距地表 1 米处出土 1 面铜镜，镜呈鼎形，高 20 厘米，最宽处 12.8 厘米，厚 0.7 厘米，有双耳，两足，椭圆形颈口，上有八卦图案、太极图案和云雷纹饰，现已收藏入馆。简报配以手绘图予以介绍。

据介绍，此镜的作用，是用来当"照妖镜"的，外形似鼎，与炼丹术有关。

此镜的时代，简报推断为宋代，似与宋徽宗兴道排佛的大背景有关。

攀枝花市

泸州市

643.泸州市发现南宋石室墓

作　　者：泸州市博物馆　谢　荔、陈　文
出　　处：《四川文物》1995 年第 2 期

1991 年 7 月，泸州市中区灯杆山驻军施工时发现古墓 1 座，考古人员进行了清理。简报配以照片予以介绍。

据介绍，此墓为石室墓，坐北向南，为双室墓即夫妻合葬墓。发掘时发现右门被撬开，系早期被盗，无出土文物。双室墓的两室大小一致，单室长2.5米，宽1.8米，高2.2米，墓顶为藻井式顶，室内有柱、础等石质建筑材料，造型美观。计有力士像、青龙、牡丹、捧盘仕女、托盒仕女、启门仕女、执酒壶侍童等石刻。

该墓的时代，简报推断为南宋时期。

644.合江发现宋代玉皇石雕

作　　者：合江县委宣传部　赵世一
出　　处：《四川文物》1996年第4期

1994年8月初，距合江县城18公里的榕右乡三台村二社发现1尊宋代玉皇大帝石雕塑像。

据介绍，塑像雕刻在榕山山腰一巨大石壁上，立体感很强，乃是玉皇大帝的全身像。像高5米、宽1.5米，头戴皇冠，身穿皇袍，双手抱胸，手握一笏，庄严肃穆，栩栩如生，面向滔滔长江。据有关专家考证，这尊雕像雕刻于南宋嘉熙三年（1239年）。这尊玉皇石雕像左右，各有1个身材比玉皇略小的神将石雕。玉皇及神将脚下横排刻着"神仙洞府"4个大字。大字下的石洞中，有吕洞宾、铁拐李、韩湘子等八仙与和合二仙等11个石雕像。旁边的石壁上有如成年人大小的川祖菩萨、斗母元君、如来佛祖等石雕像，均神态逼真，精美完整，也都是宋代作品。

645.四川叙永天池宋墓清理简报

作　　者：四川省文物考古研究院、泸州市博物馆、叙永县文物管理所
　　　　　任　江、黄　静、岳勋文
出　　处：《四川文物》2010年第2期

此次清理的4座南宋时期的小型仿木构石室墓，保存较完整，发现青龙、白虎、武士图像以及影作木构建筑，出土一批有一定科研价值的遗物，丰富了川南地区宋代仿木构石室墓的类型资料，对于川滇黔三省交界地区的宋墓考古学研究、思想史、美术史、兵器史、服饰史、建筑史、民族史、道路交通史研究都将有着较为重要的参考价值。简报分为：一、09SLXXM1，二、09SLXTM1，三、09SLXTM2，四、09SLXPM1，五、结语，共五个部分，有手绘图。

据介绍，2009年3～4月，为配合纳（纳溪区）黔（贵州大方县）高速公路建设工程，考古人员对沿线多处文物点进行了清理发掘工作。其中在叙永县天池镇共

清理了 4 座宋代石室墓。这批墓葬距县治约 18 公里，均位于长江一级支流永宁河左岸附近的缓丘之上。出土器物有瓷盏、瓷碗、瓷罐、陶罐、铜簪、铁钱等。

通过墓葬形制、器物类型的比对，简报推断：09SLXTM1、09SLXPM1 时代为南宋中后期早段（1174 ～ 1233 年）。09SLXXM1、09SLXTM2 时代为南宋中后期晚段（1234 ～ 1279 年）。

德阳市

646.四川德阳出土的宋代银器简介

作　者：沈仲常
出　处：《文物》1961 年第 11 期

四川德阳县孝泉镇清真寺，距县城约 40 里，1959 年 3 月 22 日于该地出土银器 117 件，四川省博物馆曾先后派考古人员前往调查，并带回银器 33 件，这批银器出土时，系装在四耳陶罐内，罐上盖 1 砖，砖上有"崇宁通宝"少许，而罐的四周有"崇宁通宝"160 余斤。简报配以照片予以介绍。

据介绍，出土的器物有：银瓶 2 件、银匜形器 1 件、银执壶 1 件、银钵 1 件、银勺 1 件、银茶托（附杯）1 件。

简报称，这批银器上，有许多刻的和墨书的题记，刻的有"周家造""孝泉周家打造""庞家造洛阳子昌"等字，从此可知这批银器是当时德阳孝泉镇周、庞两家制造的。它的制造地点及商号，可由此而肯定。也就为宋代四川的银器工艺品的研究，提供了可靠的证据。此外，有关于银器成色的记载，如"周家十分煎银""周家十分"等；还有使用及收藏者的记录，如刻的"沈氏行粧""沈宅""马氏粧奁"以及墨书"冯□""冯宅□"等字。德阳出土银器亦多刻有制造地点及制造者姓氏，可能为当时的风尚。

简报指出，这批银器的出土，为研究当时手工艺品提供了可贵的新资料。

647.四川省什邡县出土的宋代瓷器

作　者：四川省文物管理委员会　丁祖春
出　处：《文物》1978 年第 3 期

1972 年 2 月，什邡县两路公社，四川省交通局机械厂，在施工中发现了 280 余件宋代青、白瓷器。简报配以照片予以介绍。

据介绍，这批瓷器是在离地表 1 米多深的地方发现的，重叠堆放在 1 个大缸里。从保存完好、堆放齐整来看，显然是有意窖藏在地下的。出土瓷器品种较多，器型有组、盘、杯、碟、瓶、盏、洗、盂等，其中组、盘、碟居多，杯、瓶、盏、洗、盂较少。

简报指出，这批瓷器就造型、花纹、釉色、装饰方面来看，虽然不是一个窑口的东西。出土的这批瓷器，很可能是蒙军进攻时，贵族地主来不及带走埋藏在地下的。这批瓷器，为我们研究宋代的社会经济和制瓷工艺提供了实物资料。

648.四川德阳县发现宋代窖藏

作　者：四川省文物管理委员会、德阳县文物管理所　范桂平、胡昌钰
出　处：《文物》1984 年第 7 期

1983 年 1 月，德阳县景福公社庭江六队农民犁地时，发现了一批青铜器和瓷器，确定为 1 处窖藏。器物盛在 1 个大陶缸内，出土时陶缸已被挖破。缸口扣 1 个大铜盆为盖，缸内器物有唐代铜器，宋代铜器、瓷器及铁器残块，完整和可以修复的器物共计 61 件。简报配以照片、拓片、手绘图予以介绍。

据介绍，计有铜盆、铜盘、铜钵、铜蜡台、铜茶具、铜筷等，黑釉瓷碗 16 件。简报称，这一窖藏除海兽葡萄镜与八封镜为唐代文物外，其余多为四川常见宋代文物，因此埋藏时间应在宋代。

649.四川什邡出土宋代银碗

作　者：郑绪滔
出　处：《四川文物》1986 年第 2 期

1985 年 5 月中旬，在四川什邡县鬻华乡场镇下水道工地上 1.5 米深处发现宋代银碗 10 只，经查考系北宋末年绍圣进士刘直夫宴客进羹之器。简报配以照片予以介绍。

据介绍，银碗周围布满宋影青陶瓷器皿碎片，10 只银碗重叠置放在碎片土坑中，根据现场断定乃宋代窖藏之物。每只碗重 55 克，共重 550 克。银碗圈脚上均錾有"直夫" 2 字，距"直夫" 2 字不远处，又有刀刻痕纹的 1 个"宜"字，据考："直夫" 2 字乃原碗主刘汲之字，刀刻痕纹"宜"字乃新碗主邓宜之名讳。刘汲字直夫，四川眉州丹陵人，宋绍圣四年（1097 年）进士，曾为川东合州（合川）司理，甘肃隆德府通判，后谪为蓬州监税，钦宗召赴阙，以汲为京西转运司添差副使。汲为转运司添差副使时，曾以俸银十两雇巧匠造银碗 10 只，以为宾客进羹之器。时金人犯境，

二帝被掳，3个月不知朝廷信息，汲驰数十骑赴都城，闻二帝已北行，乃素服恸哭，返邓州，亲冒矢石，与金兵大战于城下，矢下如雨，汲为乱箭所杀，其家将邓宜，护持刘汲夫人及家小欲逃回四川老家，途中为金人追击东逃西奔，来在四川什邡，避难于什邡蓥华山区，遂于雒水（今华区）置家。10只银碗也被辗转带到什邡。邓宜恐其丢失，只好深埋地下，深埋时加刻了自己的名讳"宜"字于主人"直夫"之名后。后来，因战争，邓宜其人或死于异乡，或受戮于乱兵，无从知晓，10只银碗一直到近千年之后才重见天日。

650.四川广汉县雒城镇宋墓清理简报

作　者：四川省文物考古研究所、广汉县文物管理所　陈显双、敖天照
出　处：《考古》1990年第2期

1987年11月4日，广汉县雒城镇桂花街宿舍大楼工地发现宋墓2座，编号87g1gM1、87g1gM2，简称一号墓、二号墓。

简报称，一号墓券拱被挖残，一部分文物亦被取出，损失较小；二号墓墓坑被破坏，文物损失严重，墓室和文物皆无法复原。以上两墓虽遭不同程度的破坏，但仍获得一些珍贵文物和资料。清理结果简报分为：一、墓葬概况，二、随葬遗物，三、结语，共三个部分，有手绘图、照片。

据介绍，两墓均为长方形券拱砖室墓，一号墓券拱虽遭破坏，墓室部分保存良好，结构、形制仍较清楚；二号墓墓室全部破坏，形制、结构不清。简报根据买地券提供的文字资料，知这两座墓都是北宋晚期的，前后相隔时间较短。一号墓死者三妹（姓氏不明）葬于宋哲宗元祐年间（1086～1094年）；二号墓死者张承贵葬于北宋徽宗大观元年（1107年）。其时，广汉县名雒城县（雒县当是简称），隶属汉州。葬地桂花街新区，北宋时应属广汉乡庙德里地域。

简报称，这种有明确纪年的北宋墓在四川省发现并不多，于宋墓的分期断代有重要的参考价值；券文提供的地名是研究广汉县的地理沿革及编修县志的可贵资料。

651.四川广汉高坪镇双石村北宋砖室墓清理简报

作　者：四川省文物考古研究院、广汉市文物管理局、广汉市文物管理所
　　　　徐　伟、刘　军、周金山、董　静
出　处：《四川文物》2008年第2期

四川广汉市高坪镇双石村发现1座古墓葬，经过清理与发掘，出土了一批随葬

器物，有陶器、陶俑、金银器、铜镜、水晶饰件等。简报推断，该墓为宋代砖室墓。简报分为：一、墓葬情况，二、随葬器物，三、结语，共三个部分，有手绘图、照片、拓片。

据介绍，2007年3月9日，高坪镇双石村四社卿家磨坊一农民修沼气池时发现古墓葬，考古人员进行了抢救性清理。墓中出土器物丰富，在四川地区宋墓中较为少见。简报推测墓主人应该具有较高的社会地位。该墓的年代，简报推断为北宋中期至南宋初年。

简报称，双石村宋墓的墓葬形制、随葬器物具有一定的特殊性，体现了丧葬习俗的地域性特点，为研究成都平原宋代的社会生活习俗、典章制度等提供了宝贵的实物资料。

652.四川中江县月耳井村宋墓清理简报

作　　者：中江县文物保护管理所
出　　处：《四川文物》2012年第2期

1997年1月，四川中江县悦来镇月耳井村九社"磨人湾"2座宋代石室墓被发现，考古人员闻讯后迅速赶往现场并进行了抢救性清理。两座墓均为土圹石室墓，出土大量陶俑等器物。两墓深受唐宋时期流行的道教堪舆风水思想影响。根据墓葬形制和出土器物，可知两墓的年代应为南宋中期。简报分为：一、墓葬概况，二、随葬器物，三、相关问题认识，共三个部分，有手绘图、照片。

据介绍，1997年1月28日，中江县悦来镇月耳井村九社一邓姓农民在修房挖地基时，发现古墓葬2座，该村民隐瞒不报，将其中1座墓（编号1997ZYM1，以下简称M1）破坏，取出随葬器物卖给他人后，又将另1座墓（编号1997ZYM2，以下简称M2）的盖板揭开一角，取出部分随葬品藏匿待卖。中江县文物保护管理所接到当地群众举报后，迅速派人赶往墓葬发现地调查处理。到现场后向当地政府和镇派出所联系报案，并随即对尚未完全破坏的M2进行了抢救性清理。被卖的M1出土的文物后被公安部门追回。简报初步判定月耳井两座墓葬年代应在南宋中期，即宋孝宗淳熙元年（1174年）至宋理宗端平元年（1234年）期间。

简报称，月耳井宋墓的发现和清理，为研究四川宋墓和四川地区宋代的社会生活习俗提供了宝贵的实物资料。

绵阳市

653.四川安县、金堂出土的两宋铁钱

作　者：郭立中、刘志远、肖永全
出　处：《考古》1959 年第 2 期

1956 年 8 月和 10 月，四川安县和金堂两地先后出土了两批宋代铁钱。安县铁钱的出土地点是在秀水镇场外安县机器榨油厂修建委员会工地，挖掘墙基时发现的。考古人员获讯后前往清理，但层次已被扰乱，部分铁钱散失，大部分运存县文化馆。金堂铁钱的出土地点在淮口乡太平村的白塔寺下，为某农妇挖红薯窖时发现。考古人员闻讯去清理时，部分铁钱已散失，大部分被淮口小学的老师动员学生挖来卖给县供销合作社的采购站。简报分为：一、出土情况，二、出土铁钱概述，三、初步推测，共三个部分，有拓片。

据介绍，两地计出土的铁钱有 200 多品，其中字迹尚清楚的有 206 品。简报分为北宋、南宋，分朝代介绍了这些铁钱。简报指出，两宋钱币是中国钱币史上最复杂的时期，仅嘉定一朝就有 13 种通宝之多。由于两宋开支巨大，纸币增加，引起硬币的隐匿。此两处窖藏当为殷实之家所为，入土时间可能在南宋端平（1234 年）以后，景定（1260 年）以前的 20 余年间。

654.四川绵阳出土的宋代"权军"铁器

作　者：郑灵生
出　处：《考古》1961 年第 8 期

1955 年秋，在绵阳开元场唐代绵州古城遗址的废墟上，掘出弧首带环长方形铁器 1 件，正背面皆有楷书阴文款识。正面环眼右边有一"结"字，左边有"后二"两字，环眼下有"权军"两字，再下有"乜"字，背面环眼下有"兴州驻箚御前后军统制司置一样伍拾壹"17 字，分两行。该器现存绵阳文化馆。简报配以照片予以介绍。

据介绍，此器标"伍拾壹"，可见不止 1 件。简报认为是宋代禁军训练时，弓弩手射铁簾用来计重用的。

655.江油发现宋代木构建筑

作　者：哲　文
出　处：《文物》1964 年第 3 期

1963 年 12 月间，考古调查工作中，发现了 1 处宋代木构建筑"飞天藏殿"。此殿在四川江油县的窦圌山云岩寺内。简报配以照片予以介绍。

据介绍，飞天藏殿是云岩寺的西配殿，平面正方形，面阔三间 16.55 米，进深亦是三间 16.91 米，并带前檐廊。殿的外观重檐歇山顶，总高 15.80 米，是 1 处保存比较完整的宋代建筑。但发现有元代工匠题名，当是元代进行过修补。

简报称，此次发现，将四川省现存古代木构建筑的上限，从明代提前到了宋代。

656.四川三台县发现一座宋墓

作　者：三台县文化馆
出　处：《考古》1973 年第 6 期

1972 年 4 月，三台县涪江公社农民采石修房时发现 1 座古墓，出土了一批釉陶俑。简报配以照片予以介绍，有照片。

据介绍，此墓位于距涪江岸边 4 公里的坝地上。据当地老人谈，该墓之封土在很多年前已被铲除，所以现只存下椁室。椁室全部用石板构成，呈长方形。椁底中间留有一条宽沟，周围平铺长方形大石板 6 块。棺木腐朽无存，葬式不明。随葬品有陶俑、瓷器、铜钱等计 47 件。有石碑出土，楷书。碑文三行，楷书。中刻"宋故张氏心娘之墓"。右刻小字"夫人享年二十有六岁于皇宋辛未嘉定四年八月二十六日辞世"。两边饰折枝牡丹瓶花和卷纹。由此知此墓为南宋嘉定四年（1211 年）墓葬。

657.绵阳魏城公社出土的宋代窖藏银盘

作　者：陈显双
出　处：《文物》1974 年第 4 期

1971 年 1 月，四川绵阳县魏城公社第一生产大队第一生产小队，在修水库的工地上，发现了 5 件银盘。银盘叠放在田土中，上面用一铁锅覆盖。铁锅已锈蚀碎烂，银盘也略有变形。简报配以照片予以介绍。

简报介绍，5 件银盘的大小和形制均相同，体形为莲瓣式。浅腹，平底，腹部作六曲形。除这五件银盘和腐蚀碎烂的铁锅外，未发现其他痕迹，因此，简报认为是窖藏的。从银盘的造型、图案和铭文看，简报初步推断为宋代遗物。这5件银盘造型优美，图案、纹饰生动，刻、铸工都很细，反映宋代工匠的高度智慧和精美的艺术水平。

658.四川三台县发现一批宋镜

作　者：三台县文化馆　杨重华
出　处：《考古》1984年第7期

1980年9月，三台县建设银行挖房基时，在距地面2米深的地下水道内发现12面铜镜。铜镜堆放在洞内侧靠盖板边，可能为前人所藏。这些铜镜均为宋代铜镜。简报配以拓片予以介绍。

据介绍，这些铜镜有：方形镜4面，两面已残；钟形镜1面；铭文镜2面；人物镜、钱纹镜、花纹镜、云纹镜、小型镜各1面。

659.四川江油县发现宋代窖藏

作　者：江油县文物保护管理所　黄石林
出　处：《考古与文物》1984年第6期

1983年6月，江油县彰明公社两位农民在旧彰明县城北街扩挖厕所时，于地表下0.7米处发现1个黑瓷罐。罐已破碎，淤泥填充其中。经清理罐内藏有铜器179件（包括残件）、石雕1件、残铁器2件。全部文物现收藏在县文物保护管理所。简报配以拓片、照片、手绘图予以介绍。

据介绍，计有铜鼎、铜罐、铜瓶、铜执壶、铜提梁匜、铜熏炉、铜烛台、铜龟、铜爵、铜象棋以及石尺、石雕墨洗、铜钱等。简报推断为北宋晚期窖藏。

简报称，窖藏中有"延陵郡记"铜印1枚，查四川无此地名，由此推测这批窖藏的主人似为客籍四川的外省人，这批器物大约是逃避战乱时仓促埋入地下而保留至今的。

660.江油县圌山云岩寺飞天藏及藏殿勘查记略

作　者：辜其一
出　处：《四川文物》1986年第3期

江油圌山位于江油旧城武都镇东北。考古人员考察了位于此处的云岩寺建筑。

简报分为"前言""飞天藏""飞天藏殿""结束语"等几个部分予以介绍。

据介绍，飞天藏及藏殿建筑中斗拱大木及天宫楼反映出不少宋元旧制，其中有相同的，也有相异的。从藏殿及飞天藏有关文献记载看来，为南宋淳熙七年（1180年）僧人真明创建，可能是淳熙八年（1181年）完成的。以后经过元至正（丁酉）重葺，及清初康熙、乾隆两朝维修，迄无重建记录。从藏殿现状来看，虽然历代重修，其之要头斗拱大木及飞天藏天宫楼阁小木，基本上保存了旧制，应为南宋淳熙八年（1181年）遗物。

简报强调，根据初步勘测，飞天藏及藏殿虽经历代重修，但基本上仍为南宋淳熙八年遗物，是目前已知四川古代建筑最早的宋代木构建筑，尤其是飞天藏雕制精美，甚为可贵。

661.江油县发现宋代窖藏

作　　者：黄石林

出　　处：《四川文物》1987年第2期

1976年初，江油县大康乡某单位在该乡巩家坝白果寺遗址施工时，离地表3米处发现1个大型窖藏沟。沟宽3米，长8米，呈曲尺形。沟中藏有铜器36件，铁器工、农具30件，另有高约0.08米、长1.5米、宽0.07米的铁链和高约1.5米、宽0.9米、长2米的铁链各一堆，铁币一堆，浸油散开的铁币214枚。堆放的无油铁币，锈蚀相当严重，凝为一个整体，已无法分开。简报配以照片、拓片予以介绍。

据介绍，计有铜镜、铜瓶、铜釜、铜熨斗、铜盆、铁铧、铁斧、铁锤、铁锄、铁砧等。简报称，这批窖藏，直接埋于土中，器物较多，从铜器的形制和工艺来看，与省内其他地方出土的两宋的同类铜器相同，尤以小铜罐、执壶，均多见于省内各地。比较鲜见的是，这批窖藏存有较多的铜镜，其年代，唐、五代、宋均有。此外，打击乐器铜钱亦属其他地方窖藏少有。尤其难得的是发现了一批工具、农业用具。从残留的大量铁锭及铁残件、铁占来看，可能是一处铁工作坊的遗物。埋葬年代当在南宋末期战乱时期。

662.安县塔水镇发现宋代纪年墓

作　　者：谢明刚、左都云

出　　处：《四川文物》1987年第4期

1987年4月，考古人员在塔水镇峨眉村发掘清理了2座有确切纪年的宋代砖石墓。

该墓距地表 1 米，墓长 3.3 米，宽 1.1 米，高 0.9 米。经过清理，两墓出土器物 30 余件：其中三彩陶俑 27 件、神兽 3 件、陶马 1 件、陶猪 1 件、陶鸡 1 件、陶灶 1 件、陶青龙 1 件、双耳陶罐 2 件。还出土买地券一方，为南宋嘉定年间墓葬，距今有 700 多年的历史。

简报称，出土的这批器物，制作细腻，造型美观、袖色光泽。经过整理已全部收藏在县文化馆文物陈列室内。

663.四川绵阳杨家宋墓

作　者：何志国
出　处：《考古与文物》1988 年第 1 期

1978 年 3 月 28 日，绵阳杨家公社和平大队一队在开采石料时，发现 1 座石室墓，考古人员赶到现场时，墓门已开，文物被取出，考古人员追回文物，并调查了文物随葬情况。1986 年 9 月 26 日，又到墓葬现场进行实际考察、测绘、摄影，找当事者调查。简报分为：一、墓葬情况，二、随葬器物，三、小结，共三个部分，有照片、手绘图。

据介绍，该墓位于绵阳杨家公社（现称杨家乡）和平大队一队罗家坟山麓，墓上方堆砌长块石，块石上端有高 2.1 米的封土堆，封土上面遍栽柏树。墓用青石条建造。墓长 3.26 米，宽 1.48 米，高 1.48 米。墓门有枢（即转轴），门可转动开合，墓门原安装有铁扣和铁锁，据说锈蚀严重，被农民抛弃。墓室为单室，呈长方形，长 2.5 米、宽 0.80 米、高 1.04 米。室内朴素无纹，仅后壁阴刻一正圆，涂白色染料，估计是金乌。墓室内置石板 1 块，以承棺。棺木及尸骨均已腐朽，仅存少许的铁棺钉，葬式头向不明。据该墓发现者回忆，随葬品置于棺台四周，共计 50 件，有三彩釉陶俑、模型和铜镜、铜罐等。其中以陶俑为大宗，计 36 件，占随葬品总数的 72%。简报推断此墓年代在宋嘉定年间（1208～1224 年）。

664.绵阳刘家乡发现宋代瓷器

作　者：何志国
出　处：《四川文物》1989 年第 5 期

1987 年 3 月，绵阳市中区刘家农民修房取土时，挖出 1 只铜盆，内盛 7 件瓷器，其中青瓷 2 件、白瓷 1 件、青白瓷（即影青瓷）4 件。简报配以照片予以介绍。

据介绍，瓷器均为宋代遗物。窑口不详。

665.三台出土宋代窖藏

作　者：景竹友

出　处：《四川文物》1990 年第 4 期

1985 年 7 月 15 日和 1989 年 9 月 1 日，三台县东河纸厂扩建工地上先后发现 2 处宋代窖藏，编号为 J1 和 J2。在厂方和有关部门的协助下，收回和清理出文物 59 件。简报配以照片予以介绍。

据介绍，这批器物中以瓷器为主，青瓷莲瓣碗和瓶尤为突出，莲瓣宽大，为宋器特点。窑口有景德镇湖田窑、定窑等。铜器古朴浑重，铸造较粗，杂质较多，应为宋代民间仿古制品，并出自一个作坊铸造。熨斗和铁斧为宋代日常用品。铅权可能是本地私造衡器。简报认为这两处窖藏应为南宋中晚期当地一家铁作坊埋葬留下的。

666.四川平武发现两处宋代窖藏

作　者：平武县文物保管所　冯安贵

出　处：《文物》1991 年第 4 期

四川平武县于 1980 年内先后发现 2 处宋代窖藏，1 处在距县城 52 公里处的南坝，另 1 处在县城所在地的龙安镇。简报分为：一、南坝宋代瓷器窖藏，二、龙安镇宋代银器窖藏，共两个部分。

据介绍，1980 年 10 月，南坝区供销社建职工宿舍时发现 1 处宋代瓷器窖藏，县文管所进行了清理。在距地面约 1 米处埋有 1 件黑釉陶缸，内放瓷器等物。施工中已将陶缸和部分瓷器损坏。共出土宋代瓷器 42 件、铜勺 6 件、铜筷 1 双。而龙安镇宋代银器窖藏出土于距地表约 60 厘米处一铜罐中，内装银器 8 件，大多制作精美，是少见的宋代工艺品。

667.北川县香泉宋墓

作　者：北川县文化馆　邓天富

出　处：《四川文物》1991 年第 4 期

1977 年 3 月，北川县香泉乡发现 1 座古墓。考古人员赶到时该墓已经破坏，文物散失，后经县文化馆追回收藏。简报分为：一、墓葬情况，二、出土器物，三、结语，共三个部分，有照片、拓片。

据介绍，该墓位于县城东南 40 公里处的香泉乡香泉村四组百庙子山山麓的村民杨江明耕地内。墓室距地表约 30 厘米，为长方形平顶石室，坐西向东，无墓道，由甬道、墓室组成，均以青麻板石砌成。墓室前为外开双石门。有门楣，石门置铁环上锁。锁、环锈蚀严重，门轴转动自如。石门外壁有浅浮雕花草纹饰。墓门内 44 厘米处立有一长方形石墓志，高 108 厘米，宽 60 厘米，厚 17 厘米。碑面刻楷书墓志铭，上部正中嵌一铜镜。可惜墓志已散失。墓室内未见棺材和尸骨，葬式不清，仅有随葬器物排列于墓室内两侧。根据墓葬发现者回忆，随葬器物置于墓室内两侧，其具体位置已无法确定。随葬器物计有 50 余件，其中出土的三彩釉陶俑 44 件，铜镜 1 件。还有陶碗、陶罐等破碎严重，无法复原。该墓的时代，简报推断为宋代。

668.绵阳刘家河出土的宋代文物

作　者：胥泽蓉
出　处：《四川文物》1992 年第 1 期

1986 年 10 月中旬，绵阳市刘家河乡九村七组一农民，在开荒造田时，出土宋代铜壶、铁刀、铁锄、陶罐等文物。铜壶内盛约 10 公斤钱币。钱币质地分铁钱、铜钱 2 种，多已锈蚀难辨。简报配以照片予以介绍。

据介绍，计有制作精细的铜壶 1 件、陶壶 1 件、铁刀 1 件、铁锄 1 件及铜钱、铁钱，均为宋代钱币。

669.三台宋墓出土"三宝"铜印

作　者：三台县文管所　左　启
出　处：《四川文物》1995 年第 5 期

1993 年 12 月 21 日，三台县白雀乡 3 村 1 社村民修公路时掘开 1 座石室墓，发现 1 方"三宝"铜印。简报配以拓片予以介绍。

据介绍，其墓双室，隔壁并列。两室前设享堂，堂上设藻井。室门推可开启，拉可关闭，雕琢工细，图案精美，虽为石刻，俨如木制。门柱刻有联文。两室中壁，有门道相通，为实用典型的宋代"同坟异葬"长方形石室墓。其印正方形。印文为"佛法僧宝"4 字。"佛法僧"为佛门"三宝"，故其印为"三宝"印。阳刻，有印盒，内填红色印泥，厚 0.2 厘米。

670.江油发现宋代窖藏

作　者：江油县文管所　曾昌林
出　处：《四川文物》1996 年第 3 期

1979 年 8 月，江油县河西乡龙桥村农民在原龙泉寺遗址上为一死者挖墓坑，在离地面 40 厘米深处发现 1 只陶罐，时罐已碎，内藏大批铜器。由于缺乏文物常识，便将铜器出售给废旧物资部门。考古人员闻讯后，立即派员与废旧物资部门联系，将这批铜器运回收藏，经清理共有铜器 89 件。简报配以照片予以介绍。

据介绍，计有铜镜 3 件（1 件上有八卦等铭文）、铜执壶 1 件、铜瓶 9 件、铜盆 1 件、铜瓿 8 件、铜匜 1 件、铜杯 8 件、铜盘 10 件、铜乐器 1 件、铜烛台 12 件、铜匙 14 件、铜筷 10 件等。简报推断为宋代遗物。

671.三台发现北宋古碑

作　者：三台县文管所　左　启
出　处：《四川文物》1996 年第 3 期

三台县北刘营镇宁安乡办事处香积山东北山麓竹林丛中发现 1 方颇富学术研究价值的古碑。此碑高 160 厘米，宽 86 厘米，厚 5 厘米。简报录有碑文全文。

据介绍，此碑是北宋大观庚寅（1110 年）所立，是关于涪城县（县治在今三台县北花园镇）著名古刹禅院的碑。简报称，此碑之发现，对涪城县地方史研究方面，具有参考价值。同时，其碑书法端庄秀丽，诗文俱佳，其艺术价值也不可低估。

672.安县南宋纪年墓清理记

作　者：谢明刚、刘佑新
出　处：《四川文物》2000 年第 6 期

1987 年 4 月，安县塔水镇峨嵋村三组发现 2 座砖室墓，考古人员赶赴现场进行了抢救性清理，并收回了出土的全部文物。简报配以照片予以介绍。

据介绍，这 2 座墓的结构、形制、方向、墓室大小完全相同，均为单室墓。两墓共出土随葬器 3 件，有陶俑 22 件、陶动物模型等。M2 有买地券一方，简报未录券文。由券文知墓主人为冯氏，生于南宋淳熙二年（1175 年），卒于嘉定九年（1216 年），终年 41 岁。死者是成都路石泉军神泉县神福乡光明里人。

673.江油发现精美宋代窖藏铜器

作　者：江油市文管所　黄石林

出　处：《四川文物》2004年第4期

江油市厚坝镇柏胜犀牛村发现3件大型铜器。铜器形制较大，制作精美，应为宋代窖藏仿礼器。简报配以照片予以介绍。

据介绍，出土现场为一寺庙，名为犀牛寺，犀牛村因寺得名。铜器在正殿前院内，因开挖地基而发现。经现场清理，确定除铜甗1件、双耳衔环铜瓶2件外，没有其他器物。但据现场村民陈述，该寺在1960年曾挖出一批铜器，器物出土地点与现出土地点相邻，惜在当时作为废铜卖给了废品收购门市部。简报称，这3件宋代仿礼器似非民间之物。

674.四川三台县永明镇杨凳寺宋墓清理简报

作　者：四川省文物考古研究院、绵阳博物馆、三台县文物管理所　王锡鉴、
　　　　毛建军、陈　卫、钟　治

出　处：《四川文物》2009年第3期

杨凳寺M1为南宋夫妻同穴异室合葬石室墓。墓内雕刻精美，出土景德镇湖田窑影青瓷和彭县瓷峰窑白瓷碗等多件器物，为研究南宋丧葬习俗和南宋瓷器提供了新的实物资料。简报分为：一、墓葬形制，二、随葬器物，三、结语，共三个部分，有手绘图、拓片。

据介绍，四川省石油管理局输气管道改扩建工程中，在三台县永明镇二村四组杨凳寺发现古墓葬1座。2008年6月19日至22日，考古人员对墓葬进行抢救性清理工作。杨凳寺M1墓葬形制是四川地区两宋时期比较流行的夫妻同穴双室合葬墓，该墓两室间隔墙雕凿呈窗式通道。出土随葬品中有明确纪年的是铜钱，其始铸年代多数是北宋时期，最晚的是南宋高宗建炎元年（1127年）的"建炎通宝"，其时代上限在南宋建炎元年以后，简报推断该墓的时代应在南宋中晚期。

简报称，仿商周、汉代器型陶器的出土，应是宋代社会博古风尚的具体体现，这些新发现为宋代涪城的研究提供了重要实物资料。

广元市

675.四川广元石刻宋墓清理简报

作　者：四川省博物馆、广元县文管所　杨文成、匡远滢等

出　处：《文物》1982年6月

1980年1月，成都铁路局广元电务段在河西公社下西大队建筑施工中，发现一座宋代画像石室墓，考古人员进行了清理。清理结果简报分为：一、墓葬结构，二、墓内石刻浮雕，三、出土文物，共三个部分，有照片。

据介绍，这是一座夫妇分室的石刻券顶墓。两室形制结构均为仿木建筑，室间以墙相隔，无门相通。两室前均有门，门外有墓道。墓室用当地所产的黄沙岩石砌筑，多为大型石条和石板，经加工雕凿后再行垒砌，石间砌缝用槽榫或暗榫卯合。墓内的浮雕分布在两室的东、西壁和北（后）壁及龛内，保存较为完好。由于这座墓早年被盗，随葬品不多，主要有陶器、铜器、钱币、金饰、玉饰，买地券两方，券文为阴刻行书，内填朱色，简报未录券文全文。

从两室出土的两方买地券记载，简报推断东室葬的是杜光世，男，明年50岁，葬于南宋庆元元年（1195年），西室为弋氏，入葬时间晚于男者，此墓为夫妻分室合葬墓。

简报称，这座墓出土遗物虽不多，但内容丰富。刻技精湛的浮雕画像，反映了当时人民生活情景，为我们研究南宋时期四川地区的葬制、葬俗、生活习俗以及石刻建筑艺术等方面，提供了重要的实物资料。西室的女武士像，在四川宋墓中尚属首次发现。

676.南宋抗元遗址——剑门苦竹寨

作　者：何兴明

出　处：《四川文物》1985年第3期

史书上多处记载,元兵攻剑门关决胜地在苦竹寨。蒙军自1236年大举南侵宋朝起,直到南宋理宗宝祐三年（1255年）,剑门关屡遭兵患,时隆庆府遭陷,府的治所移到了苦竹寨。蒙军进次剑门时,宋的武功大夫右骁将军兼隆庆府知府段元鉴,屯兵于苦竹寨,顽强地抗击元军。由于苦竹寨地势险要,蒙哥亲帅兵力,仍然屡攻不克。

后来用了间谍计，买通宋的裨将赵仲窍献东南门（即今卷洞门），杀了守将杨立，方才夺了寨门。苦竹寨失守后，段元鉴率宋军溃退到遂宁。但苦竹寨究竟在何处，史无明载，考古人员为此进行了调查。简报配以照片予以介绍。

据介绍，考古人员在朱家寨发现有明人石刻，证实朱家寨就是当年的苦竹寨。朱家寨位于剑门关西的第二道关隘，山呈四棱。东靠梁家寨，深壑隔断；西临隘口，峭壁矗耸；北屹衙门口，状如城廓；南抵诸王山，岩塞雍口，而西、北两壁，形似截削。隘口如一劈中开，两壁铮铮比肩。20 世纪 70 年代此处建有拱坝水库，地貌已有较大变化。

677.四川广元宋墓石刻

作　者：广元市文化局　盛　伟
出　处：《文物》1986 年第 12 期

1974 年 11 月至 1980 年 1 月，四川省广元县（现已改市）在基建中，相继于南山、东坝乡、下西火车站和上西乡罗家桥等处发现 4 座宋墓。除火车站的宋墓保存较好、并已发表发掘简报外，其余几座墓葬多已被扰乱或破坏。这批墓葬均为夫妻双室合葬墓。一座为砖砌（墓内有画像石刻），其余皆石砌。墓内少有随葬品。从清理出土的买地券看，4 座墓都建于南宋。清理后，墓内的部分画像石刻已移至皇泽寺陈列保管。简报配以照片予以介绍。

据介绍，这批宋墓画像石刻质地皆为本地所产黄沙岩，图像古朴，雕凿精美，具有浓厚的民族风格和地方特色。画像内容可分为三类：一、花卉图案，二、吉祥动物图案，三、人物生活习俗图。

简报称，宋墓石刻浮雕人物，刀法娴熟圆润，尤其是武士像的雕刻，敦实浑厚，面形丰满，保留了唐代佛教造像的风格，是研究宋代美术史的宝贵资料；所有这些图像，对于研究宋代川北地区葬制、葬俗、民间生活习俗、石刻装饰艺术等，都有很高的价值。

678.广元南宋墓杂剧、大曲石刻考

作　者：廖　奔
出　处：《文物》1986 年第 12 期

近年来，四川省广元县（现已改市）陆续发现一批南宋石刻墓，其中保存了南宋杂剧、大曲表演的有关资料，对于中国戏曲史的研究有着十分重要的意义。该考

察报告分为：一、广元南宋墓杂剧、大曲石刻的基本情况，二、广元南宋墓杂剧、大曲石刻研究，共两个部分，有照片。

据介绍，广元县文管所已陆续将一些精致的石刻集中到皇泽寺、吕祖阁之间一新建石廊处。有关杂剧、大曲的石刻均有出土时间、地点。这批石刻史料反映的相关史料尤其是民间杂剧的情况，十分珍贵。

679.四川广元张家沟北宋砖室墓

作　者：唐志工
出　处：《考古》1995年第7期

1990年12月中旬，在广元市市中区下西乡民权村一组张家沟东面，当地农民张忠寿在住房侧取土时发现1座砖室墓。考古人员立即前去调查。简报分为：一、墓葬概况，二、随葬器物，共两个部分，有照片、拓片等。

据介绍，赶到现场时，墓葬已破坏。经了解，该墓室顶部于20世纪70年代平整土地时破坏。现存墓室底部，呈长方形。腰坑内置黑色小瓷罐1件、墓室底部有几枚铁棺钉，均被挖出丢弃。在随葬品中，砖雕1件。其中人物砖雕2件，分别为1男1女。另2件为狮子砖雕，两件略同。铜钱币40枚。该墓的年代，简报推断为北宋晚期。此墓出土的4件砖雕，从内容分析，应分别置于墓室内两侧壁，呈对称形。

680.剑阁发现宋代砖井

作　者：母学勇
出　处：《四川文物》1999年第1期

四川省历史文化名城剑阁，至今已有1500多年历史。城中古代遗物、遗址甚多。1990年，在古城东门右侧又发现了1眼宋代砖砌水井。简报配以照片予以介绍。

据介绍，从实测的地质结构和出土的大量实物可以断定，在宋代，这一片近2000平方米的河滩，是古城市市民居住的中心地带。建造该井的用途是供市民食用水。该井井面距现有地面2.5米，井眼深8米，井口为八瓣覆盆式莲花形石锁口，口径为70厘米。口沿石环宽28厘米，内沿厚18厘米，外沿厚10厘米。井内壁为直桶式，用青灰色长方形砖错缝叠砌铺作。上下层采用截角撺顶的砌法，每层用砖9块，计有120多层。

681.青川县竹园金子山乡宋墓清理简报

作　者：青川县文管所、四川省文物考古研究所　冯　耀、黄家祥

出　处：《四川文物》2001 年第 2 期

2004 年 4 月，考古人员在青川县金子山乡清理了 2 座宋墓。墓为石室结构，墓室内有浮雕花卉、生活用品的石刻内容。出土有釉陶器、铜、铁钱币等。简报分为：一、墓葬结构，二、出土器物，三、结语，共三个部分，有照片、手绘图。

据介绍，两墓（M1、M2）是在施工中发现的，早年被盗过，随葬品不多，仅有釉陶双耳罐、釉陶碗、釉陶钵及铜钱、铁钱等。两墓的年代，简报推断当不早于北宋崇宁年间（1102 ～ 1106 年）。

简报指出，金子山宋墓浮雕花卉、生活用品的石刻图像为我们研究宋代川北地区的葬制、葬俗民风和生活习俗等方面提供了不可多得的、较为重要的实物资料。

遂宁市

682.蓬溪县大英乡发现宋代卓筒小井

作　者：邓洪钧

出　处：《四川文物》1989 年第 2 期

地处川中浅丘的蓬溪县河边区大英乡，中华人民共和国成立初期有盐灶 108 家，活井 1171 眼。现幸存 9 个盐灶，活井 41 眼及全部古老生产工具，至今仍沿袭着我国北宋时期卓筒小井的传统打井、汲卤、制盐的原始生产工艺过程，可谓"活文物"。

1985 年 11 月，考古人员在大英乡找到了保存完整的卓筒小井。它与史籍上所记载的北宋庆历至皇祐年间（1041 ～ 1054 年），至今已近千年历史的卓筒井极为相似，对于研究古代四川盐业具有重要的参考价值，在盐业史的文物考古上有着重大的意义。

683.四川遂宁金鱼村南宋窖藏

作　者：遂宁市博物馆、遂宁市文物管理所　庄文彬等

出　处：《文物》1994 年第 4 期

1991 年 9 月，遂宁市南强镇金鱼村农民在取土时发现部分瓷、铜器，考古人员

进行了抢救性清理。经确认，这是一处南宋后期窖藏遗存，保存情况较好，出土器物多为宋瓷精品。简报分为：一、地理位置及堆积情况，二、出土器物，三、瓷器特征、窑口及断代，共三个部分，有照片、手绘图。

据介绍，遂宁位于川中腹地、涪江右岸，窖藏位于遂宁城南 2 公里的南坝。遂宁，汉初为广汉县地。晋永和三年（347 年），桓温平蜀，置遂宁郡，遂宁之名始于此。唐武德元年（618 年），改郡为州。宋徽宗政和五年（1115 年），改州为遂宁府，领青石、小溪、长江、遂宁四县，属潼川府路；宣和五年（1123 年），为武信军节度使都督府所在；理宗端平三年（1236 年），以兵乱，府权治蓬溪寨。器物堆积于地表下 1.1 米处，放置有规律。碗、盘、杯、盖类器物分类叠在一起，横放在外围，上下 4 层，瓶、壶、罐类器物堆放在中间，最下为荷叶盖大罐，内盛碟类 99 件。器物之间的空隙充填细腻的褐色土。据调查，以金鱼村为中心的南坝地区地表多见废弃的建筑石构件，地表以下 0.6 ～ 1 米中见大量瓦砾，这一区域当为南宋时期遂宁府治所在，毁于端平三年（1236 年）的兵乱之中。出土器物以瓷器为主，另有少量铜、石器。经清理、修补，完整和可复原器物计 1005 件，其中瓷器 985 件、铜器 18 件、石器 2 件。出土瓷器种类丰富，有罐、簋、樽、瓶、执壶、水注、水盂、笔洗、印盒、灯、炉、碗、器盖等。青瓷绝大多数为浙江龙泉窑产品，黑釉似为景德镇仿吉州窑产品。白瓷有定窑、景德镇和四川彭县磁峰窑产品。绝大多数瓷器为南宋后期产品。定窑白瓷可能为北宋末南宋初产品。

窖藏时间当为南宋遂宁府废弃时期。具体说，理宗端平三年（1236 年）的可能性较大。是年，蒙军攻陷成都、利州、潼川（遂宁府属潼川府路）三路，20 余府州相继陷落。

684.四川遂宁金鱼村二号南宋窖藏

作　者：四川宋瓷博物馆　庄文彬等
出　处：《文物》2011 年第 7 期

2003 年 6 月 30 日，四川省遂宁市一支施工队在金鱼村开挖排水沟渠时发现 1 处瓷器窖藏。考古人员对其进行了抢救性清理。简报分为：一、埋藏情况，二、出土器物，三、结语，共三个部分，有彩照、手绘图。

据介绍，出土地点位于 1991 年金鱼村南宋窖藏发掘地点北 200 米，故命名为金鱼村二号窖藏（编号 SJH2）。SJH2 出土器物曾遭到哄抢，追缴的器物以瓷器为主，仅见 1 件铜器盖。经清理修复，完整和可复原器物共 44 件，其中瓷器 43 件，铜器 1 件。出土瓷器有碗、盘、盏、盖等。简报推断年代为南宋末年。

简报指出，这是继1991年金鱼村发现南宋末年窖藏之后，在相同地域发现的第二处同类窖藏。两者埋藏方式相同，但SJH2规模小得多，品种较少，除黑釉器、盏、铜器盖、青釉折沿盘和白釉刻花碗外，其他类型在金鱼村窖藏都有相同器物出土。SHJ2出土青瓷均为龙泉青瓷，造型工整，多施梅子青厚釉，是龙泉窑成熟和鼎盛时期南宋后期的产品。出土的青白瓷器盖在金鱼村窖藏中也有相同的1件，是景德镇湖田窑产品。出土的黑釉器，铁黑胎，胎骨厚重，釉色亮丽，有可能是福建建窑产品。出土白釉刻花碗，有明显的"泪痕"特征，制作精细，应该是北方定窑产品。

内江市

685.资中县出土宋代铁钱

作　者：胡清友
出　处：《四川文物》1986年第2期

1984年12月，资中县亢溪乡鹤林村三组村民挖土时发现1处窖藏。考古人员前往调查。简报配以拓片予以介绍。

据介绍，窖藏距地表约40厘米深。出土的铁钱是由两个直径56厘米、腰高22厘米的铁釜盛着，共出土铁币72斤。同时出土的还有1个直径14.7厘米、腹高7.2厘米的铜磬，4个宋代粉青瓷碗，两个宋代粉青瓷盘。离窖藏20米远处有约50厘米厚的碎瓦片层，此处老地名叫"庙儿山"，庙名无考。据分析，碎瓦片层为此庙垮塌现场，窖藏大约即为此庙住持所藏。窖藏内大部分铁钱已锈蚀成铁饼，经过技术人员煮沸，用煤油、醋浸泡，洗刷，挑剔、整理后，铁钱字迹尚能清楚辨认的有300多枚，200多个品种，19个年号钱，均为两宋年号。此次发现，为研究宋代钱币提供了实物资料。

686.四川资中出土一件云纹托月宫铜镜

作　者：胡清友
出　处：《文物》1990年第4期

1984年7月，四川省资中县文物管理所征集到铜镜1件，是资中鱼溪区金李井乡白果树村的农民，在碾盘山的半山腰植树时，挖到距地表60厘米深处发现的。简报配以拓片予以介绍。

据介绍，镜背浮雕月宫神仙故事图像：左侧一株桂树枝叶繁茂，树下有玉兔捣药，蟾蜍跳跃。右上方一座重檐楼阁，应即广寒宫。正中一仙人足踏祥云，当是吴刚。镜下有一宽大的云纹支托，使月宫镜更似天上云端的一轮圆月，成为这件铜镜的一大特色。铜镜的钮在下缘，借助支托可以立在梳妆台面上。

简报推断，此镜应是宋代遗物。这件铜镜结构精巧，但质地较差，制作较粗。

687.资中发现宋代石室墓

作　者：孙晓明

出　处：《四川文物》1992 年第 1 期

1987 年 12 月 12 日，在资中县城北约 3 公里处，水南区谷田乡宁国寺村九组农民在岩湾附近建房挖地基时，发现 1 座宋代石室墓，并把出土的陶俑、陶罐，铜、铁钱币送到县文管所，考古人员对扰乱墓葬重新进行了清理，简报配以照片予以介绍。

据介绍，该墓为双穴石室墓，两墓室的形制基本一致。墓室的东、西面均有甬道，上面放有陶俑，后壁阴刻一长方形拱形龛，龛正中阴刻一头戴直脚幞头，身著圆领宽袖长衣，腰束带、坐姿的男石刻像。两墓室中均不见棺木和尸骨。墓中共出土陶瓷器 18 件，铜镜 1 件，铜钱 13 枚，铁钱 3 枚，石刻 1 件。

该墓的时代，简报推断为宋代。

688.资中县亢溪乡宋代窖藏清理简报

作　者：资中县文管所　杨祖皑

出　处：《四川文物》1997 年第 6 期

1984 年 12 月，资中县亢溪乡鹤林村三组村民张华元在耕种责任地时，发现 1 个宋代窖藏。窖藏距地面 40 余厘米深，大小两个铁锅相向覆盖（大的向下）装着陶瓷器、铁刀、铜钵、古铁币等器物。1986 年，虽曾作过简要介绍，但未全面反映整个窖藏的器物面貌及其环境状况，尤其对丰富多彩的两宋铁钱展示不多。为此简报分为：一、窖藏环境，二、窖藏器物，共两个部分再次介绍，有手绘图等。

据介绍，从此窖藏周边环境看，窖藏周围残砖碎瓦比比皆是。据简报推测，该处可能是宋民村宅集居所在。由于南宋末年，蒙古入侵，兵连祸结，铁币贬值，物贵钱贱，窖藏遂成为物主保存财物的无奈选择。出土遗物除了铁锅、铁刀、粉青釉瓷碗外，窖藏量最大的是两宋铁钱，计有 72 公斤。经过 1985 年至 1989 年 5 月四五次清理，能辨认的有 850 余枚。

简报推测，窖藏时间应在南宋末年。

689.四川资中县大包山宋墓发掘简报

作　者：四川省文物考古研究院、资中县文物管理所

出　处：《四川文物》2013 年第 1 期

为配合成渝客运铁路的建设，2010 年 3 月，考古人员对四川资中县大包山墓地进行了抢救性发掘，共清理宋代单室石室墓 5 座，出土器物 12 件。墓室雕刻精美，内容丰富，是川南地区宋代墓葬一个典型代表。简报分为：一、墓葬形制，二、葬具及葬式，三、随葬品，四、结语，共四个部分，有照片、手绘图。

据介绍，大包山宋墓群位于四川资中县银山镇天坡村 4 组，墓地处于大包山南坡半山腰处。墓葬分两排排列，其中 M1 ~ M3 位于西侧，M4、M5 位于东侧，M1 ~ M4 已被破坏，M5 保存较好。从墓内出土的棺钉和少量的朽木灰，推测葬具均为木棺。墓主尸骨保存较差，呈仰身直肢葬，头南足北，面向上，年龄不清。从后龛墓主人坐像推测，M1 和 M5 墓主为女性，其余 3 座墓墓主为男性。随葬品一般放置在墓主人身边，主要包括碗、盏等，均为瓷器，共 13 件。

简报推断，大包山宋墓的年代应为南宋中晚期。

乐山市

690.乐山出土北宋"秦州理元司记"印

作　者：唐长寿

出　处：《文物》1987 年第 5 期

1986 年 11 月，四川省乐山市市中区挖水沟时，发现 1 方铜印。印面阳文篆体"秦州理元司记"。印背阴刻楷书"天圣四年""少府监铸"。简报配以照片予以介绍。

简报称，此印有天圣四年铸造年款。天圣为北宋仁宗年号，天圣四年即 1026 年。秦州，即今甘肃天水市，宋代属陕西路。《文献通考·王礼考·印》："宋因唐制，诸司皆用铜印……又有朱记以给京城及外处职司及诸军校等。其长一寸七分，广一寸六分。"据此，此印当属"朱记"一类。"秦州理元司"是为秦州地方职司。《宋史·职官五》："少府监……掌造门韩……铸版印朱记。"与印背"少府监铸"刻铭正合。

691.峨眉山市罗目镇出土宋代窖藏

作　者：陈黎清
出　处：《四川文物》1990 年第 2 期

1985 年 12 月 8 日，峨眉山市罗目镇（距市南 12 公里）的电机铸造厂，新建工地挖基坑时，在距地表 1 米深处，发现 1 个陶缸倒扣。工人将其砸烂，发现里面有一条形石板上，重叠置放着许多铜器和瓷器。遗憾的是已有部分器物被砸毁。考古人员赶到现场，将其较完好的 40 多件器物收集回峨眉山博物馆。简报配以照片予以介绍。

据介绍，计有铜瓶 16 件、铜碗 3 件、铜勺 1 件、铜蜡台残座 1 件等及瓷瓶 2 件、瓷盘 2 件、瓷碟 1 件、瓷鼎 1 件及石洗、石玩具等。瓷器应出自龙泉窑、景德镇窑。窖藏时间应在南宋中晚期战乱期间。

692.乐山宋墓清理简报

作　者：乐山市文管所　胡学元、杨　翼
出　处：《考古与文物》1993 年第 6 期

1990 年 12 月 11 日，位于四川省乐山城西邻约 3 公里的市师范学校在修建实验大楼时，施工中发现墓葬 4 座。现场已被破坏，各墓的封门石已被砸开，部分随葬品也被民工拿走，墓室内剩余随葬品已破烂不堪，考古人员追回部分被拿走的文物，调查了解其安放位置。将 4 座墓从东至西依次编号为 M1～M4，逐一进行测绘、清理。在墓底 8 厘米厚的黏土中，发现腐朽棺木灰痕和少数腐朽的人骨残渣及锈蚀的铁棺钉、铁棺环，唯有 M4 墓内残存 1 块头盖骨。简报分为"墓葬形制""出土器物""墓内石刻图像""结语"，共四个部分，有照片。

据介绍，四墓均为石砌长方形墓室，内有浮雕石刻。出土器物近 30 件，其中铜器 2 件、瓷器 1 件，其余均为陶俑、陶器。简报推断 4 墓的时代为南宋。

693.井研县北宋黄念四郎墓清理简讯

作　者：曾清华
出　处：《四川文物》2002 年第 1 期

井研县位于四川盆地西南，行政关系隶属于乐山市。1997 年 7 月 22 日，在县城西广播电视局工地施工中，民工挖出 1 座古墓，考古人员于 7 月 24 日至 8 月 12 日

对此墓进行了清理。简报配以照片予以介绍。

据介绍，墓葬为仿木石室墓。石材全部为黄色砂岩，有石刻。墓曾被盗，出土遗物有价值者仅买地券1方。简报录有券文全文。由券文知，此墓墓主为本地人，叫黄念四郎，下葬时间为北宋宣和四年（1122年）。

694.峨眉山市罗目镇宋代窖藏发掘简报

作　者：四川省文物考古研究所、峨眉山市文物管理所　黄家祥

出　处：《四川文物》2003年第1期

峨眉山市罗目镇宋代铁钱与瓷器窖藏是在基建工程中发现，并及时地进行抢救性发掘清理。出土瓷器多数完好，其中的瓷器与晚唐风格的水晶杯，均为四川宋代窖藏中所鲜见，十分珍贵。出土宋代铁钱，重达16.32吨，3.68立方米，经测算钱币总数160万枚以上，数量之大，是历年四川出土宋代窖藏铁钱中所少见的。不同窑口的瓷器、钱币，反映了当时社会经济的繁荣，商贸往来的活跃，同时也为寻找唐宋时期的罗目县县城所在地提供了重要的考古资料和线索。简报分为：一、地层堆积，二、遗迹，三、出土遗物，四、结语，共四个部分，有手绘图。

据介绍，2处窖藏一共出土61件瓷器，器类主要有碗、盏、碟，以碟的数量最多，均为实用器皿。其瓷胎洁白、细腻，质地坚硬，只有一件黑釉瓷茶盏的瓷胎为灰白色，胎质略粗。应为当时富豪人家的窖葬。而窖藏的大量铁钱，用麻绳穿串，堆放有序，体量大，数量多，作为私家小户的巨额财产可能性较小，为官府财产或"钱库"资产的可能性较大，是不是当时铸币工场的遗留，从现场发掘和所获取的考古资料分析，不能够提供这批窖藏铁钱是铸钱工场所遗留的线索和依据。

简报认为，2处窖藏的时间，均在南宋中期以后的战乱时期。

695.四川井研县金井坪宋代墓地发掘简报

作　者：四川省文物考古研究院、井研县文物管理所　任　江、周科华、
　　　　侯　虹、吴长江

出　处：《四川文物》2012年第1期

2008年9～11月，四川省文物考古研究院对井研县1处墓地进行了抢救性发掘，共发掘两宋时期墓葬3座。墓葬形制有仿木构石室墓与石椁墓。其中仿木构石室墓装饰有武士、妇人启门、瓶花等图像，以及云篆"消灾真文"。出土瓷盒、瓷碗、铜镜等器物。简报分为：一、M2，二、M3，三、M4，四、结语，共四个部分予以

介绍，有手绘图、拓片。

据介绍，2008年5月，四川井研县农民于县城内发现1处宋代墓地。9月1日至11月28日，考古人员对该墓地进行了抢救性发掘。墓地位于井研县三江镇新胜村七组，北距县治研城镇约12.5千米。M1、M2、M3为仿木构石室墓，分别为6室、双室、单室；M4为三室石椁墓。因墓前1座现代墓的搬迁事宜尚待解决，M1暂未做发掘，仅发掘了其他3座墓。

通过以上对文献记载、墓葬形制、层位关系、器物形制铭文、图像风格技法等因素的综合分析，简报推断：M4的时代为北宋早中期（960～1094年），M3为北宋中期至南宋早期（1023～1173年），M2为南宋中期（1174～1233年）。

简报称，此次发掘的3座宋墓对于探讨两宋时期该地区的社会经济发展、人口结构变化、丧葬习俗变迁、道教文化传播的互动关系将大有帮助，对于开展川渝黔地区的宋墓考古学、道教考古、经济史、民族史、宗教史等领域的研究也有着极为重要的参考价值。

南充市

696.四川阆中县出土宋代窖藏

作　者：阆中县文化馆　张启明
出　处：《文物》1984年第7期

1981年10月，阆中丝绸厂在改建车间时发现1处宋代窖藏，出土瓷器、铜器500余件。窖口距地表1.5米，用两块石板拼盖。窖藏用6块石板镶成六边形，窖底用石板铺垫。窖内已被淤泥填满，底部放置铜器，其上放置瓷器。简报配以照片予以介绍。

据介绍，出土有青瓷、影青瓷、白瓷等不同窑口的宋代瓷器，铜瓶、铜匙、铜筷、铜盘等铜器200余件以及铜钱27枚。简报推断该窖入藏时间为南宋中期。

697.营山县发现宋代窖藏

作　者：刘　敏
出　处：《四川文物》1983年第1期

1980年春节，营山县仁和公社罗宽大队一生产队农民程仕德，在屋前挖养鱼坑时，挖至 80 厘米深处，发现窖藏铁锅 2 口，合扣置地。因铁锅严重锈蚀，无法打开，使用钢撬口，将上面盖锅毁坏，锅内部分器物被毁。简报配以照片予以介绍。

据介绍，窖藏出土器物 170 余件，其中瓷器 165 件，全系豆青釉色的碗、盘、碟、盏 4 种器型。铜器 7 件，均为铜瓶。由于农民发现后未向有关部门报告，相反将出土器物分发其亲友，1983 年 8 月县文化馆才知其事，即派文物干部前往清理、收集。出土器物已被人为破坏 140 余件，现追回器物中较完整的仅 27 件。有铁锅、铜瓶、瓷碗、盘、碟等。简报推断为宋代遗物。

698.仪陇县立山乡发现南宋窖藏

作　者：王永平、李清兰
出　处：《四川文物》1988 年第 5 期

1984 年 4 月中旬，仪陇县立山乡九阳山村的 4 位青年，在距公路约 3 米远的田里取土做砖坯，发现南宋窖藏 1 处。简报配以照片予以介绍。

据介绍，窖藏距地面 1.5 米，发现时是 1 口四耳大铁锅倒扣在 1 只三足两垂耳的铁炉上，炉体由 1 个四方形的铁圈垫置。炉内盛有数百枚铜铁钱币。炉下放置铜锅 1 口，铁斧子 1 把。相距约 30 厘米处，还有相似摆放的铁锅 1 口，内装铁罐 1 个，下置六足铁壶 1 把，铁斧子 1 把。当考古人员闻讯赶到现场时，大部分器物已被打坏，仅得到铁锅 1 口（残）、铁壶 1 把（残）、铁罐 1 个（系和流已断裂）、铁斧子 2 把，铜锅 1 口（残）、铜币和铁币数百枚。简报称，从出土的器物和钱币看，这一窖藏可能是南宋末年，蒙古大汗蒙哥分兵三路入川的战乱年代中，人们为避难，临行前埋下的。

699.南充市嘉陵区木老乡韩家坟宋墓清理简报

作　者：四川省文物考古研究所、南充市嘉陵区文物管理所、南充市高坪区文物管理所　辛中华
出　处：《四川文物》2004 年第 2 期

两宋时期夫妻同穴异室合葬石室墓在四川地区是比较流行的一种墓葬形制。2003 年 9 月，在南充嘉陵区发掘清理的北宋晚期石室墓 2 座，出土了部分明器和钱币，在一定程度上丰富了研究这种墓葬形制和当时丧葬习俗的实物资料。简报分为：一、墓葬形制和葬式，二、随葬器物，三、结语，共三个部分，有照片、手绘图。

据介绍，此次共清理宋代晚期石室墓 2 座，依次编号为 2003NJMM1、M2，墓

室结构基本相同,都是长方形双室,早年曾被盗扰过。M2右室出少量的明器和钱币,计瓷器 2 件、陶器 4 件、钱币 8 枚等,余者只见一些棺钉。

700.四川仪陇县新政镇宋代石室墓清理简报

作　者:仪陇县文物管理所　范启裕、王兴堂、王琳琅、马　建
出　处:《四川文物》2013 年第 5 期

2012 年 3 月,在四川仪陇县新政镇东北三安置区的基建施工中发现 1 座宋代仿木构石室墓。墓室仿木构壁龛中雕刻高僧坐像,陶罐中均有骨灰,推测该墓应为僧人合葬墓。该墓的发掘为四川地区宋代火葬墓研究提供了重要资料。简报分为:一、地理位置,二、墓葬形制及结构,三、随葬器物,四、结语,共四个部分,有彩照、手绘图。

据介绍,此墓是 2012 年 3 月,在四川仪陇县新政镇东北三安置区的基建施工中发现的。由主室和东、西侧室构成,墓室间无过道,墓室内存大量淤泥。共出土 26 件器物,分别为陶罐 12 件、三足香炉 1 件、冥币 3 枚、铁铺首 1 枚、铁棺钉 9 枚。

宜宾市

701.长宁县的宋代岩墓

作　者:王秦岭
出　处:《四川文物》1984 年第 3 期

1984 年 10 月,考古人员在长宁县东北部梅白公社庆丰大队的矶石滩,发现了 3 座岩墓,并对其中的 1 座进行了清理。简报配以照片、手绘图予以介绍。据介绍该墓由墓道、墓口、墓室组成。出土器物在墓室两侧龛下的淤泥中清理出红褐色陶执壶 1 件,瓷执壶 1 件,釉陶执壶 1 件,瓷碗 1 件,陶碗 1 件以及少量肢骨残片。

简报称,与此墓同类型的岩墓在梅白公社一带分布很广,据不完全统计 100 余座。此次出土的几件瓷器经鉴定均为宋代产品,这就为岩墓断代提供了可靠的依据。同时,也为四川岩墓的研究提供了新的资料。

广安市

702.广安县宋末大良城遗址考察

作　者：胡昭曦

出　处：《四川文物》1985年第1期

　　广安大良城（一作大良平或大良坪），是南宋末年四川军民抗击蒙古（元）军的一个重要据点。史载，宋理宗淳祐三年（1243年）余玠筑城大良坪为广安军治所（《宋史》卷89《地理志》），宋、蒙双方在大良城的争夺战相当激烈，几易其手。1983年3月，考古人员前往调查。简报配以照片予以介绍。

　　据介绍，大良城位于广安县大良公社一座海拔429米的山上。今存城墙已几经维修。宋末筑城之后，清嘉庆年间（1796～1820年）、咸丰五年（1855年）和民国4年（1915年）都修造过。民国年间，地方军阀盘踞于此，还在此设过制造枪械的工厂和铸钱的铜元局。大良城现在还存有12道城门，即东门、小东门、小南门、南门（内外2道）、西门（内外左右4道）、小西门、北门（北门一带城墙现高450厘米）、小北门。从西门到南门约250米，到北门约750米；从东门到北门约750米。城外四周都有护卫的小城或寨堡。简报认为，现在大良城城墙和城制规模，是在南宋末年大良城的基础上修建的，有些城墙或城门（如南门第一道城门），还保留了南宋末年的建筑风格。大良城是四川境内现存宋末抗元城址的重要遗迹之一。

703.武胜县出土宋代窖藏瓷器

作　者：刘家同

出　处：《四川文物》1985年第1期

　　1983年2月，四川武胜县治口乡团堡岭村青年农民李祖全，在挖地时发现一批窖藏瓷器，共45件。简报配以照片予以介绍。

　　据介绍，这一窖藏距表土1尺深。上面是一倒扣的大铁锅，里面是一批搁放整齐的瓷器，取出瓷器后发现放瓷器的也是和上面一样的铁锅，只是由于长时间埋于地下，已经锈烂不堪。内有青釉碗15件、影青瓷碗4件（残）、青釉洗13件、青釉高足碗1件、青釉印花菱口高足杯1件、黑釉高足杯3件、青釉盘8件。简报推断为宋代民间用品。

704.广安县出土宋代窖藏

作　　者：李明高
出　　处：《四川文物》1985 年第 1 期

1982 年 11 月，广安县广福乡村民苏华平在莲花桥渠道边发现一器物露头，考古人员随即清理，证实是 1 处宋代窖藏。简报配以照片予以介绍。

据介绍，莲花桥位于城南 2 公里，窖藏在渠道的断面处，距地表 1.8 米，器物分别置于 1 陶坛和 1 铜盘内。上覆盖 1 块厚 5 厘米、直径 25 厘米的石板。大型器物有序地倒置于 1 两端带环的长方形铜盘内，铜盘已被锈蚀。共出土铜器、端砚、瓷碗等 38 种 80 余件。除鉴、壶、辟邪为战国晚期至汉代外，其余皆为宋代器物或宋仿古器。简报认为窖藏的埋藏时间应为宋代。有趣的是，埋藏者将两件似动物骨盆的钟乳石也一并装入陶坛内。

705.广安县出土宋代窖藏瓷器

作　　者：广安县文化馆　李明高
出　　处：《四川文物》1989 年第 3 期

1987 年 11 月 1 日，大良乡大良村六组村民李林在乡政府北约 300 米处的黄花田背坎播小春作物时，发现 1 处瓷器窖藏。窖藏距地表 1.1 米厘米，部分暴露在外。器物盛装在 1 个高约 60 厘米、口径 46 厘米的大铁鼎罐内，其上覆盖 1 个大于鼎罐的铜盆，罐内装有碗、瓶、钵、盘、碟等瓷器，60 余件。瓷器分类呈重叠状。铁罐和铜盆已锈蚀，失去对器物的保护作用，加之地面的压力，致使一半器物被压碎。文物干部闻讯赶到现场，经过清理，共得完整的瓷器 37 件，铜器 3 件。简报配以照片予以介绍。

据介绍，这批窖藏瓷器属于小型生活器皿，大多数为影青（青白）瓷。碗的造型均为斗笠状。碗、盘、碟的纹饰图案为印花、划花两种，以牡丹、荷花、双鱼、鸭戏、莲草为主体图案，间以水波、三角、回纹衬托。划花刀锋犀利、线条流畅，布局严谨，讲究对称。印花呈浮雕状，主题突出，立体感强，形象生动活泼，栩栩如生。胎骨白，细薄如纸，釉色晶莹碧透，色质如玉，器壁呈半透明状，应为景德镇湖田窑出品。简报推测，应是在南宋中晚期战乱时埋下的。

706.华蓥市高兴镇出土一方古代铜印

作　者：袁明森、张玉成
出　处：《四川文物》1992年第2期

1989年10月，华蓥市高兴镇谭家桥村农民吴启全，在自家的屋宅前取土制砖时，距地表约1米深处发现古代铜印1方，现由华蓥市文物管理所征集收藏。简报配以拓片予以介绍。

据介绍，铜印为方形，上下边长为5.7厘米，左右边长为5.5厘米，通高3.2厘米。铜印重290克。印背右上角和左下角均刻阴文1个"上"字，印文为"冯氏图书之记"6字，为九叠篆书体，阳文，无年代款识。印纽顶部阴刻铭文已残损，难以辨认。印文说明，此印是1方私人藏书之印。简报推断应为宋代一冯姓藏书家用印。

707.记华蓥市阳和乡宋墓出土文物

作　者：华蓥市文管所　袁明森、张玉成
出　处：《四川文物》1996年第1期

1984年9月，华蓥市阳和乡五村农民在种田时发现古墓1座，考古人员赶到时发现古墓已被挖毁，仅有一些陶瓷片。简报分为：一、铜器，二、陶器，三、瓷器，共三个部分，有照片。

据介绍，据当事人介绍和现场观察，此墓应为1座长方形竖穴单室墓，墓室用青条石砌成。仅存5件完好文物，即铜器2件、陶器2件、瓷器1件。其中一件铜器为五代遗物。该墓为北宋时墓葬。

708.武胜县谷坝村宋代陶瓷器窖藏发掘简报

作　者：广安市文体局、武胜县文管所　刘　敏
出　处：《四川文物》2002年第3期

2001年5月，广安市武胜县沿口镇泰山片区谷坝村村民在秧田培肥时发现宋代陶瓷器窖藏，出土陶瓷器、银、铜、铁器共47件，均系生活、生产用品。简报分为：一、窖藏位置及形制，二、出土器物，三、结语，共三个部分，有照片。

据介绍，窖藏文物47件，其中瓷器22件、陶器22件、青铜洗1件（残）、铁铧1件。瓷器当出自龙泉窑系。埋藏时间应在宋元战争期间。

709.邻水县合流镇后坝南宋墓清理简报

作　　者：四川省文物考古研究所、邻水县文物保护管理所　刘化石
出　　处：《四川文物》2003 年第 3 期

邻水县合流镇宋墓是在基本建设工程中发现的墓葬群，其中的 M1 在四川地区宋墓的发现中较有特点，墓内的雕刻清秀俊逸，雕刻方法多与宋代《营造法式》等文献相印证，其墓室侧壁采用弧壁式的建筑结构，为宋代石室墓的研究提供了新的资料。简报分为：一、地理位置及墓葬概况，二、墓葬形制，三、随葬器物，四、结语，共四个部分，有照片、手绘图。

据介绍，该墓系 2001 年在达渝高速公路施工中发现，共发现 5 座（M1～M5），简报重点介绍了其中的 M1。该墓为券顶石室墓，未见墓道。由墓门、墓室、棺室、后龛等部分组成。因遭施工破坏，仅见 8 件随葬品，有瓷碗、壶及陶砚、铁环等。此墓有铭刻纪年（绍兴二十六年〈1156 年〉），墓内石刻也颇有特点。

710.华蓥市永兴镇驾挡丘宋墓群发掘简报

作　　者：四川省文物考古研究院、广安市文物管理所、华蓥市文物管理所　唐云梅
出　　处：《四川文物》2009 年第 1 期

华蓥驾挡丘宋墓群是 2001 年永兴中学建设施工发现的，其中 M1、M5 保存较为完整，具有南宋墓葬的典型特点。整石打凿的石棺和出土部分精美实用瓷器为研究四川地区宋墓提供了重要的参考资料。简报分为：一、地理位置和墓葬概况，二、墓葬形制与随葬遗物，三、出土器物，四、结语，共四个部分，有手绘图、照片。

据介绍，出土地点在华蓥市永兴镇。此次清理的 5 座墓葬，M1 与 M5 墓、M2 与 M3 墓为同穴异室合葬墓。M1 与 M5 墓葬形制基本相同，M2 与 M3 墓葬形制基本相同。除 M1 与 M5 墓后镌刻有墓主人牌位外，没有其他文字记载。简报推断为南宋某一家族墓葬。随葬品有其特色。四川宋墓流行随葬陶俑，随葬品瓷器少见，仍以陶器为主，且多为明器，以四耳罐、双耳罐、高领四耳罐、碗等为最常见的组合。驾挡丘宋墓群随葬品却以实用瓷器碗、碟、壶等为组合，不见随葬各种陶俑和罐类。同时，宋代石室墓室中多为石板砌成的棺台，而驾挡丘宋墓室内出现整石打凿的石棺。

711.四川华蓥许家塝宋墓清理简报

作　者：四川省文物考古研究院、广安市文物管理所、华莹市文物管理所
　　　　任　江、苏　珂

出　处：《四川文物》2010 年第 6 期

华蓥市许家塝发现 1 座宋代墓葬。该墓为同穴异室的仿木构双室石室墓。保存比较完整，规模较大，墓葬结构、装饰图案有其特殊性。简报分为：一、墓葬基本情况，二、出土器物，三、结语，共三个部分，有照片、手绘图。

据介绍，该墓编号为 09SGHXM1，位于华蓥市双河街道办事处杜家坪村四组。该墓用青灰色细砂岩石制构件构筑，由墓圹、翼墙、左右墓室等部分组成，有残损木棺及小块人骨。出土遗物有瓷片 1 件、铁环 1 件、丝织品 2 件。简报推断时代不早于南宋。简报称，此墓左墓室于棺床下设置椁室的做法非常独特，是宋代墓葬防盗措施的一种新形式。后天八卦图案作为墓葬主体装饰尚属首见，或与洛书性质的九宫八卦图有关。

简报称，这些发现丰富了川东地区宋代仿木构石室墓的类型资料，对于开展川渝黔地区的宋墓考古、道教考古、思想史、建筑史等领域的研究都有着极为重要的参考价值。

达州市

712.宋太平兴国禅院古钟

作　者：余天健、程前林

出　处：《文物》1984 年第 3 期

太平兴国禅院，北宋时建在今四川省达县城外，明末清初之际毁于兵燹。该院有大钟 1 口，为禅院主僧惠达集资购驮山（在今万源县城郊）之铁于南宋庆元五年（1199年）铸成，距今已有 780 多年，仍保存完好，现存达县市人民公园内。

简报介绍，古钟肩部平均分布六个圆孔，其下铸"重臣千秋"4 个大字及花纹图案。中部有铭文，并刻"承议郎通判达州军州事赐紫绯袋朱伯坚，朝散大夫权知达州军州事借紫翁子仲"及捐资人姓名 200 余，简报录有铭文全文。

简报称，清嘉庆十四年（1809 年），绥定（今达县）副将军门提督罗思举将弃于荒圃的此钟，收悬于达城东门外黄龙寺，故此钟又名"黄龙寺古钟"。

713.万源县发现宋代种茶石刻题记

作　　者：马幸辛

出　　处：《四川文物》1989年第4期

1987年，达县地区在文物普查中，发现北宋大观三年（1109年）《紫云平植茗灵园记》石刻（又名苏家岩石刻）。简报配以照片予以介绍。

据介绍，该石刻位于万源县石窝乡古社坪苏家岩悬崖上，距地面3.8米，题记长2.36米，宽0.84米，从左至右竖行排列，简报录有全文。

简报称，万源县一般种苦茶（又叫绿茶）。种茶的方法有点种和移苗。茶树不及桐子树易活易长，嫩苗必须人力保护，收获在种植后7年。主要用于外销，茶叶多由陕西、甘肃的商人越大巴山和米仓山道输运出口，销售到陕西的汉中、西乡、镇巴，甘肃的兰州、秦州等处，本地也有专务茶叶的商人。陕西、甘肃等地肉食以牛羊肉为主，万源这里所产的茶属凉性，涩中带苦，苦中回甜，深受欢迎。

简报指出，《紫云平植茗灵园记》石刻的发现，为研究我国茶文化提供了文字资料。

714.渠县渠南乡宋墓出土文物

作　　者：王建纬

出　　处：《四川文物》1990年第1期

1989年2月6日，渠县渠南乡村民黄文金在挖土制砖时发现古墓，于是组织人力挖掘3天，见无"贵重"物品可取，遂罢。3月7日，渠县历史博物馆闻讯，赶赴现场，但该墓已挖掘殆尽。经清理和收集，仍获得一批有价值的陶俑、钱币等文物。简报配以照片予以介绍。

据介绍，墓地位于距县城西南约10公里的渠南乡小山村10组。墓室筑在该村临小溪的一块坡地上，原在塝田。根据当事人回忆和现场分析，墓为长方形竖穴单室墓，距地表185厘米，系用石条砌成的石室墓。残存遗物有陶俑12件、铜钱百余枚等。

简报认为，渠县渠南乡小山村发现的墓葬，时代定在北宋真宗景德年间（1004～1007年）。

715.达县瓷碗铺发现宋代窑址

作　者：达县市文管所　任超俗
出　处：《四川文物》1993 年第 1 期

1991 年 5 月下旬，达县市复兴乡发现宋代窑址。简报配以照片、手绘图予以介绍。

据介绍，瓷碗铺窑址因地处古地名瓷碗铺而命名。该窑址位于达县市复兴乡两路口村西南 1.2 公里，背靠铁山梁子，海拔 900 米，左右山峰环抱，前为两山沟夹角呈正三角形农田坡地。初探分布面积约 4 万平方米。目前发现堆积物 1 处、窑口 1 处，处于水田窑口 5 处，窑址划定区域内瓷器窑具残片随处可见，俯身即拾，工场、作坊被庄稼地覆盖，尚未确定。经实地考察，该窑产品均为瓷器。大体有碗、盘、碟、杯、盏、罐、壶、钵、盒等生活用品，还采集到瓷马工艺品（或玩具）以及各种明器、各种窑具共 100 余件。简报将该窑下限暂定为宋代，上限待定。简报认为该窑与耀州窑关系密切。

716.大竹县发现宋代画像砖

作　者：大竹县文化馆　余和平
出　处：《四川文物》1994 年第 5 期

大竹县竹阳镇蔬菜一队社员张家福在扩建旧房挖地基时，发现 4 块画像砖。考古人员赶赴现场调查清理。简报配以照片予以介绍。

据介绍，画像砖为长方形，以细泥为原料，经压印、烧制而成。左、右两组图案相同，均刻有斜线网格纹、回纹、规矩纹，颇似宋代之房间。

简报称，从整个画像砖来看，图案排列有序，构思巧妙，极富变化，人物形象栩栩如生，实属难得的艺术品。

717.达川市发现宋代墓葬

作　者：马幸辛、王　平、李建琪
出　处：《四川文物》1999 年第 1 期

1998 年 7 月中旬，达川市凤凰山南麓山脚的东城街道办事处白岩村 4 社，在一处因持续暴雨引起垮塌的坡地发现两座长方形石室墓，同时还有散乱的朽棺木、石板埋压在泥沙中，考古人员对两座石室墓进行了发掘清理。简报分为：一、墓葬形制，二、随葬器物，三、结语，共三个部分，有照片、手绘图。

据介绍，两墓均南北向，间隔约 20 米，因暴雨，部分随葬品已被冲走，仅存褐釉瓷碗等少量瓷器及画像石刻 1 件。瓷器应为宋代广元黑釉和重庆天目瓷。

718.达县九岭乡发现宋代墓葬

作　者：达县文管所　张明扬
出　处：《四川文物》2000 年第 4 期

2000 年 4 月上旬，达县九岭乡五福村 4 社农民潘广元在包产田里打井时发现 1 座古墓，考古人员对这座长方形石室墓进行了清理发掘。

据介绍，该墓为南北向，墓门用两块条石封堵，石板铺底，墓室四周用条石和石板嵌砌，上部用规则的条石垒砌成藻井穹窿式顶，后壁正中有一壁龛。墓室后部两边发现有随葬物品古钱币 12 枚，其中"崇宁通宝" 6 枚、"崇宁重宝" 6 枚、青石抄手砚 1 方、锈蚀严重的铸铁残刀 1 柄、铁锥 1 把。壁龛上有随葬碗 2 个，不幸的是淘井时已被打碎，现仅剩下部分瓷片。墓室左右两边均为阴刻石雕，左壁刻一青龙，右壁刻一白虎，门框左边的石柱上刻一朱雀，后部正中的壁龛为"王堂"，内壁浮雕主人牌位。龛外右侧还有阴刻独占鳌头画像石。

该墓的时代，简报推断为宋代。

眉山市

719.四川洪雅宋墓发掘简报

作　者：四川省博物馆、洪雅县文化馆　赵殿增
出　处：《考古》1982 年第 1 期

1973 年 10 月，洪雅县红星公社红星大队在平整土地时，发现 1 座宋代砖室墓，考古人员进行了发掘。简报分为：一、墓葬结构，二、随葬器物，三、结语，共三个部分，有照片。

据介绍，墓地位于洪雅县城西北 0.5 公里，小地名"庙子坝"。墓南 1 公里是青衣江，北面里许为卧虎山。这里过去有 1 个 1 米多高、10 余米宽的封土丘，现已经平为农田。墓为 1 座双室并列的砖墓，每室各有墓门，共用 1 个墓道，东侧为左室，西侧为右室。两室之间有前后两个通道相连。建筑结构分为墓道、墓门、墓室、壁龛、通道等部分，结构复杂，保存完整。出土有陶俑、陶器、铁器、银器及买地券两方。简报未录券文全文。

简报称，此墓两室分别出土有买地券，左室地券载明墓主是程文贤。右室地券不能辨识，但从骨架、随葬品看，墓主是个妇女，应是程文贤的妻子，这是1座双室夫妻合葬墓。程文贤卒于北宋元丰三年（1080年）十二月十二日，为北宋中期神宗时代的墓葬。这座双室砖墓是四川发现的较大的宋墓之一，保存比较完整，使我们能更全面地了解宋墓的建筑形式和随葬品布局。墓的建筑复杂，保持了唐五代的墙柱、重券等形式。陶俑全为手制，面部稍圆，形象生动，具有地方特色。随葬品中的五系陶罐是目前四川发现的宋代最大的陶罐，反映出技术的进步。墓主程文贤，史书、县志均无记载，应属当地豪绅地主。

720.南宋虞公著夫妇合葬墓

作　　者：四川省文物管理委员会、彭山县文化馆　匡远滢等
出　　处：《考古学报》1985年第3期

1982年7月，彭山县文物调查组在普查工作中，于双江镇场后半山（地名亭子坡，属江口公社石龙一队），发现1座宋墓。考古人员进行了清理。该墓早年曾被盗，两室的封门石被撬开，室内随葬品已被洗劫一空，唯室内的石刻浮雕尚大部完好。简报分为：一、墓室的结构，二、墓内的石刻浮雕，三、出土遗物，四、结语，共四个部分，有照片、拓片、手绘图。

据介绍，这是1座夫妇合葬墓。建墓石料系用当地质地较坚的红砂岩石，凿成巨型石条和石板，再经加工雕凿后垒筑墓室。该墓两室并列，相邻两侧壁之间有一定间隔，而未共用一壁。两室的结构和规模虽然相同，但室内石刻的内容繁简有异，而且砌造时间有先后。两室均呈长方形，全长皆4.95米，由墓门、享堂、棺室及腰坑等部分组成。劫后的随葬品有陶器、俑等，发现的两件石质碑形志铭十分珍贵。简报称，此夫妇合葬墓。东室葬虞公著，西室为其妻留氏。两人入葬的时间不同，东室晚于西室。

据东室的碑志："宋中奉大夫知渠州军州兼管内劝农使，仁寿县开国男，食邑三百户，赐紫金鱼袋，虞公著，字中子。考允文，左丞相、少傅、武安军节度使，四川宣抚使，雍国公，累赠太师、谥忠肃……公生乾道元年乙酉冬十月乙巳，以丞相郊恩补承事郎，历官至中奉大夫爵……终于宝庆二年丙戌夏五月戊辰，年六十有二……是岁冬十二月甲午葬眉州彭山县安镇乡安城里……"关于虞公著的父亲虞允文的经历，志文已有记载，据《宋史·虞允文传》亦云："授少保，武安军节度使，四川宣抚使，进封雍国公。"又"淳熙元年薨。后四年……寻诏赠太傅，赐谥忠肃"。可见虞允文是当时的一位重要大臣。又云："子三人。公亮、公著、杭孙。"故知

公著为其次子。因此，这一碑志的出土，正足以补充《宋史》从略之处。据西室女性碑文记述，知女墓主留氏，丞相卫公留正之女。但在《宋史·留正传》里并无记叙。因此，留氏墓志的发现，也可对《留正传》有所补充。

至于墓里的石刻画像，有高浮雕和浅浮雕两类：前者有男、女武士和侍女等像。遗像的造型比例匀称，面形丰满，朴实浑厚，服饰纹槽的线条清晰。后者刻有"出行图""备宴图""蓬莱图"等。这些图像反映了当时百姓的世俗生活及丧葬礼俗，和对死后幻想中攀登的美好仙境的描绘，不仅是研究南宋雕刻艺术的好资料，也是研究风俗、葬俗的不可多得的资料。

721.宋苏符行状碑及墓砖铭文

作　者：张忠全
出　处：《四川文物》1986年第2期

苏符，字仲虎，号白鹤翁，眉州眉山人，北宋大文学家苏轼的孙儿。《宋史·苏轼传》记载："高宗即位，赠资政殿学士，以其孙符礼部尚书。"对于苏符的生平，《宋史》没有更多的记载，其他书籍记载也很少。眉山县修文乡十字卡村长山埂东麓，有2座坟墓，当地人依据坟堆的大小，称为大苏坟园和小苏坟园。1974年，2座坟园都被当地人挖掉。1983年在文物普查中，于甘曹沟小石堰处发现了苏符墓碑和行状碑。墓碑为清光绪十年（1884年）刘崇德等人所立，正中书写"宋礼部尚书苏公符白鹤翁墓"。行状碑长125厘米，宽105厘米。碑文正楷，由苏符的儿子苏山撰文，侄婿范仲苣书写。简报配以照片予以介绍。

简报录有碑文全文。苏符为南宋礼部尚书，虽为官时间不长，但仍是一代名臣。然而，《宋史》只有上述所举一句，实在太略。苏符行状碑的发现，使苏符的一生经历、所居官职，一目了然。墓砖铭文中也有不少信息，如纪年等。为研究苏轼家族，提供了难得的史料。

722.丹棱县新发现宋代李温墓

作　者：万玉忠
出　处：《四川文物》1988年第2期

1987年2月上旬，考古人员在丹棱县唐河乡龙鹄村九组发掘了1座宋墓。墓用红砂石椁和砖砌成，长3.4米，是1个单室墓。

据介绍，这座宋墓，是该县唐河乡龙鹄村九组农民袁桂等在深挖包产地时发现的。

墓早年被盗，棺椁凌乱。经过清理，仍出土了宋代铜镜、墓志铭、墓俑和墓砖等文物。其中，铜镜制作精细，保存完整；铜镜背面的佛教讲经图，雕刻精湛，是一件宝贵的艺术珍品。墓志铭多达 326 字，简报未录志文全文。据李温墓志铭和有关史料记载：李温是南宋著名史学家李焘的曾孙。李温，字茂本，宋朝眉州丹棱县乐扶乡震山人，生于南宋绍熙三年（1192 年），卒于端平三年（1236 年），享年 44 岁。李温天资聪明，受到很好的文化教育，而又勤奋刻苦学习，广泛阅读经籍史传；先后任怀安军内劝农事、绵州魏城县丞、汉州司理参军、石泉军神泉县事等职。李温墓，葬于嘉熙二年（1238 年）太岁戊戌五月十一日。李温墓的发现，为研究宋代历史和南宋著名史学家李焘的家族史，提供了宝贵的资料。

723.丹棱县出土宋代桃形青铜镜

作　者：万玉忠

出　处：《四川文物》1989 年第 1 期

1987 年 2 月，考古人员将出土于丹棱县唐河乡龙鹄村九组的一面桃形青铜说法镜，收归丹棱县文管所。简报配以照片予以介绍。

据介绍，这面镜外形如蜜桃，铜质呈青色，纹饰、铭文清晰可见。特别是表面涂敷的一层锡汞剂，完好无损，镜面光洁平整，色黑发亮，光可鉴人。镜高 20 厘米，宽 16 厘米，外沿厚 0.7 厘米，重为 1175 克。雕刻有佛教说法图，图中有佛、弟子、伎乐等人物十躯，均为高浮雕。佛像呈坐姿，高 4 厘米，跌坐于须弥座上。还有 28 字铭文。该镜出土于南宋著名史学家李焘的曾孙李温的衣冠墓。李温，字茂本，宋朝眉州丹棱县乐扶乡震山（今丹棱县唐河乡龙鹄山）人，生于宋绍熙三年（1192 年），卒于端平三年（1236 年）；李温先后任怀安军内劝农事、绵州魏城县丞、汉州司理参军、石泉军神泉县事等职。李温墓，建于嘉熙二年（1238 年）。简报认为这面桃形青铜镜，应制作于宋代。

724.青神发现宋代窖藏瓷器

作　者：鲁树泉

出　处：《四川文物》1989 年第 4 期

距青神县南 1 公里处的南城乡 1 村 2 组，位于民江西岸回水湾。1985 年 10 月，该组村民在菜园地取土时，在距地表 0.8 米处，发现一个用宋砖围砌的方坑，坑长 5.8 米，宽 3.6 米，深 1.5 米，坑内垒置各式各样的瓷器。据调查，当时村民挖到后，发现内有杯、盘、碗、壶、瓶等器物，垒置整齐，可能是窖穴。但大部分器物当时即被村民毁坏。1986 年 6 月，文物普查队到该乡走访时，听到村民反映，仅收集到不类型的 3 种瓷瓶 8 件。又在坑内发现宋砖 1 块，砖长 38 厘米、宽 19 厘米、厚 4.2 厘米。简报配以照片予以介绍。

据介绍，瓷瓶共计 8 件，有的已带残。造型精巧，釉色莹润，在青神县还是首次发现，经专家鉴定为宋代器物。

725.四川省丹棱县出土宋代桃形铜镜

作　者：不详
出　处：《考古与文物》1990 年第 3 期

1987 年 2 月，四川丹棱县文管所征集到一面桃形铜镜，亦称"说法镜"。简报配以照片予以介绍。

据介绍，此镜是丹棱县唐河乡龙鹊村九组村民袁桂枝夫妇在深挖包产田时发现的。根据同穴出土的《宋故新知怀安军李公奉议幽堂志》和有关史料记载：该墓为南宋著名史学家李焘（该乡人，有《续资治通鉴长编》巨著传世）的曾孙李温的衣冠墓。李温，字茂本，生于南宋绍熙三年（1192 年），卒于端平三年（1236 年），其墓建于嘉熙二年（1238 年）。因此，这面桃形镜当为宋代之物。

726.彭山发现宋代纪年砖

作　者：帅希彭
出　处：《四川文物》1991 年第 3 期

1988 年 11 月 20 日，彭山凤鸣乡四砖厂取土烧砖，挖开一座双人石室墓。简报配以拓片予以介绍。

据介绍，该墓后段早年垮塌，室内洗劫一空，仅在前段发现一浅腹釉陶碗。砖为长方青色素面，上有"嘉定十年"纪年。"嘉定"为南宋宁宗年号，嘉定十年为 1217 年。彭山发现的宋代纪年砖，可为全国纪年砖的汇集与研究提供实物资料。

727.仁寿县古佛乡宋墓清理简报

作　者：莫洪贵
出　处：《四川文物》1992 年第 5 期

仁寿县古佛乡宋墓，位于县城东北 28 公里处的古佛乡池家村。1986 年 2 月，农民修房挖地基时发现并上报。清理工作于 3 月 4 日动工，19 日结束，前后用了 10 多天。简报分为：一、墓葬结构及雕刻，二、出土器物，三、结语，共三个部分予以介绍，有照片、拓片、手绘图。

据介绍，这是一座夫妇合葬石室墓。墓向北偏东 50°，两室结构相同，一前一后，相差 0.7 米。两室前均有墓门，墓门系四块长条石封门。墓顶为几块石头封顶，墓门外有天井。墓室均为仿木结构建筑，两室以墙相隔，无门相通。墓中有浅浮雕男、女主人像，侍女像，天鹿、花卉等，为研究宋代的服饰、雕刻技艺等提供了实物依据。该墓早年被盗，发掘前又被挖土扰乱，随葬品位置已移动，在淤泥中清理出文物 42 件，其中陶器 38 件，有武士俑、文吏俑、罐、鸡、狗等，有石质器物，为买地券和柱础 3 件，铁钱 1 枚，还有等量人骨、牙齿、铁棺钉 40 多枚。其中所谓"宋三彩"十分精美。由买地券券文知，西室所葬为陈氏中娘，埋葬时间为南宋宝庆元年（1225 年）。男主人墓买地券及墓志铭被盗（只剩柱础），无法知道身份和姓名。从墓葬保存情况来看，女室两壁横砌石头已裂开破坏，说明先埋女主人、后葬男主人时破坏了女墓。两墓后壁均有男女主像，据此可推知为夫妇分室合葬墓，但两墓时间不会相距太远。应为南宋墓葬。

728.彭山凤鸣乡发现宋墓

作　者：彭山县文管所　方　明
出　处：《四川文物》1992 年第 5 期

1990 年 2 月下旬至 4 月上旬，彭山县凤鸣乡第四机制砖厂在该乡蔡山村一组取土烧砖时，相继发现 4 座古代砖室墓（M1、M2、M3、M4），其中 M2 为空墓。简报分为：一、墓葬概况，二、随葬器物，三、结语，共三个部分，有照片。

据介绍，4 墓均为长方形券拱砖室墓，随葬器物主要有陶器、陶俑。简报认为此处是一个家族墓。M2 墓是一座空墓。M1 与 M3 墓，应是同坟异葬墓，但不是夫妻墓。M4 是男主人墓，因为出土的俑类基本上与 M1 墓对称，多置陶房、陶厨、灶刀石碑之类。应属男墓主无疑。

729.彭山发现南宋窖藏

作　者：帅希彭、方　明
出　处：《四川文物》1996 年第 1 期

1985 年 2 月，彭山县罐头厂在西门城外西南 200 米处田中新建厂房，清基时，在距地表 0.8 米的基槽中，发现 2 个窖藏。两窖相距 1.5 米，一藏铜器，一藏瓷器。器物均置于铁罐内。铜盆复盖罐口。罐壁锈蚀不堪，出土时盆、罐均碎裂。开窖后，务工农民将铜器及残铁罐卖与县废旧公司，瓷器遗弃于原处。收购员张继康问明原委，立即赶往现场，将瓷器全部捡回，考古人员将铜、瓷器全部收回。简报分为：一、铜器，二、瓷器等几个部分。

据介绍，铜器均为青铜质，总计 20 件，分实用器和祭器，大部锈蚀残破。瓷器原有 100 件，损坏 1 件，现存 99 件。简报推断此两窖藏的时代，均为南宋时期。

730.仁寿出土宋代八卦铜镜

作　者：仁寿县文管所　王德友
出　处：《四川文物》1996 年第 3 期

1986 年 8 月，仁寿县文官区文官乡高桥村农民挖地时发现了 1 面铜镜，放置于家近 1 年时间。1987 年 4 月，文物普查时上交国家。简报配图予以介绍。

据介绍，该铜镜光可照人，直径 27 厘米，重 850 克，上有八卦名、十二生肖及铭文等。专家鉴定为宋代铜镜，属国家三级文物。

731.仁寿发现虞迪简墓志碑

作　者：仁寿县文管所　叶晓莉
出　处：《四川文物》1999 年第 1 期

仁寿县文管所收藏虞迪简墓志碑一通。该碑于 1980 年在仁寿县于丞乡玉屏山南宋名相虞允文墓下方 200 米处掘出。墓志碑除碑文末款两行文字磨损不清外，其余大部分完好。简报录有碑文全文。

据介绍，碑文介绍了虞氏世系及子孙情况，称虞迪简父子均葬于此，当地叫"虞（于）丞乡"即由此得名。据志文，虞迪简卒于南宋绍定元年（1228 年），享年 45 岁，则其生于淳熙十年（1183 年）。该志文多处可补史书之阙。

732.彭山县出土宋代钱币窖藏

作　者：彭山县文物管理所　方　明、吴天文
出　处：《四川文物》2005 年第 5 期

彭山出土的宋代钱币窖藏，数量之大，内容之丰，全国罕见。该钱币窖藏出土

铜钱约 400 千克。经清理，钱币最早者为"汉半两"，最晚者为"宋元通宝"。唐"开元通宝"所占比例最大，发现有钱谱未收钱币，特别是发现非常罕见的前蜀永平元宝、背永钱，为研究古钱币提供了珍贵的实物资料。简报配以拓片予以介绍。

据介绍，2003 年 6 月 5 日晚 8 时许，彭山县三中建筑工地发现 1 处钱币窖藏。窖藏位于老城区正南门外，距明代古城墙遗址内侧约 50 米，离地表约 1.5 米。从现场来看，钱币装在 1 只大陶缸内。据收集的残片推测，陶缸高约 70 厘米，口径约 100 厘米，底径 40 厘米。文管所工作人员对窖藏作了初步勘测，并收回了大部分钱币，约 400 千克，据测算约有三分之一的钱币流失。经初步清理，该窖藏内容十分丰富。

733.四川彭山正华村宋墓发掘取得重要收获

作　者：刘志岩

出　处：《四川文物》2008 年第 4 期

2007 年 8 月，四川省彭山县江渎乡正华村八组农民在架设供电线路过程中，发现北宋石室墓 1 座。考古人员对该墓进行了抢救性发掘，并利用现有技术对出土文物进行保护。

正华村宋墓位于该村东南的丘陵地带，该墓系用当地所产的红色砂岩砌筑而成。发掘前，墓室后端因墓顶岩石自然塌落而形成空洞一个，透过该洞可见墓底。该墓未发现墓道，墓前即为乡村公路，可能在修路时已经破坏。简报分为：一、墓葬形制，二、随葬品，三、重要收获，共三个部分，有照片。

据介绍，双室石室墓为四川地区常见的夫妻同坟异穴合葬墓。共出土器物 64 件（组），包括陶器、瓷器、金器、铜器、铁器和石质买地券等。据买地券记载，该墓主人为程氏夫妇，葬于北宋熙宁元年（1068 年）。该墓是四川地区所发现同类墓葬中规模最大的，其形制与成都平原的大型双室砖室墓结构相类，出土器物也较为相似，可以进行对比研究。该墓没有被盗掘，出土器物基本上都保持了墓主下葬时的摆放位置，这对研究宋代的葬俗乃至生活习俗都提供了宝贵的资料。

雅安市

734.石棉宰羊乡发现宋代窖藏

作　者：及康生
出　处：《四川文物》1991 年第 2 期

1984 年底，石棉县宰羊乡平阳村三组老乡修房取土时从地下挖出一批文物，考古人员实地调查确认为窖藏。简报配以照片予以介绍。

据介绍，该窖藏共出土 8 件器物，原由一大陶罐内盛 7 件器物，并在罐上覆盖一平板石深埋于地下，窖藏距地表约 2 米。计有陶器 5 件、瓷器 1 件、铜器 1 件等。简报推断窖藏时间为南宋末年。

735.雅安发现宋代铁钱窖藏

作　者：余永恒、李一都
出　处：《四川文物》1992 年第 5 期

1988 年 10 月 14 日，雅安市中区供销商场建筑工地在挖地基时发现 1 个宋代铁钱窖藏，考古人员前往清理。简报配以拓片予以介绍。

据介绍，窖藏距地表深 2 米，未见有盛装钱币的容器或砖石类窖藏边沿，由于破坏严重，窖藏的形制尺寸已无法测知。共出土宋代铁钱 1 吨多，同时出土小铜瓶 3 个，其中一瓶内放有铜铸印章 1 枚，印文为阳文篆书"太原追赏"。钱币大部分穿孔相对整齐，其中发现有用铁丝穿结成串的。雅安自古多雨，地下十分潮湿，钱币已严重锈蚀，结成板块，经技术处理，在部分钱币中清理出钱文可识者近千枚，为研究宋代货币史提供了新的实物资料。

736.芦山县发现宋代三彩器物

作　者：芦山县博物馆　陈　华
出　处：《四川文物》1995 年第 1 期

1987 年 11 月 19 日上午，芦山县建筑公司在承建城建局宿舍开挖基槽时，在距地表 1 米深处，发现一批集中放置器物，计有陶、瓷、铁器 10 余件。施工人员将埋藏器物全部取出，有的文物被打破。简报配图予以介绍。

据介绍，出土遗物主要有瓷碗、陶盆、陶瓶、陶杯、铁犁铧、铁刀。简报推断为宋代窖藏。其中"宋三彩"较精美。

737.四川石棉三星遗址宋代遗存发掘简报

作　者：四川省文物考古研究院、雅安市文物管理所、石棉县文物管理所　陈卫东
出　处：《四川文物》2010 年第 2 期

本次发掘清理的晚期遗存主要包括 4 座宋墓和 1 座宋代石结构建筑。这些遗存的发现，对于进一步研究大渡河中游地区的民族特点、埋葬方式、文化特性及建筑风格等具有一定的作用。简报分为：一、房屋基址，二、墓葬，三、出土器物，四、结语，共四个部分，有手绘图。

据介绍，三星遗址位于四川省石棉县丰乐乡三星村一组，地处大渡河北岸的二级台地，三面环山（南部为马颈子山；西部为唐家山；北部为杠子山），一面靠水。2006 年发掘，发现从商周至明清各个时期遗存，简报先行介绍宋代遗存。据遗物，简报推断房址 M3、M4 的时代均为北宋初年，M1、M2 的时代为南宋。

简报称，4 座宋墓中两座宋墓均为竖穴土坑墓，均为将人骨、随葬品和棺材放在墓室后，进行焚烧，使得墓室内堆积着大量的草木灰和红烧土。随葬品主要有釉陶碗、四系罐和"开元通宝"铜钱。

简报说，宋代石制结构建筑的发现，在大渡河中游地区尚属首次发现，为进一步研究这一时期本地区民族的特点、建筑风格等方面具有重要的作用。

巴中市

738.巴中县出土宋代窖藏

作　者：巴中县文管所　程崇勋
出　处：《四川文物》1989 年第 4 期

1989 年 3 月 6 日，巴中县医院住院部在修理水池时发现窖藏，考古人员赶到现场进行了抢救性的清理。简报配以照片予以介绍。

据介绍，窖藏位于巴中县医院住院部的花园内，圆形，直径 0.8 米，距地表约 2 米。共出土文物 84 件，其中残品 16 件。出土器物中完好者，大多陈放在铜罐内。

铜罐的四周置放有碗、盘瓷器和 4 条青铜铸造的龙。罐口盖一铁釜，釜的口沿侧四方各置一烛台，并放有黑釉瓷碗。出土的 84 件器物中，按质地可分为三类，即瓷器、铜器和铁器，但以瓷器为主。窑口有龙泉窑、湖田窑、广元瓷窑铺窑等。出土的一件造型优美的牛灯也很珍贵。简报推断入藏时间为南宋末年。

739.平昌发现南宋小宁城遗址

作　者：马幸辛
出　处：《四川文物》1990 年第 3 期

小宁石城是南宋末年，余玠领导四川军民抗击蒙古军队而修筑的城堡，在今平昌县东北 20 公里的云台区荔枝乡杨柳村。1987 年文物普查中，发现了这一石城遗址和石刻题记。简报分为：一、小宁城遗址概况，二、小宁城所处的地理位置，三、小宁城修筑时间，四、小宁城在抗蒙战争中的作用，五、小宁城失陷的时间，共五个部分，有照片。

据介绍，小宁石城遗址位于杨柳村所在地的小宁山顶上，高出地面 300 米，四面壁立，只有一条小径通山顶，山下东面有公路连通县城，其余三面巴河环绕。遗址东西长 1000 米，南北宽 800 米，有四道城门，南门已经毁坏，但仍能依稀辨认。东、西、北城门基本完好，易守难攻，水源充足，是驻兵打仗的好地方，在抗蒙战争中发挥了重要作用。据史载，余玠在帅蜀的 1243 ~ 1251 年的 8 年时间里，总共在四川修建、扩建了各种山城 20 座，位于渠江水系的小宁城不过是其中之一。该城当在 1258 年蒙古军三路南下时被攻陷。

740.巴中城区宋墓清理简报

作　者：巴中县文管所　岳钊林、程　英
出　处：《四川文物》1994 年第 2 期

1993 年 4 月至 6 月，巴中市文管所先后在西城镇一村、江北镇人行基建工地发现古墓葬 14 座。考古人员进行了抢救性清理。墓葬结构也较独特，出土器物丰富，种类繁多，各有特色，均属宋代墓葬。简报分为：一、墓葬结构，二、出土器物，三、结语，共三个部分，有照片。

据介绍，这批宋墓包括 1993 年 4 月在西城镇龙日山脚下发现古墓共 8 座，其中 3 座被取土毁掉，余 5 座进行了清理。编号为 M1、M2、M3、M4、M5。江北镇人行基建工地共发现墓葬 5 座，清理时仅存 M3 一座，系夫妇合葬墓，左室墓主人为男性，右室墓主人为女性。该墓位于巴中县邑江北镇唐家坝村二社。出土遗物计有瓷器、铁器、陶器、银器、铜器、铜钱等。

这批墓的时代，从北宋至南宋不等。墓主人多为一般平民。

741.四川通江出土宋代彩釉陶佛头像

作　者：通江县文物管理局　李白练
出　处：《四川文物》2009 年第 6 期

四川通江出土了一批宋代彩釉陶头像，为佛头像与罗汉头像，制作精美，釉色温润，具有珍贵的研究与鉴赏价值。简报配以彩照予以介绍。

据介绍，2002 年 8 月 31 日、9 月 11 日，四川省通江县城诺江镇阳光丽都小区（原洪恩寺遗址）北边建筑工地防滑坑一号左侧，民工在距地表深约 1.5 米处相继发现了彩釉陶头像、像身、地砖，及 1 枚"熙宁元宝"钱币等文物。由于洪恩寺清初被毁，所以在出土的器物中部分残破，较完好的文物 13 件。其中彩釉陶佛头像 1 件、彩釉陶罗汉头像 8 件，胎质均为泥质红陶，表面施彩色釉，身首分制，插合而成，制作较为精细。经专家鉴定，彩陶佛头像为国家二级文物，5 件彩陶罗汉头像为三级文物，其余 3 件为一般文物，时代为宋。

简报称，此次宋代彩釉陶佛头像的出土，是通江地区宋代彩陶文物的重要发现。通江位于四川东北部大巴山区，历史上，政治、经济、文化相对落后，但佛教却比较兴盛。

资阳市

742.简阳县发现南宋纪年墓

作　者：方建国
出　处：《四川文物》1987 年第 3 期

1973 年 6 月，在简阳县城西 1 公里处，四川拖拉机厂修建子弟学校挖地基时，发现 1 座南宋纪年墓。简报配以照片予以介绍。

据介绍，此墓为竖穴石椁墓，墓室距地表 1.2 米。死者骨架无存，随葬品凌乱地散放于墓底，计有陶缸 1 件、有盖陶罐 2 件、水盂 2 件、陶买地券 1 方。简报录有券文全文。由券文知此墓下葬年代为南宋端平三年（1236 年）。

743.简阳发现"邛州印牌"

作　者：方建国
出　处：《四川文物》1987 年第 4 期

1984 年 9 月，简阳县轻机厂扩建厂房挖地基时，发现 1 件宋代的"邛州印牌"。现由简阳县文化馆收藏。简报配以照片予以介绍。

据介绍，铜质印牌呈青绿色，牌面微凸，重 800 克，长 23.5 厘米、宽 6 厘米、厚 0.6 厘米。牌的上端有丙肩，丙肩之间有一圆穿，似作系绳之用。下为锐角，素面。牌上面正中竖写"邛州印牌"，四字稍大，右下边竖写"至道元年"，左下边竖写"十二月铸"，8 字稍小。背面中部横写"印牌""人人""牌 ×""出出"4 排 7 字。"至道元年"，宋太宗赵光义的年号，即 995 年。此牌为至道元年十二月铸造，是当时进出邛州衙门的腰牌。

744.四川简阳县发现一座宋墓

作　者：方建国
出　处：《考古》1988 年第 12 期

1974 年 6 月，简阳县城东 2 公里许的简阳氮肥厂楼扩建工程，推土机在推平地基时，发现石椁墓 1 座。考古人员赴现场进行调查。该墓由于推土机的碾压，已搞得面目全非。将表土清除，一部分随葬品已经粉碎，即便是保留下来的部分遗物，位置已乱。简报配以照片予以介绍。

据介绍，计出土 3 个形象相同的家臣性质彩色陶俑，"崇宁通宝"172 枚。简报推断此墓为北宋末年墓。过去四川出土这种彩色陶俑较少见，为研究当时的绘画原料，以及绘画着色提供了新的实物资料。

745.资阳出土南宋诉讼碑

作　者：黄世希、王洪林
出　处：《四川文物》1993 年第 3 期

1992 年 8 月，资阳正东街拆房深挖基础时，在地下 1 米处的宋代寿圣院遗址，掘出屋基石、瓦砾、碓窝、陶罐、青花瓷碗、图案砖和碎铜钱，最有价值的是 1 方诉讼碑。

据介绍，此碑刻于 1234 年 1 月 6 日。第二年，蒙古兵入侵资阳，大肆劫掠，寿圣院便在宋元争战中被毁，逐渐湮灭无闻，诉讼碑也被埋入土中，无人知晓。全文380 余字。内容是僧告官经济纠纷案。四川总领财赋郎中同意资州理僧司所的判决，禁止资阳县主厅收取大额钱。南宋后期，吏治腐败，地方财力紧张，官府便向寺院经济开刀。寿圣院和尚纯和反映，该院每年向本县送纳 140 引。引即钱引，纸币名。川引兑换硬通货比价低，也极不稳定。《宋史·食货志》和《文献通考》载，嘉定初，四川省诸州一引之直仅售百钱，自后引直线五百有奇。碑文中"引""道"互称，比值相当。

746.安岳发现南宋行状碑

作　者：安岳县文管所　傅成金
出　处：《四川文物》1993 年第 4 期

1992 年 1 月 8 日下午，安岳县龙台镇红十字会医院工地挖出 1 座石室墓，墓室已毁，幸存石碑一块。

据介绍，该碑呈方形，碑首直行隶书，"宋姚孺人行状"六个大字。碑文直行隶书，共 717 字，简报录有碑文全文。

行状是死者家属所撰关于死者籍贯、世系、事迹的文章。此状文为姚氏之丈夫韩季习所撰。姚孺人，广安姚氏第 46 代、字庆元，儒林郎赠朝议大夫姚素之孙、承务郎致仕姚宏之女，奉议郎新知潼川府涪城县（今三台县内）主管劝农公事借绯韩公季习之妻。季习与姚氏为指腹婚。姚氏享年 49 岁，南宋乾道九年（1173 年）终于兴元府（汉中市）官舍，淳熙六年（1179 年）葬于安居县苍山乡（安岳县龙台镇）。状文中的"左丞相雍国虞公"即抗金名将虞允文。

韩季习为虞允文之幕僚，随虞征战，其妻姚氏从夫客外。状文中有"孺人远游，浮家次鄂渚（即鄂阳，今武昌）……涉汉阳、道京西（即京西南路）、逾安康（陕西安康县）、汔天汉，孺人素罢病，偃薄数千里，始税驾"。这条沿汉水行进的路线，同《宋史·虞允文传》中"乾道三年（1167 年）……过郢（即郢阳），奏修黄鹰山城，过襄阳，奏修府城，八月至汉中"的路线完全吻合，可佐证姚氏于乾道三年患病，丹药并凑，医治无效，乾道九年终于兴元府官舍，"府群有司，皆至辕门节钺，卿大夫二千石以上皆拜祭之"。

简报称，该碑的出土，对研究南宋史实和安岳史地有一定的参考价值。

747.四川安岳县老鸭山南宋墓清理简报

作　者：四川省安岳县文物局、博物馆　王　玉
出　处：《考古与文物》2009 年第 1 期

2002 年 10 月 15 日，在四川省安岳县岳阳镇万寿村老鸹山（又名汪家沟）得胜集团的建设工地中，发现 3 座南宋墓，考古人员进行了清理。简报分为：一、M1，二、M2，三、M3，共三个部分，有照片、手绘图。

据介绍，老鸹山位于安岳县城西，随着近几年的土地开发，老鸹山周围已修建了许多建筑，仅在山腰和山顶还保留着耕地，现也在开发之中。墓葬坐落在老鸹山山顶上，3 座墓葬均系石结构单室墓。由于墓葬周围用挖土机取土太多，无法确定 3 墓之间的冢、穴关系。现将 3 座墓由北向南分别编号为 M1 ～ M3，大体成"一"字形排列。M3 受损严重，无随葬品。M1、M2 均为竖穴土坑石砌墓，M1 曾被盗。M1、M2 出土有陶俑及墓志 2 合。简报录有志文全文。

据志文，知 M1 主人为张隐，M2 主人为其妻邹夫人，M3 主人似为张隐之妾，死于张隐之后。据张隐墓志载，张隐葬于南宋嘉泰壬戌（1202 年），时年 65 岁。邹夫人墓志记载其享年 78 岁，其应该死在丈夫之后，葬年不详。

阿坝州

748.四川汶川县姜维城宋代遗存发掘简报

作　者：四川省文物考古研究院、阿坝州文物管理所、汶川县文物管理所
　　　　辛中华、郭　富
出　处：《四川文物》2005 年第 4 期

姜维城遗址是岷江上游 1 处极具代表性的重要遗址，包含了新石器、汉代和宋代等时期的遗存。简报分为：一、地层堆积，二、遗迹，三、遗物，四、结语，共四个部分，配以手绘图，先行介绍宋代遗存。

据介绍，遗迹有房基 1 座，灰坑 1 个；遗物有瓷陶器、筒瓦、骨梳、铁钱等。

简报称，汶川自古为进出川西北的门户，宋代曾在今姜维城设威州。现存地面的汉代夯土城墙、明代石砌城墙和有关姜维曾屯兵于此的传说等也都说明历代这里曾是屯兵戍卫的重要军事据点。此次发掘的宋代遗存有建筑遗迹，遗物也比较丰富，印证了史书的有关记载。同时出土的遗物中有来自不同窑口的瓷器，包括为数众多

的邛窑瓷器和一定数量的耀州窑青瓷、建窑黑瓷，说明宋代时汶川虽然地处川西北一隅，但与外来的各种交往却比较频繁，商贸活动相当活跃。简报指出，姜维城遗址宋代遗存的发掘，为研究这时期川西北少数民族地区与内地的文化、经济交流互动情况，以及中央政府对这一地区的管理，提供了重要的实物资料。

甘孜州

凉山州

749.四川普格县小兴场大石墓

作　者：凉山彝族自治州博物馆、普格县文化馆、普格县科学技术情报委员会
出　处：《考古与文物》1982 年第 5 期

小兴场在普格县城以北约 60 公里处，其地四面环山，谷地不甚开阔，居民全系彝族。经调查这里的大石墓群，主要分布在东北场口外的阿木山腰上（即 A 区）和东南场口外的阶地斜坡上，小地名若力果不（即 B 区）。A 区有墓葬近 30 座，多被破坏。1980 年 12 月考古人员清理了 1 座残墓。B 区原有墓葬近 10 座，亦多残破。1981 年 2 月 15 日至 3 月 7 日，由凉山州发掘小组，对 B 区中 M1、M2、M4 和 A 区 M2 进行了抢救发掘。简报分为：一、墓葬形制，二、出土器物，三、人骨架和随葬品，四、结语，共四个部分，有手绘图、拓片。

据介绍，这座墓无纪年题记，所遗货币最晚为"熙宁元宝"，因此知其上限不会超过宋神宗熙宁年间（1068～1077 年）。其下限从建筑风格及绘画风格去观察，简报推断应在北宋元符与政和年间。墓主很可能是当时农村中的地主豪绅。

750.四川西昌三坡火葬墓调查记

作　者：黄承宗
出　处：《考古》1983 年第 3 期

西昌市老西门(即宁远门)外，宁远河与南安河交汇处有一缓坡台地，当地称三坡。1981 年元月，西郊公社七大队第三生产队农民在台地东侧改造土地时，发现 1 座火葬墓。出土器物全部送交凉山彝族自治州博物馆。简报配以拓片、手绘图予以介绍。

据介绍，墓葬没有封土堆，有一红砂石墓碑。上面阴刻墓志，计6行57字，刀痕刻划很浅，有的字迹已风化不清。文字排列由右到左，简报录有全文，中多缺字。据志文，墓主人是西昌城西一带的人，死时52岁。下葬时间为大理盛德二年（1177年），即南宋淳熙四年。骨灰放在一大一小相套的特制灰色陶罐中。简报称，此墓为较早的一座火葬墓。

751.西昌出土宋高士图铜镜

作　者：西昌凉山彝族奴隶社会博物馆　黄承宗

出　处：《四川文物》1995年第1期

四川西昌市西郊乡蛇洞营的小山上，农民修整土地，发现1处已毁坏的古代南诏大理时期的火葬墓。在1个盛骨灰的破陶罐里，发现了1面铜镜。简报配以照片予以介绍。

据介绍，该镜直径11.5厘米，有浮雕及日常使用痕迹。浮雕内容应为"许由巢父"故事，此镜金代流行，或许是内地流传至川。从时代讲，应相当于内地宋代。

贵州省

贵阳市

752.贵州清镇宋墓清理简报

作　者：贵州省博物馆

出　处：《文物》1960 年第 6 期

为配合猫跳河水利建设工程，考古人员曾在清镇琊陇坝一带进行发掘，历时 4 个月零 5 天，共发掘墓葬 100 多座，简报仅就几座宋墓介绍，有手绘图。

简报介绍，墓葬大多成群地分布在一些平原或小丘的边沿上。随葬品极其稀少，有的墓内除铁钉外，一无所有。有器物的墓，约占总数的十分之一，墓都是长方形。清琊 26 号墓，为仰身葬。葬具除棺钉外，无所发现，随葬品全为装饰品。清琊 28 号墓室南端置铁锅 1 口，残钵器 1 件。清琊 34 号墓为仰身葬，头骨及下牙床完好。葬具仅余棺钉 4 个，随葬品是手镯、项圈等饰物。由出土遗物看，简报推断这些墓葬时代为北宋时期或较晚一些的。墓的大小不同，随葬品的多少、质地也有所不同，且无随葬品的墓占绝大多数，推知当时阶级分化极为明显。同时这些随葬品暗示了墓主的性别和风俗习惯。简报推测可能是少数民族墓葬。

六盘水市

遵义市

753.贵州桐梓县马鞍山观音寺宋墓清理简报

作　者：贵州省文物考古研究所、桐梓县文物管理所　周必素等

出　处：《江汉考古》2013 年第 4 期

2000 年 8 月，因施工在贵州遵义市桐梓县城东南侧马鞍山观音寺大殿土坎内发

现 4 座石室宋墓，桐梓县文物管理所工作人员在其中 1 个墓内淤土中清理出陶瓶、陶碗、陶盏、银发钗等器物。4 座墓墓室依山修建，坐南朝北，天门河从墓前开阔地中央流过。自东向西依次编号为桐 M1、桐 M2、桐 M3、桐 M4。2013 年 5 月，考古人员对马鞍山观音寺样墓进行了清理。分为：一、墓室结构和雕刻，二、出土器物，三、结语。共三个部分，配有拓片和手绘图。

据介绍，4 座墓葬中，M2、M4 没有任何遗物，仅 M1 和 M3 填土中清理出釉陶碗 1 件、釉陶瓶 1 件、瓷碗 2 件、瓷盏 1 件和银发钗 1 件。

简报认为，此次发掘的宋墓，时代均在南宋中晚期。简报推测，此次清理的 M1、M2 可能是夫妻同坟异室合葬墓。墓内虽遭严重盗扰，但 M1 出土有残断的银发钗 1 件，表明墓主系女性，而 M1 亦正好位于 M2 的右侧，也符合"男左女右"的传统埋葬习俗推断。M3、M4 具有向元明时期过渡的风格特征，因而其年代可能比 M1、M2 略晚。

简报指出，桐梓县是贵州宋墓分布较为集中的地区，多数墓内不仅有精美的雕刻，还有多少不一的随葬器物，少数墓葬还出土有买地券等文字资料。这次在观音寺清理的几座宋墓，未见其他宋墓常见的"妇女启门、守门武士"等题材，显示出同中有异的特征，其墓葬形制和雕刻内容的变化为探讨贵州北部地区宋墓向明墓的演变提供了很好的资料。

安顺市

铜仁市

毕节市

黔西南州

黔东南州

黔南州

云南省

昆明市

曲靖市

玉溪市

保山市

754.云南发现的大理国纪年文物

作　者：云南省博物馆　黄德荣等
出　处：《考古》2006年第3期

20世纪八九十年代，考古人员在腾冲来凤山发掘火葬墓时，先后发现2件有大理国纪年的文物。简报对其中未发表的1件作简要介绍，并就大理国"广运"和"大宝"年号的纪年略作考证。

腾冲地处云南西南部。来凤山是当地1处重要的墓地，过去在此曾多次发现火葬墓。1982年，在城南茶厂发现史梅风墓幢和刻有"弟子高瑜城宗之"的火葬墓残碑，时代为大理国。高氏家族自大理国后期到元代世袭驻守腾冲，故有人推测来凤山墓地是高氏贵族墓地。1985年，在来凤山茶厂发掘葬墓246座。其中M124出土1块青灰色板瓦，长34厘米、宽25厘米、厚1.7厘米，凹固有布纹，凸固由左至右直行朱书文字12行，每行字数不等，内容为买地券，首行为"维广运二年岁次己未十一月戊寅朔二十九日"，这是迄今为止全国发现的唯一1件"广运"纪年文物。"广运"是大理国第16代皇帝段正严的年号。段正严于北宋徽宗大观二年（1108年）即位。

段正严共使用过 5 个年号，分别是"日新""文治""永嘉""保天"和"广运"。"广运"这一年号的使用时间，应为宋代绍兴八年至十七年（1138～1147 年），共 10 年。

1998 年 8 月，腾冲文管所在来凤山东面居民区清理 156 座火葬墓。出土遗物中除大量陶、瓷、铜葬具和随葬品以外，还有 4 块带纪年的砖和瓦，其上用朱书汉字书写买地券。其中 1 件砖上的纪年为"大宝八年，岁次丙子"。"大宝"是大理国第 17 代皇帝段正兴的年号。段正兴是段正严之子，在位 25 年，共使用过 5 个年号，依次为"永贞""大宝""龙兴""盛明"和"建德"。段正兴即位的年代为 1147 年，大宝元年为南宋绍兴十九年（1149 年）。这一年号至少使用了 38 年。

普洱市

文山州

红河州

西双版纳州

楚雄州

大理州

755.云南巍山县垅㠓山南诏遗址的发掘

作　者：云南省博物馆

出　处：《考古》1959 年第 3 期

1958 年 10 月至 11 月，考古人员在巍山县发掘了南诏建筑遗址 1 处。简报分为：一、地理环境，二、历史背景，三、发掘经过，四、出土文物，五、小结，共五个部分，有照片。

据介绍，遗址位于巍山县西北，距县城约 40 里。出土有字瓦 50 件，文字正是南诏的文字，瓦当 7 件，滴水 8 件及砖瓦等。这处遗址的使用时间似不长，也没有生产、生活用具出土，似不是一般的居住处。

756.大理国彦贡赵兴明为亡母造尊胜墓幢跋

作　者：孙太初

出　处：《考古》1963 年第 6 期

大理县喜州西隅的弘圭山，元、明以来白族火葬墓以数千计，丰碑短碣，密如春笋，而元以前者，一直未见。1959 年 7 月，考古人员到此拓碑，于山腰东北见此幢半埋土中，仅露顶部，见其形制，与元、明幢式稍异。掘出后，剔去苔藓，文字显露，乃大理国元亨十一年（1195 年）所造。简报配以照片予以介绍。

据介绍，幢作扁方柱形，通体为一整石雕成。顶部作宝珠莲花状，环刻梵文二周。中段为幢身，阳面上半部刻小真书 7 行，文左行，简报录有全文。知此幢乃赵兴明为追荐亡母而作，其形制属于佛教珠经幢，但是立于坟上，并记叙死者生卒年月，又具有墓碑的作用。发掘时，在幢前还挖出火葬罐 2 件：1 件是大理一带习见的明代绿釉莲花瓣火葬罐，当与此幢无关；另 1 件由已剥落，腹部印有十二生肖及五方神像，制作较古朴，不知是否即此幢死者之葬具？

简报称，大理国时代的金石铭刻，留存到现在的不过八九种。此幢文字、雕像均极精美，对于研究当时的历史、文化、宗教习俗等是很有价值的。

757.大理市收集的四方大理国末期的碑刻

作　　者：大理市博物馆　杨益清
出　　处：《考古》1987 年第 9 期

近年，大理市文物部门在挖色区高兴村及城内五华楼旧址收集到 4 块大理国晚期的碑刻，其中有创建佛寺功德碑 1 块、墓志铭 3 块。简报分四个部分予以介绍。

据介绍，4 碑均有出土地点，简报均录有碑文，中多缺字。简报称，大理国立国长达 315 年（938～1254 年），所保存至今的碑刻很少。这几块碑，虽不涉及较大事件，但其内容涉及大理国的佛教、书法、医药和文化以及与中原的联系等，内容比较广泛。其中特别对资料较缺的高妙音护，3 块碑都曾提到，也是考证高妙音护脉络的重要史料。

德宏州

怒江州

迪庆州

西藏自治区

拉萨市

昌都地区

山南地区

758.西藏日土县丁穹拉康石窟群考古调查简报

作　者：陕西省考古研究院、西藏自治区文物保护研究所、阿里地区文物局、
　　　　日土县文物局　席　琳、张建林
出　处：《考古与文物》2014 年第 6 期

2013 年 8 月，考古人员对日土县境内 1 处重要的小型石窟群——丁穹拉康进行了全面考古调查，取得了重要收获。此次调查的成果简报分为：一、环境与概况，二、丁穹拉康 K1，三、丁穹拉康 K2～K4，四、结语，共四个部分，有彩照、手绘图。

据介绍，丁穹拉康石窟群地处西藏最西北部的阿里地区日土县境内，调查发现共计 4 座石窟，1 号窟为礼拜窟，2～4 号窟为禅修窟，组合完整。1 号窟壁画内容丰富，主要包括三组曼荼罗、一组地方护法神、两位护法金刚和尸林修行、地狱变、供养人物等。简报推断该石窟群时代为 10～12 世纪，是西藏西部后弘初期最重要的石窟群之一。

日喀则地区

那曲地区

林芝地区

阿里地区

759.西藏札达县皮央—东嘎遗址 1997 年调查与发掘

作　者：四川大学历史文化学院考古学系、四川大学中国藏学研究所、西藏自治区文物事业管理局　霍　巍、李永宪等

出　处：《考古学报》2001 年第 3 期

皮央—东嘎遗址位于西藏自治区阿里地区札达县境内，是 1 处以佛教遗存为主的大型遗址，包括石窟群、寺庙、佛塔等遗迹，分布在相距 1 公里左右的皮央、东嘎两村附近。该遗址自 1992 年以来曾进行过数次田野考古工作。考古人员于 1997 年 7～8 月再次对该遗址进行了考古调查与发掘。本次工作主要在皮央村附近的遗址区进行，对该区部分寺庙建筑、石窟、佛塔遗迹作了测绘、调查和发掘，获得了一批重要资料，包括生产工具、生活用具、石器、甲衣、壁画、植物种子等 1000 余件。简报分为：一、佛寺建筑遗迹的发掘，二、石窟遗迹调查，三、土塔遗迹调查，四、遗物，五、结语，共五个部分，有彩照、手绘图。

据介绍，皮央村东侧的"格林塘"佛寺遗迹，历来被称为"皮央旧寺"，是西藏西部最早的 8 座寺院之一。文献记载建于 996 年，11 世纪初又进行了扩建。此次发掘还出土了藏文佛经 35 件。

简报指出，皮央—东嘎遗址不仅有多处殿、塔、墙等佛教建筑遗迹，同时还有礼佛窟、灵塔窟、生活窟等近千孔石窟遗迹，如此建筑规模和人口密度的佛教生活区，在以往所见藏、汉文献中鲜见载述。据《古格普兰王国史》所提供的线索，当时的皮央、东嘎曾是古格王室举行婚典、加冕等重要王室盛典的胜地，并且在古格王室分裂时期还一度成为与"札布让"（王宫所在地）相对峙的一个宗教政治中心。以皮央、东嘎为中心的大型佛教遗址，是西藏西部佛教文化史上一个重要地点，特别是在古格王国建国之后，皮央、东嘎曾一度是王国都城之外集宗教、政治、文化、

商贸、军事为一体的重要行政地。古代阿里地区不但是西藏吐蕃王朝之后振兴佛教、抵御外敌的要冲，同时也是藏传佛教与相邻地区佛教文化的交流融汇之所。此次发掘所见佛教遗物、遗迹均有这方面的特别。出土的一尊银眼铜像，工艺系模仿古代克什米尔和古印度，以银块嵌入铜像眼部。又如发现的一件织物残片，上有阿拉伯语短句。这都表明当时西藏与大食、与古印度的交往，弥足珍贵。

陕西省

西安市

760.西安发现北宋张守节墓志

作　者：李兴华
出　处：《文博》1986 年第 2 期

1984 年西安市雁塔区文物普查时，在鱼化乡东晁村征集到北宋墓志 1 方，志高 78 厘米、宽 55 厘米，简报录有墓志全文。

简报称，《长安志卷 12·长安》载善政乡在县西 45 里。善政乡原为唐代之名，宋代沿用。这方墓志为研究北宋乡里名称提供了新的资料。

761.临潼县胡家寨宋窑清理简报

作　者：陕西省秦始皇陵考古队　王学理、刘占成
出　处：《考古与文物》1987 年第 3 期

1985 年 12 月，考古人员在距秦始皇陵东北 4 公里的胡家寨村北清理了 1 座陶窑窑址。简报分为：一、陶窑的结构，二、出土器物，三、小结，共三个部分，有拓片、照片、手绘图。

据介绍，整个陶窑可分为斜坡道、窑门、火膛、窑床、烟囱五个部分。窑室方正，窑床前低后高，床面平整，烟囱细高，下部又另设烟道，这就大大增强了吸风能力，使火力均匀。这种结构合理、科学的陶窑的发现，为我国古代窑业的研究又提供了一个新资料。简报推断时代不晚于北宋末年。从遗物看，主要是烧瓦。

简报称，胡家寨一带古代窑址较多，1982 年在黄南发现并清理过 1 座秦窑，在村西 300 多米处还发现过 1 座唐窑，这次又清理了 1 座宋窑。可见此地区是历史上延续较久的窑场。

762.西安曲江新出土北宋郭遘墓志

作　者：杨兴华

出　处：《文博》1989 年第 4 期

1987 年，雁塔区曲江乡西曲江池村出土了北宋郭遘墓志 1 合。简报配以拓片予以介绍。

据墓志铭文，死者为郭遘，字通叔，唐汾阳王郭子仪之后，官内殿崇班、西京皇城司巡检。北宋元祐四年（1089 年）五月十四日卒，同年八月二十三日葬于京兆府万年县龙首乡芙蓉原。该志的出土为研究宋史及郭氏世系提供了新的实物资料。简报录有志文全文。

763.西安西郊热电厂基建工地清理三座宋墓

作　者：西安市文物管理处

出　处：《考古与文物》1992 年第 5 期

1990 年，西安市文物管理处在西郊热电厂基建工地，清理了 150 多座古墓葬，其中宋墓 3 座，编号为 M2、M85、M90。简报分为：一、墓葬形制，二、随葬器物，共两部分，有手绘图。

据介绍，M85、M90 为小型墓，均为土洞墓。随葬品很少，仅铜钱 2 枚，双耳罐 2 件，瓷碗 1 件。大型墓 1 座（M2），出土有南唐钱币等及墓志 1 块。简报录有志文全文。

志文共 60 行，满行 50 字，书体为楷。从志文可知，此墓为淳于广与其妻周氏的合葬墓。淳于广景祐元年（1034 年）正月四日终于长安之私第，享年 83 岁，三月六日葬于善政乡尖丘里。以时间推算，可知淳于广生于宋建国前 20 年（941 年）的五代时期。原籍登州黄县（今山东黄县）人，后寓族长安。从宋太祖乾德二年（964 年）24 岁时庇荫官场，历经太宗、真宗、仁宗共四朝 60 余年，勤劳王事，政绩显著，多次受到朝廷的嘉奖，暮年告老后得到优厚的待遇及荣誉，享受太中大夫、光禄少卿，致仕上柱国会稽县开国伯，食邑九百户，赐金鱼袋的赐封。墓主人淳于广未载于《宋史》，其任溧阳县尉当在太祖开保七年（975 年）宋灭南唐后不远，志文反映了当时南唐境内社会形势不很稳定，还反映了真宗成平年间江浙一带修浚河道，促进商业贸易往来，漕运事业的发展及镇压益州王均领导的农民起义后，宋王朝欲采西蜀铜，废两川铁钱未果之事。

简报称，志文所载这些史实，史书均未见记载。墓志所记可弥补史书的缺漏。

764.西安西门外发现窖藏铜钱

作　者：王建中

出　处：《文博》1993年第3期

1988年3月24日下午，西安化工通用机械厂在西门外修排水道过程中发现窖藏铜钱。简报配以拓片予以介绍。

据介绍，这批铜钱被埋藏在距地表约0.9米深处的1只黑色陶罐内。清理时陶罐已破碎，但仍可看出铜钱原先是成串整齐地盘放于罐内。铜钱总重约10公斤，计2182枚。穿绳已腐朽，部分钱锈蚀板结，周围无其他遗存物。这些钱主要为北宋钱币，杂有少量其他朝代钱币。年代最早的为王莽"货泉"；最晚的为北宋"宣和通宝"，均为素背，币值有折二、折三、当十等。钱币有真、草、隶、篆和瘦金体。

简报称，上述从钱币内容看，虽多为常见钱币，但其中北宋钱币各时期基本都有，较丰富、系统。从铜钱币的出土地点来看，仍在当时的城内住宅区范围。而最晚的钱币年代是宋徽宗"宣和通宝"，此时正是北宋末年，陕西正处于战乱频繁，北宋王朝不断受到辽、金、西夏及蒙古的攻击。所以，简报推断，这批铜钱可能由于战乱原因，是当时人在仓促之中埋藏的。

765.西安长安区郭杜镇清理的三座宋代李唐王朝后裔家族墓

作　者：西安市文物保护考古所　王久刚等

出　处：《文物》2008年第6期

2003年4月，西安市文物保护考古所配合邮电学院南郊新校区体育馆基建工程，在西安市长安区郭杜镇茅坡村南清理了宋代李唐王朝后裔家族墓3座。简报分为：一、墓葬形制，二、出土器物，三、结语，共三个部分，有照片、拓片、手绘图。

据介绍，3座墓葬是在下挖5.5米的建筑基槽内发掘的，东西向排列，均为土洞墓，墓道在东，墓室在西。因曾被盗，仅出土遗物12件，另有铜钱56枚。

此次发掘最大收获有2合墓志：1为李保枢墓志，1为李琦墓志。简报录有志文。从墓志可知此处为李唐王朝蔡王后裔家族墓地，但未记蔡王之名。唐代封为蔡王的有3人，1位为高祖同族门李蔚，武德初追封蔡王；1位为睿宗长子，让皇帝李宪，文明元年（684年）立为太子，睿宗降为皇嗣，成为皇孙，长寿二年（693年）改封寿春郡王，中宗即位，改封蔡王，但李宪固辞，依旧为寿春郡王；另1位为昭宗第17子李施，昭宣帝李祝天祐元年（904年）八月即皇帝位，天祐二年（905年）九月封李施为蔡王，李施为唐代封的最后1个王，封后第3年唐即灭亡。根据文献，墓志所记蔡王只能是李蔚或李施。

据李保枢墓志，保枢，字慎言，官至尚书虞部员外郎。曾祖父璟，郓州录事参军，曾祖母，渤海高氏。祖父望子，海州怀仁令，祖母渤海郡诸葛氏。父仁照，尚书兵部员外郎，母太原郡王氏。保枢为仁照第二子，其夫人扶风窦氏。有子5人，女4人，其中长子瑗三班奉职，监渭桥酒税；四子瑀官至尚书屯田员外郎。保枢因子李瑀籍累赠光禄卿，窦氏因子贵累封扶风县太君。宋太宗太平兴国三年（978年）保枢奉使吉州，因病于其年十二月十日终于郡之馆舍，享年53岁。夫人窦氏40年后于宋真宗天禧三年（1019年）二月二十三日终，享年87岁。其年六月五日移保枢灵柩合葬于长安县居安乡卢宋里兵部之茔。保枢墓早年两次被盗，窦氏去世时保枢已亡40年，移葬时应仅存骨架，二人应合用一棺。

据李瑀墓志，李瑀，字温，生于北宋太祖开宝元年（968年），累官至屯田郎中，阶至朝散大夫，勋至上柱国。仁宗天圣元年（1023年）因病告老还家，其年初夏病终，享年61岁。夫人天水赵氏始封南阳县君，累封金城县君，有子3人。天圣七年（1029年）十二月六日，其子颢等依李瑀遗言葬于长安县居安乡卢宋里祖茔之东偏。保枢墓志记瑀之子2人，李瑀墓志则记有子3人，且两墓志所记名字也各不相同，保枢墓志所记应为乳名，有政应为颢，幼子在保枢下葬时应还未出生。

夫人宋氏为李瑀长子李颢之妻，内殿崇班合门抵侯垂远之女，太宗朝名臣宋琪侄女，宋琪《宋史》有传。依史载宋氏应为宋琪孙女，与志文记载有别。宋氏有子4人、女4人。熙宁九年（1076年）正月初七日终，享年70岁。11年后，其二子李位于哲宗元祐元年（1086年）闰二月初八日，迁宋氏夫人祔葬于其夫颢之墓。

简报指出，宋代墓志形制多样，且多无志盖。此两墓志为有志盖的正方形，形制与唐代墓同，其纹饰为唐墓志所常见的纹饰。M1墓志最后一行文字旁遗留有未打磨掉的字迹，说明这些墓志均是利用唐代旧墓志所改刻。出土的2件石函，用途不详，其纹饰、形制也都表现出唐代的风格。这些可能与墓主人自认为是李唐王朝后代，留恋唐代文化有关。3墓历经李氏家族3代，历时约70年，为研究宋代墓葬形制、丧葬习俗特别是迁葬习俗提供了重要资料。墓中出土有宋耀州窑刻花青釉瓷罐，工艺精细，是耀州窑瓷器的珍贵标本。出土瓷瓶多件，有的用粉红色物封口，为研究宋代此类瓷瓶的用途等提供了实物资料。

766.陕西蓝田县五里头北宋吕氏家族墓地

作　者：陕西省考古研究院　张　蕴、刘思哲等
出　处：《考古》2010 年第 8 期

　　陕西蓝田县五里头村位于蓝田县城西北 2.5 公里处。2005 年冬，村北 1 座古墓葬被盗掘，出土大批精美的瓷器及青铜器。2006 年 12 月，考古人员对该区域内被盗古墓葬进行了抢救性发掘。截至 2009 年 12 月，田野考古工作基本结束。历时 3 年，发现了 1 座家族墓园，共清理北宋墓葬 29 座，出土遗物 665 件（组）。此外，还勘探家庙遗址 1 处。简报分为：一、墓葬形制，二、兆沟，三、家庙遗址，四、出土遗物，五、结语，共五个部分，有彩照、拓片、手绘图及吕氏家族墓地辈分排序示意图（神宗熙宁七年至徽宗政和元年〈1074 ～ 1111 年〉）。

　　简报称，因被盗墓葬出土遗物等级品相较高，该地又为蓝田县北宋吕氏家族墓地保护区域，为了更科学周密地做好该项工作，考古队组建之后首先制定了工作规划。如对被盗墓葬周边环境、地形地貌进行勘查。

　　据介绍，墓园包括墓葬群、围墓兆沟、家庙遗址三部分，其中墓葬为土洞墓，分单室、前后双室、并列双室、主室带侧室、单前室双后室，按纵横两系列规律排列。出土陶、瓷、石、铜、铁、锡、银、金、漆、骨等实用器 655 件（组）。出土墓志为研究其家族的延续发展脉络提供了第一手资料，明确了大部分墓主名讳，为研究其家族墓地排列提供了珍贵而确凿的证据。志文中涉及北宋吏制、科举、文坛名士等诸多方面，也是研究北宋政治制度、意识形态、社会生活的重要依据。简报指出，蓝田吕氏家族墓地是目前发现的保存最完整的北宋家族墓地，包括有规律排列的 29 座墓葬，东、西、北三面环绕的兆沟，处于墓葬群中轴线南端 500 米处的家庙遗址。这种结构应代表了北宋世家墓地的基本构成和布局。墓地依山面水、北高南低、溪流环绕，这种自然环境有助于我们了解北宋家族墓地的选址和营建理念。

　　简报介绍，墓葬在纵向与横向排列上都遵循一定规则。发掘显示，吕通墓位于墓地中轴线最南端，其身后为长子吕英墓，再其后为长孙吕大圭墓。由此可见，墓地中墓葬纵向分布规律为长子长孙系列；横向排列是按辈分自南向北依次布置的，南端是家族中最高辈分的吕通，其次是 2 个儿子吕英与吕董，第三排为"大"字辈孙辈成员，其中 M2 为北宋文化名人吕大临墓。第四排即墓地中最北一排为"山"字辈重孙墓葬。第五代成员仅一位即吕大防孙女吕倩容，其为未出阁女子且早亡，生前深得祖父钟爱，故破例葬于大防墓上土层中。"山"字辈成员生活于北宋将亡的动荡时期，当时政治中心南迁后大批贵族随之南下，北方战乱并为金人占据，墓

地从此停止使用，所以"山"字辈成员未能全部葬入此地。

据出土墓志，此处墓地其排列秩序完全合乎《周记》的要求。吕大临兄弟皆擅长研究礼学，家族墓地之排序必然也经过认真考证，因而此墓地也反映了宋人对《周礼》中埋葬制度的理解与研究，这对研究北宋士大夫阶层家族墓地埋葬制度具有重要意义。

另外，墓葬中出土的大量实用瓷器，特别是各窑口出产的精美茶具，以及名贵砚台、定制的仿古礼器和着意收藏的古铜器都反映了世家贵族的精致生活、高雅情趣。

767.西安乳家庄宋代砖雕墓发掘简报

作　者：西安市文物保护考古研究院　张小丽、朱连华等
出　处：《文物》2013 年第 8 期

2010 年 9 月，考古人员在西安市长安区乳家庄村西北约 200 米处，清理了 1 座北宋砖雕墓，出土陶器、瓷器、铅器等 18 件。简报分为"墓葬形制""墓室壁画与砖雕""出土器物"和"结语"，共四个部分，配有彩照和手绘图。

据介绍，该墓内共有人骨 3 具，其中 1 具为未成年人。年代大致为北宋中晚期或晚期。

简报认为，该墓是西安地区发掘的为数不多的北宋砖雕壁画墓。以往发现的此类墓，主要集中在河南、山西一带。西安此墓，虽规模不大，但保存尚好，有其研究价值。

铜川市

768.陕西铜川宋代窑址

作　者：陕西考古所泾水队
出　处：《考古》1959 年第 12 期

窑址位于铜川市西南 15 公里的黄堡镇。此地过去属同官县，属耀州，故该窑应属耀州瓷系列窑址。1959 年，考古人员进行了发掘，简报分为：一、调查概况，二、发掘情况，三、结束语，共三个部分，有拓片。

据介绍，发现残窑 40 余座，灰坑 50 多个。烧瓷窑址发现 4 座，形制结构基本相同，仅大小略有区别。三号窑址保存比较完整，窑口向西，窑底平面为一马蹄形，

窑室分为火堂、窑床、烟洞三部分。火堂下部设有漏煤渣的炉坑，炉桥用耐火砖砌成，已残。窑床平面，前高后低，呈10°斜坡状，表面有放过匣钵的痕迹。烟洞在窑室后面，中有隔墙1堵，下有烟孔8个，排列于南北两边，每边4个。简报认为宋以前黄堡已有瓷器烧造，废弃时间最早不过北宋末年，最晚可至金代卫绍王"大安"年间。

769.耀县发现古瓷窑遗址

作　者：王明皋、刘文韬
出　处：《文博》1984 年第 3 期

1983 年 9 月下旬，耀县桃由坡水利指挥部在县城北面塔坡基建中，在地基下发现 5 处灰坑，坑内混杂有大批烧窑用的匣钵和宋瓷碎片，坑壁有烧红的焦土痕迹，据考古人员鉴别，确认它是宋代耀州窑遗址。简报配以照片予以介绍。

据介绍，瓷片大都是碗、杯、盒、盘，有印花与素面两种。印花有菊花、葡萄、蔓草等图案，具有似浅浮雕艺术效果，美观大方，釉色有豆绿、姜黄、浅灰等，并有冰裂纹。同时，还在窑址内发现一个大陶瓮，瓮底积存有一部分灰白色的釉料粉，有的已凝结为颗粒状。制作瓷器的原料坩土，在离塔坡不远的崔仙堡附近，即有埋藏。距塔坡10～20多里的王家贬、韩古庄等地便是炭窑，自古耀县人吆骡子驮炭搞副业的很多，供应塔坡窑烧瓷当不成问题。塔坡窑地征塔坡东端，坡下即为南北交通要道（现为成榆公路）与漆河。不但制瓷用水方便，经销运输也颇便利。凡此种种，都充分说明了耀县塔坡有烧制宋瓷的条件。

770.试述耀州窑塔坡窑址

作　者：张世英
出　处：《文博》1996 年第 3 期

耀县古瓷窑遗址位于塔坡。塔坡处于漆、沮二河左右环绕的二台高地上，是 1 处新石器时代的遗址。塔坡遗址是陕西省第二批重点文物保护单位。但更重要的是，1983 年耀县桃由坡水利指挥部在塔坡筹建挖基时，发现 5 处灰坑，每坑均杂混有大量烧窑用的匣钵和宋瓷残片，坑有烧红的焦土，鼓腹状的窑炉。根据收存的瓷器残片多为碗，还有盘、碟、杯、壶、盆之类；釉色豆绿、灰青、姜黄等；釉质青朴、典雅净泽、精润如玉、击声铿锵；纹饰丰富多变，清晰美观，残片以素面、刻花、压花为主，多为蔓草、菊花、牡丹、葡萄图，刻印花图案有浅浮雕的艺术效果，美观大方，应为 1 处宋代窑址。

简报称，多年来，文物考古调查和发掘的研究表明：耀州窑以黄堡为中心，以东约 20 公里有上店、立地坡、陈炉古瓷窑，以西有旬邑县安仁古瓷窑，以北 30 公里有玉华村古瓷窑；以南约 10 公里有耀县塔坡古瓷窑，然而，这些发现都在史志上少有记载，至于耀县古瓷窑更鲜为人知。塔坡古瓷窑就应是其中之一。

据地方志，元末当地州治均毁于兵火，塔坡窑也未能幸免，从此再也未能恢复生产。

771.陕西铜川市印台区发现瓷器窖藏

作　者：周会英、郭文涛、陈晓捷、王宏民
出　处：《考古与文物》2005 年第 6 期

2003 年 8 月 30 日，铜川市印台区红土镇东王村西王组农民在取土过程中发现瓷器窖藏。考古人员随即对出土地点进行了全面勘查，在当地公安部门协助下，共追回各类文物标本 62 件。主要为瓷器，另有少量铜铁残器。简报分为：一、窖藏的位置及状况，二、出土器物，三、结语，共三个部分。

据介绍，东王村西王组位于铜川市印台区东 20 公里，西距红土镇 1 公里，窖藏位于距地面 3 米深处。出土文物大部分为青瓷器，系日常生活用品。另外，窖藏还出土铜器底 1 件、残铁圈、铁片、铁条等。简报推断，这座窖藏是以北宋瓷器为主的耀瓷窖藏，埋藏的时间为金代初年。

简报称，从 1950 年至今，出土耀瓷数量较多的窖藏共有 5 批，是陶瓷考古史上的一次重大发现，对研究耀州窑历史提供了重要的实物资料。

宝鸡市

772.陕西宝鸡县县功公社陈家咀大队出土一批宋代文物

作　者：王红武
出　处：《文物》1981 年第 8 期

1977 年 2 月，宝鸡县县功公社陈家咀大队发现 1 座宋墓，出土器物简报配以照片予以介绍。

据介绍，墓志砖 1 件。知墓主人名马德元，吴山县人，卒于北宋政和七年（1117 年）

十月二十五日。吴山县，治所在今陕西陇县东南 120 里。随葬品有陶罐 1 件、雕像砖块、耀州黄堡窑出品青瓷器 2 件。

773.扶风出土的宋金时代金银器

作　者：扶风县博物馆　罗西章
出　处：《考古与文物》1984 年第 4 期

1972 年以来，扶风先后出土了宋金时代金银器三批。简报分为三个部分予以介绍，有照片。

据介绍，这三批金银器为：

一、上宋柳家出土的宋代银带饰。1972 年 8 月，上宋公社柳家生产队农民，在渭惠渠北岸平整土地时，在距地面 1 米深的地方，发现 1 处宋代房屋遗址。据在场劳动的农民谈，遗址内瓦砾堆积很厚，还有排列有序的石柱础和残墙迹，并有铁斧、铁镰、青瓷碗残片和唐、宋铜钱出土。铜钱中最晚的则是"崇宁重宝"。在出土的一口陶瓮中（已打碎），装有腐朽成灰的衣物之类和保存较好的革带铐饰。

二、午井四户出土的金银器。1978 年 12 月中旬，午井公社四户大队南庄生产队农民在村西南方向距村约 200 米的地方平整土地时，发现 1 座宋代院落遗址。遗址内有用青砖筑的排水道和房檐台，房基上堆积着大量砖瓦残片、1 个完整的石臼、杵棒、青釉瓷碗，以及 10 多枚宋代铜钱。在距地面约 80 厘米处发现 1 个铁壶和三足铁器，出土时并放在一起，内装金镯 1 对、金耳环 1 对，银铤和碎银，共重 3000 多克。文物出土后散佚，后征集到其中大部分。

三、法门宝塔出土的宋金银器。1980 年 11 月 5 日，法门公社宝塔大队西坡生产队农民，在村西南平整土地时，从一瓦砾堆中发现一大陶罐（已打碎），内装银器、银铤、铜条脱，共 9 件，出土后散失。

简报还附有午井四户出土的 34 块碎银币，最大的 325 克，最小的仅 2 克。这为我们研究当时流通的货币提供了实物。

774.凤翔出土一批宋金时期铁造像

作　者：赵丛苍
出　处：《文博》1985 年第 2 期

1983 年元月，凤翔县城关东街太白巷农民霍胜利等在县城二马路北边断崖处取土时，挖出一批铁造像。经现场观察了解，铁像是埋于 1 个 2 米见方的坑内，坑口距崖面地表深不足 2 米，附近未见墓葬及其他遗迹，可知为 1 窖藏。铁造像共 8 尊，还出有 1 铁香炉，并伴出 1 枚铁钱。简报配以照片予以介绍。

简报称，8 尊铁造像，均采用圆雕技法铸成，中空，壁厚在 0.8 ～ 1.5 厘米，完整者重 45 公斤左右。有 5 尊铁像身着铠甲，其中两尊头戴兜鍪，3 尊头系花冠。其余 3 尊上身裸体者，头上亦系花冠。这些服饰，似与军事有关，这批铁像可能属武将和武士性质。简报认为是北宋时为庆贺或纪念阵亡将士所造，原应放置在附近的普门寺中，当金军来临时，埋入地下。

775.陕西岐山县发现宋代窖藏铜钱币

作　者：岐山县博物馆
出　处：《考古与文物》1987 年第 5 期

1982 年 5 月，岐山县博物馆征集到一批南宋时期窖藏的古代铜钱，约 14 万枚，1286 斤。这批古铜钱，是当年 3 月岐山县五丈原乡温星村一村民在其院内取土时，从距地表 1.5 米深的土层中挖出的。铜钱出土时成堆叠放在 1 个不规则的窖穴内，穿索已经腐烂，部分铜钱因锈蚀而黏结在一起，坑内无其他遗物。简报配以拓片予以介绍。

据介绍，这批古代铜钱保存基本完好，大部分字迹清晰。钱文有真、草、行、隶、篆和针悬体、瘦金体等多种书体。经过整理，其时代有西汉、新莽、唐、前蜀、后汉、后周、南唐、北宋、辽、西夏以及南宋、金等，共有 110 种类型。主要的是北宋钱，有 23 种年号钱及 3 种非年号钱，共 76 式。时代最晚的一种是南宋"淳熙元宝"，由此可知，这个窖藏的时间大约在南宋孝宗（1163 ～ 1189 年）后。

简报指出，在这批铜钱中，前蜀的"通正元宝""天汉元宝""光天元宝"，后汉的"汉元通宝"，后周的"周元通宝"，辽代的"大康通宝""寿昌元宝"，以及西夏的"天盛元宝"，都不多见。

776.扶风法门寺出土宋代耀瓷

作　者：法门寺博物馆　王仓西、梁贵林
出　处：《文博》1989 年第 3 期

1988 年 11 月 24 日，一些民工在法门寺博物馆西围墙外修建公厕时，发现了一批瓷器。瓷器已全部被打成碎片。据当事人讲：器物出土时，堆放整齐有序，民工

不小心，一镢挖下打碎了所有的器物。经勘察，这批瓷器原可能出土于 1 个宋代窖藏内，由于挖土破坏较大，原窖藏大小已无法知晓。同出的还有铜佛造像一件，汉代五铢钱 1 枚。已复原青釉瓷碗 9 件，青釉瓷盘 1 件，余者因破碎过甚，无法复原。简报配以手绘图、照片予以介绍。

据介绍，唐宋时期是法门寺历史上最鼎盛的时代，在法门寺地区的建设中，发现唐宋时期文化遗物特别丰富。在博物馆修建珍宝阁时，挖出了 200 多件瓷器，大多数为唐宋时期之物。

简报认为，这次发现的窖藏，地处唐宋时期法门寺院中心地区，这些瓷器无疑是寺院所用之物。这个窖藏出土的瓷器均为宋代耀州窑产品。

777.扶风伏波窖藏铜钱

作　者：高西省

出　处：《文博》1989 年第 4 期

1983 年 2 月，陕西省扶风县城关乡伏波村村民在村南土壕内挖土时，发现 1 窖古铜钱。窖穴为不规整的方形，约 1 米长宽，距地表 1 米左右，成堆叠放。经整理有西汉、东汉、西晋南北朝、隋唐、五代、宋各代铜钱 248 市斤，以唐"开元通宝"数量最多，占 75%，宋钱次之，占总数的 19%，其他各代占总数的 6%。简报配以拓片予以介绍。

据介绍，这个窖藏出土的铜钱上至西汉下至北宋熙宁年间（1068～1077 年），为此窖藏的埋藏时间提供了依据，此窖藏的时间不应早于北宋熙宁年间（1068～1077 年），窖藏的发现对于研究唐宋时期经济流通交通状况具有一定的意义。

778.扶风出土一枚铜印

作　者：侯若冰

出　处：《文博》1989 年第 4 期

1985 年 4 月，扶风县黄甫乡徐家河村村民徐启善在本县工人俱乐部搞基建挖基墙时，于地表下 1 米多处发现 1 枚铜印。出土地点已被破坏。简报配以照片、拓片予以介绍。

据介绍，这方印为铜质，正方形，顶部刻一"上"字。印背以钮为界，左右各有阴刻铭 1 行：右"元符三年二"，左"月少府监铸"，10 字连续。印面阳铸"湟州兵马都监司印"。印重 425 克。元符，宋哲宗赵煦的年号。元符三年即 1100 年。

少府监，《宋史·卷 165·志 118》载：掌造门戟、神衣、旌节、郊庙诸坛祭玉、法物，铸牌印朱记，百官拜表案、褥之事。湟州，州名，宋置，在甘肃省碾伯县，1928 年改乐都县，划归青海省。此印是元符三年（1100 年）二月，由少府监官监铸，宋哲宗亲封"湟州兵马都监"，并发此印。朝臣受封后，接印到湟州赴任，负责掌管湟州地区屯驻、兵甲、训练、差役等事务。

至于此印为什么能在扶风县城出土，还有待进一步考证。

779.散关岭上发现铁铠甲

作　者：高次若

出　处：《文博》1991 年第 6 期

1988 年 9 月 2 日，考古人员根据宝鸡市公路总段职工高仲伦提供的信息，在陈仓故道的散关岭上首次发现并清理出古代铁铠甲 1 领。甲片有散失，无法复原。

简报分为：一、铁甲出土情况，二、甲片，三、时代，共三个部分，有手绘图。

据介绍，出铁甲的地方位于明大散关以南的散关岭上（今川陕公路 35 公里处东侧）。铠甲埋于距公路 2 米多远的小土丘里，距地表仅 30 厘米。简报称，大散关曾发生过 40 多次重大军事行动和战役，但有关战争的遗物还属首次发现。此次发现铁铠甲的地方位于陈仓故道上的散关岭上。根据史料记载以及复盖在铁铠甲片上的瓦砾和周围地形来看，出铠甲的地方很可能是宋以来修筑栈阁界关的地方。这些铠甲片做工精细，孔径孔位规格，体质柔薄而切，共计 380 余片，可初步断定为宋代遗物。

简报称，铁铠甲的出土，为研究古代战争史提供了重要的实物资料。

780.宝鸡市姜城堡宋墓中出土瓷器和铁器

作　者：王桂枝

出　处：《文博》1991 年第 6 期

1978 年 10 月，宝鸡市郊姜城堡宝成仪表厂福利区在基建中发现 1 宋代残墓。该墓为砖砌洞室墓。墓中出土了瓷瓶、瓷炉、铁壶、铁炉各 1 件。但墓的形制已被破坏，墓室已塌陷。简报配以照片予以介绍。

据介绍，计瓷瓶 1 件、瓷炉 1 件、铁壶 1 件、铁炉 1 件。简报称，该墓出土的两件瓷器，在制作技术、造型和装饰工艺均有其特色，但未提出窑口，为我们研究制瓷发展史提供了有价值的实物资料。

781.岐山县发现古钱币窖藏

作　者：庞文龙、刘少敏
出　处：《文博》1991年第6期

简报配以拓片，介绍了陕西省岐山县出土的两处窖藏钱币。

一是五丈原镇北星村铜钱窖藏。1988年9月11日，陕棉九厂进行扩建工程，在北星村村西取土时，发现了大量古代铜钱。经调查勘察，知这批铜钱，埋存于距地表深约两米处，置于1个用方砖砌筑的窖穴内。窖穴已被大型掘土机械全部破坏，据现场施工人员提供的情况，估计出土铜钱有2000余斤，大部分散失，仅收集到375斤。钱文字迹清晰，有真、草、隶、篆、行及八分书、瘦金书等多种书体。其时代包括西汉、唐、北宋、南宋及金五个朝代，共有62个品种。窖藏时间当在金代。

二是祝家庄乡曹高沟村铁钱窖藏。1990年4月，在开展文物保护法宣传月活动中，村民反映该村曾出过大量铁钱。1988年2月，该村村民曹仓喜在其村沟南修建院基时，曾挖出了大量铁钱。据现场施工者粗略估计，有2500多斤。出土时大多锈结成块，被当作废铁卖掉，仅收集了部分散存的铁钱。经过整理，其内有13个品种，皆为北宋钱币。窖藏时间应在北宋后期。

782.宝鸡市长岭机器厂宋墓清理简报

作　者：卢建国、官波舟
出　处：《文博》1998年第6期

1985年9月，宝鸡市南郊长岭机器厂修建职工宿舍时，在地表以下5米深处，发现1座古墓葬。考古人员对该墓进行了抢救清理。清理工作由9月4日开始，6日结束，历时3天。

清理结果简报分为：一、墓葬位置、结构，二、墓内装饰，三、人骨与遗物，四、结语，四个部分，有手绘图、照片、拓片。

据介绍，长岭机器厂位于宝鸡市渭滨区神龙乡，南距大散关约10公里，北距渭河约2公里，西临清姜河。这里发现的各历史时期的墓葬较多，其中经过科学发掘的有茹家庄、竹园沟等西周国墓等。该墓坐东向西，其形制结构包括墓道、平台、甬道、墓室四部分。墓室底平面呈正方形，穹窿顶，砖仿木结构建筑。该墓的装饰，主要以人物、动物、植物为主题内容的砖雕画组成，砖仿木建筑构件的砖雕，也是该墓装饰的组成部分。砖雕画以雕刻、模印两种技艺手法制成。简报推断该墓为北宋时期的夫妻合葬墓。

简报称，诸多砖雕采用减底平雕手法，画面拙朴简约、生动传神、稚默有趣，回味无穷，使北宋的丝绸之路风情、边塞战事遗韵、文化生活情景、道德伦理状况，动植物情趣跃然砖上，使人身临其境，是不可多得的艺术精品。

咸阳市

783.陕西兴平县西郊清理宋墓一座

作　者：陕西省文物管理委员会　杨正兴等
出　处：《文物》1959 年第 2 期

1956 年 4 月，陕西省文管会在兴平县西郊配合基建工程清理了一批墓葬，其中有 1 座宋墓，保存完好，出土的随葬品也比较丰富。

简报分为：一、墓的结构，二、葬式和随葬品，共两个部分，有照片。

据介绍，这是 1 座仿木建筑的砖室墓，用长方形和正方形两种砖砌成，墓室长方形。棺木已全部腐朽，只存有夹杂在淤泥中的一些板灰、棺钉、棺环等。墓室的东西壁小龛内有带官帽的坐俑 3 个，北壁小龛内有 6 个坐俑和 1 个立俑。其他有陶器、瓷器、铜器、铁器、铜钱和金器。

关于墓的年代，根据出土的"天禧通宝""淳化通宝"推断，可能是北宋时期。近年来陕西地区发现的宋墓，所出陶俑极少，此墓出土的这一批陶俑，对研究宋代陕西地区的陶俑艺术提供了实物资料。

784.长武县出土四件宋代铁釜

作　者：长武县文管所　赵彩秀
出　处：《考古与文物》1986 年第 2 期

1977 年元月，陕西长武县巨家公社巨家大队平整土地时挖出 2 口大铁釜（其中 1 件已残）。

1982 年，当地农民修梯田时，在距地表约 1 米深处又发现两口铁釜。出土时相互扣置在一起，釜内放 1 只青瓷碗，碗已残，釜的形制与巨家村出土的相同。

简报称，4 件铁釜形制相同，与甘肃华池县五蛟公社李良子大队出土的宋代铁釜（见《文物》1984 年 3 期）相似，亦应为宋代遗物。

785.彬县开元寺塔的建筑年代及其新发现文物

作　者：刘合心、孙育民

出　处：《文博》1990年第2期

位于彬县城内西街紫微山下的开元寺塔，又称彬县塔。1956年8月6日公布为陕西省重点文物保护单位。1983～1987年，陕西省文物局先后拨款14.4万元，对开元寺塔的塔檐、斗拱、平座栏杆、券洞、门、窗、角梁及塔体、塔内楼板阶梯等进行了加固维修和修复。发现有新的文物，订正了塔的建筑年代。简报配以照片予以介绍。

据介绍，彬县开元寺塔，是1座平面呈八边形七层仿木结构的楼阁式砖塔。塔的高度过去说法不一，此次实测为47.84米。此次维修时，在塔顶铁刹上发现有铭文。同时，在塔刹周围还发现铜佛像30尊、莲花佛座1个、铜镜2块、壶门座铜棺（无盖）1个及"大观通宝""太平通宝""宣和通宝"，铁钱，铁箭头，王莽"货布"钱等一批文物。从而得知，此塔准确的建造年代应为北宋皇祐五年（1053年）。

786.淳化县出土北宋砖刻墓志

作　者：姚生民

出　处：《文博》1993年第1期

1985年8月，陕西省淳化县车坞乡南胡同村农民在庄基内掘土，发现1座北宋墓葬。简报配以照片予以介绍。

据介绍，出土的砖类皆灰色，比例均称，表面光滑，具有断代作用。墓志砖接近方形，顶侧刻有"淳化县"3字。砖面刻写志文8行，行8～12字不等，行书，行间用竖线界开。简报录有志文全文。

从墓砖志文看，墓主杨遇是一般平民。志文记该墓埋葬于"元祐四年""元祐"为北宋哲宗赵熙年号，元祐四年即1089年，距今已988年。志文记墓主后裔及墓作诸人，无溢美虚词。文中所提本县"永建村"，今不传。该墓所在的南胡同村，东距志文中提到的车坞村不足1公里，由此得知车坞村村名北宋已有，车坞村在淳化县城以西5公里，分北车坞和南车坞两个村庄，北车坞偏东，南车坞偏西，志文中提到的"西车坞"，应是今南车坞。南车坞村村民今以杨姓为大宗，简报称，从该墓主属姓得知，北宋时南车坞村就有杨姓。墓志"盖以远日非便"，"日"指"日下"，亦即西京。

787.陕西三原发现一枚宋代官印

作　者： 王天喜

出　处： 《文物》1995年第10期

1981年6月，三原县高渠乡西秦砖厂在掘土时发现1方古印，现为三原县博物馆征集。简报配以拓片予以介绍。

据介绍，该印铜质，印面为正方形。朱文刻3行10字，印文为"蕃落第四副指挥使朱记"，印文为九叠篆。印背以钮为界，左右各阴刻铭文4字，右"天圣五年"，左"少府监铸"，印钮顶部阴刻一"上"字。

简报称，天圣系北宋仁宗赵祯的年号，天圣五年即1027年。《宋史》卷191记载，当时将西北羌戎等少数族部落组成的军队称为蕃部，其下设都军主、副军主、都虞侯、指挥使、副兵马使等职。又据《续资治通鉴长编》卷132，在指挥使下有"副指挥使、军使"两职。由此可知，"第四副指挥使"是蕃部中之武职官员。简报推断该印是北宋仁宗天圣五年（1027年），由少府监铸造，由朝廷颁授的将军印。至于此印何故在三原境内出土，尚待考证。

渭南市

788.陕西蒲城县延兴村发现宋代铜镜

作　者： 刘占成

出　处： 《考古》1985年第3期

1983年初，陕西省蒲城县翔村公社延兴大队中村农民在村西距地表约2米深处，发现1件铜镜，桥形钮。简报配以照片予以介绍。

据介绍，背面纹饰上方为一单檐建筑和2只飞鹤，中间有2人似作奉献状。下方为一狮子滚绣球，周围有"八宝花""五朵梅""双钱图"等图案。

这件铜镜的形制、纹饰，具有宋代铜镜的风格，简报推断应为宋镜。

789.大荔县发现一批北宋铁钱币

作　者：刘合心

出　处：《文博》1986 年第 4 期

1981 年 8 月，陕西大荔县段家乡坊镇村五队亢国录，在村西寺北崖平整土地时发现一批北宋时期铁钱。

据介绍，这批铁钱埋在距地面约 1 米深处，用砖砌成方形、每边长约 40 厘米、深度约 25 厘米的砖坑内，上面复盖青石板 1 块。铁钱锈蚀严重，约重 30 公斤，其中有篆体"元丰通宝""元祐通宝"等 7 种。铁钱的铸造年代为北宋神宗至宋徽宗时期（1068～1125 年）。铁钱的出土地点是寺观遗址。从埋藏的形式看，简报确定是一处窖藏。由铁钱中的"政和通宝"判断，简报推断这批铁钱的埋藏时间应在宋徽宗政和年间（1111～1118 年）之后，最早也不会超过政和元年。这批铁钱可能是在战乱中埋藏于地下的。

790.大荔县段家老君寨宋墓清理简报

作　者：大荔县文物管理委员会　魏叔刚

出　处：《文博》1992 年第 1 期

1987 年 9 月 1 日，大荔县段家乡老君寨村农民发现 1 座古墓，考古人员去现场调查，并配合农田基建于 1987 年 9 月 7 日至 26 日进行抢救清理。简报分为：一、地理位置及墓葬形制，二、墓室装饰，三、出土遗物，共三个部分，有手绘图、拓片。

据介绍，老君寨位于陕西省大荔县城西北约 25 公里、海拔高度 400 米的段家垣上，墓葬位于老君寨村东北约 1600 米处。此墓是一仿木建筑雕砖壁画墓，墓室为长方形单室墓，墓室四壁彩绘砖均属磨制。因墓室长期积有淤泥，加之人为毁坏，遗物无序，骨架散乱无几，葬式不清，仅从墓底清出唐代货币 1 枚、北宋货币 5 枚、残币 1 枚、瓷器 2 件（残破）。从墓葬形制、随葬器物以及复杂华丽的雕刻来看，墓主人应为当地富户。此墓出土的 2 件瓷器，其造型、胎质及装饰手法，均具有北宋晚期瓷器的特征。随葬的货币，除发现 1 枚"开元通宝"外，其余全为北宋钱，最晚的北宋货币为"政和通宝"。证明此墓时代应为北宋晚期。

简报称，大荔段家老君寨宋墓的发现，为研究关中地区北宋墓葬的形制，特别是仿木建筑雕砖壁画墓的演变和发展，提供了新的实物资料。

791.华阴出土大批北宋铁钱

作　者：张芯侠、荆勤学、郭妙莉
出　处：《文博》1998 年第 5 期

　　1995 年 5 月下旬，华阴市粮食局在古县城东北角搞基建时，发现一大批北宋铁钱。当考古人员闻讯赶到现场时，遗迹现象已遭破坏，部分铁钱已流失。收集回来的这批铁钱共重约 330 公斤，铁钱保存情况较好，经过分类拣选，年号为 11 个，约有 17 个品种，10000 余枚。其中数量最多的是"政和通宝"，占半数以上。其次是"元祐通宝""绍圣元宝""大观通宝""崇宁通宝"，均数千枚以上，"元丰通宝""元符通宝""圣宋通宝""崇宁重宝"各占数百余枚。其他如"政和重宝""熙宁通宝""庆历通宝"数量较少。这批铁币分别为篆、行楷、隶书体。简报配以图片予以介绍。

　　据介绍，这批铁钱出土于华阴县城东北角城隍庙旧址。出土时，未发现任何盛钱币的器物，加之现场遭到破坏，埋藏形式和其他情况不明。大量铁钱埋藏于此，估计应该是窖藏。从铸造年代看，最早的是"庆历重宝"，最晚的是"政和重宝"，前后相差 70 余年，"政和重宝"以后的其他铁币均无发现。所以，这批铁钱的埋藏时间简报推断应该在政和年间。

　　简报称，这批铁钱数量大，种类多，保存较完好，大部分可与铜钱比美，多数清晰可认，实属少见。

　　此次发现，《文物》2000 年第 5 期亦有报道。

792.陕西白水北宋妙觉寺塔基及地宫的发掘

作　者：陕西省考古研究所、白水县文物管理委员会　段清波、孙伟刚、黄同森
出　处：《考古与文物》2005 年第 4 期

　　1996 年 10 月 30 日，位于白水县城西南部的白水中学在取土基建时偶然发现夯土建筑基础 1 处，并在距地表约 4 米的夯土层中发现残缺不整的造像碑五通、八棱石经幢一块，它们被整齐地置放在建筑基础的正中部位。在施工过程中，发现在距地表 2 米处的夯土层中央有一直径为 6 厘米的六棱形直孔，深约 4 米。11 月 4 日，白水中学有关领导组织力量沿六棱直孔向下继续挖掘，并于当晚发现一方形砖室地宫，遂冒雨于当夜将地宫内文物悉数取出。考古人员进行了抢救性发掘，从 11 月 22 日开始，至 12 月 1 日结束。因现场环境变化较大，仅搞清了地宫的形制，发掘资料简报分为：一、塔基及地宫结构，二、出土物，三、小结，共三个部分，有手绘图、

拓片。

据介绍，妙觉寺位于现白水中学操场西北，因年代久远，该寺院早已毁于一空。明代的《白水县志》中亦不见记载。经钻探得知，塔基平面呈方形，东西长 11.2 米、南北宽 11 米。由地宫出土的金银舍利塔铭文得知，此基础为北宋白水县妙觉寺塔的地基，塔基夯筑处理得十分坚固。地宫位于塔基正中，南北向，平面呈"凸"字形，由甬道、宫室两部分组成。妙觉寺塔基及地宫出土了造像碑、残经幢、石塔、金银塔、舍利盒、舍利、铜镜、铜钱、鎏金珠饰、铁泡钉等珍贵文物。简报推断，妙觉寺塔至迟为 1022 年开始修建，地宫封砌应为 1023 年的仁宗赵祯天圣元年，是陕西地区首次发现的有确切记年的北宋地宫。

简报据从塔及甬道中出土的西魏至隋的造像碑判断，妙觉寺应始建于北魏，毁于宋末或明初，延续时间较长。

延安市

793.鄜县石泓寺、阁子头寺石窟调查简报

作　者：陕西省博物馆、陕西省文管会　杭德州
出　处：《文物》1959 年第 12 期

1956 年，考古人员在陕北进行文物调查时，调查了鄜县石泓寺和阁子头寺石窟，简报配以照片予以介绍。

据介绍，石泓寺一名石空寺，在鄜县西约 65 公里。寺坐东北向西南，寺前有楼房 3 间，配房 12 间。在东西长约 70 米的山岩上，分布着 7 个洞窟，据初步了解，最早的是唐中宗景龙年间，最晚的是明代。窟号从东向西顺序排列。

阁子头寺位于鄜县南 15 公里的段家庄东南方，窟前有石板筑成的小殿 5 间，内塑泥像。小殿南面，便是石窟。窟坐南向北，口长方形，窟内有北宋政和二年（1112 年）开窟铭一处。根据铭文记述：窟从元符三年（1100 年）四月开凿，历经 12 年零两个月的时间，于政和二年（1112 年）二月竣工。

简报称，通过这次调查，对鄜县石窟有了概括的了解，在研究陕西石窟艺术方面，获得了一个很好的材料。

794.子长县钟山石窟调查记

作　者：延安地区文物普查队、子长县文物管理所
出　处：《考古与文物》1982 年第 6 期

子长县西 15 公里的安定公社即安定县故城，其东北的钟山脚下，有大小 5 个石窟，考古人员前往调查。简报配以拓片、手绘图、照片予以介绍。

简报称，就全国讲，石窟艺术到宋代已有衰落景象。但在陕北却不同，数十个大小石窟中，绝大多数是宋代石窟，不但不见衰落，还有崛起之势，这就填补了我国北方宋代石窟艺术的空白。宋英宗治平元年（1064 年）后创立的钟山石窟，虽不像云岗、龙门石窟那样规模宏大，气势磅礴，但却精致活泼。就其造型艺术讲，它继承了唐代造形丰满圆润写实之风，又更加富有生活气息而世俗化了。它刀法细腻，比例准确，不拘泥于一种形式，更着重内心世界的刻画。

795.黄陵县发现宋代瓷祖

作　者：杨元生
出　处：《考古与文物》1984 年第 3 期

1981 年 10 月，考古人员在距黄陵县城 1 公里的城关公社河北清理宋墓 1 座，该墓长 6 米、宽 2.5 米、深约 2 米，出土遗物有 3 块瓷碗残片、8 块陶片、5 块瓷祖残片、1 合墓志及 1 个完整的瓷祖。简报配以照片予以介绍。

据介绍，墓志字迹多不清晰，无法卒读。唯瓷祖器型完整，釉色温润。通长 16.2 厘米，直径 4.2 厘米、龟头长 5 厘米、径为 3.7 厘米，整体空心。该墓出土的瓷陶，应是作为明器陪葬的。墓主人生前很可能是宦官或有生理缺陷而丧失生育能力的男子，瓷祖出自墓穴，当为弥补墓主人的生前缺憾而陪葬。

796.甘泉县出土一批秧歌舞画像砖

作　者：姬乃军、杨培荣
出　处：《文博》1986 年第 4 期

1981 年以来，陕西省甘泉县陆续出土了一批秧歌舞画像砖。现由甘泉县文物管理所收藏。这批画像砖共计 5 块，分为三式。简报配以照片予以介绍。

据介绍，I 式，2 块。1978 年，甘泉县下寺湾公社雨岔大队（现属雨岔乡）修建大队公窑时发现古墓 1 座，这 2 块画像砖砌于墓壁。该墓因百姓没有文物常识被平毁，

画像砖存于大队会议室。1981 年 10 月，考古人员在文物普查中发现，11 月征集回文化馆。

Ⅱ式，1 块已残，1983 年秋季出土于高哨乡李家塌村，1985 年 4 月征集收藏于文管所。

Ⅲ式，2 块，1 块已残，与Ⅱ式画像砖同时出土于同一地点，另 1 块出土于石门乡王窑村。为农民 1983 年秋季耕麦地时在地里发现出土，保存完好。从人物造型生动传神，刻法洗练流畅，作品富于世俗化和生活气息等方面及人物服饰、用具等来看，简报推断这批画像砖可能属北宋时期的遗物。

简报称，这批画像砖的出土，填补了我国汉族民间舞蹈——秧歌舞的实物资料的空白，为我们研究秧歌舞的起源、发展提供了弥足珍贵的实物资料。

797.陕西洛川土基镇发现北宋壁画墓

作　者：靳之林、左登正
出　处：《考古与文物》1988 年第 1 期

洛川县土基北宋墓位于土基镇文化站东南 200 米。1983 年 5 月，土基镇村挖坑蓄水，塌洞露出墓口，8 月进行了清理。简报配以照片、手绘图予以介绍。

据介绍，墓葬由墓道、墓门、前后甬道、耳室和前后墓室组成。墓中有砖雕、壁画、墨书。据村民讲，前室四角各置 2 个头骨，中间散放躯体骨骼。狭槽内有 1 具尸骨，头北脚南。后室中间南北向置一黑色木棺，棺已腐朽，尸骨亦头北脚南。整个墓内未见随葬品和墓志铭，可能以前被盗。因此，墓主人姓氏无考。清理出土部分骨骼及 2 个完整头骨，1 个牙齿脱落不全，约 60 岁；另 1 个似为中年男子。此外，出有手印方砖数块。此墓入葬时间当为宋代。

简报称，陕北宋金元明的砖雕仿木结构和砖雕人物故事墓不断发现，人物壁画墓却属少见，此墓的发现填补了空白，对研究宋代绘画特别是墓葬壁画艺术以及墓葬形制、生活习俗等均有重要价值。

798.延安市出土宋代腰鼓画像砖

作　者：姬乃军
出　处：《文博》1988 年第 2 期

1981 年春季，延安市梁村乡王庄村村民崔万才在该村墓陵塌耕地时，从耕地表层挖出一批画像砖。这些画像砖中，除大部分是花卉画像砖外，其中有 2 块人物画像砖，现分别收藏于延安市清凉山文管处和延安地区文管会。简报配以照片予以介绍。

据介绍，这2块人物形象画像砖均系翻模制成，人物造型相同。收藏于清凉山文管处的画像砖基本完整，而收藏于延安地区文管会的画像砖稍残，但人物形象完整。据调查系出自1座宋墓。其中打腰鼓形象十分珍贵。画像砖出土地距安塞不远，且舞蹈动作又与安塞腰鼓的一些动作相似。因此，简报推断安塞腰鼓在宋代已基本定型。

799.黄龙县小寺庄发现宋代石窟

作　者：齐鸿浩
出　处：《文博》1988年第2期

小寺庄石窟，位于黄龙县城北35公里的小寺庄村东500米处的半山坡上。小寺庄石窟，又称寿圣寺石窟，系前庙后窟，庙已毁。但原建筑遗迹依然可见。后来不知什么原因，致使石窟上方土石塌落，将窟口掩埋，一直未为人知。1981年秋，一位牧羊老人偶然发现，才使石窟重见天日。简报配以照片予以介绍。

据介绍，石窟坐北朝南。石窟内为长方形，进深3.5米、宽2.7米、高2.6米，覆斗形藻顶。窟内雕有一佛、二弟子、二胁侍菩萨、二天王、二供养人像，共计9尊。窟内东壁近门处有一方形龛，似为和尚坐禅之处。窟内有一长2.05米、宽2.7米、高0.5米的坛基。坛基后部正中为释迦牟尼佛，佛高1.23米，周围还有其他雕像。窟内未见题刻。简报推断为宋代石窟。

800.陕西省安塞县毛庄科石窟调查简报

作　者：冉万里
出　处：《文博》2001年第1期

毛庄科石窟位于安塞县西北约25公里的毛庄科村南约200米处的崖边，行政区划隶属于安塞县郝家坪乡寺沟行政村。窟前不够开阔，崖下有一条土公路通往拓家坬，路南即为一条无名小河，系桥川河支流。石窟所在地的石质为灰色砂岩质，易开凿易风化。现存石窟两个，相连开凿，均坐北朝南。原来均被土石掩埋，窟内堆满淤泥和石块，造像仅露出上半身。据村民介绍，大约在20世纪80年代，村民砍柴时将其发现，文物普查时也调查了该石窟，但漏查一窟，且记录的位置、数据及方向均有误。2000年8月18日，考古人员进行了测绘、记录。自西向东依次编号为

第一、第二窟。简报分为"第一窟""第二窟""遗物""结语",共四个部分,
有照片、手绘图。

据介绍,第二窟当为主窟,发现有一些散乱的造像、宋金瓷片、唐宋钱币等。
简报认为应为宋代遗迹。

801.陕西安塞新茂台石窟调查简报

作　　者:西北大学文博学院　冉万里
出　　处:《文博》2003 年第 6 期

新茂台石窟位于陕西省安塞县西北约 30 公里处的新茂台村南,行政区划隶属于
安塞县郝家坪乡新茂台村。石窟开凿于极易风化的灰色砂岩崖壁之上,坐南朝北。
窟前有一条无名小河,系桥川河支流,石窟隔河与村庄相望。该石窟的形制属于陕
北地区常见的小型单室窟,但造像的数量及题材的复杂程度,却在同等规模的陕北
石窟中非常罕见。2000 年 8 月,考古人员对该窟进行了调查、测绘和记录。简报分为:
一、形制,二、造像,三、结语,共三个部分,有手绘图、照片。

据介绍,该窟进深 1.96 米,正壁有 13 尊造像。简报称,新茂台石窟窟形虽小,
但造像数量多而且题材较为复杂,在陕北地区同等规模的石窟中非常少见。

简报初步推断,新茂台石窟的年代上限不会早于北宋中期,下限不会晚于北宋
晚期,具体年代应在北宋晚期前后,即 11 世纪后半叶。

802.陕西洛川县潘窑科村宋墓清理简报

作　　者:洛川县博物馆　刘忠民
出　　处:《考古与文物》2004 年第 4 期

1999 年 5 月 27 日,陕西省洛川县黄章乡潘窑科村发现 1 座古墓,内有文物出土。
考古人员前往调查。简报分为:一、墓葬形制,二、出土器物,三、墓葬年代,共
三个部分,有手绘图、拓片、照片。

据介绍,该墓形制为八角叠涩尖顶。出土的器物有陶仓、陶灶、陶俑等 16 件(套),
铜币 3 枚。出土的"天禧通宝"是宋真宗天禧年间(1017 ~ 1021 年)所铸,"皇宋
通宝"是宋仁宗宝元年间(1038 ~ 1040 年)所铸。

简报推断该墓应为宋代墓葬,其上限为宋仁宗宝元年间(1038 ~ 1040 年)
以后。

汉中市

803.陕西汉中市王道池村宋墓清理

作　者：王玉清

出　处：《考古》1965 年第 10 期

考古人员在汉中市郊王道池村清理了宋墓 1 座，简报配以拓片等予以介绍。

据介绍，此墓为砖室墓，有墓道。墓分前后二室，每室的四角各有 1 柱，前后室顶是共用 8 根角柱撑起的。各个壁面的楼阁模型，皆砌出门户及屋檐等，因此，前后室的位置，形同两个院落。在总体布局上，不但前室较后室为窄（室顶也低），而且由墓门口至后室并逐级升高，这种做法的效果，显得墓室主次分明，也和地面旧式建筑群的组合一样。墓的前后室均有积水，积水的下面为厚 20 ～ 30 厘米的细淤泥土一层。在后室的淤泥中发现铜镜、陶罐、陶鼎和铜钱，还发现人骨的细小残节，但未见葬具遗迹。

简报推断此墓为南宋时期的墓葬。

804.陕西省略阳县出土的宋瓷

作　者：汉中地区文化馆、略阳县文化馆

出　处：《文物》1976 年第 11 期

1968 年至 1972 年，略阳县在农田水利建设工程中，于县城北的八渡河，白水江公社的封家坝、大沙坝等地，相继出土和征集了一批宋代青、白瓷器。八渡河紧靠略阳县城南，在修建八渡河桥挖桥基时，在河北岸的岸边，一个深约 1.5 米不规则的圆坑内发现一批瓷器。这些瓷器保存完好，叠放整齐，显然是有意埋藏下来的。白水江公社的封家坝、大沙坝的瓷器，系零星征集到的。据当地人反映，这些瓷器是在平整土地时从古墓内挖出来的。上述几处所出土的瓷器，器型有瓶、盂、盒、碗、盘、碟、三足炉、笔洗等，共计 38 件。简报配以照片予以介绍。

据介绍，计有八渡河出土瓷器 33 件，封家坝出土瓷器 4 件，大沙坝出土瓷器 1 件，其中不乏名窑产品。略阳水陆交通发达，又是后方战略要地，简报推测这些宋瓷可能是商人运来或富人逃难时带来的。

805.陕西城固五郎庙宋代砖瓦窑发掘简报

作　者：汉中地区文化馆、城固县文化馆　唐金裕、王寿芝
出　处：《考古与文物》1980年第2期

城固县五郎公社五郎大队第三生产队于1977年4月下旬，在村东南修渠筑堤取土中发现窑址1处。考古人员进行了发掘清理，工作自5月3日开始，至6月20日结束。简报配以照片、手绘图予以介绍。

据介绍，窑址位于城固县北约3公里的五郎庙公社五郎庙村的东南面。地表原为一个高出周围稻田1.5～2.5米的土堆，窑址就建造在土堆上。这次共清理出窑3座，编号为一、二、三号窑。遗物有砖、瓦、刻花青瓷、影青瓷片等。燃料为木柴。简报称，从上述3座窑址，可以看出从汉、唐的马蹄形窑发展到现代（农村中保持着传统性的砖瓦窑）筒形窑的发展过程，而这种椭圆形的窑正是一种过渡性的窑形。这些窑址的发现，对研究我国古代建筑材料的砖、瓦烧造工艺和窑形的结构演变情况，提供了可贵的资料。

806.汉中市北郊石马坡南宋墓清理记

作　者：刘长源
出　处：《考古与文物》1984年第5期

1978年5月至7月，汉中市石马坡东方红砖厂在取土时发现两座南宋墓。M1破坏严重。M2除券顶与墓道被破坏外，墓室基本完好。简报分为：一、概况，二、出土器物，三、结语，共三个部分，有拓片、手绘图。

据介绍，石马坡位于汉中市城北约两公里，地势高峻，因出石马而得名。发现的两座南宋墓，其形制结构基本相同，都是并列双室墓，两墓间距四五十米，处于同一水平面上。两墓室等大，墓室四壁为仿木结构。墓室地面四周挖排水沟，墓室地面为方砖顺铺。出土遗物有俑、陶兽、陶桂树、陶罐及墓券。其中三彩俑、釉俑制作精巧。两墓的时代，简报推断为南宋墓。

807.勉县发现一批窖藏古钱币

作　者：欧德禄、侯素柏
出　处：《文博》1986年第3期

1984年3月4日，陕西省勉县长林乡前进村在挖桥基时，发现一批古钱币，

考古人员前往处理时，百姓已将钱币私分，现已全部收回。

据介绍，这批古钱币共有 256 斤，埋藏在距地表深 3 米的一个土坑内，散乱放置，有的已锈蚀成饼。经过清理，发现这批古钱有铜、铁质两类，共 29 个年号，61 个品种，币文书体真、草、隶、篆俱全。这批古钱中最晚的是南宋初的高宗"建炎通宝"，北宋钱大都年号时间相接，种类繁多。简报推断这批古钱的埋藏时间在南宋初年的建炎末至绍兴初年。

简报称，南宋初期，金兵大举南侵，陕南已成抗金前线。史料记载，南宋初期的汉中，是宋、金交兵的战场，兵荒马乱，民无宁日，故很多人南迁或外逃。从这批古钱的窖藏情况来看，简报推断很可能是当地富户在南迁或外逃时埋藏的。通过这批古钱上下延续的时代和繁多的品种分析，这批古钱的主人可能是一位古币爱好收藏家。这批古钱币的出土，无疑对研究我国古代货币史和宋代的经济状况，有一定的价值。

808.汉中八里桥水库清理一座宋墓

作　　者：汉中市博物馆　何新城
出　　处：《文博》1989 年第 1 期

1986 年 3 月 14 日，汉中市城北八里桥水库修建施工中，在库区南侧发现宋墓一座，考古人员进行了清理。简报分为：一、墓地概况与墓葬形制，二、出土器物，三、结语，共三个部分，有拓片、照片。

据介绍，这座墓位于汉中城北通往褒河公路的东侧,距城区 4 公里,现为汉湖公园。墓葬为长方形砖券墓。该墓由甬道、墓门、墓室三个部分构成，全长 3.56 米，墓室宽 1.48 米。出土有三彩俑、三彩龙等三彩器及铜镜、铜钱、玉环等。其中陶仿太古石一件，为研究我国盆景艺术的发展史提供了实物例证。随葬品中的仿竹篓形陶盒，工艺细腻，形象逼真，写实风格很强，是具体反映陕南地区竹器编织工业发展史的一件难得的实物。出土的三彩俑，艳丽多彩，俊俏活泼，具有浓郁的地方特色。总之，这批文物的出土，对研究汉中地区北宋墓增加了新的实物资料。该墓的年代，简报推断为北宋末年。

809.汉中市金华村清理一座北宋墓

作　　者：何新成
出　　处：《文博》1993 年第 3 期

1990 年 10 月 25 日，汉中市东南 5 公里的金华村四组农民在自留地挖红薯时，发现了 1 座古墓，考古人员闻讯后随即赶往现场进行了调查勘探工作，但一部分随葬品已被取出，骨架也被破坏。考古人员立即组织力量进行了抢救性的清理工作，清理情况介绍分为：一、墓室结构，二、随葬品，三、结语，共三个部分，有照片、拓片。

据介绍，金华乡位于汉中市东南，汉水北岸，距汉中城 5 公里，地势平坦，现为乡政府所在地，金华以当地"金华寺"而得名。墓地表面无封土堆积，墓室为砖结构长方形券顶，同穴异室合葬墓。由墓门、甬道、前后室等部分组成。墓内出土随葬品共 19 件，大部分放置在两墓室壁龛内，有瓷器、陶器、铜币等，其中铜币种类较多。仅宋钱就有 20 余种，其中最晚的钱币为"宣和通宝"，为宋徽宗赵佶时所造。其下葬年代，简报推断为北宋末期钦宗赵桓执政前后。从墓室结构看，显示了墓主人生前显赫的社会地位。简报称，通过近几年来对当地宋墓的不断清理，获得了一大批珍贵文物，同时也增添了新的实物研究史料。

810.陕西洋县南宋彭杲夫妇墓

作　者：汉中市文物管理委员会、洋县文博馆　李　烨、周忠庆
出　处：《文物》2007 年第 8 期

彭杲夫妇合葬墓于 1991 年 12 月当地农民平整土地时发现，考古人员进行了清理。简报分为：一、地理位置，二、墓葬结构，三、葬具，四、随葬器物，五、砖雕，六、结语，共六个部分，有照片、拓片、手绘图。

据介绍，彭杲夫妇合葬墓位于洋县城北 7 公里的丘陵上，属洋县纸坊乡孤魂庙村石山梁小组。其右有水，前为洋县至四郎的公路。墓葬封土由于早期扰乱，形式不明。墓葬为东西向并列三室，中室墓主为彭杲，东室为任夫人，西室为王夫人。中室后连一个小室。墓葬平面呈"凸"字形。墓葬在 1958 年修筑公路时遭到严重扰乱，门楣、拱顶均受到不同程度毁坏，未见人骨，仅在泥土中有碎骨。随葬品主要为三彩俑，另发现有墓志及 50 件砖雕。简报附有墓志铭全文。

简报指出，彭杲夫妻墓是一座有明确纪年的墓葬，结构较为复杂，陪葬品丰富，为研究南宋时期的社会、文化等方面提供了新材料。

据志文，彭杲生前任兴元府驻扎御前诸军都统制，为南宋高级将领，《宋史》无传，但在《宋史·孝宗纪》《续资治通鉴》中曾多次提及。对照墓志记载，彭杲任兴元府都统制、赠吉州刺史，任期在淳熙七年（1180 年）至绍熙二年（1191 年），与《宋史》《续通鉴》所记相合。墓志全文近 3800 字，详细记录了彭杲生平及其参与战役的情况，内容翔实，语言生动，弥补了《宋史》之阙，为研究南宋抗金战争以及当时的政治、

经济等相关情况提供了第一手资料。

此次发掘的另一大收获是，墓葬中出土了一批有价值的砖雕，人物造型准确，线条优美，极富表现力。后室中的10件伎乐砖雕，尤为珍贵。这部分伎乐砖雕可视为南宋细乐、清音演奏情况的再现。

榆林市

811.陕西府谷县出土北宋李夫人墓志

作　者：应　新
出　处：《文物》1978年第12期

李夫人墓志在"文化大革命"期间于陕西府谷县西南15公里的傅家墕村出土。志文32行，每行满格32字。杨大荣撰文，张天成书丹，定羌堡崔海刻石。简报未录志文全文。

据志文，李夫人，开封人，13岁时归知府州事折惟忠作妾，22岁生折继祖。折惟忠病，"议尽出侍姬"，乃为其父领回，改嫁苏州豪族田氏。景祐（1034～1038年）初年，惟忠死，其长子继宣、次子继闵相继领州事。北宋皇祐二年（1050年）继闵死，宋廷命继祖袭职，继祖"既贵"，思念其母，派人访得她的下落并从田氏处迎归，表请仁宗皇帝赠以"福清县太君"的封号。熙宁五年（1072年）死，年70岁，政和元年（1111年）葬于"府谷县崇勋里小柏墕之原"。

简报称，志中诸人，折惟忠、继宣、继闵、继祖以及可大，可大父克行，《宋史》有传。文献记载，折氏家族自五代以迄宋末，盘踞麟、府二州（今神木、府谷一带），前后达200余年，知府州事一职，由他们父子兄弟传袭，实为一方土豪。但他们在保卫宋朝边境，抗击党项贵族军事集团（西夏）和契丹贵族统治集团（辽）的侵扰方面是有贡献的，折惟忠父子便以军功见称于史。志、传合参，可补正某些史实。

812.陕西定边县发现万枚铜钱

作　者：陈敬文、黄龙程、王有斌
出　处：《考古与文物》1986年第6期

1985年元月，定边县堆子梁乡营盘梁农民万世琪在本村东与靖边接壤的沙窝里掏柴时，发现了一陶罐古铜钱，重 42 公斤，距地表 15 厘米左右，达万枚以上。罐立置，埋于沙中，距地表 15 厘米左右。简报配以拓片予以介绍。

据介绍，全部铜钱共 52 种 160 式，面文篆、隶、真、行各种皆备。出土时钱币散装罐内，大部分保藏较好，面文清楚。有西汉、新莽、隋、唐、五代、北宋、南宋、西夏、金各代货币。铜钱中年代最晚者为"光定元宝"，铸于西夏宗光定年间（1211～1223 年）。铜钱发现地点，正是当年西夏的宥州附近。简报推断这批铜钱应系 1223 年后即西夏末期的私人储藏。

813.清涧折家坪发现一宋代瓷枕

作　者：高　雪
出　处：《文博》1986 年第 1 期

1983 年 10 月，折家坪乡陈家沟村一农民在修窑洞挖地基时发现 1 座古墓，墓内有 1 件瓷枕，送交清涧文化馆收藏。简报配以照片予以介绍。

据介绍，瓷枕长 40 厘米，宽 17 厘米，高 10 厘米，总体呈簸箕形，两面高，中间略低，瓷枕后面中间有径为 1 厘米的小孔。胎质为灰白陶，瓷质细腻，敲时声音清亮，釉色呈深绿色，枕面四周装饰黄色釉彩一周，一对黄白鲜明的荷花绽开在绿色莲池里。枕背有一少女（绿色）静坐在树下，手持树叶，凝神观望一只头顶红、颈腿细长、翼大善飞、漂游在河中的仙鹤。整个画面生动，纹饰活泼，造型优美。简报认为是宋代瓷器中的一件珍品。

814.陕西清涧县发现一件宋代瓷枕

作　者：高　雪
出　处：《考古》1987 年第 3 期

1983 年 10 月，清涧县折家坪乡陈家沟村农民在村外 300 米处挖地基时，在距地表 1.7 米处发现 1 座古墓。墓已塌方，有被盗痕迹，除零星瓷片、陶片外，仅在墓东北角的石盖下发现 1 件瓷枕，并送县文化馆收藏。简报配以照片予以介绍。

据介绍，瓷枕长 40 厘米，面宽 17 厘米，高 10 厘米。体呈簸箕形，两面高，中间略低，微有坡度。瓷枕后面中上方有 1 厘米小孔，胎质为灰白陶，釉色呈深绿色，整体瓷质细腻，敲击声清亮，瓷枕的花卉装饰为釉下彩，瓷枕面四周由黄白色釉彩装饰，一对黄白对照鲜明的荷花绽开在绿色的莲池里。瓷枕背图案是一绿色少女静坐在一株绿色树下，手拿树叶，双目观望一只头顶红色、颈腿细长、翼大善飞的仙鹤漂游在河中。整个画面给人以生动的生活气息之感。这种瓷质烧制上限在北宋，属山西介休窑，定窑系，距今有 1000 余年。

815.陕西子洲县出土一枚北宋官印

作　者：张　渊
出　处：《文博》1988 年第 5 期

1981 年，陕西子洲县驼耳巷乡贺家墕村出土 1 方北宋官印。此印面为正方形，边长 5.5 厘米，厚 1.1 厘米，矩形柱纽，带纽通高 4.8 厘米。印背左侧刻"元丰七年（1084 年）"4 字，右侧刻"少府监铸"4 字，纽顶端上中刻一"上"字。印面自右至左两行朱文篆刻"河东第九副将之印"8 字。铜质，完好无损。简报配以拓片予以介绍。

出土地点在宋代为边防要地，宋廷一直派重兵驻守。查《宋史·兵志二》，知此印为颁发给河东第九副将官的印章。可由此知宋代"将兵制"的实施情况。

816.定边出土的钱币窖藏

作　者：王延林
出　处：《考古与文物》1994 年第 5 期

定边县位于陕西省最西北，北靠内蒙古，西邻宁夏，南接甘肃。西秦时隶属北地郡，汉时设卫所。定边有 10 余个天然盐湖，西魏时设称盐州，南北朝后期改称五原县，隋炀帝时复改称盐川郡。765 年，唐代宗永泰元年（765 年）设都督府。北宋咸平五年（1002 年）一度陷于西夏，元年二年置定边县，明正统二年（1437 年）筑定边城。由于定边与内蒙古、宁夏接壤且地势平坦，自古边民贸易频繁，故定边钱币窖址颇丰且种类繁多。从近年出土情况看，有历代各朝的，而以唐宋时期窖址居多。1986 年冬，考古人员从一农民手中购得古币 10 公斤余，不久又从一南郭山区农民手中购得 5 公斤余，都是取土时挖出来的。容器瓦罐皆已破碎，这两批钱币中能付拓的钱币并不多，简报从中选出 48 枚各类符号的"开元通宝"。这两批钱中有"乾元重宝"百多枚，选出 3 枚付拓。五代十国钱共有 70 多枚，以篆书唐国和篆书开元为多，选出 11 枚有符号和版别差异的拓图。北宋钱的数量最多，但有星月纹符号的却不多。辽钱仅有 9 枚。金代钱有"正隆通宝"20 多枚，大定钱 4 枚。西夏钱大多为"天盛元宝"。所选的 73 枚拓本见简报所列表格，简报介绍配有拓片。

817.统万城遗址近几年考古工作收获

作　者：陕西省考古研究院、榆林市文物保护研究所、榆林市文物考古勘探工
作队、靖边县统万城文物管理所　邢福来、康宁武、高　展

出　处：《考古与文物》2011 年第 5 期

统万城遗址位于陕西省靖边县北部，毗邻内蒙古自治区乌审旗，是十六国时期匈奴族后裔赫连勃勃建立的大夏国留下的唯一一座都城遗址，1996 年被国务院公布为第四批全国重点文物保护单位。分为外郭城、东城和西城。西城保存最好，墙基厚约 16 米，东城保存略差，墙基厚 10 米左右。东、西城四隅都有高于城垣的宽大的长方形或方形隅台。宋时宋太宗下诏废毁统万城，居民迁走。从此湮没无闻，直至清道光年间才为人们所知。1956 年、1975～1979 年、2002 年、2004 年，考古人员多次进行了调查、发掘。2006～2010 年，为配合国家大遗址保护工程，又进行了全面调查、试掘。简报配以照片、手绘图，介绍了这一次的主要收获。

据介绍，通过考古调查，厘清了外郭城的范围，其周长 13865.4 米，面积 7.7 平方公里。探明了三处瓮城。对西城西南的制高点——西南隅台进行了发掘。对城内制高点永安台进行了试掘。对护城壕、蒙元时期建筑遗址也进行了清理。考古发掘表明，统万城是陆续建成的，宋代之前一些建筑已坍塌，但西门城楼确是宋代焚烧。宋代以后，一些游牧民还在城内居住，这是此次发现有蒙元时期生活遗物的原因。

安康市

818.陕西安康北宋墓清理简报

作　者：李厚志

出　处：《考古与文物》1987 年第 3 期

1984 年 3 月，安康制药厂在城郊白家梁基建施工中，发现 1 座北宋墓。墓室早年坍塌，基建取土时将墓室上部推毁，基本接近墓底，考古人员进行了清理。简报分为：一、墓葬形制，二、出土遗物，三、结语，共三个部分，有拓片、照片。

据介绍，墓已被施工破坏，只知墓室长 3.24 米，宽 2.26 米，有排水槽，塌陷的乱砖中有砖雕及仿木构件，有一腰坑，遗物凌乱无序。出土 9 尊陶俑（2 尊已残）及 5 枚铜钱等。简报推断为北宋晚期墓葬。

819.旬阳发现宋代窖藏

作　者：张　沛
出　处：《文博》1988 年第 4 期

1986 年 8 月 20 日，陕西旬阳县烂滩沟发现 1 处宋代窖藏。窖藏器物原盛于一黄釉罐内，罐因残破过甚，器型不明。从残片可知，罐口径 11.5 厘米，圈足径 7.6 厘米。罐内共藏各种铜器 169 件，其中铜象棋子 1 副 32 枚，铜货币 13 种、21 式，114 枚，打马格钱 2 种、2 枚，厌胜钱 4 种、4 枚，铜印章 1 枚，各种铜佛教遗物 16 件。同时出土的有骨骰子 2 枚、琉璃珠 35 枚、瓷砚滴 1 种、玉兔 1 件、铁锁 3 把、铁钥匙 1 把。简报配以拓片予以介绍。

此窖藏中所出的铜象棋子及打马格钱具有鲜明的宋代特征，其中占窖藏数量大多数的铜货币中，尤以北宋末年和金朝初年所铸为最多，考虑到藏量最大而又时代最晚的货币为金朝的"正隆元宝"及"大定通宝"，估计此窖藏不晚于金朝中期。鉴于当时淘阳县（辖今旬阳、白河及湖北陨西县西部）一直为南宋所有而未属金朝，故简报推断此窖藏所贮为南宋遗物。

820.陕西汉阴出土的一批宋代编钟

作　者：徐信印
出　处：《文博》1992 年第 1 期

编钟是我国古代具有代表性的一种乐器。编钟的铸造始于西周，衰于魏、晋至隋唐。在远距中原地区的边远区域民族，可能延续的时间较长一点，但秦巴山区汉水流域的安康地区除发现少量战国时期巴、楚用军乐器之外，编钟系首次发现。简报配以照片、拓片予以介绍。

据介绍，这 4 件编钟，是 1979 年汉阴县蒲溪乡安沟村村民修房屋取土时发现的。编钟出土的地点，位于凤凰山麓脚下，月河南岸的第二阶地上。距地表约 1.50 米，同时出土的有宋砖、残瓦、红烧土块及几枚锈蚀严重的宋代"政和通宝"。编钟似有长期使用痕迹。简报推断为北宋晚期遗物。

821.旬阳出土宋代名窑瓷器

作　者：旬阳县博物馆　江宏山
出　处：《文博》1998 年第 6 期

1992 年 4 月 6 日，陕西省旬阳县菜湾乡刘湾村三组农民向寿财在水毁的旧房屋檐下挖庄基时，发现了数件陶瓷、铜铁器，考古人员立即赶赴现场勘察、了解情况，确认这批器物为窖藏，遂如数征集。器物凡29件，除1件铁器因锈蚀严重破损外，其余大部分完好。简报分为：一、地理位置和窖藏概况，二、遗物，三、结语，共三个部分予以介绍。

据介绍，刘湾村三组位于旬河北岸约600米处的二级台地上。窖藏地点位于村庄南部边沿，地势平缓。窖藏发现于村民院落内的屋墙拐角处屋檐下，距地表0.9米，窖穴略呈矩形，器物叠置其内，顶层覆一广口陶盆，然后填土封实整个窖穴。这批出土器物中，最为珍贵的是13件瓷器。简报推断，这些瓷器为单件匣钵装烧而成，当是北宋晚期耀州窑、定窑产品。

简报称，耀州窑、定窑瓷器近年虽常有出土，然完整器相对很少，而在陕南旬阳能出土这样数量多、完好而精美的耀州瓷、定瓷尚属罕见。这批瓷器的出土无疑为宋瓷的研究提供了又一珍贵的实物资料。

822.安康市上许家台南宋墓发掘简报

作　者：陕西省考古研究所、安康市文化教育局　尹申平等
出　处：《考古与文物》2002 年第 2 期

安康市上许家台南宋墓位于安康市以南5公里的汉江西岸山坡上，隶属安康市建民镇余家窑村上许家台。该墓坐西向东，前临汉江，后靠凤凰山麓。月河从其山后绕过，注入汉江。其自然风光优美，地理环境十分优越。该墓于1999年4月，当地农民建坟时暴露出来，考古人员对其进行了抢救性清理发掘。1999年6月11日，发掘工作正式开始，7月3日结束，历时24天。此墓发掘清理收获简报分为：一、墓葬形制，二、遗物，三、结语，共三个部分，有手绘图、照片。

据介绍，安康市上许家台南宋墓，是目前陕西省发现的规模最大的1座宋墓。因为墓前现存有石刻，其墓主身份未发掘前一直是个谜，引起了人们的猜测。经过发掘，由两块墓碑可知，此墓是金代抗金名将王彦为其父母修建的。其父名王诚，字师心。政和元年（1111年）六月二十日，因病死于上党。后葬于绥德祖坟。因为宋金战争，王彦未能扶灵归乡，心里非常不安。故在此建坟，葬其父的衣衾及其母于此。查《宋史》，知宋代有两个王彦，其一有传，另一无。均在金州抗金。一个在绍兴九年（1139年）以前，一个在绍兴十年（1140年）以后。前一个王彦与岳飞同时代，带领八字军抗金。曾在安康进行了著名的"饶风岭战役"，给金军以沉重的打击。绍兴九年（1139年）病逝。后一个王彦《宋史》无传，只在别的记载里提到，最早见于史书是在绍兴十年（1140年）。绍兴三十二年（1162年），仍在金州一带活动。隆兴二年（1164年），王彦移师建康，继续与金作战。其所处时代

与墓碑记载相同。前后对照，简报认为王彦其人，应为后一个王彦。

简报称，墓室发掘时，已有扰乱的迹象，残存部分遗物。但未发现人骨，也未发现随葬的俑类。碑文中记载的墓志也未发现。排除盗去的可能，简报怀疑该墓后来有迁走的可能。

商洛市

823.陕西商县金陵寺宋僧人墓清理简报

作　者：陕西省文物管理委员会　雒忠如
出　处：《考古》1960 年第 6 期

金陵寺在商县县城西南 15 公里。墓葬位于金陵寺公社办公室的西墙外 5 米处。当地生产队取土打墙时，发现了这一墓葬，考古人员于 1960 年 3 月 14 ～ 16 日进行了清理。简报分为：一、墓室结构，二、出土遗物，三、结语，共三个部分，有照片、拓片。

据介绍，该墓为砖室墓，分甬道、墓室两部分。墓室的三面（除通甬道的一面）砌有高 86 厘米、宽 49 厘米的须弥形坛基，坛基上有 11 个小龛，除甬道占去一个小龛位置外，则是每壁 3 个，龛与龛之间有竖立双砖砍楞的假柱，柱上承材，材上出有菱角牙子砖一层，再上是四边迭涩收砌的藻井式的墓顶。在墓顶上，现耕土下有方砖数层，据此情况推测，原墓上当有塔或亭类的建筑。出土物除琉璃棺 11 件、瓷棺 7 件、陶棺 6 件及骨灰陶罐 1 件外，再无其他殉葬品。棺内都盛骨灰。据各棺上题字，此墓的修建应早于北宋宣和七年（1125 年）。除 25 个葬具外，还有 4 大堆骨灰，每堆骨灰都要比一个棺内所装的多。此墓在造型上不同于一般人的墓，下有坛基，基上有龛若禅窟，上部如藻井，全部仿石窟，并在棺上题明是和尚墓。

824.商州市城区宋代墓葬发掘简报

作　者：商洛地区考古队、商州市文管办　王昌富
出　处：《考古与文物》2002 年第 2 期

1999 年 8 月 8 日，位于商州市文卫路的地区工商局基建工地发现 3 座宋代墓葬，考古人员进行了发掘清理。3 座墓葬在距地表 3 米以下，均为小型单室砖墓，保存完整，依次编为 SIM1 ～ SIM3，现简报如下。

M1墓门向南，方向168°，由墓道和墓室组成。有2具尸骨，墓主头南脚北，西侧墓主头枕1块板瓦，东侧墓主头枕长方砖。棺木已朽，不见棺钉。墓室平面呈长方形。M2墓门向南，由墓道和墓室组成，单人葬，墓主头南脚北。M3墓门向西，由墓道和墓室组成，墓室平面呈方形。3座墓葬的年代，唯M2所出的地券砖上有"大宋国"的记载，但尚不能明确其具体纪年。而M1中出的"政和通宝"钱币，铸行于北宋末年（1111～1117年）。M1和M2的年代相去不远，简报推断应为北宋晚期。M3的年代简报推断属北宋时期。

甘肃省

兰州市

嘉峪关市

金昌市

白银市

825.甘肃会宁宋墓发掘简报

作　者：甘肃省文物考古研究所　赵吴成、王　辉
出　处：《考古与文物》2004 年第 5 期

1996 年 4 月，甘肃省会宁县城北莲花山下，某工程队在施工时发现距地表约 5 米深处有砖室墓 1 座。考古人员前往实施抢救性清理发掘。简报分为：一、墓葬形制，二、壁画题材"二十四孝"概述，三、模印画砖，四、随葬品，五、结语，共五个部分，有手绘图、照片。

据介绍，该墓为青砖砌筑，单室，四角攒尖式叠涩覆斗顶，仿木建筑结构砖室墓，平面呈方形。由于该墓盗扰严重，随葬器物放置凌乱，墓室内葬具不详，人骨架已朽。该墓共清理文物 9 件。这次出土的会宁宋墓与以往不同的是，一砖画模印砖画和大幅画壁画山水人物画两种形式同时出现在 1 个墓室里，仅见于此墓。从该墓葬制分析，四壁分隔"二十四孝"画面的仿歇山层顶"山面"。简报推断其时代为宋代墓较为合适。

天水市

826.甘肃通渭县发现"绵州防御使印牌"

作　者：何　钰

出　处：《四川文物》1986 年第 4 期

1983 年考古人员收集到 1 件"绵州防御使印牌"，系第三铺阴坡村魏家庄一农民于 1965 年在当地被雨水冲开的地埂断面中挖出的。据其讲，印牌周围有草木灰痕迹和瓦砾，距印牌出土地点约 50 米处有数座墓葬封土，以前因雨水冲刷而暴露出攒尖顶砖券墓，该处现为耕地。简报配以照片予以介绍。

据介绍，"绵州防御使印牌"为紫铜铸造，上部有砂眼，表面紫红色，长 22.7 厘米，宽 5.6 厘米，中部厚 0.7 厘米，重 775 克。印版顶边呈"亚"字形，上端钻一穿孔，正面临刻楷体"绵州防御使印牌"7 字，背面下部竖刻楷体"牌入印出，印入牌出"8 字。防御史为唐、宋至元掌管地方军事的武官，宋时为"从五品"。有可能是作为随葬品下葬。时代简报推断为宋代。

827.甘肃天水市王家新窑宋代雕砖墓

作　者：甘肃省文物考古研究所　庞耀先

出　处：《考古》2002 年第 11 期

1990 年 10 月，天水市秦城区耤口乡王家新窑村农民在平整田地时发现 1 座宋代砖室墓。许多农民进入墓室内，致使部分雕砖彩绘和随葬器物遭到破坏。考古人员闻讯后即到现场进行了抢救性发掘。发掘工作开始于 10 月 17 日，结束于 11 月 5 日。发掘结束后，将该墓的彩绘雕砖全部拆取，运回甘肃省文物考古研究所进行妥善保护。此墓位于王家新窑村大崖背的半山腰处，东南距乡政府约 17 公里。简报分为：一、墓葬形制，二、墓室结构与壁饰内容，三、随葬品，四、初步认识，共四个部分，有手绘图、拓片、照片。

据介绍，王家新窑的这座彩绘雕砖墓是近年来发现的较为重要的宋墓之一。根据发现的纪年文字砖和墓门题记可知，此墓建于北宋大观四年（1110 年），墓主人为王帷习之母，王宝柱之祖母。简报指出，这是目前所知在甘肃地区发现的唯一宋代纪年墓，是北宋末年陇右宋墓的重要实例，对于研究这一地区的宋墓提供了重要标尺。

简报称，这座宋墓有保存较好的彩绘雕砖，其雕砖题材主要有墓主人没有出场的开芳宴图、散乐图、妇人启门图等，这些都是宋代雕砖墓中常见的题材。但是在莲花须弥基座之上分为上、下两层单体仿木结构楼阁式建筑的情况，在以往发现的宋墓中并不多见。这座墓葬资料的发表，对于认识北宋时期墓葬习俗，探讨甘肃地区当时的社会生活和经济状况，以及研究中国美术史等都具有着重要的学术意义。

828.麦积山石窟第4窟庑殿顶上方悬崖建筑遗迹新发现

作　　者：麦积山石窟艺术研究所考古研究室　夏朗云等
出　　处：《文物》2008年第9期

2007年4～7月，麦积山石窟艺术研究所考古研究室对麦积山石窟第4窟庑殿顶上方悬崖建筑遗迹进行了初步探查，此窟俗称"散花楼"，位于麦积山东崖最高处，是麦积山石窟最高大壮丽的崖阁式洞窟。此次新发现了北周时期的桩孔及桩孔内部结构、南宋琉璃瓦、早期小石坐佛像、南宋墨书纪年题记、造像粘贴痕迹、泥塑字迹等，为麦积山石窟的北周建筑、早期历史、后代重修、南宋高僧的佛事活动以及南宋天水乡村基层"社""保"制度的研究提供了重要参考资料。同时还对麦积山中区悬崖坍塌3窟龛建筑遗迹进行了初步清理，发现了1组小龛双窟和1个三壁三龛式窟室残存，说明中区有可能主要为北朝稍晚期洞窟分布的区域，亦为麦积山石窟在悬崖上次第分布的开凿史研究提供了新的资料。

829.甘肃张家川南川宋墓发掘简报

作　　者：甘肃省文物考古研究所、张家川回族自治县博物馆　赵吴成、周广济、
　　　　　马明远
出　　处：《考古与文物》2009年第6期

2008年1月，中石油在铺设输油管线的施工中发现一墓葬，位于甘肃省张家川回族自治县、张川镇南川村西200米处的耕地中。该墓为二人合葬墓。葬具为木棺，且朽塌严重，人骨也腐为骨粉，但木棺及随葬品未被盗扰，保存较好。简报分为：一、墓葬形制，二、模印画砖，三、随葬品，四、结语，共四个部分，有照片、手绘图。

据介绍，墓葬为方形单室仿木建筑结构的砖砌墓，由墓道、甬道、墓室三部分组成。模印画砖内容分图案、人物和动物三类。图案以花卉为主，有壶门花卉、交枝牡丹和莲花、卷草纹、神鹿衔草。制作方法有两种：其一为一次模压成形；其二是人物

和动物类预先模压出人及动物的成形浮雕，然后粘贴在砖坯上一起烧制而成。另有"二十四孝"模印画砖 10 余块。出土遗物有陶器、瓷碗、铜镜、灰陶兽头共计 7 件。简报推断此墓为宋代晚期墓葬。

武威市

830.甘肃武威发现一批西夏遗物

作　者：甘肃省博物馆

出　处：《文物》1974 年第 3 期

1972 年 1 月，甘肃省武威县张义公社的农民在小西沟岘挖药材时，发现一批西夏遗物。简报分为三个部分予以介绍，有照片。

据介绍，小西沟岘北距武威县城 75 公里，黄羊河的支流从这里流过，东北有天梯山石窟。在东北山上，向着西南面的山坡，有一个因山坡塌陷而形成的山隙。山隙的中部有一个洞称 1 号洞，窄而深，又不规则。在洞的地面上，发现少量的遗物。1 号洞的上面，又有一个封闭的小洞称 2 号洞，发现更多的遗物。1 号洞是天然的山洞，地上只发现少量的遗物。而 2 号洞是人工的，不但发现较多的遗物，且有佛座、泥塔、佛像等不易移动的东西。2 号洞又在 1 号洞上面，所以，简报认为，这一批西夏遗物原是保留在 2 号洞的，后来有一部分流散到下面 1 号洞中。在这批遗物中，大部分是西夏文、汉文和藏文的文籍，有印本和写本。内容有字书"杂字"、药方、"七五会集款单"、占卜词、"施食"木简、蝴蝶装写经本及佛经残页。同出的还有少量竹笔、木刮布刀、石纺轮、自制牛皮靴、铜质和泥质佛像等。在这批文籍中，共发现西夏纪年 5 个；人庆、天盛、乾祐、天庆、光定。这 5 个西夏年号，最早的是 1145 年，最晚的是 1212 年，下距西夏灭亡只有十几年，简报推断这是属于西夏中晚期的遗物。

同刊同期有王静如《甘肃武威发现的西夏文考释》一文，可参阅。

831.甘肃武威西郊林场西夏墓清理简报

作　者：甘肃武威地区博物馆　宁笃学、钟长发

出　处：《考古与文物》1980 年第 3 期

武威西郊林场，在县城偏西北约 250 米处。1977 年 6 ～ 10 月，该场在平田整地中，先后发现了西夏天庆年间（1193 ～ 1206 年）的墓葬 2 座，简报配以摹本、照片、

手绘图予以介绍。

据介绍，2墓均为单室砖墓。随葬品以木器为主，有木条桌、木衣架、小木塔、木笔架、木宝瓶、木缘塔等，还有板画29块。据木塔上的题记，知此为刘氏家族墓。1号墓最后下葬时间为天庆八年（1201年），2号墓下葬时间为天庆五年（1198年）。

据题记，墓主原籍系彭城人（今江苏徐州）。根据板画中画有相当数量的重甲武卫看，说明这两座墓的墓主，当西夏政权处于分裂垂危的状况下，盘踞在河西走廊一带，拥有一定的武力。简报指出，两墓都有随葬木塔顶部墨书题记。从中不仅可知墓的确切年代，而且更可了解墓主的身世，特别重要的是，二号墓内出土的制作精美的彩绘木制缘塔和数量较多的彩绘板画，对研究西夏的文化、经济、军事、建筑技术以及绘画艺术等方面都提供了重要的资料。

832.甘肃武威县发现窖藏铜钱

作　者： 武威地区文化馆　宁笃学
出　处： 《考古与文物》1981年第2期

1979年9月，位于武威县城内大什字东侧的武威地区文教局，在平整院落时，发现一批铜钱，重42公斤，10000余枚，散置于距地表深50厘米的煤灰坑中。简报配以拓片予以介绍。

计出土西汉、新莽、唐、北宋、西夏、金等各朝铜钱28种。这批铜钱，除汉、唐以及西夏、金的年号以外，其余皆为北宋钱，所占比例也多。钱文篆、隶、楷、行各种书体都有。窖藏这批铜钱的时期，当在西夏后期，距现在已有800多年了，从而也说明西夏置西凉府，就在现在的武威县城。

833.武威出土一批西夏瓷器

作　者： 甘肃省武威地区文化馆文物队　钟长发等
出　处： 《文物》1981年第9期

甘肃武威地区文化馆文物队于1978年10月，在武威县南营公社青咀大队青咀河北面阳山坡上的小洼地，发现1座窖穴。该窖穴离地表约1米，范围不大，也不规整，口径与深度均约1米，穴内整齐地堆放着一批瓷器，按碗、碟、罐的大小分类重叠放置。简报配以照片予以介绍。

据介绍，这批瓷器全是西夏文物，计有大白瓷碗22件（有3件内壁饰有花点图案），大黑碗3件、高足小白瓷碗4件、高足白瓷碟5件、豆绿瓷扁壶1件、黑瓷罐2件、平底小瓷碟 7 件。此外还有木筷 6 双、小石坠 1 件、黑釉瓷勾 1 件、铜笄 1 件、铜钱 1 枚。

简报称，以上这批出土文物，在武威地区来说，其数量之多是很少见的，有的器型很奇特，还从未见过。此外，在窖藏文物的周围，还发现了好多碎瓷片和一些灶坑用器残片，在清理的过程中还偶然发现有草泥墙和木柱洞的痕迹。从以上的窖藏文物和草泥墙等发现来看，这地方很可能是当时西夏人居住的 1 个遗址。这次发现，对于研究西夏的历史提供了可贵的资料。

834.武威西郊发现西夏墓

作　　者：宁笃学

出　　处：《考古与文物》1984 年第 4 期

1981 年，武威地区体育学校师生在校园植树时发现 1 座砖砌古墓，考古人员进行了清理。简报配以照片、手绘图予以介绍。

据介绍，该墓为单室砖墓，已残，随葬品有高圈足白瓷碗 1 件、白瓷碗 1 件、黑釉瓷瓶 1 件、木板画 1 块，上绘男女像各 1。未见人骨。应属西夏晚期舍利塔墓。

835.甘肃武威出土一批铜钱

作　　者：武威县博物馆　黎大祥

出　　处：《考古》1992 年第 9 期

1983 年 7 月，在武威地区师范院内发现一批窖藏铜钱。铜钱出土于距地表约 2 米处，保存完好。简报配以拓片予以介绍。

简报称，这批铜钱数量虽不多，但品种丰富。西夏神宗光定年间（1211～1223 年）所铸"光定元宝"时代最晚，铜钱的埋藏当在这一时期。

836.甘肃武威出土一批窖藏钱币

作　　者：朱　安

出　　处：《考古与文物》1994 年第 3 期

1991 年 7 月 31 日，甘肃省武威地区行政公署家属楼工地在施工过程中，在距地表约 1.20 米处发现一批窖藏铜钱。这批铜钱有 2000 枚，种类达 70 种。其中年代最早的为西汉五铢，最晚的为西夏乾祐元宝钱。其中 90% 以上为北宋钱，其次为五铢和"开元通宝"钱。此外有少数几枚南宋"建炎通宝""绍兴元宝"以及金的"正隆元宝",西夏的"天盛元宝""乾祐元宝"等。钱文书体有楷、行、隶、草、篆、瘦金体等。值得一提的是同时还出土 10 公斤已锈的铁钱,可惜锈蚀十分严重,无法辨认。该窖藏钱币简报配以拓片予以介绍。

据介绍,这批古钱中,较为罕见的有西夏的"乾祐元宝"钱等。这批钱币的出土对于研究宋代(西夏)在河西地区的货币流通具有重要的历史价值,且对于研究宋夏间的经济交往也提供了一些实物见证。从窖藏最晚的铜钱简报推断,这批钱币可能是西夏末元初在战乱中所藏。

837.甘肃武威市出土西夏银符牌

作　者:武威市文化馆　孙寿岭　黎大祥
出　处:《考古》2002 年第 4 期

1995 年夏,武威市人民政府大院东侧在修建施工中,出土了 1 件西夏银质符牌,又名腰牌。该符牌为长方形,长 7.5 厘米、宽 5.3 厘米。环已残,长 1 厘米、宽 2 厘米。两面均阴刻 2 行西夏文楷书,正面每行 3 字,共 6 字,为"宫门后寝待命"。简报配以照片、拓片予以介绍。

据介绍,从已公布的西夏符牌看,有"刺走马牌""宫门守御牌""文宿卫牌""内宿待命"(均为私人收藏物)等,形状有马蹄形、长方形、圆形等,均为铜质。银质符牌的出土尚属首见。简报称,凉州是西夏辅郡,又是西夏王朝皇帝常来常往之地。这件西夏银符牌的出土,对我们研究西夏历史、文化等提供了新的资料。

张掖市

平凉市

838.甘肃灵台百里镇出土一批宋代文物

作　者:刘得祯
出　处:《考古》1987 年第 4 期

1982 年 4 月 20 日,灵台县百里镇野狐湾村一农民在起土时,挖出一批陶、瓷、铜、铁等文物，考古人员进行了清理。从文物保存完整、存放有序来看，显然是出自一座窖藏。简报配以照片予以介绍。

据介绍，百里镇位于灵台县城西 25 公里的达溪河右岸，此地商、周时为古"密须国"王城。这批文物出土于古城俗称"南将台"的二层台地上。当农民挖至距地表深 4 米处时，出现进深 2.8 米、底宽 1.2 米、顶高 0.9 米的拱券式小土窑 1 孔。小土窑的地面上堆着陶、瓷、铜、铁器物。窑底有芦苇痕，很明显入窑时地面垫芦苇，上置铁器，在铁器上置陶器、瓷器，铜器置于大、小不等的四个灰陶瓮和盆内。这次出土的陶、瓷、铜、铁器物，共计 82 件。

简报认为是南宋建炎四年（1130 年）灵台一带被金军占领前后入藏的。其中瓷器均较精美。出土的铁器，多数是生产、生活工具，使我们对八百多年前生产工具和生活用具有了较深的了解。

酒泉市

庆阳市

839.甘肃华池县发现一批宋瓷

作　者：庆阳地区博物馆、华池县文化馆　许俊臣
出　处：《文物》1984 年第 3 期

华池县五蛟公社李良子大队李良子生产队，位于柔远河支流元城河东侧山麓。1972 年 9 月，该队农民在东山梁一冲沟断面上发现大小不等的 3 个铁锅，锅中垒置着各式各样的宋代瓷器，同时有数十枚"崇宁通宝"钱。锅外还放着少量灰陶器和一件铁锤子头。现出土器物收集分藏于地区博物馆和县文化馆内（后来省博物馆选调了 5 件）。简报配以照片予以介绍。

据调查，这些器物埋藏在东山梁一处叫"窖子山"的冲沟畔，现场已毁，只知距地表约 1.5 米，可能是窖穴。计共出土器物 74 件，其中瓷器 68 件，另有灰陶器 2 件、铁器（包括铁锅）4 件。出土器物除少数压碎散失外，大部分保存完好。

简报说，瓷器多出自耀州窑，为研究宋代耀州窑提供了实物。

840.甘肃合水县三座宋墓测绘简报

作　者：庆阳地区博物馆

出　处：《考古与文物》1987 年第 3 期

1972 年以来，甘肃省合水县固城乡高台子村和董家寺村农民劳动时先后发现 3 座砖室墓，墓室保存基本完好。1984 年 9 月，考古人员对 3 座墓进行了实地测绘。简报分为"一号墓（编号 84HGM1）""二号墓（编号 84HGM2）""三号墓（编号 84HGM3）""墓的年代及墓主人身份"四个部分，有手绘图。

据介绍，一号墓位于合水县固城乡高台子村的北山，距县城 27 公里。1972 年秋，该村村民徐守民发现了此墓的墓门，遂即打开墓门，取出了随葬品和骨架，将其用作柴房。随葬品后散失，骨架被遗弃。二号墓位于合水县固城乡董家寺村，西距县城 9 公里。20 世纪 60 年代初，村民在山坡上挖窑洞时发现了此墓的东壁，打破后进入墓室，遗弃人骨和遗物。据当事人讲，当时墓中有 7 架人骨，无随葬品。三号墓位于二号墓西北约 100 米处的农民家窑顶上。1984 年 3 月，农民董怀成在此修水道时发现了墓顶，当即挖掉墓顶砖三、四层，清出了厚达 1 米左右的淤土和 7 具人骨架。

以上 3 墓，简报推断为北宋晚期墓。

841.甘肃镇原县发现宋代铜印

作　者：庆阳地区博物馆　张亚萍

出　处：《考古》1996 年第 11 期

1993 年 5 月，镇原县屯字乡杨宁村村民在挖窑时，发现了 1 枚古代铜印，出土时置于一灰陶罐中。此印系北宋熙宁四年（1071 年）由官方铸造的军印。简报配图予以介绍。

据介绍，印为铜质。印面方形。印文九叠篆，为"强猛弟八副指挥使之印信"11 个字，铸造十分精美。印背纽两侧阴铸楷书铭文，右为"熙宁四年"，左为"少府监铸"。

简报推断，此印为北宋官方铸造的正式印章。"强猛"为熙宁七年（1074 年）正月诏颁的禁军名额中侍卫步军司一个军的番号，此军当时屯戍庆州（参见《宋史·兵志》）。"指挥"是北宋禁军中最重要的军事编制单位，往往一指挥约辖 500 人（有的少于 500），其统兵官是指挥使和副指挥使，军队的屯戍和调遣常以指挥作为基本单位。此印的发现，与史载北宋禁军除守卫京师，还负有"备征戍"的任务相符合，是当时宋夏边境战争情况的历史见证。它的发现，为研究当时北宋西北边境军事情况和北宋兵制提供了重要的实物资料。

842.甘肃环县宋代彩绘砖雕墓

作　者：庆阳师范专科学校　张亚萍

出　处：《文博》2003 年第 3 期

1997 年 7 月，甘肃环县八珠乡侯家岔村发现了 1 座古墓。考古人员赴现场进行调查、清理。古墓位于环县环江支流桥家沟康家庄段北岸坡地上，属八珠乡侯家岔村辖区，距八珠乡政府 10 多公里。古墓所在地表为现代梯田地，因为修梯田和多年耕种，墓室顶部暴露于地表，已被全部揭开，局部破坏，墓室被土填满。简报分为：一、墓葬形制，二、出土文物，三、彩绘雕刻画砖，四、结语，共四个部分，有手绘图、照片。

据介绍，古墓坐北向南，由墓室、门洞、墓道三部分组成。墓室长方形，是在地上先挖方形土坑，再沿四壁砌砖建造而成的，长 3.15 米、宽 2.45 米、残高 2.20 米。四壁表面镶砌彩绘雕刻画砖，画砖之间以花棱砖相隔，墓底铺方形素面青砖。该墓早年曾被盗，仅出土瓷片、铁门环等少量遗物。此次发掘一大收获是画砖。墓室四壁镶砌的彩绘雕刻画砖除西壁保留完整外，其余各壁均有不同程度的破坏，共清理画砖 120 块，内容丰富。主仆图、舂米图、庖厨图、磨面图、牵驼图、牵马图、狂吠的狗、静立的牛、静卧的骆驼、奔跑的鹿等，雕刻真实、生动，使人感到一种浓厚的生活气息，从一个侧面形象反映出宋代西北农村的生活情景。画砖中人物所穿戴的各种服饰也为我们提供了宋代人服饰的真实资料。画砖内容所表现的吉祥图案较多，如意头纹图案，牡丹等花卉，这也反映了当时的时尚。

定西市

843.甘肃省漳县出土一批古铜钱

作　者：李兴华、田向农

出　处：《考古与文物》1985 年第 1 期

1982 年冬，甘肃漳县人民银行办公楼基建施工中，出土一批古铜钱。除现场散失一部分外，尚存 1400 余枚。这批铜钱埋于距地表 2.7 米深的土层中，无容器盛装，穿绳已腐朽，周围亦无其他遗物。

据介绍，这批铜钱共 35 种，除唐代"开元通宝"、五代"乾元重宝"、金代"正隆通宝"外，其余 32 种均为宋代所铸铜钱。

陇南市

临夏州

844.甘肃康乐出土的古代铜印

作　者：侯丕勋
出　处：《考古与文物》1995 年第 3 期

　　1987 年，甘肃省康乐县五户乡曹家沟门村，出土古代铜印 1 方，同时出土的还有少量瓦片。就整体而言，印基本完好。简报配以照片、拓片予以介绍。

　　据介绍，印文系篆书朱文，为"顿首再巽"四字。为恭请上司再行赐教或训示之意。简报从印文文义和印文中无官府名、人名及"印""章"等字判断，这必是一方铜质成语印。

　　简报称，以"顿首再巽"为文的成语印，在我国还是首次发现。若以我国古代玺印印文，"至宋，因小篆难于布满印面，开始用屈曲篆书"和北宋时"为使印篆布满，所以将笔画增加了曲折"（罗福颐《古玺印概论》）的时代特征鉴别，这方铜印印文书体，与宋金间印文书体极为相似，因此，简报推断，它无疑是北宋或金（约1073～1227 年）统辖今甘肃省康乐县五户乡地区的重要实物证据。

甘南州

青海省

西宁市

海东地区

海北州

海南州

果洛州

玉树州

海西州

845.青海乌兰县大南湾遗址试掘简报

作　者：青海省文物考古研究所　李一全、孙鸣生、李梅菊
出　处：《考古》2002 年第 12 期

乌兰县隶属青海海西蒙古族、藏族自治州，作为丝绸之路南路的必经之地和吐蕃、吐谷浑的主要活动地域，乌兰县境内分布有许多古代遗址和墓葬。大南湾遗址位于

乌兰县东部铜普乡察汗诺村，距乌兰县城 20 公里，周围群山环绕，形成一个小盆地。1998 年，考古人员发现该遗址遭到严重盗掘，鉴于遗址的规模及其重要地理位置，决定进行考古试掘。2000 年 7 ~ 8 月，对该遗址进行了发掘，共发掘墓葬 6 座、祭祀遗址 2 处、房址 2 座，发掘情况简报分为：一、遗迹，二、出土遗物，三、结语，共三个部分，有手绘图、拓片。

据介绍，乌兰县境内的古墓群、古遗址分布比较分散，由于盗掘严重，给发掘工作带来一定困难，而且出土遗物也不是很丰富，但此次出土的东罗马金币是首次在青海地区发现。结合 M2 出土的梵文以及以前调查中所出土的遗物综合考虑，简报推断乌兰地区墓葬及遗址年代最晚可到 11 世纪。

宁夏回族自治区

银川市

846.西夏 8 号陵发掘简报

作　者：宁夏回族自治区博物馆　钟　侃、李志清、李范文
出　处：《文物》1978 年第 8 期

西夏是 11 世纪初以党项贵族为主建立起来的封建割据政权。它先后与北宋、辽、金并立，并在政治上、经济上、军事上和北宋、辽、金都有密切的联系。简报分为：一、陵园地理布局和遗物，二、墓室和出土遗物，三、问题讨论，共三个部分，介绍了 20 世纪 70 年代西夏 8 号陵的发掘情况，有照片、手绘图。

据介绍，8 号陵已遭严重破坏。地面建筑已成废墟，但仍可看出整个陵园由阙、碑亭、月城、内城、献殿、灵台、内神墙、外神墙、角台等单体建筑组成，成为一个沿中轴线左右对称的整体。规模比唐宋陵小，除了仿照汉族葬俗外，也有一些自己的特点。简报认为 8 号陵应是西夏第 8 代皇帝李遵项的墓葬。李遵项生于南宋高宗绍兴三十二年（1162 年），49 岁时，即嘉定四年（1211 年）即皇帝位，卒于宋理宗宝庆二年（1226 年）。8 号陵的年代可推断为 1226 年。

847.西夏陵区 108 号墓发掘简报

作　者：宁夏回族自治区博物馆　吴峰云、李范文
出　处：《文物》1978 年第 8 期

简报分为 5 个部分，介绍了 1975 年发掘西夏陵区 108 号陪葬墓的情况，有手绘图。

据介绍，108 号陪葬墓是 1 座阶梯墓道土洞墓。墓道全长 16.4 米，共有阶梯 36 级，每一阶梯宽约 40 厘米。墓道坡度约 40°。有天井、甬道。该墓发现大量家畜、家禽的骨骼，尤其是完整的幼狗、幼羊的随葬，似是党项民族特有的葬俗。从 108 号陪葬墓碑亭中的汉、西夏两种文字的残碑，墓葬本身的形制以及出土的唐、宋货币等

方面来看，都说明了西夏与北宋、辽之间在政治、经济、文化上的密切联系。因为西夏元昊称帝，开始建立起与北宋和辽相对独立的封建割据政权时，它已积聚了30余年北宋所赐的资财和辽的长期支援了；同时，元昊还仿北宋所设官职立官制。长期使用宋、辽货币；仿汉字造西夏字，而且以西夏、汉两种文字并用。

同刊同期有《西夏陵区108号墓出土的丝织品》一文，可参阅。

848.银川缸瓷井西夏窑址

作　者：宁夏回族自治区博物馆　董居安
出　处：《文物》1978年第8期

简报分为"建筑结构""出土遗物"等几个部分，介绍了1976年银川缸瓷井2座西夏窑址和1座石灰窑的发掘情况，有照片、手绘图。

据介绍，遗址位于银川西郊西夏王陵区东3公里处。2号窑保存较好，系利用冈丘高隆的自然地势，开凿土坑穴，再用砖砌成前低后高的窑身，由窑门、窑室、火膛、烟囱等部分组成，南北全长6.3米。

简报称，银川缸瓷井地区西夏窑场遗址的发现，使我们了解到西夏时期的砖瓦窑的结构，同样是继承了中原地区汉、唐、宋以来马蹄形砖瓦窑的传统形制，并因地制宜有所发展。西夏时期的砖瓦、脊饰、瓦当、滴水等建筑材料的形制也是继承了唐、宋以来的民族传统风格和吸收辽、金的各民族风格发展而来。

简报认为，窑场遗址在西夏陵区东侧，仅缸瓷井地区南北绵延七八公里，可能是专为修建西夏陵区需要而设置的。

849.宁夏石坝发现墨书西夏文银器

作　者：宁夏博物馆　董居安
出　处：《文物》1978年第12期

灵武县横山公社石坝生产队在黄河右岸，北靠明长城和古城堡（横城），隔岸与掌政公社相望，是古代的一个重要渡口。1976年3月，在石坝生产队南面200余米的黄河河滩自然沙土1.5米深处，发现一批银器，有碗、小盒、发钗饰等共19件。简报配以手绘图予以介绍。

据介绍，石坝出土的这批银器，根据其碗内底部有墨书西夏文字，应为西夏时期的文物。器物上用墨书和刀刻的西夏文字，标明器物的重量，为研究西夏历史及当时的度量衡制度，提供了实物资料。实测器物重量，得知西夏的两单位值

38 ~ 39.1 克重，而当时宋王朝的两单位值 39 ~ 40 克，由此可知西夏的权衡制度，与宋王朝的权衡制度是相似的；史书上说西夏的典章制度"悉仿中国""多与宋同"，由其权衡制度方面也得到了证明。在这批器物上，记有汉文、西夏文、梵文等三种文字。

850.银州城址勘测记

作　者：戴应新
出　处：《文物》1980 年第 8 期

银州城的历史可以上溯到南北朝时期，初以产良马而得名。唐朝在此设"银州监"，牧养军马。宋初党项族首领李继迁居银州，叛服无常，银州城成为双方争夺的对象。史籍所载不明确，因而银州城的确切位置一直无法认定。1966 年 10 月，横山县党岔公社中学在基建中挖出唐代墓葬一座，出土物中有青石质墓志一方，每边长 38 厘米，镌志文 24 行，每行 24 字。据志文，墓主名李公政，陇西人，系皇帝宗族，其"曾祖讳光，祖讳朝，从官银州，因置大业"，遂世居银州。公政死，于"咸通九年（868）十二月七日迁厝于州南阳山之左"。这就为解决银州城的方位问题提供了可靠的依据。简报配以照片、银州城址图予以介绍。

据介绍，以这方墓志为线索，1975 年 11 月考古人员到现场作了一番调查，又于1977 年 8 月对银州城进行了复查和测绘，并采集和征集到一批出土文物。在李公政墓北 200 米，涉过小小的党岔河，有 1 座形势险要的土筑古城，它充分利用地势，城墙缘河傍沟而行，从平地遥远爬上一座山峰，高耸云天，气魄雄伟，且与宋代文献记述的银州城形状一样，无疑，这便是银州城故址。在今横山县党岔公社党岔大队，是 1 处军事要塞。表地有成堆的守城石制武器，如擂石、飞石索、石球。征集到的文物还有瓷注子、瓷钵、三彩瓷壶、瓷酒杯、陶人玩具。

851.西夏陵区 101 号墓发掘简报

作　者：宁夏回族自治区
出　处：《考古与文物》1983 年第 5 期

1977 年发掘清理，地表有碑亭、月城和内城，为一有斜坡墓道土洞墓。该墓多次被盗，但仍有重 188 公斤的鎏金大铜牛和重 355 公斤的大石马及铁狗、铁矛、铁釜、铜铃、面食点心等文物出土。该墓为一夫多妻合葬墓，墓主人应为西夏仁宗皇帝时一位身份非常显贵的贵族。

852.宁夏灵武县出土的西夏瓷器

作 者：钟 侃

出 处：《文物》1986 年第 1 期

1975 年 4 月，灵武县崇兴乡台子大队三小队发现了一批瓷器。考古人员随即到该地进行调查，瓷器已全部取出，且大多破成碎片。简报配以照片予以介绍。

据介绍，瓷器出土地点在台子大队西南 400 多米处，地面较周围住房略高。地表除有零星近现代的建筑材料外，未见有古代建筑遗存。据瓷器出土时在现场的人谈，瓷器埋藏在一个距地表深约 0.9 米、径约 9 米的土坑中，按器型的不同，分类叠放在一起，口朝下，底朝上，毫不混乱。另据反映，数年前在此处取土时，还陆续出土过铁釜、铁钟等物。瓷器在出土时完整和现已复原的共 112 件。器型简单，只有碗、碟、高足杯三种。计大碗 21 件、小碗 11 件、碟 74 件、高足杯 6 件。从质量看很可能是西夏地区烧制的，不精致。

简报称，崇兴公社台子大队在今灵武县城西南约 7 公里。当在西夏灵州（西平府）的东北 12 里。西夏灵州，在隋初为新昌郡，不久即废，大业年间置灵武郡。唐武德元年（618 年）改为灵州。开元年间（713 ～ 741 年），以灵州为朔方节度，天宝元年（742 年）改为灵武郡大都督府，唐肃宗在此即皇帝位。宋咸平五年（1002 年）遂为西夏所据，仍为灵州，号翔庆军，又为西平府。至南宋嘉定三年（1210 年），为蒙古所陷。此城在明代初年为河水冲毁，唯存西南一角。明宣德年间（1426 ～ 1435 年），全城为河水所湮没。这批瓷器出土地点，即在西夏灵州附近。又据和这批瓷器一同出土的宋代货币看，均铸于 1023 ～ 1110 年。灵州在北宋咸平五年（1002 年）为西夏所据，至嘉定三年（1210 年）为蒙古所陷，其间终未易于北宋，只是元丰四年（1081 年）北宋高遵裕围城十八日，但终未能攻下，由此简报确认这批瓷器是西夏的瓷器。

简报指出，过去考古人员在文物调查时，经常发现类似的瓷器，往往归入宋代瓷器一类。这批瓷器的出土，为西夏瓷器的识别提供了实物依据，填补了瓷器研究中的一项空白。

853.宁夏灵武县磁窑堡瓷窑址调查

作 者：中国社会科学院考古研究所内蒙古工作队 马文宽

出 处：《考古》1986 年第 1 期

1983 年 11 月，考古人员对灵武县磁窑堡瓷窑址进行了调查。1984 年秋，进行了试掘。简报分为：一、窑址位置与遗迹，二、遗物，三、年代，四、调查收获，共四个部分，配以照片，先行介绍了 1983 年调查情况和 1984 年采集到的标本。

据介绍，窑址位于灵武县城正东，相距约 35 公里，在灵武至磁窑堡煤矿公路的西侧。明代磁窑堡城在窑址东面，仅隔一条干沟，今磁窑堡镇在窑址南面，相距约 4 公里。窑址四周均为沙漠。大河子沟河在窑址的西侧流过。窑址附近有丰富的煤矿和瓷土矿。在这里，生产瓷器的三个主要条件——瓷土、燃料和水源都具备了。窑址坐落在南北长 800 余米、东西宽 400 米左右的小山丘上。在此范围内到处散布着瓷片和窑具碎片。从采集的瓷片来看，此窑创烧时代较早，品种多样，质地良好，是我国西北地区的一处重要的古瓷窑址。在窑址内发现数处窑炉遗迹。窑址西端南坡断崖处暴露 8 座残窑，其中仅一号窑炉尚能看出其形制，其余仅存残迹。瓷器有白釉瓷、黑釉瓷、青釉瓷、褐釉瓷、绿釉瓷等。简报称，灵武瓷窑址的发现说明早在西夏王朝时期这里已大规模地生产了质量很高的瓷器，而且一直延续到清代。此窑产品在内蒙古额济纳旗、伊金霍洛旗、甘肃武戚、宁夏银川西夏陵区等地均有发现，说明灵武曾是我国西北地区的一个重要生产瓷器的中心。

简报指出，与宋王朝同时存在的先后有辽、金和西夏。目前我们对辽瓷和金代瓷均有一个概括的了解，而对长达 190 年的西夏王朝（1038 ～ 1127 年）的瓷器所知极少。这次调查和今后的大规模发掘，将对西夏瓷的研究提供可靠的实物资料。通过上面对遗物的叙述可知，西夏瓷与同时期的宋瓷、辽瓷和金代瓷器相比较，有其自己的特点。

简报强调，目前史学界对西夏王朝历史的研究是一个薄弱环节。这是因为西夏王朝留下来的文献史料太少了，在二十五史中没有一部西夏专史。同时，西夏王朝流传下来的实物资料也极为稀少。通过对此窑的调查和今后大规模发掘，将对西夏王朝的物质文化研究提供一份实物资料。

《考古》1991 年第 12 期载有张连喜、马文宽先生《宁夏灵武磁窑堡出土钱币及墨书"吊"字瓷片》一文，可参阅。

854.宁夏贺兰山贺兰口岩画

作　者：宁夏博物馆考古队　许　成
出　处：《考古与文物》1987 年第 3 期

贺兰口，位于宁夏回族自治区首府银川市西北 50 公里的贺兰山中部。沟口宽约 50 米，两岸山峰屹突高耸，岩脊裸露，怪石阵响，为古人提供了凿刻岩画的极好场所。1983 年，考古人员进行了考古调查。简报配以照片予以介绍。

据介绍，岩画分布在沟谷两岸绵延 600 多米的山岩石壁上，刻有近 400 幅个体图形。岩刻题材以人类头象为主，占总数的一半以上，还有马、驴、牛、羊、鹿等动物图形，以及狩猎、飞禽、人手、人脚印和重环形等图案。这些画境古朴浑厚的岩刻，为我们真实地记录了古代游牧民族的生活习俗和社会活动场面。至于时代，除了贺兰山南崖一些带有原始风格的壁画外，大部分应为西夏时期的作品，堪称西夏王朝的一座艺术宝库。

855.西夏陵园北端建筑遗址发掘简报

作　者：宁夏文物考古研究所　杜玉冰等

出　处：《文物》1988年第9期

位于西夏陵园北端的建筑遗址，是1972年调查中发现的。近年曾多次勘察。1986年第1次发掘，揭露面积2400平方米。1987年第2次发掘，揭露面积2000平方米。简报分为"调查""建筑遗迹""出土文物""结语"，共四个部分，配以照片、拓片、手绘图，介绍了遗址调查和第2次发掘情况。

据介绍，西夏陵园位于贺兰山山脉中段东麓，东距银川市25公里。陵园南北长10公里、东西宽4公里，面积约40平方公里。遗址位于陵园北端，西南距2号陵约1500米。为一平面布局呈长方形的建筑群体，坐北朝南，东西宽约200米，南北长约300米，总面积约6万平方米。现存各类建筑遗迹10余处。遗迹残高1～2米，围墙、院落、殿堂等布局清楚，遗迹历历可辨。地表散布大量砖、瓦、滴水、瓦当、脊兽等建筑材料及碗、盘、瓶、钵等瓷器残片。最外围是一周土筑墙垣，现残高约1米、宽9米，已成一土埂。南墙正中辟门，因现代施工，门址已被掩埋。北墙不甚规则，从东向西向外斜出约10度。西墙北部似开有一门，并筑有"瓮城"。墙垣内建筑分为两部分。第一部分在南端，由两个东西对称的四合院建筑组成。四合院呈一长方形，南部被掩埋，东院东面和西院西面为墙垣，其余二面皆为房基，中间形成长方形天井。第二部分在中部，约占遗址总面积的一半，由三座四合院建筑组成。三座院落均呈长方形，两小一大，相互连接，平面呈"凸"字形。东院东南角似曾有楼阙建筑。西院与东院相同，但院内无水井。中院长120米，宽85米，四面均为夯土房基。院内中部偏北有一长方形殿堂遗址，东西宽28米，南北长42米，是遗址的中心建筑。出土遗物多为建筑构件，以及瓷器、泥塑、石刻和零星铜器、铁器等。

简报称，西夏建筑保存至今的极少，此次发掘证实，西夏建筑形制大体与唐宋建筑相仿，而又带有自己的民族风格。此遗址的性质，简报认为是西夏祖庙，也即1209年蒙古军队打败西夏，"入孛王庙"逼迫夏主请降之处（蒙古人称西夏主为"孛王"，孛王庙即西夏王室祖庙）。故遗址的年代上限不会早于西夏仁宗时期（1140～1193

年），彻底被毁当在西夏灭亡之后。简报指出，在调查过程中考古人员看到整个西夏陵园破坏十分严重，陵区内140余座陵墓，上自王陵、下至最小的陪葬墓，无一不遭盗掘，王陵前的盗坑有的至今仍深达10余米，直径多在20米左右，盗掘规模之大，绝非少数人一时所为。西夏陵园及祖庙的最后平毁，应是西夏灭亡后不久蒙古人的一次有组织行动。

856.宁夏灵武县回民巷瓷窑址调查

作　者：中国社会科学院考古研究所内蒙队　杨焕新、马文宽
出　处：《考古》1991年第3期

1984～1986年，考古人员在灵武县磁窑堡窑址进行了发掘。1987年7月，又对其附近的回民巷磁瓷窑址进行了调查。简报分为：一、窑址位置及简况，二、遗物，三、小结，共三个部分，有手绘图等。

据介绍，回民巷位于灵武县东稍偏北约35公里处，南距磁窑堡窑址约4公里。窑址在叶军（叶盛至军渡）公路南侧的小山丘上。东面是回民巷沟（季节河）。此沟向西南经磁窑堡窑址汇入大河子沟河（亦称西天河）。窑址南北长约250米，东西宽150米左右。在此范围内到处散布着瓷片和窑具碎片。从采集的瓷片标本看，此窑创烧时代较早，产品种类较多，胎釉质地良好，是宁夏回族自治区内发现的另一处重要的西夏窑址。采集的标本多为瓷器和窑具，还有少量工具。瓷器有白釉瓷、黑釉瓷、褐釉瓷、青釉瓷、姜黄釉瓷、茶叶末釉瓷和灰白釉褐彩瓷；胎质坚硬细密，有的含有少量沙粒，呈浅黄色或浅灰色；装饰技法除素釉者外，有刻花、剔刻花、印花、彩绘等；器物种类以日常生活用具为主，还有建筑材料等。器型有碗、盘、盆、钵、釜、瓶、罐、瓮、缸、灯、瓦件、筒瓦等。盛烧时期与磁窑堡一样，均为西夏中、晚期。在调查时未采集到元代瓷片，可能在元代时此窑已停烧，窑场迁到制瓷条件较好的磁窑堡。明清时期这里可能有小规模生产。

857.银川西夏陵区3号陵园东碑亭遗址发掘简报

作　者：宁夏文物考古研究所
出　处：《考古与文物》1993年第2期

西夏陵位于宁夏银川市西贺兰山东麓。在约56平方公里的范围内分布着9座帝陵和200余座陪葬墓，是现存规模最大、保存最好的西夏文化遗存，有着重要的历史考古价值，被列为全国重点文物保护单位。1987年8～10月，考古人员发掘了3

号陵（原编 13 号）东碑亭遗址。简报配以照片、手绘图予以介绍。

据介绍，3 号陵位于陵区中部，由角台、阙台、碑亭、月城、内城、献殿、陵台的台基和残墙组成。总面积约 15 万平方米，原是一座规模很大的建筑群体，东西碑亭，分居神道两侧。位于阙台之后，月城之前。东碑亭遗址，前距东阙台 40 米，后距月城前墙 35 米，距西碑亭 80 米。

据介绍，东碑亭遗址在清理前，是一略呈方形的丘状堆积，边长约 28 米，高约 3 米。堆积表层布满残砖，上生杂草。下层为建筑台基，上层为堆积物。堆积物约 99% 为残砖，另外还发现有碑刻残块，零散铜器、钱币、铁器、陶瓷片、残瓦片、兽骨、木炭、白灰墙皮等。碑刻残块中大块的已不见，似已被人挖走。

简报认为，西夏陵是被蒙古军队破坏。当年军队是驻扎在陵区挖掘，故碑亭等可能先作为住人、议事、储物之处。遗存的一些钱币、瓷器等生活用品及棋盘、棋子等娱乐用品，当是盗墓者所遗。

858.宁夏贺兰县拜寺沟方塔废墟清理纪要

作　者：宁夏回族自治区文物考古研究所、宁夏回族自治区贺兰县文化局
　　　　牛达生、孙昌盛等

出　处：《文物》1994 年第 9 期

拜寺沟是贺兰山东坡的山沟之一，在宁夏贺兰县境内，东南距银川约 50 公里。沟口有全国重点文物保护单位拜寺口双塔。方塔位于距沟口约 10 公里的贺兰山腹地。方塔不见记载，始建年代不详，以沟名塔形为名。1984 年，宁夏回族自治区开展文物普查，被认为是明代建筑。1990 年 11 月，方塔被不法分子炸毁。12 月 7 日，自治区文化厅、公安厅联合调查现场时，获得墨书西夏文和汉文题记的塔心柱，方知方塔为西夏古塔。1991 年 8 月至 9 月，考古人员对方塔进行了清理发掘，搞清了方塔的基本结构，抢救了一批西夏文献和文物，并调查了沟内其他西夏遗址。在出土文物中，以部分西夏文和汉文佛经及大量内容丰富的文献资料最具学术价值。简报分为：一、方塔残留塔体及原构推定，二、出土文物，三、几点认识，共三个部分，有彩照、手绘图。

据介绍，发掘纠正了此塔为 11 层明塔的误解。证实此塔为高 13 层的西夏方塔。年代应为西夏早期西夏惠宗、崇宗时期。

简报指出，此次清理的最大收获有二：

其一，为西夏丝织品的研究提供了重要的实物资料。方塔废墟出土的丝织品，质地有绢、绫、纱、罗、织锦等；工艺有绣花、补花、印花、锁边等，是西夏考古

中发现的数量较多、质量较好的一次。

其二，出土的数十种、约12万字的西夏文和汉文文献，具有重要的学术价值。1909年，俄国探险家科兹洛夫在我国内蒙古额济纳旗黑城发现了一批以西夏文、汉文为主的西夏文献，为苏联科学院东方学研究所列宁格勒分所收藏。1917年，灵武县知事余鼎铭，在宁夏灵武发现了一批西夏文佛经，大部分入藏北京图书馆，宁夏、甘肃及日本有的团体也有零星收藏，这是两次西夏考古的重大发现。20世纪以来，国内外西夏学学者，凭借这些丰富的文献资料，在西夏语言文字、社会历史、民族宗教和文化形态的研究上，取得了重要的成果，促进了西夏学的形成和发展。1949年后，特别是近十几年来，在宁夏贺兰，甘肃武威、敦煌、定西，内蒙古黑城等地，又陆续有西夏文献发现，进一步丰富了西夏的研究资料。拜寺沟方塔废城中的这批西夏文献的发现，无论是数量还是内容，都是过去少有的。其中长达5.74米的西夏文墨书长卷，西夏仁孝皇帝发愿文，刻版佛画以及汉文诗集等，均为古文献中的珍品。简报认为，方塔文献的发现是继黑城、灵武之后，西夏文献的又一次重要发现。

859.贺兰县拜寺沟西夏遗址调查

作　者：宁夏回族自治区文物考古研究所、宁夏回族自治区贺兰县文化局　牛达生、孙昌盛等

出　处：《文物》1994年第9期

拜寺沟在宁夏贺兰县境内，是贺兰山东坡的山沟之一。1994年8～9月，考古人员在清理拜寺沟方塔废墟的同时，对沟内西夏遗址进行了较深入的调查。调查中发现，在从沟口到贺兰山分水岭长约15公里的范围内，除沟口有大面积的西夏遗址和全国重点文物保护单位拜寺口双塔外，从东到西依次还有土关、峡道、方塔区、南面台子、殿台子等多处西夏遗址。它们或在山间高台上，或在沟边台地上，面积大小不等，地表残砖破瓦和陶瓷残片随处可见，遗址前多有高低不等的石砌护壁。其中方塔区和殿台子两处规模最大，内涵丰富。简报分为：一、方塔区遗址，二、殿台子遗址，三、几点认识，共三个部分，有照片、手绘图。

据介绍，简报认为拜寺沟原本是西夏主要的宗教活动地区，规模宏大。如方塔区有面积达10多万平方米的西夏寺庙建筑群遗址。当年的方塔区四面环山，环境幽雅，山间岩洞，密林掩蔽。据研究，银川西夏王陵的破坏，是与蒙古灭亡西夏的战争中，血洗西夏都城兴庆府（今银川市）联系在一起的。考古发现，方塔区高台遗址的铺地砖，与西夏陵遗址的铺地砖一样，都有被击打点，呈辐射状破裂。可见蒙古贵族的杀戮破坏，也未放过深山峡谷中的佛国净土。西夏被蒙古灭亡至今将近750年，而高台遗址的表

土层仅厚 10 厘米。这说明西夏之后，兴庆府失去国都的地位，贺兰山佛事活动大大减少，遗址上再未建过新的建筑，而人们在拜寺沟的佛事活动，主要集中在方塔周围。

860.宁夏灵武市回民巷西夏窑址的发掘

作　者：宁夏回族自治区文物考古研究所、灵武市文物管理所　孙昌盛、杜玉冰、余　军、杨　蕤
出　处：《考古》2002 年第 8 期

回民巷窑址位于宁夏回族自治区灵武市磁窑堡镇回民巷村西侧的山梁上（俗称瓦碴梁），东为回民巷沟，北为 307 国道，范围南北长约 400 米，东西宽约 200 米。窑址西距灵武市约 35 公里，南距磁窑堡镇 4 公里。1987 年，考古人员曾对回民巷窑址进行过调查，发现其为宁夏境内除磁窑堡窑外的又一处规模较大的西夏窑址。1997 年 9 ~ 10 月，为配合陕宁天然气输气管道工程施工，对回民巷西夏瓷窑址进行了抢救性清理发掘。本次发掘面积约 182 平方米。发现窑炉 2 座、灰坑 3 座，出土文物 2000 余件。发掘情况简报分为：一、地层堆积，二、遗迹，三、出土遗物，四、结语，共四个部分，有手绘图。

据介绍，回民巷窑址出土瓷器以碗、盘为主，简报将回民巷窑址分为早晚两期。简报推断：回民巷窑的晚期相当于磁窑堡窑一期，它的早期要比磁窑堡窑一期略早。在发掘过程中未发现西夏以后的遗物，结合窑址分布面积小和地层堆积薄的情况，简报推测回民巷窑的使用时间不是很长，在西夏晚期可能就已废弃，迁至条件较好的磁窑堡附近。

861.宁夏银川市西夏 3 号陵园遗址发掘简报

作　者：宁夏回族自治区文物考古研究所、银川市西夏陵区管理处
出　处：《考古》2002 年第 8 期

西夏陵区是全国重点文物保护单位，地处贺兰山东麓中段的山前洪积扇地带，东距银川市（城区）35 公里，总面积近 50 平方公里。就目前勘查情况而言，陵区内分布有 9 座帝陵、260 余座陪葬墓、1 处建筑遗址和若干处窑址。陵区自南而北分为 4 个自然区域。3 号陵位于 2 区的东北部，所处位置海拔高度 1161 ~ 1165 米。简报分为：一、遗址概述及发掘经过，二、地层堆积，三、主要遗迹，四、出土遗物，五、结语，共五个部分，有手绘图。

据介绍，西夏陵增筑月城，月城和陵城组成的平面呈"凸"字形，在宋陵乳台位置，

西夏陵设碑亭；月城内御道两侧各排放 2～3 列石像生群，改变了唐宋陵将石像生群列于阙台（乳台）到南神门两侧、一字排开的做法，陵城内自南而北营建的献殿、墓道封土（墓室一般位于陵塔前 10 余米）和陵塔所构成的一条轴线，与由陵园月城南门、陵城南门、北门 3 个门址的中心点连线所构成的陵园中轴线形成一定夹角。简报称，西夏陵改"方上"封土台为不起土冢作用的塔式建筑，表现了一种中国帝王葬制与佛家瘗葬礼仪完美的结合形式。

石嘴山市

862.宁夏石嘴山市西夏城址试掘

作　者：宁夏回族自治区展览馆

出　处：《考古》1981 年第 1 期

1965 年 5 月，考古人员对石嘴山市庙台公社南约 1 公里的 1 座古城址进行了试掘，1966 年又进行了试掘工作，并对南城门址进行了清理。简报配以手绘图予以介绍。

据介绍，古城垣呈方形，城墙为夯土筑成，东、南两城墙保存较差，唯西、北两城墙保存较好，高达 2～4 米不等。从保存较好的西、北两城墙延亘未有缺口的情况看，似乎没有城门。北墙 588 米，南墙 587 米，东墙 593 米，西墙 590 米。城墙上窄下宽，下宽约 13 米。南城门址尚存石门槛、石门枕、基座、石柱础等遗迹。经发掘只有一个门道，宽 4.10 米，长 13.40 米。简报推断该古城遗址为西夏城址。

吴忠市

863.宁夏同心县征集一方西夏官印

作　者：同心县文物管理所　张秀生

出　处：《文物》1986 年第 11 期

1984 年 6 月，同心县文物管理所在新庄集乡征集到西夏官印 1 方。据调查，1963 年春，当地人在马家渠村黄岘子沟的荒滩上挖甘草时，在距地表深约 1.5 米处挖出白瓷罐 1 件，罐内存放这方官印。简报配以照片予以介绍。

据介绍，官印为铜质，方形抹角，长柄有穿。印文为白文，上刻西夏九叠篆文"首领"2字。柄端刻西夏行书"上"字。背款文字2行。肩部有旋纹2道。器胎较厚，面施白釉，釉色发青，斑驳不匀，局部已经脱落。新庄集位于同心县东之罗山西麓，旧属西夏丰州之地，是西夏人活动的重要地区之一。据吴广成《西夏书事》：西夏建国之初，曾在丰州设"静塞军司"，是西夏十二监军司之一。因其东南与宋朝环庆路（今甘肃省环县、庆阳一带）相邻，在军事上占有重要的地位。

简报称，西夏官印中，"首领"2字印最为普遍。这种官印背款刻字，一边为年款，标明制印时间，一边为姓氏，是掌印者姓名。此次同心县征集的这一方官印，其背款除照刻姓氏外，刻年款之处改刻"自掌施纪"，这种款式还属首次发现，为研究西夏印章制度和社会历史，增添了新的资料。

864.宁夏青铜峡县发现两幅唐卡

作　者：何继英
出　处：《文物》1992年第8期

1963年，考古人员在对青铜峡县一百零八塔下河滩处2座塌陷喇嘛塔进行抢救性清理时，于其中2号塔内发现2幅唐卡。出土时各卷成1轴，画面严重污染且多处破损。经故宫博物院修复后，知其内容、布局、尺寸及装裱方法完全一样，唯一幅画面较清晰，一幅画面磨损严重。

简报介绍，2幅唐卡的制作方法大致为，作画前先用一种动物胶类的胶状物和滑石粉调合成糊状物，涂抹到绢布上，再将表面打磨平整，然后于其上作画。从两幅唐卡的残损面看，画师可能先用黑色线条起稿，描绘出图像的轮廓后上色。使用的颜料为不易褪色的矿物原料。画成后裱装加轴。值得注意的是，一幅画面的背面右侧边缘竖写有西夏文字，字已漫漶不清，难以辨识。

两幅唐卡的年代简报初步推断为西夏作品。

固原市

865.宁夏泾源宋墓出土一批精美雕砖

作　者：宁夏博物馆考古组　钟　侃等
出　处：《文物》1981年第3期

1977年10月，泾源县泾河源公社涝池大队百姓在取土垫圈时，发现古墓1座。

考古人员闻讯后，随即前往进行了清理。简报分为：一、墓葬建筑形制，二、雕砖，共两个部分，有照片、立视图。

据介绍，古墓在泾河源公社涝池大队北面约400米处，位于从六盘山向东延伸出来的山丘东部边缘。墓分左、右两室。由于历年百姓在此取土垫圈，左墓室顶上的填土已全部取完。在未清理前，百姓已由左墓室顶部进入墓内，二室的骨架均已翻动，尤以左室为甚。左室后壁龛内的一个素光灰色陶罐也已取出。此墓建筑形制为一个略呈方形的墓坑，墓坑中砌筑左右两座墓室。两墓室之间有小券门相通。两个墓室虽在同一墓穴中，但各有其单独的竖直墓道。两个墓室的平面均为长方形，左、右两室各置一棺，为夫妇合葬，葬式为仰卧。简报推断墓葬时代应是北宋，墓主身前可能是从事于商业活动的地主夫妇。

简报称，墓内随葬品已被盗掘一空，唯墓室墙壁上镶嵌的大部分雕砖还保存完好，是研究宋代社会经济生活的珍贵资料，具有重要的历史价值。人物砖雕以浮雕的方法突出总体轮廓，衣饰细部花纹则用线刻，形成了合理的艺术夸张。男女仆人和担物者的发式、衣帽及用具等，为我们了解北宋时期劳动人民的生活习俗也提供了形象的资料。

866.宁夏西吉县宋代砖雕墓发掘简报

作　者：宁夏文物考古研究所、宁夏固原博物馆　耿志强、郭晓红、杨　明
出　处：《考古与文物》2009年第1期

宁夏西吉县1985年、1995年先后发现了2座宋墓。按发现时间的先后把2座墓分别编为XJM1和XJM2（简称M1、M2）。简报分为：一、XJM1，二、XJM2，三、结语，共三个部分，有手绘图。

据介绍，M1和M2均为宋代砖雕墓，墓葬形制均为砖券顶单室墓，这2座墓除规模相似外，砖雕图案及墓葬结构均有差别。M1墓为砖券顶单室墓，由斜坡台阶式墓道、甬道、墓室组成。墓室平面呈长方形，墓室内长2.42米、宽1.4米、高1.82米。M2由墓道、墓室组成，墓室内有木棺1具，棺木腐朽严重，清出不少铁棺钉。人骨也腐朽成粉状，由于墓葬被严重扰乱，葬式不明。随葬品仅有1件灰陶罐。M2的结构十分特殊，一般墓葬的斜坡墓道都直接与甬道相连，而M2的斜坡墓道直接与墓室上部拱券部相连，这种墓葬的砌筑方法在宁夏境内还是首次发现。它是先从地平面向下挖出长方形墓圹，然后在墓圹内自下而上砌筑墓室四壁，当墓室南壁砌筑到起券处时，再在上方留出墓门，斜坡墓道直接与墓门相接。为我们研究宋代墓葬形制及丧葬习俗提供了新的资料。这两座墓发掘的最大收获，是墓室内镶嵌的花

卉、人物及孝子故事等内容的砖雕。

据简报推断，M1 为北宋晚期墓，M2 为北宋中早期墓。

中卫市

867.宁夏中卫县四眼井出土的西夏文物

作　者：周兴华

出　处：《考古》1994 年第 8 期

1987 年 11 月，宁夏中卫县红泉乡民工兴建水利工程时，在该乡四眼井村庄西南约 500 米处的黄土坡中发现了一批西夏文物。红泉乡位于黄河南岸、香山主峰脚下，历史上水草丰美，属西夏王国版图。文物出土附近有古村落遗址。简报配以手绘图予以介绍。

据介绍，这批文物完整的有 30 件，其中瓷器 16 件、铜器 6 件、铁器 8 件、古钱币 260 枚。

据《西夏书事》：西夏"仁孝乃立通济监，命监察御史梁惟中掌之，铸天盛永（元）宝钱，与金正隆元宝通用，金主禁之。仁孝再表请，乃许通行"。从器物的形制风格和伴随出土的金代、宋代钱币来看，简报推断这批文物当属西夏文物。

简报称，这批文物的出土，为研究西夏王国的社会经济和西夏居民的生活习俗提供了珍贵的实物资料。从铁犁尖、铁楼角尖出土于中卫香山地区来看，西夏发展粮食生产除引黄灌区外，还有大面积的山区。农业技术较为先进，农业经济有了相当大的发展。铁剑的发现，说明居民家中自备武器，以应征战。出土的民用瓷器具有宁夏灵武窑的特点。喇叭形高足酒壶具有浓厚的民族风格，说明西夏的手工业生产工艺水平较高。

新疆维吾尔自治区

乌鲁木齐市

克拉玛依市

吐鲁番地区

哈密地区

和田地区

868.新疆和田市发现的喀喇汗朝窖藏铜器

作　者：李吟屏

出　处：《考古与文物》1991年第5期

1989年10月15日，和田地区第七运输公司施工组在承挖和田火电厂三号机组楼基时，偶然挖出一批窖藏铜器。火电厂有关人员闻讯后立即收回这批铜器，并将情况报告市公安局。次日，这批铜器经市公安局移交和田地区文管所。考古人员赴铜器出土现场进行了调查。简报分为：一、铜器出土现场概况，二、出土的窖藏铜器，三、时代及有关问题，共三个部分，有照片。

简报介绍，通过对器物造型特点、纹饰、铭文的风格和内容等方面进行对比，简报推断这批窖藏铜器应属11～13世纪初的遗物，这一时期在新疆正当喀喇汗朝时代。一般认为1008年和田被喀喇汗朝征服，为其属地。1213年（或称1212年）喀喇汗朝解体。所以，简报也推断这批窖藏铜器是喀喇汗朝时代的文物。

869.黑汗王朝时期的两件铜器

作　者：李吟屏

出　处：《考古与文物》1995 年第 5 期

1989 年 10 月，新疆和田市曾出土 16 件极为罕见的黑汗王朝（国外称喀喇汗朝）铜器，已作过报道与研究。在这批铜器出土前后，和田地区文物管理所又征集到两件出自不同地方的铜器，其制作手法、图案形式、艺术风格、铭文文字均与前述 16 件铜器类同，且精细程度有过之，实为国内外罕见之文物。简报配以照片予以介绍。

据介绍，这两件铜器，一为嵌银嵌紫铜刻铭铜盒，一为錾花刻铭铜盒。它们为研究黑汗王朝手工艺及艺术风格，提供了实物资料。

阿克苏地区

喀什地区

克孜勒苏柯尔克孜自治州

870.新疆阿图什县喀喇汗王朝钱币窖藏清理简报

作　者：新疆社会科学院考古研究所　蒋其祥

出　处：《文物》1985 年第 12 期

1980 年 3 月，新疆阿图什县发现的喀喇汗王朝钱币窖藏，是近年来新疆考古工作的重要收获之一，论数量也是迄今为止在新疆地区发现喀喇汗王朝钱币最多的一次。这对于研究喀喇汗王朝历史和经济情况有重要意义，特别是对于研究以喀什噶尔为中心的东喀喇汗王朝政治经济情况更有特殊价值，是极为珍贵的实物史料。简报分为：一、发现经过和窖藏的地理环境，二、钱币的初步整理与分类，三 "桃花石可汗" 钱币，四、结语，共四个部分，有手绘图。

据介绍，1980 年 3 月，新疆克孜勒苏柯尔克孜自治州阿图什县松他克公社托库尔大队第十二生产队在建造砖窑厂挖坑取土时，在距地表 3 ～ 5 米深处发现这批钱币窖藏。据说钱币原是放在麻袋内入窖的，麻袋已朽。钱币共约 130 公斤，18000 枚左右，出土后被出售给县商业部门，后被自治州科委收购保存。1981 年 9 月，转交新疆社会科学院考古研究所。出土地点靠近喀喇汗王朝政治中心喀什噶尔附近，又属交通要道，发现如此多的窖藏钱币并非偶然。简报判断，这个窖藏的年代不早于 1111～1117 年。

巴音郭楞蒙古自治州

昌吉回族自治州

博尔塔拉蒙古自治州

伊犁哈萨克自治州

塔城地区

阿勒泰地区

石河子市

阿拉舒克市

图木舒克市

五家渠市

香港特别行政区、澳门特别行政区、台湾省

参考文献

一、参考文献分为上编、中编、下编。

二、上编收录本书收录的考古核心刊物（以《北京大学中文核心期刊目录》2011 年版考古学科为准，略加调整）。中编系非核心刊物及以书代刊的连续出版物、某一地区考古成果汇编等举要。下编是面对非考古专业读者的相关书籍。

三、上编依《北京大学中文核心期刊目录》2011 年版给出顺序排列；中编依通行的省市自治区直辖市顺序排列。省市自治区下排列不分先后。

上　编

1.《文物》

创刊于1950年，国家文物局主管，文物出版社主办。初名《文物参考资料》，1959年改为《文物》。1971年曾停刊一年。现为月刊。

2.《考古》

创刊于1955年，由中国社会科学院考古研究所主办。1955～1959年，用《考古通讯》的刊名，1955～1957年为双月刊，此后改为月刊，1966年6月至1971年12月停刊，1972～1982年为双月刊，1983年至今为月刊。有《考古（1955～1996年）》《考古（1997～2003年）》两张全文检索光盘出版。2007年3月起，实行双向匿名审稿。

3.《考古学报》

创刊于1936年8月，由国立"中央研究院"历史语言研究所主办，刊名《田野考古报告》，列为专刊之十三。第二册（1947年3月出版）更名为《中国考古学报》，至1949年共出版四册。第四册出版于1949年12月，由中国科学院历史语言研究所主办。1950年8月1日，中国社会科学院考古研究所成立（当时为中国科学院所属研究机构），继续主办，于1950年12月出版第五册。自第六册（1953年12月出版）更名为《考古学报》至今。1954年变更为半年刊，1956年变更为季刊，1960年又变更为半年刊，1978年起改为季刊，每年1、4、7、10月的30日出版。2007年3月起，实行双向匿名审稿。

4.《考古与文物》

1980年创刊，陕西省考古研究所主办，季刊。1982年改为双月刊。该刊曾编有若干期《考古与文物》辑刊，多为研究性文章；还编有《考古与文物丛刊》，为不定期刊物，有少许发掘报告，但内容较宽泛，古文字学、古人类学等方面文章均收。

5.《中原文物》

河南省博物馆主办，1977年创刊时名为《河南文博通讯》，1981年改名《中原文物》，季刊。2000年改为双月刊。有《〈中原文物〉十五年叙录（1977～1992）》一书。

6.《北方文物》

黑龙江省考古研究所、考古学会主办，1981年创刊，初名《黑龙江文物丛刊》，季刊。

7.《华夏考古》

河南省考古研究所、河南省文物考古学会主办，创刊于 1987 年，季刊。

8.《四川文物》

四川省文物局主办。1984 年创刊，双月刊。出版有《〈四川文物〉二十年目录索引（1984～2003）》。

9.《江汉考古》

1980 年创刊，先以不定期形式共出了五期（至 1982 年底为止）。从 1983 年第 1 期（即总第 6 期）起改为季刊，向国内外公开发行。1989 年第 3 期起，由湖北省文物考古研究所主办。

10.《农业考古》

1981 年创刊，为国内外唯一的专门发表有关农业考古学研究成果的大型学术刊物。原主办单位为江西省博物馆、江西省中国农业考古研究中心。1985 年由江西省社会科学院历史研究所和江西省中国农业考古研究中心主办；1994 年起由江西省社会科学院和中国农业博物馆联合主办；2003 年起由江西省社会科学院主办。双月刊。

11.《文博》

1984 年 7 月创刊，陕西省考古研究所主办；陕西省博物馆、秦始皇陵兵马俑博物馆参办。双月刊。

《文博》虽未列入 2011 年版《北京大学中文核心期刊目录》，但考虑到该刊的质量及陕西省作为文物大省的地位，此次仍然予以收录。

中 编

1. 北京市

《考古学社社刊》

北京燕京大学考古学社编，1934 年创刊，1937 年停刊。

《考古学集刊》

中国社会科学院考古研究所主办，1981 年创刊，科学出版社出版，年刊。自第 16 期开始以专业论文为主。

《考古学研究》

北京大学考古文博学院、中国考古学研究中心编，16 开平装，科学出版社、北京大学出版社不定期出版。

《北京文物与考古》

1983 年创刊。

《北京文博》

北京市文物事业管理局主办，1995 年创刊，季刊。

《北京考古》

北京市文物研究所编，北京燕山出版社 2008 年始不定期出版。

《三代考古》

中国社会科学院考古研究所夏商周考古研究室编，16 开平装，科学出版社不定期出版。

《中国道教考古》

线装书局不定期出版。

《中国古陶瓷研究》

紫禁城出版社出版的连续出版物。

《石窟寺研究》

中国古迹遗址保护协会石窟专业委员会编，文物出版社不定期出版。

《中国大遗址保护调研》

中国社会科学院考古研究所文化遗产保护研究中心编，科学出版社 2011 年始不定期出版。

《文物研究》

科学出版社连续出版物。

《九州》

商务印书馆连续出版物。

《古脊椎动物学报》

中国科学院古脊椎动物与古人类研究所主办。1957 年创刊时为英文版，季刊，1959 年创刊中文版。1961 年英文、中文版合并，1966 年停刊，1973 年复刊。

《文物资料丛刊》

《文物》编辑委员会编，文物出版社不定期出版。

《古代文明》

北京大学中国考古学研究中心编，文物出版社不定期出版。

《古代文明研究》

中国社会科学院考古研究所、古代文明研究中心编，文物出版社不定期出版。

《中国盐业考古》

科学出版社不定期出版。

《科技考古》

中国社会科学院考古研究所编，科学出版社不定期出版。

《水下考古》

国家文物局水下文化遗产保护中心编，上海古籍出版社 2018 年出版第 1 辑。

《中国国家博物馆馆刊》

创刊于 1979 年，初名《中国历史博物馆馆刊》。原为半年刊，一年两本。1999 年改名《中国历史文物》，2002 年改为双月刊，2011 年改为《中国国家博物馆馆刊》，并改为月刊。

《首都博物馆丛刊》

首都博物馆主办，北京燕山出版社 2007 年始不定期出版。

《中国文物报内部通讯》

1991 年 7 月创刊，不定期出版。

《陶瓷考古通讯》

《玉器考古通讯》

《古代文明考古通讯》

以上三种"通讯"，均由北京大学文博学院主办。

《青年考古学家》

北京大学文物爱好者协会会刊，1988 年创刊。科学出版社出版。每年一册。

《故宫博物院院刊》

故宫博物院主办，1958 年创刊，双月刊。

《中国文物科学研究》

国家文物学会、故宫博物院主办，2006 年创刊。

《中国历史文物》

国家博物馆主办，双月刊。

2．天津市

《天津博物馆集刊》

天津博物馆编，天津人民出版社出版，1998 年第一辑出版。

《天津考古》

天津市文化遗产保护中心编，16 开精装，科学出版社不定期出版。

《天津博物馆论丛》

科学出版社不定期出版。

《天津文博》

天津市文物博物馆学会编，1986 年创刊。

3．河北省

《文物春秋》

河北省文物局主办，创刊于 1989 年，双月刊。

《河北省考古文集》

河北省文物研究所编，科学出版社不定期出版。

4．山西省

《三晋考古》

山西省考古学会、山西省考古研究所主办，1994 年创刊。年刊，现由上海古籍出版社出版。

《山西博物馆学术文集》

山西人民出版社不定期出版。

《晋中考古》

文物出版社不定期出版。

《运城地区博物馆馆刊》

运城地区博物馆主办。

《北朝研究》

中国魏晋南北朝史学会、大同平城北朝研究会编，16 开平装，科学出版社不定期出版。

《文物世界》

山西省文物局主管，1987 年创刊，双月刊。

5．内蒙古自治区

《内蒙古文物考古》

内蒙古文化厅、内蒙古考古博物馆学会主办，1981 年创刊，半年刊。

《草原文物》

内蒙古自治区文化厅、内蒙古考古博物馆学会主办，1984 年创刊，1997 年由年刊改为半年刊。

《鄂尔多斯考古文集》

伊克昭盟文物工作站 1981 年创刊。

《内蒙古包头博物馆馆刊》

内蒙古包头博物馆主办，2000 年创刊。

6．辽宁省

《辽宁文物》

辽宁省博物馆主办，1980 年创刊。

《辽海文物学刊》

1986 年创刊，辽宁省博物馆、文物考古研究所主办，半月刊。

《辽宁考古文集》

辽宁省文物考古研究所编，16 开平装，科学出版社不定期出版。

《辽宁省博物馆馆刊》

辽海出版社不定期出版。

《沈阳故宫博物院院刊》

沈阳故宫博物院主办，1995 年创刊，半年刊。

《沈阳考古文集》

沈阳市文物考古研究所编，科学出版社 2007 年始不定期出版。

《大连文物》

科学出版社不定期出版。

7．吉林省

《东北史地》

吉林省社会科学院吉林省高句丽研究中心主办，2004 年 1 月创刊。

《博物馆研究》

吉林省博物馆学会、吉林省考古学会主办，季刊。

《边疆考古研究》

吉林大学连续考古研究中心编，科学出版社不定期出版。

《亚洲考古》

吉林大学边疆考古研究中心编，科学出版社出版。该刊为英文版。

8. 黑龙江省

《黑龙江文物丛刊》

1985 年创刊，季刊，现已改名为《北方文物》。

《昂昂溪考古文集》

科学出版社 2013 年版。

9. 上海市

《上海博物馆馆刊》

创刊于 1981 年，上海人民出版社出版。后改名《上海博物馆集刊》，年刊。

《上海文博论丛》

上海博物馆主办。2002 年创办，季刊。

《文物保护与考古科学》

上海博物馆主办，1989 年创刊，现为双月刊。

《出土文献》

清华大学出土文献研究与保护中心编，2010 年创办，每年一辑。

10. 江苏省

《东南文化》

南京博物院、江苏省考古学会主办，1975 年创刊时名为《文博通讯》，1985 年改为《东南文化》。

《南京博物院集刊》

南京博物院主办，文物出版社出版。

《无锡文博》

1990 年创刊，季刊，原名《无锡博物馆通讯》。

《扬州文博》

扬州市博物馆主办，1990 年创刊，1992 年停刊。

《江淮文化论丛》

扬州市博物馆编，文物出版社不定期出版。

《徐州文物考古文集》

徐州市博物馆编，科学出版社不定期出版。

《苏州文博论丛》

苏州市博物馆编，文物出版社不定期出版。

《文博通讯》

江苏省考古学会编。1975 年创刊，1985 年改名为《东南文化》。

《江阴文博》

江阴市文物管理委员会编,半年刊。

《常州文博》

常州市博物馆编,1993年创刊,半年刊。

11.浙江省

《东方博物》

浙江省博物馆主管,创刊于1997年,季刊。

《杭州文博》

杭州出版社不定期出版。

《浙江省文物考古所学刊》

科学、文物出版社不定期出版。

《宁波文物考古研究文集》

宁波市文物考古研究所、文物保护管理所编,科学出版社不定期出版。

《东方建筑遗产》

宁波报国寺古建筑博物馆编,科学出版社的连续出版物。

《绍兴市考古学会会刊》

绍兴市考古学会编,不定期出版。

12.安徽省

《安徽省考古学会会刊》

安徽省文物考古研究所、考古学会编,16开平装,1985年创刊,为科学出版社出版的连续出版物。

《安徽文博》

安徽博物院、安徽省博物馆协会主办,1980年创刊。年刊。

《徽州文博》

黄山市博物馆协会主办。

《文物研究》

安徽省文物考古研究所编,科学出版社不定期出版。

13.福建省

《福建文博》

福建省博物馆主办,1979年创刊,半年刊。

《东南考古研究》

厦门大学出版社不定期出版,涉及东南亚国家考古成果。

14. 江西省

《南方文物》

江西省文化厅主办，江西省博物馆、江西省考古研究所编辑出版。原名《江西文物》，1992 年改称《南方文物》，季刊。

《江西省博物馆集刊》

江西省博物馆主办，文物出版社不定期出版。

15. 山东省

《东方考古》

山东大学东方考古研究中心编，16 开平装，为科学出版社推出的连续出版物。

《齐鲁文物》

山东省博物馆编，科学出版社不定期出版。

《海岱考古》

山东省文物考古研究所编，科学出版社不定期出版。

《胶东考古》

《齐鲁文博》

齐鲁书社不定期出版。

《山东省高速公路考古报告集》

科学出版社不定期出版。

《济南考古》

济南市考古研究所编，为科学出版社的连续出版物。

《青岛考古》

青岛市文物保护考古研究所编，为科学出版社出版的连续出版物。

16. 河南省

《河南博物馆馆刊》

1936 年创刊，河南博物馆编辑出版，16 开，计已出版了 11 册。除了考古成果，还收录了动物、植物、矿物等方面的成果。

《中原文物考古研究》

大象出版社不定期出版。

《河洛文化论丛》

北京图书馆出版社不定期出版。

《动物考古》

河南省文物考古研究所编，文物出版社不定期出版。

《文物建筑》

河南省古代建筑保护研究所编，科学出版社不定期出版。

《郑州文物考古与研究》

郑州市文物考古研究院编，科学出版社不定期出版。

《郑州商城考古新发现与研究》

河南省文物考古研究所编，中州古籍出版社出版。

《洛阳考古》

洛阳市文物考古研究院编，中州古籍出版社出版的系列出版物，2017 年以来已出版十余册。

《洛阳文物钻探报告》

洛阳市文物钻探管理办公室编，文物出版社不定期出版。

《开封考古发现与研究》

开封市文物工作队编，中州古籍出版社 1998 年出版。

《开封文博》

开封市博物馆主办，1990 年创刊，半年刊。

《殷都学刊》

安阳师范学院主管，1980 年创刊，季刊。

17．湖北省

《楚文化研究论集》

荆楚书社不定期出版。

《荆楚文物》

荆州博物馆编，16 开平装，科学出版社 2013 年始不定期出版。

《襄樊考古文集》

襄樊市文物考古研究所编，科学出版社 2007 年始不定期出版。

《鄂东北考古报告集》

湖北科学出版社 1996 年版。

《三峡考古之发现》

湖北科学技术出版社推出的连续出版物。

《湖北库区考古报告集》

国务院三峡工程建设委员会办公室、国家文物局编，科学出版社 2003 年始不定期出版。

《武汉文博》

武汉市文物管理处研究室编，1988 年创刊，季刊。

《清江考古》

湖北省清江隔河岩考古队、湖北省文物考古研究所编，科学出版社 2004 年出版。

《湖北南水北调工程考古报告集》

科学出版社不定期出版。

《葛洲坝工程文物考古成果汇编》

武汉大学出版社出版。

《长江文物考古简讯》

长江流域规划办文物考古队编，1958 年创刊，月刊。

18．湖南省

《湖南省博物馆馆刊》

岳麓书社不定期出版。

《湖南考古辑刊》

岳麓书社不定期出版。

19．广东省

《广东文物》

广东省文化厅、广东省文物博物馆学会主办，1996 年创刊，半年刊。

《广东文博》

广东省文物管理委员会主办，1983 年创刊，不定期出版。

《艺术史研究》

中山大学艺术史研究中心编，中山大学出版社出版，每年一本。

《华南考古》

广州市文物考古研究所等编，文物出版社 2004 年始不定期出版。

《羊城考古发现与研究》

广州市文物考古研究所编，文物出版社 2005 年始不定期出版。

《广州文博》

广州市文物局等编，1985 年创刊，文物出版社不定期出版。

《珠海考古发现与研究》

广东人民出版社 1991 年版。

《深圳文博论丛》

深圳博物馆编，文物出版社不定期出版。

20．广西壮族自治区

《广西考古文集》

广西文物考古研究所编，文物出版社不定期出版。

《广西文物考古报告集》

广西壮族自治区文物工作队编，广西人民出版社 1993 年出版的一册汇集了 1950 ～ 1990 年的考古调查、考古发掘报告等。

21．海南省

《海南省博物馆研究文集》

科学出版社不定期出版。

《西沙水下考古》

中国国家博物馆水下考古研究中心、海南省文物保护管理办公室编，科学出版社不定期出版。

22．重庆市

《长江文明》

中国三峡博物馆主办，2008 年创刊，季刊。

《重庆库区考古报告集》

重庆市文物局、重庆市移民局编，科学出版社出版，大体每年一卷。

《大足学刊》

大足石刻研究院编，重庆出版社不定期出版。

23．四川省

《四川考古报告集》

文物出版社不定期出版。1998 年出版第 1 集。

《南方民族考古》

四川大学博物馆、成都民族文物考古研究所编，1987 年创刊，中间因故停刊，2010 年复刊。科学出版社不定期出版。

《成都文物》

成都文物管理委员会主办，季刊。

《成都考古发现》

成都市文物考古研究所编，科学出版社出版，大体一年一册。据称自 2001 年以来，20 年间发表了 425 篇报告。

《四川古陶瓷研究》

四川省社会科学院主办，不定期出版。

《川南文博》

四川省宜宾市博物馆主办，1985 年创刊。

24．贵州省

《贵州省博物馆馆刊》

贵州省博物馆主办，1985 年创刊，1988 年停刊，1992 年与《贵州文物》合并，改名《贵州文博》。

《贵州文物》

贵州省文管会主办，1982年创刊，1992年停刊。

25. 云南省

《云南文物》

云南省博物馆主办，1973年创刊，1987年停刊。

《云南考古文集》

云南民族出版社出版。

《茶马古道研究集刊》

云南大学出版社不定期出版。

26. 西藏自治区

《西藏文物考古研究》

西藏自治区文物保护研究所编著，平装16开，科学出版社2014年始不定期出版。

《西藏考古》

四川大学出版社1994年始不定期出版。

《西藏文物通讯》

西藏自治区文管会主办，1981年创刊。

27. 陕西省

《周秦文明论丛》

三秦出版社不定期出版。

《西部考古》

三秦出版社出版的连续出版物。

《史前研究》

陕西省考古研究院、西安半坡博物馆主办，1986年创刊，季刊。

《秦文化论丛》

西北大学出版社出版的连续出版物。

《陕西省历史博物馆馆刊》

西北大学出版社出版的连续出版物。

《陕西博物馆馆刊》

三秦出版社不定期出版。

《宝鸡文博》

1991年创刊，不定期出版。

《秦陵秦俑研究动态》

秦始皇兵马俑博物馆主办，1986年创刊，季刊。

28．甘肃省

《敦煌研究》

《西北民族研究》

《陇右文博》

甘肃省博物馆主办，1996年创刊，半年刊。

《简牍学研究》

西北师范大学、甘肃省文物考古研究所编，甘肃人民出版社1997年开始出版。

29．青海省

《青海文物》

青海省文化厅主办，1988年创刊。

《青海考古学会会刊》

青海省文化厅文物处、青海省考古学会主办，1980年创刊，1985年停刊。

30．宁夏回族自治区

《宁夏社会科学》

《西夏学》

宁夏大学西夏学研究院主办，半年刊。

31．新疆维吾尔自治区

《新疆文物考古研究所丛刊》

《新疆考古》

新疆社会科学院考古研究所主办，后改为《新疆考古研究资料》，不定期出版。

《新疆文物》

《西域文史》

北京大学中国古代史研究中心、新疆师范大学西域文史研究中心合办，16开平装，由科学出版社不定期出版。

《吐鲁番学研究》

吐鲁番地区文物局编。

32．香港特别行政区、澳门特别行政区、台湾省

《香港文物》

香港古物古迹办事处出版。

《香港考古学会专刊》

《"国立"台湾大学考古人类学刊》

1953年创刊，年刊。

《台湾省博物馆季刊》

创刊于 1948 年，现存 4 期，已停刊。

《故宫文物月刊》

台湾"'国立'故宫博物院"出版，1983 年创刊。

下　编

　　欲了解最新的考古成果、考古文献，有两套书是必须知道的：一套是《中国考古学年鉴》，自 1984 年以来每年一册，欲了解上一年度（如 2019 年出版的年鉴，反映的是 2018 年的信息）的考古成果、考古书籍、考古论文等，这是最权威的工具书之一；另一套是《中国重要考古发现系列》，这套书的优点是图文并茂，反映的就是书名所示年度的重要考古发现。如 2013 年出版的《2012 年中国重要考古发现》，说的就是书名所示 2012 年的事情。这两套书，均由文物出版社出版。

　　更深入一些的书籍，有三套书应该提到：

　　第一套是文物出版社出版的《中国文物地图集》，这套书按各省市自治区分册，如重庆分册、河北分册等。优点是将考古发现与地图结合，可以直观地看到某一地区考古发现的多少，但欲进一步了解，仅靠此套书是无法解决的。所以正确的使用方法是：将此书与其他书结合起来阅读。

　　第二套是《中国考古集成》（中州古籍出版社 2006～2007 年版），此书实际上就是将散见各处的考古文献汇集一处，这对使用者而言当然是极为便利。不过窃以为如改为《中国稀见考古文献集成》，或许更实用一些。

　　第三套是《中国考古学》，此为集中全国专家编写了十余年之久的国家项目，专业性较强。计划分为 9 卷，目前"新石器时代卷""秦汉卷""两周卷""三国两晋南北朝卷""夏商卷"等册已出版。全套书要出齐恐怕尚待时日。《考古》杂志 2011 年第 7 期有相关书评，有兴趣的话可以找来看看。

　　如果没有时间去浏览这些大套书的话，先看一些概述、综述性质的书是一个不错的选择。这里仅介绍国家文物局主编的《中国考古 60 年（1949～2009）》（文物出版社 2009 年版）一书。这部书是按省市自治区分开叙述的，囊括了 1949 年后几乎全部重大考古发现，有文有图，执笔者多为各省（自治区、直辖市）的考古专家，文简意赅，缺点是没有给出参考文献，无法以此为线索扩大阅读。当然，依照以往的惯例，可以预料日后会有《中国考古 70 年（1949～2019）》一类的书出版，希望那时会有所改进。文物出版社 2009 年出版的《中国文物事业 60 年》一书，或可视作《中国考古 60 年（1949～2009）》一书的姐妹篇，也可参阅。书中除了港澳台以外，各省（自治区、直辖市）均列有专节。另外，国家博物馆编、中华书局 2012 年出版的《文物史前史·彩色图文本》等，已出齐 10 册，几可视为中国考古的图片专辑。

　　陈淳先生的《考古学研究入门》（北京大学出版社 2009 年版）、李朝远先生的

《青铜器学步集》（文物出版社2007年版）、刘凤翥先生的《遍访契丹文字话拓碑》（华艺出版社2005年版）等，当为比较专业的"入门"类书。四川文物考古研究院编过一本《少儿考古入门》（文物出版社2013年版），那是明言给中小学生看的。其实，一些大家写的集子，可读性颇强，不妨也当作入门书来读。如严文明先生的《足迹：考古随感录》（文物出版社2011年版）、苏秉琦先生的《中国文明起源新探》（辽宁人民出版社2009年版，三联书店2019年新版）、李零先生的《入门与出塞》（文物出版社2004年版）、赵青芳先生的《赵青芳文集·考古日记卷》（文物出版社2011年版）、罗宗真先生的《考古生涯五十年》（凤凰出版集团2007年版）、石兴邦先生的《叩访远古的村庄》（陕西师范大学出版社2013年版）、杨育彬先生的《考古人生——杨育彬回忆续录》（科学出版社2021年版），等等。一些考古工作者亲力亲为的记载，也十分生动有趣。如王吉怀先生的《禹人絮语——考古随笔记》（中国社会科学出版社2017年版）、罗西章先生的《周原寻宝记》（三秦出版社2005年版），等等。事实上，此类书几乎已成为近几年的一个出版热点。如《了不起的文明现场：跟着一线考古队长穿越历史》（三联书店2020年版）、《我在考古现场：丝绸之路考古十讲》（中华书局2021年版）、《考古中国——15位考古学家说上下五千年》（中信出版集团2022年版）等，均很受欢迎。

　　这里要特别推荐李伯谦先生《感悟考古——写给青年学者的考古学读本》（上海古籍出版社2015年版）一书，这是考古大家唯一一本明言写给青年学者的考古学入门读本。另外，李学勤先生的《李学勤讲演录》（长春出版社2012年版），也是深入浅出的大家之作。陈洪波先生《中国科学考古学的兴起：1928～1949年历史语言研究所考古史》（广西师范大学出版社2011年版）、《中国文物研究所七十年（1935～2005）》（文物出版社2005年版）、《记忆：北大考古口述史》（北京大学出版社2012年版）、《考古研究所编辑出版书刊目录索引及概要》（四川大学出版社2001年版）等是众多考古机构类书籍中最值得推荐的几本。读此会对中国最高考古机构及最早的考古教育院系有一个基本了解。文物出版社2010年还出版过一本《春华秋实：国家文物局60年纪事》，读一读，对中国大陆最高文物考古行政部门，也会有所了解。学术史、研究史方面的书自也不应忽视。这方面的书籍应提到陈星灿先生的《中国史前考古学史研究：1895～1949》（三联书店1997年版）、《20世纪中国考古学史研究论丛》（文物出版社2009年版）、黄继秋先生的《百年中国考古》（江苏人民出版社2013年版）、李学勤先生的《20世纪中国学术大典·考古学、博物馆学》（福建教育出版社2007年版）等。最新的书籍，当然是王巍先生主编的《中国考古学百年史（1921～2021年）》（中国社会科学出版社2021年版）共12册，据称共有276名专家参加了此书的写作。

有几部书较有特色，但很难归类：一是国家文物局第三次全国文物普查办公室编的《三普人手记：第三次全国文物普查征文选集》（文物出版社2009年版），可一见奋战在文物普查一线的文保工作者的酸甜苦辣；二是中国文物保护基金会编的《天职——从"文保市长"到"文保书记"》（文物出版社2009年版），可了解地方官员的无奈与奋争；三是何驽先生的《怎探古人何所思：精神文化考古理论与实践探索》（科学出版社2015年版），不是讲考古的思想史，而是从考古材料出发研究思想史；四是《梁带村里的墓葬：一份公共考古学报告》（北京大学出版社2012年版），它是从一个村庄微观角度，讲述考古学。

最后应介绍文献学及工具书方面的书籍。首先应提到张勋燎、白彬先生编著的《中国考古文献学》（科学出版社2019年版）。至于工具书，有《中国考古学文献目录（1949～1966）》（文物出版社1978年版）、《中国考古学文献目录（1971～1982）》（文物出版社1998年版）、《中国考古学文献目录（1983～1990）》（文物出版社2001年版）等，虽说尚未构成一个完整的考古文献"数据库"，但总算有胜于无。期待着国家文物局相关数据库建设早日完善。还有一些小型的更专业的书目，如叶骁军编的《中国墓葬研究文献目录》（甘肃文化出版社1994年版），赵朝洪先生的《中国古玉研究文献指南》（科学出版社2004年版）。这些书目都很不错，但如不及时修订容易过时。史前方面，还有几部研究史和文献目录应该提到：吕遵谔先生的《中国考古学研究的世纪回顾——旧石器时代考古卷》（科学出版社2004年版）、严文明先生的《中国考古学研究的世纪回顾——新石器时代考古卷》（科学出版社2008年版），是很好的研究史专著。缪雅娟先生的《中国新石器时代考古文献目录（1923～2006）》（中州古籍出版社2014年版），为我们提供了该领域的专业目录。后两书的内容，从时代看有的已进入夏商甚至更晚的时期。

辞典方面，仅介绍三部：一部是上海辞书出版社2014年出版的《中国考古学大辞典》，由中国社会科学院考古研究所所长王巍先生主编。条目拟定者多为相关领域专家，历时7年编成。正文收有条目5000余条，附录中有"中国考古学大事记（1899～2012）"等也都很实用。这部辞典，可以看作是考古学领域的"牛津双解辞典"，颇具权威性。另一部是罗西章、罗芳贤父女二人编著的《古文物称谓图典》（百花文艺出版社2013年版）。李学勤先生在序中称此书"别出心裁，与众不同，是一部新颖又有重要应用价值的著作"。共收录各类文物（图）3553件（组），下分20大类，再依时代排列。此书的图片印制等尚有提升空间，期盼第三版时会更臻完善。第三部是文物出版社2012年出版的《常见文物生僻字小字典》，很实用。

报纸方面，应提到国家文物局主办的《中国文物报》周报。当然，最快捷的还是互联网。较权威的有中国社会科学院考古研究所的中国考古网（http://kaogu.

cn）、中国考古网微信（zhongguokaogu/中国考古网）、中国考古网新浪微博
（http：//e.weiho.com/kaoguwang）。

各地区也有一些不错的考古史及考古丛书等。

如北京市，推荐宋大川先生主编的《北京考古发现与研究（1949～2009）》一书，
科学出版社 2009 年版，上、下两册。如觉此书太厚，可参见同一作者的《北京考古
史》（上海古籍出版社 2012 年版）一书。另外，上海古籍出版社 2011 年出版的《北
京考古工作报告（2000～2009）》，计 12 册，可视为北京考古事业的一个大型文
献数据库。《北京考古集成》（北京出版社 2005 年版）15 卷也已出齐。

河北省，推荐河北省文物研究所编著的《河北考古重要发现 1949～2009》（科
学出版社 2009 年版）一书。分旧石器时代、新石器时代、夏商周、秦汉、魏晋北朝、
隋唐五代、宋辽金元明，共七个部分进行介绍。另有《河北文物考古文献目录》（河
北人民出版社 2020 年版）。

山西省，山西是文物大省。相关书籍不少。从非专业人员阅读兴趣考虑，首先
推荐《发现山西：考古人手记》（山西博物院、山西省考古研究所编，山西人民出
版社 2007 年版）一书。该书 16 开一册，仅 175 页厚，插图 213 幅，记叙了山西省
芮城县西侯度、清凉寺，吉县柿子滩、沟堡，绛县横水墓地，曲沃县羊舌墓地，黎
城县西周墓地，侯马市西高祭祀遗址，大同市沙岭北魏壁画墓，太原市北齐徐显秀
墓的考古发掘始末。读此一书，对山西省比较重要的考古发现，都会有一个初步的
印象。《有实有积：纪念山西省考古研究所六十华诞集》（山西人民出版社 2012 年版）
也可参考。

内蒙古，有《辽西区青铜时代考古文献选编：回眸药王庙、夏家店遗址发掘
六十周年》（科学出版社 2020 年版）一书，把相关的考古发掘报告及研究论文集中
于一书，使用起来当然很方便，何况收入的考古发掘报告又做了修订。

黑龙江省，可参阅黑龙江省文物考古研究所编《考古·黑龙江》（文物出版社
2011 年版）。

上海市，张明华先生《考古上海》（上海文化出版社 2010 年版）、上海博物馆编《上
海市民考古手册》（北京大学出版社 2014 年版）等均可一阅。

浙江省，可参阅浙江省文物局编《发现历史：浙江新世纪考古新成果》（中国
摄影出版社 2011 年版）一书。马黎先生的《考古浙江：历年背后的故事》（浙江古
籍出版社 2021 年版），用浅白有趣的文笔，讲述了近十年来浙江省的考古工作，
正好可与上一本书在时间上衔接起来。《浙江考古（1979-2019）》（文物出版社
2020 年版）汇集了相关最新成果。

安徽省，可参阅《流金岁月——安徽省文物考古研究所 50 年历程》（安徽省文

物考古研究所 2008 年版）。

山东省，山东省文物考古研究所编《山东 20 世纪的考古发现和研究》（科学出版社 2005 年版），可作为了解山东省考古事业的一部入门书，但缺点是缺少近十年来的内容。

河南省，河南省是文物大省。可以推荐的书不少。如文物出版社 2011 年出版的《历程：洛阳市文物工作队三十年》，读来并不枯燥。同类书尚有《岁月如歌——一个甲子的回忆》《岁月记忆：河南省文物考古研究所 60 年历程》，均由大象出版社 2012 年出版。国家图书馆出版社 2009 年出版的《洛阳古墓图说》一书，以图解方式介绍了新石器时代至明代的古墓。《河南文博考古文献叙录（1986～1995）》（中州古籍出版社 1997 年版）、《河南新石器时代田野考古文献举要（1923～1996）》（中州古籍出版社 1997 年版），虽稍显过时，但仍不失为两部有价值的文献目录。

北京图书馆出版社 2005 年始陆续出版的《洛阳考古集成》，为 16 开多卷本，已出版"原始社会卷""夏商周卷""秦汉魏晋南北朝卷""隋唐五代卷"及"补编"等，汇集了近五十年来相关考古资料，可视为考古重镇洛阳的一项大型文献基本建设。

湖北省，楚文化研究会早在 20 世纪 80 年代即编有《楚文化考古大事记》，可作为工具书使用。

湖南省，文物出版社 1999 年出版有《湖南省考古五十年》一书，可参阅。

广东省，广东省文物局编《广东文物考古三十年》（暨南大学 2009 年版）一书，附有"广东省文物考古调查发掘简报、报告目录（1978～2008）"，可以视作广东省考古文献的入门目录之一。文物出版社 1999 年出版的《广东省考古五十年》一书也可参看。

近年来，不少经济大省纷纷推出本省文物、考古的集大成丛书，广东省自然也不例外。科学出版社近年所出《广东文化遗产》，下分"古墓葬卷""塔幢卷""石刻卷""近现代重要史迹卷""古代祠堂卷"等，广东相关文献，几乎全部囊括在内。

广州市文物考古所有《广州考古六十年》（广东人民出版社 2013 年版）一书，可了解广州市考古工作的情况。

重庆市，文物出版社 1999 年出版的《重庆市考古五十年》一书，可作为入门书来看。此后的考古发现，可参阅《重庆文物考古十年》（重庆出版社 2010 年版）。

四川省，比较值得推荐的有《巴蜀埋珍：四川五十年抢救性考古发掘纪事》（天地出版社 2006 年版），此书为四川省文物考古研究院编著，读者阅后对四川省 1949～2005 年间重大考古发现会有一个总体的印象。

贵州省，今有贵州民族出版社 1993 年版《贵州田野考古 40 年》一书，可参阅。

西藏自治区，夏格旺堆先生的《西藏考古工作 40 年》（文物出版社 2013 年版），是了解西藏自治区考古工作的一部综述类著述。

陕西省，陕西省是我国文物大省，从出版角度看，2006 年成立的陕西省考古研究院在全国各省市自治区中可以说是做得最好、最有规划的。该院已出版的丛书计有：

——"陕西省考古研究院田野考古报告丛书"，已出版五六十部；

——"陕西省考古研究院学术专题研究丛书"；

——"陕西省考古研究院专家学术研究丛书"；

——"陕西省考古研究院文物精品图录丛书"；

——"陕西省考古研究院译著丛书"。

陕西省考古方面的书籍众多，在此仅介绍《三秦 60 年重大考古亲历记》（三秦出版社 2010 年版）一书，此书 16 开，554 页厚，收文 71 篇，图文并茂，还有一些专业名词解释等小贴士，便于初学者阅读。读后对 20 世纪 50 年代的半坡遗址，60 年代的蓝田猿人、70 年代的秦兵马俑坑和周原遗址、80 年代的法门寺地宫、汉唐帝陵和陪葬墓，90 年代的汉阳陵陪葬坑、周公庙遗址、梁带村芮国墓地等均会有所了解。文章中不乏考古人员的发掘过程、生活细节、真实想法等，读来颇为生动、形象。陕西省文物局、考古研究院编《留住文明：陕西"十一五"期间基本建设考古重要发现（2006～2010）》（三秦出版社 2011 年版）当然是更专业的综述了。尹申平、焦南峰先生主编的《薪火永传：纪念陕西省考古研究院 50 周年（1958～2008）》（三秦出版社 2008 年版），读后对陕西省考古最高学术机构陕西省考古研究院会有一定了解。罗宏才先生的《陕西考古会史》（陕西师范大学出版社 2014 年版），也可参阅。

工具书方面，《陕西考古文献目录（1900～1979）》仍有一定使用价值。《陕西文物年鉴》（陕西人民出版社）是少数几个出版有文物年鉴的省、市中最为实用的。

甘肃省、青海、宁夏，有李怀顺、黄兆宏著《甘宁青考古八讲》（甘肃人民出版社 2008 年版），介绍了甘肃、宁夏、青海从旧石器时代到明代的考古情况。另有《青海考古 50 年》（青海人民出版社 1999 年版）一书，也可参阅。

新疆维吾尔自治区，2015 年由新疆美术摄影出版社、新疆电子音像出版社、美国克鲁格出版社联合出版《西域文物考古全集》一书，共有"研讨与研究卷""精品文物图鉴卷""不可移动文物卷"三大卷 39 分册，是新疆维吾尔自治区文物局完成的对近万处文物资料的整理汇编，是以新疆 88 个县、市的不可移动文物资料为基础，融汇了多年来新疆文物考古取得的主要成果。按照古遗址、古墓葬、古建筑、石窟寺及石刻、近现代重要史迹及代表性建筑、文物等类别的体例依次汇编。这些细致的工作，不仅为新疆不可移动文物保护规划的制定、进一步的考古发掘提供了科学依据，更为西域古代文化的研究提供了全面和系统的资料。

香港特别行政区，商志（香覃）、吴伟鸿先生的《香港考古学叙研》（文物出版社2010年版）在回顾香港考古发现、考古发掘的过程中，不时加入自己的研究观点，可作为了解香港特别行政区考古事业的首选书。

澳门特别行政区，郑炜明先生的《澳门考古史略》（澳门理工学院2013年版）是了解澳门特别行政区考古事业的一部好书，只是在中国内地不太好找。

台湾省，有陈光祖先生主编、臧振华先生编著的《台湾考古发掘报告精选（2006～2016）》。又有李匡悌先生编著的《岛屿群相：台湾考古》（台湾"中央研究院"历史语言研究所2018年版）一书，分章叙述了台湾的考古学史、史前考古、田野考古、环境考古、科技考古、动物考古、历史考古、水下考古等。

中国考古学会有《中国考古学年鉴》，已如前述。河南等地考古机构也有《考古年报》，一年一册。博物馆方面，有《中国国家博物馆年鉴》《中国博物馆年鉴》。

后 记

　　考古发掘报告，包括前期的勘察报告、调查报告、钻探报告、航拍报告、试掘报告，中期的清理报告、发掘报告，后期的实验报告、整理报告、保护报告等，是我国几代考古工作者辛勤劳动的结晶，是我们认识考古学术成果的唯一文字凭证。考古发掘报告，反映的是祖先留下的珍贵遗产，而考古发掘报告本身，也已成为一座取之不尽、用之不竭的学术宝库。这座宝库，应该说不仅仅属于考古学界，甚至应该说不仅仅属于学术界，而应属于全体国民，属于人类文明。

　　然而，令人遗憾的是，多年以来，国人对考古发掘报告的了解和利用实在是太有限了。考古学"是20世纪中国学术界成绩最突出，对人类历史贡献最大的学科之一"。（陈星灿著《考古随笔（二）》，文物出版社2010版，第251页），历史学号称与考古学的关系"特别密切和重要"（赵光贤著《中国历史研究法》，中国青年出版社1988年版，第29页），但《中国古代史史料学》（安作璋主编，福建人民出版社1994年版，第91页）一书，对古代陵墓、建筑遗址、遗迹及相关实物等考古材料不还是以一句"因涉及考古学的专门知识，这里不再作介绍"交代了吗？究其原因，主要在于考古发掘报告专业性强，佶屈聱牙。考古学家俞伟超先生甚至说，他当年对斗鸡台的考古报告都"很难看得懂"，直至1954年"在陕西宝鸡发掘时，在当地琢磨才明白的"（曹兵武编著《考古与文化续编》，中华书局2012年版，第330页）。考古名家尚且如此，遑论其他？唯其如此，如果有一部通俗易懂而又信息量大的集中介绍考古发掘报告的工具书，不是多少能解决点问题吗？我个人以为，这一工具书最好是有提要的，仅仅是一部考古发掘报告的书目、篇名目录，对"数据"的"发掘"程度是不够的。人们需要了解：在哪儿、什么时候、发现或发掘出什么、这些遗迹或遗物有何特别之处、有何重要意义等基本信息。只有通过对这些基本信息的揭示，人们才会对考古发掘报告有一个大体了解，才谈得上去进一步利用。但这么多年了，却未见这样的工具书问世。诚如章培恒先生所言："要踏踏实实地、系统地研究某一门学问，非有这方面的较为完整的目录书指示门径不可。倘若没有呢？那就得自己动手去编。"（《日本现藏稀见元明文集考证与提要·序》，岳麓书社2004年版）这，也正是我们编纂《中国考古发掘报告提要》这一工具书的初衷和目的。如果说，《四库全书总目》囊括了大部分古典文献；那么，《中国考古发掘报告提要》则涉及主要的考古发现与考古发掘，只有既掌握了古典文献的基本内容，又了解了考古发掘的基本事实，才有可能真正融会贯通，将王国维先生的"二重证据法"落到实处。从这一角度看，将《中国考古发掘报告提要》视为"地下的《四库全书总目》提要"似无不可，尽管二者的作者水平与学术地位不可相提并论。

在工作开始之前，征求了多位不同学科、不同专业的专家、学者们的意见。有意思的是，持反对意见的人主要集中在考古圈内，考古圈外的人却大多表示赞同。反对的意见主要出自三点考虑：

一是"网上都有"。的确，不少刊物现已在网上可查全文。但经过逐刊、逐年、逐期的查寻发现，并非"网上都有"，有的刊物网上查不到，有的刊物缺年少期。更重要的是，仅在网上浏览，是无从享受纸本工具书的解说、集中、分类、检索等功能的。从务实的角度说，上网查询，毕竟是要产生费用的，有时一篇文章反复翻阅，既不方便，也不经济。这时恐怕即使是考古圈内的人，也会想要有一部工具书，有个基本了解后再有目的地上网查找相关文献，线上线下，相辅相成，岂不是事半功倍？

二是"大多知道"。这里所说的"大多知道"，是指某一地区的考古人员，对本地区的考古文献是很熟悉的。比如北京市的考古人员，对北京市这一亩三分地都挖出过什么，可以说是如数家珍。即便如此，仍然会让人产生以下推论：一是就算是对本地区的考古文献烂熟于胸，有一部工具书辅助查寻，又有什么坏处呢？二是谁真能保证当地考古人员人人都能对本地区的考古文献十分熟悉呢？三是考古这门学问和别的学科一样，少不了比较，仅仅是熟悉本地考古文献，是做不了什么大学问的。王巍先生不就讲过："考古资料如汗牛充栋，不仅业外人士很难了解其全貌，就连从事考古学研究的学者，对自己研究领域之外的考古成果也往往知之不多。"（《中国考古学大辞典·前言》，上海辞书出版社2014年版）四是考古圈以外的人，当然不可能做到"大多知道"。

三是"量太大了"。认为考古报告成千上万，编起来不胜其烦。其实不正是因为太多太繁，才有必要编纂相关工具书吗？马云讲未来的资本不是土地，不是金融，而是"大数据"。从做学问的角度讲，只有掌握了某一门学科的"大数据"，才有可能做出大学问。

与考古圈内形成鲜明对比的是，考古圈外的人却大多表示赞同，认为有这么一部工具书，对于查找和理解考古发掘报告是颇有益处的。北京大学李零先生早就谈到：考古圈内人"除了'报告语言'就不会说话"，而"圈外人看考古报告又如读天书，不知所云，不但不知道怎样找材料，也不知道怎样读材料和用材料"（《说考古"围城"》，载《读书》1996 年第 12 期）。复旦大学葛兆光先生则说："当外行人读他们的报告时，要么觉得他们的话让人难懂，要么觉得他们是在自言自语。""考古可以不断地挖出新的遗址，发现新的文物，但是无论如何，这只是学科内的事情。"（《槛外人说槛内事》，载《读书》1996 年第 12 期）其实这些学者，还是很关注考古发掘的。例如文献学家周勋初先生，就说他"喜欢看考古发掘方面的介绍"（《艰辛与欢乐相随——周勋初治学经验谈》，凤凰出版社 2016 年版，第 3 页）。但喜欢是一回事，能否真正看懂又是一回事。许宏先生不就讲过："考古学给人以渐渐与世隔绝的感觉。甚至与这个学科关系最为密切的文献史学家，也常抱怨读不懂考古报告，解读无字天书的人又造出了新的天书。"（王巍主编《追迹：考古学人访谈录 II》，上海古籍出版社 2015 年版，第 170 页）如果说，《四库全书总目》提要让人们对那些陌生的古代文献有了一个基本了解；那么，《中国考古发掘报告提要》也不过是想让人们对这些号称"天书"的考古发掘报告有个大致印象，仅此而已。

对于编纂《中国考古发掘报告提要》的看法不同，或许也是因为考古圈内、圈外对于考古发掘报告的关注点不一样：

首先，考古圈内更关注的是相关考古报告何时发表，是否规范。如郑嘉励先生指出："就考古工作者的职业道德而言，积压的考古资料必须适时发表。"（《浙江汉六朝墓报告集·后记》，科学出版社 2012 年版）张文彬先生也谈到："在我看来，客观、完整、及时将重要的考古资料公布于世，让学界鉴赏、研究，这是文物、考古工作者的天职，也是文物考古界的职业道德。恪守这个职业道德，对于我国考古学研究水平的提高乃至整个考古事业的发展，都是十分重要的，切不可等闲视之。"（《鹿邑太清宫长子口墓·序》，中州古籍出版社 2000 年版）而考古圈外更关注的，主要是已出版、发表的考古发掘报告如何利用。

其次，考古圈内更关注史前及夏商周三代考古，现在不少大学还是史前、三代考古各设一个教研室，其后的各朝各代统设一个"汉唐宋元考古教研室"。这是因为中国考古学诞生于 20 世纪 20 年代那个落后、屈辱的时代，"中国考古学一开始的主要工作，就是要寻求中国人类繁衍不息，中国文化源远流长，中国文明连接不断的证明"（王煜主编《文物、文献与文化——历史考古青年论集·序言》第一辑，上海古籍出版社 2017 年版）。以求重建民族自尊心和自信心。加之中国考古学源自欧洲，而欧洲"考古学要解决的主要是人类起源、农业起源、文明起源这三大问题"。（同前引文）不要说中世纪及近现代考古，就是古希腊、古罗马，在很长一段时间都"显然不是欧洲考古学的主要阵地，甚至更多的关注来自艺术史的学者"（同前引文）。这对中国考古学不可能没有影响。所以考古圈内不少人对战国以后的所谓"历史时期考古"兴趣不大。而考古圈外呢，自然更关注与自己搞的那一段所谓"断代史"有关的史料。

这么说，并不是说考古圈内的人都反对这个事，考古圈外的人都赞成这个事——不是这样的。考古圈外有的也颇不以为然，考古圈内的人也有的认为很有必要。如老考古人苏秉琦先生神骥出枥，指出考古学"新趋势的特点是向多学科、大众化发展。考古学的发展需要多学科素养的人来参加，社会上各行各业的人都能从这门学科中找到他们感兴趣的知识或材料，事实上还远远没能做到这一点，这主要是由于我们的工作还有许多薄弱环节"（《苏秉琦文集》（三），文物出版社 2009 年版，第 113 页）。苏秉琦先生这里所说的"我们"，应该是指考古学界。而自说自话、外人难读的考古发掘报告，理应属于"薄弱环节"之一，既然是薄弱环节，当然就有待改进和提高了。否则的话，就如同另一位老考古人张勋燎先生所指出的："如果搞其他学科史的人感到我们的历史时期考古对解决他们的问题完全没有帮助，那我们就是在玩古董，而不是研究考古了。"（《中国历史考古学论文集》下册，科学出版社 2013 年版，第 261 页）

不过，考古圈内和考古圈外在一个问题上的看法却惊人地一致：那就是都认为考古发掘报告花费了这么多的时间、精力和金钱，不好好利用，实在可惜。李伯谦先生曾讲过："我深知一部考古报告的诞生十分不易，从田野调查、发掘到室内资料整理、编写报告，一环扣一环，不知有多少人为此付出了辛劳和汗水。"（《大冶五里界·序》，科学出版社 2006 年版）。郭德维先生也曾谈到："凡整理过报告的人都知道，这是一项极其繁杂、十分琐碎的工作，既费神又费力，且短期难以完成，如果不是有很强的事业心，不下狠心用很长时间坚持做，是绝对做不好的。"（《随州擂鼓墩二号墓·序》，文物出版社 2008 年版）。宋建忠先生则感叹："常言道：巧妇难为无米之炊，但考古工作的现状常常是'好米难遇巧妇'，现在是物欲横流的时代，考古发现层出不穷的时代，人心浮躁不安的时代，现实的情况往往是'发掘抢着做，报告无人理'。因此，即使是一个重要的考古发现，报告的出版也常常是遥遥无期"。（《汾阳东龙观宋金壁画墓·序》，文物出版社 2012 年版）安金槐先生更直言："考古报告的出版是个大问题""编一本考古报告是要费大劲的""所以编考古报告要有点吃亏的精神"（曹兵武编著《考古与文化续编》，中华书局 2012 年版，第 359 ~ 360 页）。考古发掘详报时隔一二十年甚至更长时间才得以出版的例子比比皆是。如张忠培先生在《元君庙仰韶墓地》一书封三上写道："一九五九年写成初稿，二十四年后才贡献给读者。"（高蒙河《张忠培先生六十年学术论著要目编纂札记》，载《庆祝张忠培先生八十岁论文集》，科学出版社 2004 年版）王益民先生在《丁村旧石器时代遗址群》一书后记中，开篇即说此书费时 20 年。然而，好不容易有人不计名利将报告写了出来，又费尽千辛万苦申请到了经费，总算幸运地得以出版，命运又如何呢？除了图书馆、博物馆采购一些外，大都流往图书大集，成了打折书。北京大学陈平原先生讲："就拿我来说，明明知道正在削价出售的考古报告很有学术价值，可就是没有勇气把它们抱回家，原因是读不懂。"（《文学史家的考古学视野》，载《读书》1996 年第 12 期）季羡林先生也曾讲道："往往有这种情况，中国考古工作者发掘的某个地方，经过艰苦的劳动和细致的探索，写出了发掘报告，把发掘的情况和发掘出来的实物都加以详尽、准确、科学的描述，有极高的水平，但是往往不把这些发掘结果应用到历史研究上来。结果给外国的历史学家提供了素材。他们利用了这些素材，证之以史籍，写出了很高水平的历史专著。"（转引自张保胜《张懋夫妇合葬墓·序》，科学出版社 2017 年版）然后国内学界再"出口转内销"。这实在是一件令人深感悲哀的事情。

说完了考古圈内外关于考古发掘报告及《中国考古发掘报告提要》的看法，再来说说考古发掘报告本身。关于这一问题，比较令人感触的有两点：一个是"量"与"质"，一个是"繁"与"简"。

先说"量"与"质"。先说"量"。自 20 世纪 20 年代至今，究竟有多少考古发掘报告，谁也说不清楚。不仅考古圈外的人说不清，考古圈内的人也说不清，王巍先生曾谈到，1949～2009 年这 60 年，"公开出版的考古发掘报告已达 300 余部"（《新中国考古六十年》，载《考古》2009 年第 9 期）。可也有人说如今"每年出版的考古报告多达百册以上"（《新世纪的学术期刊的繁荣发展——纪念〈考古〉创刊 50 周年笔谈》，载《考古》2005 年第 12 期）。以书的形式出版的考古详报并不算多，都有不同的数字，更不用说以文章形式发表的考古简报了。

《中国考古发掘报告提要》收入的考古发掘报告，从收录标准看是偏宽的，不是仅收狭义的"考古发掘报告"，从篇幅来看，既收动辄几十万字的考古详报，也收几千字上万字的考古简报，还有几百字的所谓"微简报"。之所以连"微简报"也尽量予以收录，有两个原因：一是考古发现（发掘）本身就比较简单：或许只是发现了一件青铜器，或许就是发掘出一处窖藏；二是正是因为考古发掘过程简单，很大可能仅有此一介绍，除此再无音讯。但即使是这种"微简报"，也有可能蕴藏着丰富的信息（如某种文化的"边疆"在哪）。金泥玉屑，不可小视。

《中国考古发掘报告提要》收录了以书的形式出版的考古详报和在核心期刊（以《北大中文核心期刊目录》2011 版考古学科为准，略加调整）发表的考古简报、微简报共计 13000 多种。在非核心期刊和以书代刊的考古文献上发表的考古报告，估计还有四五千种，公正地说，这部分发掘报告的学术价值大多略逊一筹，计划日后以《中国考古发掘报告提要·补编》的形式出版。如此，仅是 20 世纪 20 年代末至

2015 年，已出版和发表的考古发掘报告，就几近 20000 种，差不多是《四库全书总目》所收书的一倍了。这个数字看似可观，其实仍只是我们这个五千年文明古国考古成果中的一部分。众所周知，祖先留下的遗迹、遗物，已发现的只是其中的一部分；对这一部分进行了清理、发掘的又只是其中的一部分；已发掘的这一部分中，写有考古发掘报告的又仅是其中的一部分；写有考古发掘报告能正式发表的，又只是其中一部分。不是有学者指出，"十个考古发掘项目中，只有四五个发表了简报或者报告"吗？甚至一些名列"全国十大考古新发现"的考古发掘，也尚未发表考古报告。（张庆捷《考古发掘报告积压的问题》，载 2011 年 9 月 23 日《中国文物报》）所以我们今天能够看到的考古发掘报告，看似珠渊瑶海、宏富之极，其实已是经过层层递减，实在是弥足珍惜。

再看"质"。既然是中国考古发掘报告，自然和别的事情一样，必定会带有中国特色。其表现之一，就是质量参差不齐。不像发达国家，考古报告的整体学术水平相对比较整齐。质量不一的一个重要原因，是时代造成的。张在明先生曾讲过："我们干考古时间长了，也有一种自豪感，我们是文科里边，理工科因素最多；科学性最强、最严谨的一门学科。比起哲学、文学、历史，还是比较自豪的。"（张在明《科学的态度，历史的真实——在全国文物普查培训班上的发言》，载《文博》2008 年第 1 期）但从事这一"科学性最强"的人又如何呢？不去提中华人民共和国成立初期留用的盗墓人员（参见《长沙砂子塘西汉墓发掘简报》，载《文物》1963 年第 2 期），也不提"大跃进"时由 8 位刚从中学毕业的姑娘组建的"刘胡兰"考古队（参见《河南南召二郎岗新石器时代遗址》，载《文物》1989 年第 7 期），"文化大革命"后期和改革开放之初的"亦工亦农学员"（参见《河北磁县东魏茹茹公主墓发掘简报》，载《文物》1984 年第 4 期），就是到了 20 世纪 80 年代末 90 年代初文物普查时，张在明先生不还在说，"中国就是这样的现实，大部分普查队员就是这样一个业务水平。当时陕西省上了 1000 多人，省上真正业务好的，懂考古的，上的人并不多"，甚至出现"照出来的胶卷大部分废了"，因为有时"镜头盖没打开，照完了，回来一冲是空的"，以致陕西省"90% 以上文物点都没有照片"（同前引文）。文物大省陕西省尚且如此，别的省区可想而知。近一二十年，考古队伍中的高学历人员多了许多，考古报告的质量有所提升，但仍然存在诸多问题。比如董新林先生谈到的"有意无意加以取舍，不按单位发表资料，使得资料零散"的问题，恐怕就不在少数（"期刊建设与考古学的发展暨纪念《考古》创刊 500 期学术研讨会"纪要，载《考古》2009 年第 5 期），而"资料完整不完整，是评判考古报告的质量高低的第一标准"（李伯谦《郑州大师姑·序》，科学出版社 2004 年版）。看来，的确如张忠培先生所言："中国考古学的成长史，离不开整个社会条件的制约。"（《中国考古学：走近历

史真实之道》，科学出版社1999年版，第43页）

应该指出，考古发掘报告在近年来有很大的进步，从量来说，取得国家专项资金支持得以出版的考古发掘详报越来越多，当然印量都不高，甚至有的书已出，考古圈内都不太了解（参见《考古》2011年第7期载《中国考古学》一书书评），从质来说，海外学者曾批评："中国大陆在考古研究上不会问问题，即使问，也问得有限。有资料与有问题是两回事，如果只有资料而没有或问不出好的问题，资料也失去意义。"（许倬云《历史分光镜》，上海文艺出版社1998年版，第297页）而近年来出版的考古发掘报告，应该说已越来越善于问问题了。

再说"繁"与"简"。早在20世纪80年代，尹达先生就曾提出考古发掘报告"太简化，简化到史学家不能使用的程度"（《尹达同志谈考古学研究》，载《中原文物》1982年第2期）。黄宽重先生则抱怨：考古发掘报告"偏重于墓葬结构、形制、出土陪葬物品的种类式样，如漆器、瓷器、石器等，特别着重于器物、墓室形制的描述，并讨论其意义。报告中虽然也注意到买地券，以及考订墓葬年代等等问题，却多忽略墓志资料"（《宋代的家族与社会》，国家图书馆出版社2009年版，第15页）。而墓志又恰恰是治史之人最需要的，着实令人恼火。王益人先生也指出已发表的旧石器时代考古发掘详报："可读的信息量实在太少，一个遗址出土几千件标本，读者只能看到十几件甚至一两件石器标本的插图和照片。难道这些标本就能代表这个遗址的所有信息吗？这绝不是我们想要的，也不能再走这样的老路了。"（《丁村旧石器时代遗址群：丁村遗址群1976～1980年发掘报告·代后记》，科学出版社2014年版）如此看来考古发掘报告似乎是越全、越厚越好。而当下80、90后的网友，又大多认为如今的考古发掘报告太过繁琐，不忍卒读。如有一位名叫王悦婧的网友提到初读考古发掘报告的印象："在刚开始阅读时，我深刻体会到了阅读的艰难，很多专业术语一知半解，而且有很多的疑问和不理解。"（王悦婧《阅读考古发掘报告的几点心得体会》，载http：//www.do-cin.com/D-8333.6897.htm1）似乎考古报告越通俗，越简单为好。

那么，考古发掘报告的量与质的问题、繁与简的矛盾是否能有一个兼顾呢？我个人认为，撰写提要，恰恰就是一个比较好的解决方案。只有通过撰写提要，才能为考古发掘报告算一总账，知道还有哪些重大考古发掘迟迟未出报告，以致国家文物局不得不将其列入"限期整理"名单（参见《长治分水岭东周墓地》文物出版社2010年版，第4页）；只有通过撰写提要，才能分辨出哪些报告已不堪使用，需要出版修订本、增订本（参见霍东峰、华阳《也谈考古报告的编写》，载《内蒙古文物考古》2007年第2期）；也只有通过撰写提要，才能使"繁"与"简"的矛盾得以平衡，需要更多信息的读者，可以沿着提要的线索去查找更多的资料；需要一般了解的读者，或许阅读几百几千字的提要就得以了解相关信息了。

尽管考古发掘报告尚存在着这样那样的问题，但诚如有学者指出："从某种意义上说，现今研究中国的古代历史和文化，如果离开考古学及其研究成果，是很难进行的。"（张之恒主编《中国考古通论》南京大学出版社 2009 年版，第 38 页）而对考古学成果的利用，抛开考古发掘报告，也是不现实的，同样是很难进行的。《輶轩语》曰："无论何种学问，先须多见多闻，再言心得。"欲了解考古成果、考古材料，一本一本、一篇一篇地去读考古发掘报告，当然是一个办法，但先行阅读考古发掘报告提要，也应不失为一种事半功倍的选择吧？如袁珂先生所言："积累应当说是做学问的基础，没有积累，任何学问也做不起来。"（《袁珂神话论集·代序》，四川大学出版社 1996 年版）《中国考古发掘报告提要》，只能说是考古发掘报告"提要学"的最初一点积累吧。也算是为贯彻习近平总书记提出的"建设中国特色、中国风格、中国气派的考古学"的指示，所做出的一点努力吧。

至于编纂此书的难处，先抛开编者的学术水平等主观因素不说，客观上的困难至少有三：

一是几无借鉴。此书的编纂属于首创，考古发掘报告的提要怎么写，谁也不知道；这么多提要依照什么原则进行编排，谁也没干过。只能是摸着石头过河，摸索着干。王杰先生曾指出："万事开头难，前人没有做过，第一次来做此事，自然就难。"（《楚都纪南城复原研究·序》，文物出版社 1992 年版）确是深知甘苦之言。而只要是首创之举，恐怕都难称完美。这在目录学史上不乏其例。比如《书目答问》，被称作是首部"面向广大读书人的，把书目与读者的密切关系放在首位"的杰作，但"《答问》体例不一，仓促之迹比比皆是"（《增订书目答问补正·前言》，中华书局 2011 年版）。这里要提到张在明先生在谈及考古文物普查图集时曾引用过的一个外国笑话，说是一个火车站火车老晚点，旅客们埋怨说，要列车时刻表有什么用？站长说，没有列车时刻表，你怎么知道列车晚点多少？张先生说："可是我们 50 多年了，连个列车时刻表都没有。文物事业的火车，就是在没有时刻表的情况下，跑了 50 多年。"（同前引文）蠡测其意，张先生意思是说，文物普查图集，也是类似列车时刻表这么一项基本建设。而《中国考古发掘报告提要》，不也应算是一项基本建设吗？何况是出于编者少数人之力，错讹肯定是还要超过文物普查图集，但正如张先生所言，"有了文物图集至少有了靶子，有靶子可打呀，没有文物图集，你连靶子都没有"（同前引文），编者不揣简陋，编纂《中国考古发掘报告提要》，实在是任重才轻，操刀伤锦；也不过是想给学界提供一个"靶子"吧，甚望高明缺者补之，误者正之，日后也有类似《四库全书总目提要补正》《中国丛书综录补正》一类专著问世，使其更趋完善，更便使用。

二是工程浩大。工作量有多大，可有个参照。《〈中原文物〉创刊十五年叙录（1977～1992）》（河南省博物馆1993年6月自印本）一书收录了1500余条25万字，每条都有提要。该书前言称："《中原文物》编辑部的全体同志，在完成自己繁重的本职工作之余，为编写这本书，不辞劳苦，牺牲了业余时间，经过一年的艰苦努力，克服经费上的困难，自筹资金，终于使此书出版发行了。"《中国考古发掘报告提要》所收是《中原文物》提要数倍，且参编人员也均为利用业余时间工作，这么一对比，其工作量之大，即可思过半矣。

原稿堆积如山

三是经费紧张。《中国考古发掘报告提要》是在未及申报任何项目，没有一分钱科研经费的情况下干起来的，经费之紧张自不待言。中国科学院院士叶大年先生常常开导学生们，要记住拿破仑的名言："先投入战斗，然后见分晓。"（日新编著《听大师讲学习方法》，天津社会科学出版社2004年版，第126页）这件事也是"先投入战斗"，困知勉行，干起来再说。

或许正是因为有这些难处，才会留下诸多遗憾：

从"量"来说，未能一步到位，收录的书籍肯定有遗漏，收录的文章更是缺少了非核心期刊和以书代刊这一块。估计还会有几千种。计划仿照《四库全书存目丛书》的先例，以补编形式出版。

从质来说，未能更臻完善。记得曾在《北京晚报》上看到北京大学考古系的同学写的文章，将发掘的先民住宅用今天的"两居室""三居室"来打比方。我们这部提要虽说也尽量往"浅白有趣"努力，但似乎尚无法做到如此直白。另外，不少重要的学术信息，也实在是无暇一一查找对应到位，这都只能是留下遗憾了。

这么一部有着诸多遗憾和不足的资料，为什么仍要野人献曝、布鼓雷门呢？这实在是因为我坚信考古发掘一定会有着学界急需的营养。诚如陈星灿先生所言："考古学是一门让人难堪的学问。它的发展日新月异，足以动摇被世代奉为金科玉律的东西。"（《考古随笔（二）》，文物出版社2010年版，第149页）不要说三星堆、红山、陶寺等足以改写上古史的考古发现，就是中古史，不少考古发现也一样会促使我们重新思考以往的一些"定论"。比如胡宝国先生就注意到："根据传统史料，到处都是豪族，到处都有豪族的影响，但在造像记中，我们又几乎看不到豪族的踪影。"（胡宝国著《将无同：中古史研究论文集》，中华书局 2020 年版，第 383 页）这至少会促使我们重新审读以往的文献记载，以求更加贴近历史真相。

还有几点需要特别说明一下：

一是大的原则是依时间排列。征求了不少人的意见，都愿意从最便利的途径得知某一朝代（如汉代）已发现了多少手工业遗址，已发现了多少皇陵。《中国考古学》系列，倒是依时间排列的，但那是考古学的专业书，圈外人看起来还是费力，何况还未出齐。

二是附录中的"参考文献"，列举的是一些最基本的书刊，注明的也是一些考古界最熟知的事实，算是照顾考古圈外的普通读者吧。

三是总主编刘庆柱先生统筹全局，负责大政方针的把控，已是千钧重负，尽管先生向来虚己以听，闻过则喜，但作为后学，已然兼葭倚玉，何忍再让先生推功揽过，分损谤议。故而收录之遗漏、分卷之可议、校读之疏忽等种种具体问题，理应由本人引咎自责，抉误补阙。

四是本《提要》总索引，待《补编》《续编》《外编》等出齐后，再统一编一个涵盖整个《提要》系列的总索引。

最后想说的是：编纂过程虽然充满艰辛，但好在有许多前辈、朋友的支持和帮助，大家一起来克服困难。要感谢中国社会科学院考古研究所、北京大学文博学院、北京大学图书馆、首都师范大学图书馆、文物出版社、科学出版社、中国大百科全书出版社、中华书局以及河南、山西、陕西等地考古部门的支持与帮助，要感谢傅璇琮前辈的肯定与提携，要感谢中国文史出版社的各位领导，各位编辑、印制、发行老师和项目负责人窦忠如先生，要感谢关心此书出版的范纬女士、卢仁龙先生，还有许多师友，恕不一一列举大名了。没有大家的支持和鼓励，这件事情是不可能做成的。

丁晓山
2016 年 8 月于首都师范大学
2021 年 10 月改定